D1500917

MAUVAISE ÉTOILE

R. J. Ellory est né en 1965 en Angleterre. Après avoir connu l'orphelinat et la prison, il devient guitariste dans un groupe de rhythm' n'blues, avant de se tourner vers la photographie. Après *Seul le silence* (Prix des lecteurs du Livre de Poche 2010), *Vendetta, Les Anonymes* et *Les Anges de New York*, Ellory signe son cinquième roman publié en France où tous ses livres connaissent un succès retentissant.

*Paru dans Le Livre de Poche :*

LES ANGES DE NEW YORK

LES ANONYMES

SEUL LE SILENCE

VENDETTA

R. J. ELLORY

# *Mauvaise étoile*

TRADUIT DE L'ANGLAIS PAR FABRICE POINTEAU

SONATINE ÉDITIONS

*Titre original :*

BAD SIGNS
Orion Books, 2011.


ISBN 978-2-253-17607-7

« Né sous une mauvaise étoile,
Je suis à terre depuis que j'ai commencé à ramper.
Sans ce manque de chance,
Je n'aurais jamais eu de chance du tout. »

*Born Under a Bad Sign,*
T. Jones Booker/William Bell

# 1

À environ vingt-cinq ans, Carole Kempner avait fréquenté assez d'hommes pour ne plus connaître autre chose que la déception. Elle avait eu deux fils de deux misérables bons à rien qui semblaient cruellement déficients à tous les égards. L'un était idiot et irréfléchi, l'autre était purement et simplement cinglé.

Elliott, l'aîné de ses deux enfants, était né le 2 janvier 1946. Son père, Kyle Danziger, était un employé pétrolier de passage qui avait traversé la vie de Carole aussi rapidement qu'un mauvais coup de vent. Il s'était fait la belle alors qu'elle n'était pas enceinte de trois mois, soit parce qu'il ne s'imaginait pas assumant le fardeau de la paternité, soit pour d'autres raisons. Carole, pensant que ça le ferait peut-être revenir, avait donné à son fils le nom de famille de son père. L'enfant s'appelait donc Elliott Danziger, mais dès qu'il avait su prononcer trois mots, il avait transformé son nom en « Digger ».

Quant à la venue au monde de Clarence, son deuxième fils, ç'avait été une autre histoire. Il avait été conçu – tout juste huit mois après la naissance d'Elliott – lors d'un moment d'ivresse qu'elle avait aussitôt regretté. Elle avait touché le fond, et les choses ne s'étaient guère arrangées par la suite. Disons simplement que l'enfance des garçons serait empreinte de violence et de furie.

Pour commencer, le père de Clarence – Jimmy Luckman – avait tué Carole par un froid matin d'hiver sous les yeux des deux garçons.

Clarence avait alors cinq ans, Elliott, un an et cinq mois de plus. Jimmy était occupé à se soûler quand Carole avait décidé de se faire la malle une bonne fois pour toutes. Peut-être était-elle simplement épuisée par les déceptions en série. Ou peut-être croyait-elle que son départ serait bénéfique aux garçons à long terme. En tout cas, Jimmy Luckman n'était de toute évidence pas du même avis.

Moyennant quoi – rendu furieux par les calomnies et les tromperies de Carole, et par le fait qu'elle semblait avoir tout manigancé sans se soucier de ses besoins et de ses désirs à lui – Jimmy avait attrapé une batte de base-ball et cassé un peu de vaisselle. Il avait fait voler une fenêtre en éclats. Fendu l'écran de la télé. Puis il avait brisé le cou de cette foutue imbécile de Carole.

Elle était tombée comme une masse, le visage dénué d'expression, comme si elle s'était trouvée face à une pancarte annonçant une réduction dans une épicerie.

Après quoi, Jimmy Luckman avait semblé un moment indécis. Plus tard, Clarence comprendrait qu'il était en train de calculer ses chances. Jimmy pouvait enterrer Carole, ou bien la découper et l'emmener à Searchlight ou Cottonwood Cove pour la balancer morceau par morceau dans un ravin sans fond, ou alors il pouvait la jeter tête la première dans un puits asséché, ou rouler une centaine de kilomètres vers le nord-ouest et l'abandonner aux coyotes dans le désert… S'il faisait l'une de ces choses puis annonçait au monde qu'elle l'avait finalement laissé tomber pour retourner chez sa mère à Anaheim et qu'elle ne reviendrait probablement pas, quelles étaient ses chances ? Quelqu'un découvrirait-il la vérité ?

Au bout du compte, Jimmy Luckman avait ordonné à Clarence de rester tranquillement assis. *Attends ici jusqu'à ce qu'elle se réveille*, qu'il avait dit. *Je reviens bientôt, fiston.*

Il n'avait pas dit un mot à Elliott, vu que ce n'était pas son fils et qu'il ne relevait pas de sa responsabilité. En plus, il avait toujours considéré Elliott – qui était un peu plus lent que Clarence, un peu plus balourd, presque stupide dans un sens – comme une perte de temps et un poids mort.

Malgré ce qu'il avait dit à Clarence, Jimmy n'était pas revenu.

Jamais.

Et Carole ne s'était pas réveillée.

Trois heures et demie plus tard, Jimmy Luckman, qui avait toujours mal porté son nom[1], se faisait tirer une balle dans la gorge par un flic en repos dans une boutique d'alcool du nord de Las Vegas. Il avait tenté de s'enfuir avec dix-neuf dollars et soixante-deux cents. Même aujourd'hui, en tenant compte de l'inflation, ça ne vaudrait pas vraiment la peine de mourir pour ça.

---

1. *Luckman*, littéralement « homme chanceux ». (*N.d.T.*)

Clarence avait patiemment attendu son père qui ne reviendrait jamais. Elliott était resté avec lui. Ils avaient attendu dans la chambre – l'une des quatre pièces de leur appartement de plain-pied. La porte d'entrée donnait sur la cuisine, la cuisine donnait sur le salon, la chambre avec une étroite salle de bains attenante se trouvait au fond de l'appartement.

Comme ils avaient peur de laisser leur mère seule au cas où elle se réveillerait, Clarence et Elliott n'avaient osé s'aventurer à tour de rôle que jusqu'à la salle de bains pour boire un peu d'eau. Ils n'avaient rien mangé.

La vue à travers la fenêtre de la chambre était obscurcie par la passerelle et l'épaisse balustrade qui ceignaient la cour intérieure du bâtiment. Entre la balustrade et la passerelle, ils distinguaient une bande de ciel. Lorsqu'il s'était assombri, des étoiles étaient apparues, et le petit Clarence leur avait parlé. Il leur avait demandé de transmettre un message à Dieu : *Faites qu'elle se réveille.*

Elliott s'était contenté d'observer son petit frère.

Clarence ne comprenait pas comment Carole pouvait dormir les yeux ouverts. Mais qu'importait, la seule chose qu'il voulait, c'était qu'elle se réveille.

Presque deux jours entiers s'étaient écoulés avant que quelqu'un ne leur rende visite.

Le 5 novembre, donc, Evelyn Westerbrook était arrivée. Elle avait toujours été l'amie la plus proche de Carole Kempner et venait informer Jimmy et Carole qu'Eisenhower avait remporté l'élection et qu'ils devaient fêter ça. Elle apportait avec elle un journal dont le gros titre annonçait : « Ike à la Maison

Blanche ! » Jimmy avait laissé la porte d'entrée déverrouillée. Evelyn était entrée. Elle avait appelé : « Carole ? Carole ? » Puis : « Jimmy ? Jimmy… vous êtes là ? »

Elle avait marché jusqu'à la chambre, trouvé Elliott et Clarence endormis. Clarence avait la tête contre l'épaule de sa mère, Elliott avait posé la sienne sur son ventre, et il lui tenait la main.

Elle avait réveillé les garçons, appelé la police. Clarence ne se rappellerait plus vraiment la suite des événements ; tout ce qu'il saurait, c'est qu'il n'avait jamais revu sa mère.

Il mettrait longtemps à comprendre qu'elle ne s'était jamais réveillée.

Evelyn Westerbrook avait donné à la police le nom de Jimmy Luckman, et les flics n'avaient pas tardé à découvrir qui il était et où il était mort. Bien que Carole n'eût épousé ni Kyle Danziger ni Jimmy Luckman, les autorités avaient attribué aux garçons le nom de leur père respectif. Elliott s'appellerait à jamais Danziger, et Clarence serait un Luckman. Peut-être que ç'avait été le début de ses ennuis, car Clarence Luckman était né sous une mauvaise étoile – c'était la triste et implacable vérité –, et les gens nés sous une mauvaise étoile ont la poisse toute leur vie. Apparemment, c'est un fait. Les gens disent qu'il y a les types mauvais, et les types vraiment mauvais. Ceux du second groupe sont à peu près irrécupérables. Autant les descendre sur place. Et autant le faire la première fois qu'on les croise. Sinon ça n'entraînera qu'un paquet de chagrin pour tout le monde. Clarence appartenait peut-être à la première catégorie, et Elliott aussi, mais les personnes qui influenceraient le plus le cours de leur vie appartiendraient assurément à la seconde.

Clarence et Elliott – dont il semblait clair dès le début que plus ils vivraient, plus les choses iraient mal pour eux – avaient été envoyés dans un orphelinat pour garçons proche de Barstow, en Californie. C'était un vaste complexe de bâtiments entouré d'un mur tellement haut que l'endroit était presque à longueur de journée plongé dans l'ombre. Les chambres empestaient les vêtements sales et la mort, comme un hospice pour indigents. Dans un tel lieu, la vie ne pouvait être que solitaire et pénible. Les enfants avaient de sept à dix-huit ans. Dès qu'ils atteignaient dix-neuf ans, ils étaient soit relâchés, soit transférés dans un établissement pour adultes. Ces gamins avaient grandi dans des conditions effroyables. Les plus chanceux avaient passé leur enfance à se nourrir de hot dogs et à dormir dans les toilettes des gares routières. Ils étaient tous nerveux et sur le qui-vive. C'était leur seule façon de survivre. Si vous ne preniez pas quelque chose, quelqu'un d'autre le prenait. Parfois vous vous faisiez dépouiller même si vous étiez là le premier. Et quand vous commenciez comme ça, vous ne mettiez pas longtemps à comprendre que la vie ne serait jamais rose. C'est là qu'Elliott prit du poil de la bête. Il transforma de façon méthodique et pragmatique sa stupidité et sa lenteur en une capacité à gérer des situations qui auraient pu dépasser Clarence. Elliott était l'aîné, le grand frère, et il jouait son rôle avec zèle et fierté. Il n'avait apparemment pas peur des autres, enfants ou adultes, et il était toujours derrière Clarence, toujours prêt à défendre son petit frère si la situation devenait trop tendue et que les poings s'apprêtaient à voler. Il semblait savoir quand on avait besoin de lui, et quand rester en retrait. Il avait son caractère, bien sûr, comme son père, l'employé pétrolier de passage, mais parfois Clarence le voyait s'enfoncer dans une rêverie où il n'y avait plus personne d'autre que lui. Il se demandait s'il cherchait Kyle, ce père qu'il n'avait jamais connu, tout comme Clarence pensait souvent à son propre père, l'ironiquement nommé Jimmy Luckman qui, semblait-il, n'avait jamais été ni vraiment chanceux ni vraiment un homme.

« Digger ? disait alors Clarence. Digger ? » Et il devait insister trois ou quatre fois avant que Digger sorte de sa torpeur, sourie et demande : « Qu'est-ce qu'il y a, petit homme ? »

À Barstow, Elliott Danziger et Clarence Luckman apprirent à lire. Clarence, rapidement, Elliot, un peu plus lentement. Ils étaient différents à bien des égards, mais on les confondait souvent. C'était à cause de leurs yeux. Ils avaient tous les deux les yeux de leur mère. Plus ils grandissaient, moins ils se ressemblaient, mais leurs yeux ne changeaient pas. Si vous voyiez Clarence ou Elliott, vous voyiez leur mère. Personne ne savait alors ni ne pouvait deviner que cette particularité leur vaudrait une succession infinie de problèmes. Et il ne fait aucun doute que s'ils avaient ressemblé à leur père respectif – du moins physiquement –, les choses auraient été beaucoup plus simples.

La vie continua sans événement particulier jusqu'au jour où, alors qu'il avait treize ans, Clarence donna un violent coup de pied dans les parties à un employé de cuisine. L'homme avait essayé de lui faire des choses qu'il désapprouvait férocement. Elliott aussi était présent, et il donna au type une torgnole ou deux avant que les gardiens ne viennent les séparer. Clarence et Elliott s'enfuirent, mais la police les rattrapa à peine cinq kilomètres plus loin. Les flics les malmenèrent un peu, puis ils les envoyèrent à la maison de correction d'Hesperia. Là, un homme décida d'infliger le même genre de traitement à Clarence, mais il eut le bon sens d'attacher le garçon à un lit avant de passer à l'acte. Quand Clarence raconta à Elliott ce qui s'était passé, eh bien, il était trop tard pour qu'Elliott puisse y faire quoi que ce soit.

Elliott Danziger et Clarence Luckman continuèrent donc d'endurer stoïquement leur sort avec la certitude qu'il devait y avoir quelque chose de mieux au bout de la route. Où commençait et s'achevait cette route, ils n'en savaient rien. Mais ce n'était qu'un détail. Quand on concevait un plan, les détails venaient bien après les grandes lignes. Et c'est ce à quoi Clarence avait décidé de s'atteler : un plan. Moyennant quoi, qu'il soit en train de vider des seaux de pisse ou d'éplucher des patates, ou de cirer en crachant dessus des pompes qui ne restaient jamais propres plus d'une heure, son esprit ne connaissait aucun repos. En s'approchant suffisamment près, on aurait pu entendre les rouages de son cerveau, un mécanisme aussi complexe qu'une horloge. Les roues dentées tournaient, les idées prenaient forme, et peut-être que tout se serait bien passé s'il avait gardé ses idées pour lui.

Mais il ne les garda pas pour lui.

Il les partagea avec Elliott. Le grand frère. Le pilier. Elliott n'avait ni la vision ni la perspicacité de son frère. Les garçons se ressemblaient peut-être, mais seulement à travers le fil ténu qui les reliait à leur mère. Pour le reste, ils étaient complètement différents, et cette différence ne ferait que s'accentuer au fil du temps.

Elliott, qu'absolument tout le monde appelait désormais Digger, attirait comme un aimant les petits ennuis inutiles. La ville d'Hesperia abritait depuis des lustres une maison de correction. Avant la sécession, ç'avait été une prison, et avant ça, autre chose. Les dortoirs pouvaient loger huit ou dix enfants, et Clarence et Digger couchaient côte à côte.

Après quelques jours à Hesperia, Clarence observa un changement chez son frère. C'était un changement infime, qui passait peut-être inaperçu aux yeux des autres, mais un changement tout de même. Il semblait plus costaud, un peu plus grand et plus large, et il paraissait beaucoup plus sûr de lui. Les garçons étaient plus âgés ici, et Clarence supposait que Digger comprenait que s'occuper de son petit frère exigerait désormais plus d'efforts.

« Ton nom est Clay, annonça-t-il à Clarence trois ou quatre jours après leur arrivée. C'est comme ça que tu dois te faire appeler. Clarence, ça craint. Ça fait pédé. Clay, c'est beaucoup mieux. »

Malgré sa perplexité, Clarence accepta. À compter de ce jour, il fut Clay Luckman.

Digger n'avait qu'un an et cinq mois de plus que Clay, mais il avait commencé à ressembler à un homme à douze ans. Il était prêt à se battre contre n'importe qui, et il le faisait quand ça lui plaisait.

Il perdait la plupart du temps et s'éloignait en titubant avec le nez en sang et sa fierté entamée. Mais il ne perdit jamais ni cette fierté ni sa confiance. Et malgré ses poings osseux, il ne se dégonflait jamais. Il s'enflammait comme un mauvais pétard, mais il pouvait compter sur sa détermination et son courage. Neuf fois sur dix il se battait pour Clay, et Clay lui en était reconnaissant. Cette loyauté et cette fraternité comptaient plus que tout pour eux, même si c'était pour des raisons différentes. Digger avait décidé qu'il était responsable de l'intégrité physique de son frère, et Clay, eh bien, il se disait qu'un jour Digger serait réceptif à l'éducation, à l'instruction, que sa perception mentale et émotionnelle de la vie s'élargirait. Digger était le bagarreur, et Clay, le philosophe. S'ils avaient été réunis dans un seul corps, ça aurait fait un sacré gamin. Seulement, ils ne l'étaient pas. Ils étaient deux, unis par le sang, mais séparés par leur personnalité.

Un jour, Clay demanda à Digger ce qu'il voulait.

« En règle générale, avoir plus à manger, répondit-il.

— Tu sais ce que je veux dire, Digger. Dans la vie. Pour l'avenir. »

La question fit réfléchir Digger. Il s'enfonça dans sa rêverie coutumière et fut absent pendant trois ou quatre bonnes minutes.

« Je suppose qu'au fond, répondit-il finalement, je veux les mêmes choses que tout le monde. Assez de jugeote pour ne pas avoir d'ennuis, assez d'argent pour m'acheter ce que je veux, assez de temps pour en profiter. »

Peut-être que ce serait la réflexion la plus profonde que Digger aurait jamais. Il avait une vision de la vie, une vision à long terme, mais son environnement était si étouffant qu'il voyait rarement au-delà de son prochain repas.

Digger continua de se battre. Il continua de perdre. Clay se demandait combien de fierté il avait, et combien de temps il faudrait avant qu'elle ne soit complètement détruite.

Pour les personnes chargées de s'occuper de lui, Digger devint un véritable problème. La rumeur disait qu'il passerait sa dix-huitième année à Hesperia, puis qu'il irait direct en taule. La rumeur disait aussi que s'il n'avait pas été trop jeune, il y serait déjà. La rumeur avait beaucoup de choses à dire, mais elle était incapable de deviner la vérité.

Digger semblait se réjouir de sa notoriété et de sa mauvaise réputation.

« Je dois avoir le teint sensible », dit-il un jour à Clay.

Clay secoua la tête. Il ne comprenait pas.

« C'est pour ça que les juges veulent toujours me mettre à l'ombre », ajouta Digger, et il se tordit de rire.

Digger était comme ça, parfois. À souffler le chaud et le froid. Un type drôle, très drôle, qui devenait soudain très sérieux. Clay se demandait parfois s'il n'avait pas reçu un coup de trop sur la tête. Ça n'avait aucun sens, mais Clay avait l'impression que tous ceux qui avaient flanqué une raclée à Digger avaient laissé leur empreinte sur lui. Ou peut-être était-ce Digger qui, en voyant des types plus forts, plus rapides, plus malins, leur avait piqué un peu de leur attitude pendant qu'ils le rouaient de coups. Il leur avait arraché des morceaux d'eux et les avait gardés dans l'espoir qu'ils le rendraient lui aussi plus fort. Et tous ces morceaux étaient désormais en lui, bien à l'abri sous sa peau, et Clay ne savait jamais d'un repas à l'autre à quel Digger il aurait affaire.

Clay adorait son frère. Il le respectait. Il se souciait de son bien-être. Il restait aussi près de lui parce que personne ne lui cherchait de noises si Digger était dans les parages. Chaque fois que Digger l'énervait, Clay repensait au jour où leur mère était morte, et il le revoyait apportant de la salle de bains de l'eau entre ses mains pour la lui donner à boire. Il l'avait fait de nombreuses fois, parce qu'il se disait que Clay pleurait tellement qu'il s'assécherait et y laisserait sa peau s'il ne buvait pas plein d'eau. Clay pardonnait tout à son frère. Il se retrouvait à rationaliser les points de vue de Digger, à accepter ses bizarreries, à l'écouter raconter ses rêves et ses aspirations médiocres. Avec le temps, ils s'étaient rapprochés. Ils n'étaient jamais l'un sans l'autre. Un garçon déclara qu'ils étaient probablement pédés et devaient coucher ensemble, mais Digger lui cassa le nez et le type ne recommença jamais.

Plus ils discutaient ensemble, plus la perspective et le point de vue de Digger semblaient s'élargir. Il écoutait son petit frère. Il commençait à poser des questions. Il voulait savoir pourquoi ceci et pourquoi cela… et Clay lui disait ce qu'il savait, ou ce qu'il tenait pour vrai. Digger apprit à Clay à frapper quelqu'un de sorte qu'il ne se relève pas trop vite. Il appelait ça « se battre comme un bûcheron ». Clay fut attentif et s'endurcit un peu. Ils étaient bénéfiques l'un à l'autre, et ils commençaient à s'entendre, pas simplement comme des demi-frères, mais comme de véritables amis.

Clay se disait qu'à partir de maintenant la chance leur sourirait peut-être. Qu'il avait survécu à l'ironie de son nom et trouvé quelque chose de bien. Digger avait sa part d'ombre, mais il avait le sens de l'humour et un esprit étonnamment vif. Clay savait qu'il pourrait toujours compter sur lui dans une situation délicate. Mais ni l'un ni l'autre n'avaient la moindre idée de ce qui les attendait.

« Rien n'est vraiment un problème tant que tu te fais pas choper », telle avait toujours été la devise de Digger.

Un jour – c'était le printemps 1961, Clay avait treize ans, Digger un peu plus de quinze –, les garçons avaient été emmenés hors de la ville, enchaînés les uns aux autres, et ils travaillaient comme des chiens, ramassant des pierres et des cailloux dans des champs brûlés par le soleil avant de les charger par seaux entiers à l'arrière d'un pick-up. Le soleil était haut et brutal. Le vent ne soufflait pas, il aspirait. Il aspirait la moindre goutte d'humidité en vous et la remplaçait par des mouches crevées et de la poussière. Une soif infernale s'empara de Digger. Il aurait bu une pinte de pisse chaude si on lui en avait offert une.

Le garde de service était Farragut. Monté sur son cheval, il allait et venait le long de la file de garçons pour s'assurer qu'ils travaillaient tous dur et vite. Il avait la grimace d'un type qui aurait eu mal aux dents toute sa vie. C'était un petit homme compact et noueux. Si vous le frappiez, vous étiez certain de vous faire sacrément mal. Il aurait fallu une ou deux balles pour le mettre à terre. Farragut était connu sous le nom de Cireur, car il passait ses jours et ses nuits à donner des coups de pied au cul aux garçons, jusqu'à ce que le bout renforcé de ses bottes brille autant qu'un galet mouillé. Il avait une véritable méchanceté en lui, quelque chose d'aussi impénétrable et tordu qu'un nid de serpents. Il parlait peu mais, quand il le faisait, ses phrases semblaient avoir été préparées à l'avance.

« Marche droit et je serai ton ami, mon gars. Dévie et je serai ton premier ennemi », qu'il disait. Ou encore : « Je t'ai dit avec des mots de la boucler, mon gars. La prochaine fois, je te le dis avec mes poings. » Ce genre de poésie brutale.

Clay n'était à Hesperia que depuis deux jours quand il avait fait la connaissance du Cireur. « D'après moi, y a que deux attitudes possibles, mon gars, avait-il déclaré en guise de salutation. Mettre le bazar et demander le pardon. Alors écoute-moi bien. Je tolérerai pas la première, et j'accorderai pas la seconde. C'est assez simple pour qu'on se comprenne. »

Le Cireur avait une glacière à l'avant de sa camionnette de service. À l'intérieur de la glacière devait se trouver une demi-douzaine de bouteilles de *root beer* bien fraîches. Ce jour d'avril 1961, Digger se mit en tête d'en boire une, une *root beer* bien fraîche dans une bouteille en verre avec une capsule plissée en métal. En temps normal, il aurait été plus enclin à parvenir à ses fins avec ses poings qu'avec sa tête, mais pas ce jour-là : à la place, il décida de se servir de Clay.

« Pas question, Digger, répondit celui-ci. Tu te fais choper pour ce genre de connerie et ils te colleront une raclée avant de t'enfermer dans la remise à outils pour le restant de la journée.

— Tu crois que ça me fait peur ? demanda Digger.

— Bon sang, Digger, bien sûr que ça ne te fait pas peur. Le problème n'est pas là, le problème est de savoir si ça vaut le coup pour une bouteille de *root beer* à la con.

— Mais ça serait agréable, non ? T'aimes la *root beer*, non ? Merde, tout le monde aime la *root beer.* Et elle serait si fraîche, elle aurait si bon goût. Moi, je crois que ça vaudrait la peine de tenter le coup.

— Digger, parfois tu es complètement débile.

— Mort de soif, répliqua Digger. Pas débile, juste vraiment mort de soif. »

La partie était biaisée dès le début. Digger ne disait rien franchement. Peut-être Clay s'était-il mis tout seul dans le pétrin en mentionnant le fait qu'une nouvelle transgression vaudrait à Digger de finir dans la remise à outils avec quelques bleus en plus. Digger n'arrêtait pas de parler de cette foutue *root beer.* Combien elle serait bonne, rafraîchissante, surtout par une journée aussi chaude. Peut-être que c'était son plan dès le début, mais c'était comme s'il essayait d'amadouer Clay par la force de son esprit. Comme s'il avait décidé de l'hypnotiser. Plus tard, après bien d'autres ennuis, Clay Luckman se demanderait si Digger avait ce pouvoir, ou si c'était simplement lui qui n'était pas assez fort mentalement. Digger embobina si bien Clay qu'il finit par le convaincre que voler une bouteille de *root beer* au Cireur était ce qu'il fallait faire. Ou alors Clay s'était souvenu du jour où Digger était allé chercher de l'eau entre ses mains pour lui donner à boire.

« Je sais que t'es pas d'accord, dit Digger, mais peut-être que c'est normal d'en vouloir aux gens qu'ont plein de choses. Parce que plus ils en ont, moins y en a pour les autres. »

Il portait sa pelle en travers de ses épaules, comme un joug, les mains posées sur le manche de chaque côté. Les deux garçons marchaient vers le bord de la route pour aller chercher de l'eau. Un vieux camion gisait abandonné au milieu d'un champ en jachère dont les sillons avaient été aplatis à force d'être piétinés – quatre ou cinq impacts de balle dans la calandre, comme si l'engin était tombé en rade une fois de trop. *Tu veux pas rouler pour moi… nom de Dieu, tu rouleras pour personne d'autre.* Des fleurs jaune vif avaient poussé autour de la roue de secours sur le hayon et formaient une couronne grossière. Quand suffisamment de saisons se seraient écoulées, il ne resterait plus que de la rouille et de la poussière. Les autres garçons approchaient derrière eux. Une pause de cinq minutes pour s'hydrater, puis retour au boulot. Ils se massèrent le long d'un haut talus terreux ponctué de robustes touffes de carex brun, sec, poussiéreux. Il n'avait pas plu ici depuis des semaines, et l'air faisait tousser. Cinquante mètres plus loin se trouvait une propriété abandonnée ; des pierres délabrées telles des dents cassées, comme les restes de la mâchoire fracturée d'un géant. Peut-être que c'était le genre d'endroit où personne n'était censé s'installer.

« Prends la situation présente, dit Digger. Je suis du genre à m'accrocher à une idée et à la laisser suivre son chemin. »

Il sourit.

« Comme cette histoire de *root beer.* D'après moi, si tu veux quelque chose et que tu laisses tomber parce que c'est trop compliqué… Eh bien, comme tu le dis toi-même, faut élaborer un plan et s'y tenir, quels que soient les obstacles qui se présentent, pas vrai ?

— Bien sûr », répondit Clay.

La résignation était déjà évidente dans sa voix. Il voyait où Digger voulait en venir, et ça ne lui plaisait pas. « Je parle de ce que tu veux, Digger… de ce que tu veux quand nous sortirons d'ici. Je ne parle pas d'une bouteille de *root beer.* »

Il lança un regard de biais à Digger et attendit sa réponse, mais Digger ne prononça pas un mot. Il mit sa main en visière pour se protéger du soleil, se tourna vers l'endroit où le Cireur abreuvait son cheval, puis vers la camionnette. La portière était fermée, mais pas à clé.

Clay se tourna de nouveau vers Digger et secoua la tête. Digger se contenta de le regarder comme s'il était le dernier des abrutis.

« Certaines personnes méritent pas qu'on leur souhaite du bien, tu crois pas ? demanda Digger.

— Je crois qu'il y a du bon en chacun de nous.

— Bien sûr, c'est possible, mais avec certains, faut creuser très profond pour le trouver.

— Oui, je suis d'accord.

— Prends le Cireur, par exemple…

— Ça ne marchera pas, Digger. Je refuse de le faire.

— Eh bien moi, je vois pas les choses comme toi, Clay, répliqua Digger. Je vois un type comme le Cireur, et il a ce qu'il a, et nous on a que dalle, mais le méchant, c'est lui, c'est lui qui aime nous donner des coups de pompe et nous faire mal et tout…

— Tu es fou, dit Clay. Tu l'as toujours été et tu le seras toujours. Parfois je ne sais pas si tu es sérieux ou si tu me fais marcher.

— Pense ce que tu veux », répondit Digger.

Il regarda un peu plus longtemps Clay, puis la camionnette, et il se mit à sourire et déclara que l'eau, c'était bon pour les chevaux, les chiens, et les jardins.

Clay but un peu d'eau. Ça lui suffisait. Il n'avait pas besoin de *root beer*, et il n'avait certainement pas besoin du genre d'ennuis qu'il s'attirerait s'il en volait une au Cireur.

« Moi, je crois que les bonnes choses viennent jamais à toi. Elles restent là où elles sont et faut aller les chercher. Et je peux te dire qu'elles se cachent dans des endroits pas possibles. » Digger secoua la tête et regarda vers l'horizon.

« Les emmerdes, en revanche… eh bien, disons simplement qu'avec elles c'est une autre histoire. Les emmerdes sauront te trouver n'importe où, et parfois c'est important d'avoir quelqu'un qui peut t'aider à t'en débarrasser…

— Je ne veux pas y aller », dit Clay d'un ton beaucoup moins assuré et ferme qu'il ne l'aurait voulu.

La tension entre eux était si palpable qu'on aurait pu la toucher du doigt.

Clay aurait voulu dire, *Va te faire foutre, Digger*, mais il resta silencieux.

En le regardant, il découvrit une nouvelle facette de leur différence. Digger n'était pas idiot, il ne l'avait jamais été, mais il y avait quelque chose de sombre en lui, quelque chose qui lui venait peut-être de son père. Il semblait toujours rechercher le point faible de chaque situation, l'élément grâce auquel il pourrait tirer un petit avantage. Digger était confronté aux menaces et à la violence, tout comme Clay, mais il pouvait être le genre de type à y avoir recours de lui-même. Ça lui permettait de prendre le dessus. Peut-être estimait-il qu'il s'imposerait plus facilement s'il déstabilisait les gens autour de lui.

Ils retournèrent travailler deux heures, arrachant à mains nues les pierres et les cailloux, un exercice qui ne semblait avoir d'autre but que de les occuper.

Une sensation s'empara peu à peu de Clay. C'était le genre de sensation qui vous descendait direct dans le bas du ventre et restait là à vous brûler lentement les tripes comme un barbecue. Il était persuadé que s'il ne faisait pas ce que Digger lui avait demandé, alors la discorde s'installerait entre eux. Et ça n'en valait vraiment pas la peine. Il savait que Digger ne le menacerait jamais, ne lui ferait jamais de mal. Rien de tel. Non, ce n'était pas ce que Digger pouvait lui faire qui l'inquiétait, mais ce que lui, Clay, perdrait. Sans Digger, il serait à la dérive. Il s'en sortirait, bien sûr, mais il pouvait se passer des tensions et des problèmes qui surviendraient si Digger n'était pas là pour le défendre et le protéger. Il songea aux raclées que Digger avait collées à des types qui lui avaient cherché des embrouilles. Sans Digger comme bouclier, ces types reviendraient se venger. Il n'avait jamais eu à se défendre seul. Oui, commençait-il à penser, tout ce à quoi il avait réchappé par le passé risquait de lui retomber dessus. Au moment où il s'y attendrait le moins. Sans parler de la violence elle-même, la surprise suffirait à le tuer.

Sans dire un mot, Clay observa le Cireur. La camionnette de service était garée au bord de la route. La rangée de garçons – ils étaient plus de quatre-vingts – s'étirait bien sur deux cents mètres. Le Cireur faisait avancer son cheval au pas d'un bout à l'autre de la chaîne humaine. Il regardait devant lui, jamais derrière – à moins que quelqu'un ne l'appelle pour lui demander l'autorisation d'aller pisser. Dans ce cas, il gardait le garçon à l'œil jusqu'à ce qu'il ait fini son affaire, puis il se remettait à avancer. Clay compta le temps qu'il mettait pour aller d'un bout à l'autre de la chaîne : environ trois minutes.

À la pause suivante, Digger dit quelque chose à Clay. Il le dit à voix basse, comme un murmure, comme s'il se parlait à lui-même.

« Parfois j'ai l'impression qu'il y a deux côtés en moi. Parfois je me dis que si j'ai une main gauche, c'est uniquement pour empêcher ma main droite de faire ce qu'elle veut. »

Digger tenta de dissimuler son sourire, mais il était bien visible dans ses yeux. Il le faisait marcher, marcher, marcher.

« Tu racontes vraiment des conneries, répliqua Clay. Tu crois que tu peux me faire faire ça… »

Digger partit à rire.

« Hé, vieux, du calme. Je déconnais. »

Clay ouvrit la bouche, puis il hésita. Son expression changea. Une lueur nouvelle illumina ses yeux, et une détermination sinistre sembla s'emparer de lui. Il regarda en direction du Cireur, de la camionnette, se tourna de nouveau vers Digger, puis il dit : « Je vais le faire. Ne dis pas un mot de plus. Je vais aller te chercher ta *root beer.* »

Digger ne répondit rien. Il ne sourit même pas. Son expression était soudain devenue sérieuse et implacable, comme s'il avait passé toute sa vie à marcher contre le sens du vent.

Clay se demanda si Digger allait tenter de le retenir. Il se demanda si tout ça n'avait été qu'un test. Maintenant que Clay avait accepté de le faire, eh bien, il avait démontré suffisamment de courage pour que Digger lui fiche la paix. Digger dirait que c'était une blague, une farce, et qu'il n'avait pas plus envie d'une *root beer* que d'un sandwich au serpent.

Mais non, il ne dit pas un mot.

C'était un défi fraternel, une sorte de provocation, et ils étaient allés trop loin pour faire marche arrière.

Clay prononça une petite prière. Il pensa à sa mère, songea à ce qu'elle aurait dit si elle avait pu le voir. Il se demanda si le paradis et l'enfer existaient, si les personnes au paradis pouvaient voir celles qui étaient en enfer, et s'il finissait là-bas avec son père, pourrait-il un jour reparler à sa mère ?

Mais il s'aperçut alors qu'il était complètement idiot. Il ne s'agissait que d'une *root beer*. Il allait chercher une *root beer* pour son frère. Bon Dieu, vu le nombre de fois où Digger l'avait sorti de la merde, c'était le moins qu'il puisse faire.

Il attendit que le Cireur fasse demi-tour au bout de la file de garçons, puis il lâcha sa pelle et fit un pas.

Le garçon à côté de lui s'arrêta de travailler.

Digger le fusilla du regard. L'autre se remit au boulot. Le monde entier sembla devenir silencieux. La brise sembla s'interrompre, la poussière, retomber, les oiseaux, se figer sur les branches.

Clay avait la poitrine serrée, la gorge nouée, la bouche sèche. Il avait l'impression de voir double. Son front était en sueur. Ça ne l'avait pas gêné jusqu'alors, mais les gouttes se mirent à couler dans ses yeux, lui troublant la vue.

Il n'avait pas parcouru deux mètres qu'il se demandait déjà ce qu'il fabriquait.

Le Cireur avançait toujours dans la direction opposée, lui tournant le dos, son fusil posé sur ses cuisses, sans prêter la moindre attention à ce qui se passait derrière lui.

Clay se tourna vers Digger. Il était penché en avant, immobile, sa pelle plantée dans le sol. Son expression était indéchiffrable. Clay se demanda ce qui se passerait s'il se dégonflait. Digger lui pardonnerait-il ? Ferait-il comme si tout cela n'était qu'une bonne plaisanterie qui aurait pu réussir ? Ou bien en ferait-il tout un plat ? Un gouffre irrémédiable se creuserait-il entre eux ?

Foutu s'il allait jusqu'au bout, foutu s'il laissait tomber.

Clay adorait son frère, mais il le détestait aussi. Il craignait le Cireur, mais il craignait plus que tout la solitude qu'il devrait endurer sans Digger auprès de lui.

Il regarda en direction de la file de garçons. Se tourna vers la remise à outils. Il se recroquevilla sur lui-même et fit trois pas supplémentaires. Le camion était encore à quinze mètres. Il se demanda s'il ne ferait pas aussi bien de se mettre à courir. Mais des garçons plus loin dans la file s'arrêteraient de travailler dès qu'ils le verraient foncer à travers le champ, et le Cireur l'entendrait. Il ferait faire demi-tour à son cheval et se lancerait à sa poursuite en un clin d'œil. Il l'assommerait avec la crosse de son fusil. Peut-être même que le cheval le piétinerait.

Clay ravala sa salive, serra les dents. Il allait le faire. Il *devait* le faire. Il n'avait pas le choix.

Il se voyait rejoignant Digger dans le fossé, tenant la bouteille fraîche dans sa main. Il s'imaginait le sourire de son frère, sa fierté absolue, et il savait aussi que ce serait un bon moyen de se faire respecter par tous les autres garçons. Après ça, ils ne le considéreraient plus comme l'acolyte de Digger, le frère chétif, celui qui avait toujours besoin d'être défendu et protégé, mais comme un individu à part entière.

C'était son test ; le destin l'avait mené là.

Il avança lentement – un pas, deux pas –, son cœur cognant à toute allure, son pouls battant dans ses tempes. Il sentait son sang couler dans chaque partie de son corps, sa bouche était sèche, ses cheveux se dressaient sur son crâne, mais il continuait d'avancer et voyait la camionnette se rapprocher.

Le Cireur était au milieu de la file. Clay devait se dépêcher s'il voulait avoir le temps de revenir. Il fit trois pas, puis trois autres.

Un halètement collectif sembla retentir. Les quatre-vingts garçons retenaient leur souffle. Clay savait que c'était son imagination qui lui jouait des tours, mais ça semblait tellement réel.

C'était le moment de tenter sa chance, de parcourir en courant les cinq derniers mètres et d'attraper cette bouteille à l'avant de la camionnette.

Clay Luckman, pensant enfin s'être débarrassé de sa poisse, agrippa sa ceinture et se rua en avant aussi vite que possible.

Au bout de trois mètres, ni plus ni moins, son pied se posa maladroitement sur une pierre qui dépassait du sol. De la taille d'un poing, parfaitement ronde. La semelle de sa chaussure glissa sur la surface et il s'étala de tout son long.

Un garçon éclata de rire. D'autres l'imitèrent. Ce n'était pas tant le ridicule de la situation qu'ils trouvaient drôle, mais plutôt le soulagement, cette effroyable réaction instinctive quand une calamité s'abat sur un autre. Le soulagement de ne pas être cette personne.

Clay resta étendu quelques secondes, de la poussière dans les yeux, le cœur plein de désespoir, puis il rebroussa chemin pour regagner le fossé.

Le Cireur le vit avant qu'il ait parcouru cinq mètres. Il fit demi-tour et se lança à sa poursuite comme Clay l'avait imaginé. Il ne l'assomma pas avec la crosse de son fusil, mais lui assena un violent coup de botte derrière la tête. Clay tomba comme une masse. Les lumières s'éteignirent avant qu'il ait mordu la poussière.

Le Cireur supposa qu'il avait voulu prendre la fuite avec la camionnette, et c'est ce qu'il écrivit dans son rapport. Clay ne protesta pas. Ça n'aurait servi à rien. Le Cireur et les autorités d'Hesperia croiraient ce qu'ils voudraient, quoi qu'il dise. Clay fut donc accusé de tentative de fuite. Il passa un mois à l'isolement, dut recoudre des pantalons et des chemises avec du fil grossier, nettoyer des seaux de pisse, cirer des bottes, creuser des tranchées. Mais il tint sa langue tout du long. Il ne dit pas un mot du fait que c'était Digger qui l'avait poussé à voler de la *root beer*, et il savait que Digger apprécierait.

Quand Clay quitta l'isolement, c'était le mois de mai 1961, et des Blancs terrorisaient les gens de couleur qui prenaient le bus en Alabama.

Digger, qui s'était forgé une réputation de fauteur de troubles, semblait désormais partager une partie de cette réputation avec son frère. Ils devinrent encore plus inséparables, non pas parce que Clay souhaitait causer des problèmes, mais parce que chacun avait besoin de la confiance de l'autre. Clay s'en serait peut-être mieux sorti sans Digger. Il se serait fait taper dessus sans personne pour le protéger, mais il aurait survécu. Il aurait pu essayer d'exorciser l'influence de Digger, faire en sorte qu'il ne prête plus attention à lui. C'était comme tout, il y avait toujours moyen d'y parvenir. Mais comme souvent, il ne savait comment s'y prendre.

Tard le soir, dans l'obscurité étouffante, tandis que les aboiements des chiens ponctuaient les stridulations rauques des cigales, Digger lui murmurait des choses.

« J'ai vu suffisamment de mal chez les hommes pour savoir qu'ils ont pas pu être réellement créés à l'image de Dieu, disait-il. Impossible. La plupart des gens pensent une chose, en disent une autre, et se comportent d'une manière qui contredit les deux. Je comprends pas ça. »

Une autre fois : « Être intelligent, c'est pas juste savoir comment se sortir des emmerdes. La véritable intelligence, c'est jamais s'attirer d'emmerdes. Et le malheur ? Le malheur, c'est comme un sédiment. On sait pas qu'il est là jusqu'à ce qu'on ait vidé tout le reste. Et quand on pense que quelque chose de bien va arriver, faut y aller doucement. Prendre son temps. Faut pas tout boire d'un coup sinon on se retrouve inévitablement avec un goût amer dans la bouche. »

Et alors il tendait le bras et donnait un petit coup sur l'épaule de Clay.

« Tu m'écoutes ? Hé, tu m'écoutes ? »

Clay essayait de s'accrocher à son optimisme, à ses espoirs, mais ce que disait Digger faisait trop souvent sens. Il en avait assez bavé. Il avait connu la malchance et la déception. Si la première décennie de sa vie présageait de la suite, alors il n'en avait pas fini avec le chagrin et le désespoir.

Clay ne cherchait pas à faire taire Digger durant ses monologues. Il l'écoutait, allongé sur son lit, puis il essayait de dormir si possible.

Hesperia était l'ombre d'un autre lieu, lointain et meilleur. Les enfants allaient et venaient. Parfois de nouvelles têtes apparaissaient pendant quelques semaines, ou seulement quelques jours, puis les gamins étaient expédiés dans d'autres institutions de la côte Ouest. Clay avait l'impression que son frère et lui appartenaient à la lie des indésirables, une tribu d'inadaptés. Personne ne le disait jamais clairement, mais il était clair que les gens comme eux étaient condamnés à avoir une vie courte, jalonnée de séjours en prison, de violence, d'épreuves, une vie qui se terminerait par une mort absurde. Mais il avait très tôt décidé que ce serait peut-être différent pour eux. Contrairement aux autres, ce n'étaient pas des criminels. C'étaient des orphelins que personne n'avait voulu adopter et dont personne ne savait que faire. Clay, apparemment, n'avait pas conscience de sa mauvaise étoile. Il ne savait donc pas qu'une ombre le suivait. Et même si l'ignorance n'était pas une défense valable, elle lui valait au moins un peu de répit.

Digger avait ses humeurs sombres, et c'était alors qu'il tenait ses propos amers. Sa rancœur était si grande qu'on aurait pu la saisir à deux mains et la casser en deux, mais la plupart du temps elle ne se remarquait pas. De tout ce que Digger disait, la seule chose que Clay prenait à cœur, c'était quand il parlait de la stupidité. *La vraie stupidité, c'est être incapable de tirer les leçons de l'expérience.* Ça, Clay pouvait le comprendre. Ça sonnait juste.

Le long passage des semaines et des mois se transforma en années implacables. Clay Luckman et Digger Danziger s'endurcissaient chacun à sa manière. Clay était bien résolu à retrouver la liberté le jour de ses dix-neuf ans, en juin 1966. Digger était plus incertain sur son sort, il ne savait pas s'il serait lui aussi relâché ou s'ils l'enverraient dans un centre de rétention pour adultes comme ils avaient si souvent menacé de le faire. Il annonça un jour à Clay qu'il comptait bien s'échapper avant que ça se produise. S'échapper ou mourir. Il irait à Eldorado, au Texas.

« Où ?

— Eldorado, Texas, répéta Digger.

— Qu'est-ce que tu connais du Texas… ou de tout autre endroit, d'ailleurs ? »

Digger s'accroupit et glissa la main sous son matelas. Il en tira un bout de papier plié, et quand il l'étala sur le lit Clay vit que c'était une publicité arrachée dans un magazine. « Domaine de la Sierra Valley », tonnait-elle en grosses lettres jaune vif. Chaque maison était en tout point parfaite, les adultes souriaient, les enfants riaient, il y avait des barbecues étincelants comme de l'argent sur des pelouses vert émeraude, et des piscines saphir dans chaque jardin. Digger voyait sur cette photo tout ce qu'il n'avait jamais eu. Et Clay aussi. C'était un enchantement indescriptible. Ils voyaient ce qu'ils voulaient croire, et chacun, à sa manière, s'imaginait que cet endroit, cette « Cité d'or », représentait tout ce qui leur avait été refusé.

« Où t'as trouvé ça ? demanda Clay.

— Il y avait un magazine à l'infirmerie. J'ai arraché la page. »

Clay tendit la main et toucha le morceau de papier. Il sentit la chaleur du soleil à travers le bout de ses doigts.

Eldorado. Où les enfants ont une mère et un père. Où l'herbe est verte et le ciel bleu, où personne n'a jamais faim, où vous pouvez sourire sans que quelqu'un cherche à vous faire ravaler votre sourire.

Eldorado, Texas.

Oui.

« Faut qu'on aille là-bas », dit Digger.

Clay le regarda. Il n'aurait pu être plus d'accord.

« C'est ce qu'on doit faire, Clay… On doit trouver un endroit comme Eldorado, faire fortune, et vivre la belle vie après toutes les galères qu'on a traversées.

— Eldorado », murmura Clay.

Ça semblait être le genre d'endroit où on laissait toutes ses emmerdes derrière soi.

C'était tout ce à quoi ils n'avaient jamais eu droit, mais ils comptaient bien y remédier, même si personne n'aurait pu prévoir les conséquences pour les deux frères. Tout dépendrait d'un homme que ni l'un ni l'autre ne connaissaient ni n'avaient jamais rencontré. Un homme qui arriverait à Hesperia telle une tornade à la fin de l'automne 1964.

## 2

## Premier jour

Earl Samuel Sheridan n'avait pas grand-chose à faire des autres. Son monde était étriqué et étouffant, et à part ses désirs et ses besoins, pas grand-chose ne retenait son attention. Ses os renfermaient un quart de siècle d'impatience. À peu près tout le monde lui tapait sur les nerfs. Ce qu'ils faisaient, ce qu'ils disaient, leur apparence. Les gens qui le connaissaient, même ceux qui l'avaient élevé, savaient que tôt ou tard Earl Sheridan finirait par tuer quelqu'un. Peut-être était-ce simplement une accumulation d'incidents mineurs, mais ceux qui comprenaient un tant soit peu la psychologie humaine savaient que le pouvoir des petites choses ne devait jamais être sous-estimé.

Earl Sheridan, du haut de ses vingt-six ans, était bel homme. Environ un mètre quatre-vingts, épaules larges, cheveux blonds. Il avait l'air de quelqu'un qui avait passé l'essentiel de sa vie au soleil et à qui ça allait bien. Il avait rencontré une fille du nom d'Esther Mary Marshall. Elle aurait pu simplement s'appeler Esther, mais non, c'était Esther Mary. Elle jurait comme un charretier et portait du maquillage à l'église. Esther aimait Earl d'un amour simple et inconditionnel. Il avait allumé un feu en elle, et elle voulait être avec lui, même s'il était violent. Il portait sa colère dans ses os et dans son sang, et elle savait que tôt ou tard il lui en donnerait un aperçu. Alors elle l'avait quitté avant que ça ne se produise. Elle aurait voulu dire que quoi qu'il ait pu faire, il n'avait jamais levé la main sur elle. Que c'était son départ qui avait été à l'origine de tout, comme si la force de caractère d'Esther avait mis en lumière les faiblesses d'Earl. Il n'était pas fichu de garder une fille. Elle l'avait quitté. Abandonné. Alors qu'ils n'étaient même pas ensemble depuis six mois. Cette trahison avait lentement fait griller un fusible dans l'esprit d'Earl Sheridan.

La fille qu'il avait séduite par la suite n'était pas aussi futée. Son nom était Katherine Aronson. Elle était d'un optimisme tranquille et infaillible, et croyait peut-être qu'avec un peu de bon sens et d'insistance elle parviendrait à faire la lumière sur les pensées les plus sombres d'Earl. On l'avait entendue dire un jour que pour qu'une mauvaise personne devienne meilleure, il suffisait qu'elle sache que quelqu'un attendait qu'elle le devienne. Que la bonté et les encouragements pouvaient être la meilleure discipline. Elle n'aurait cependant jamais l'occasion de prouver sa théorie. Earl Sheridan n'avait nul besoin de sentiments plus élevés. La colère et l'amertume l'avaient porté jusque-là, peut-être qu'elles le porteraient jusqu'au bout. Il l'avait rouée de coups de poing un mois après leur rencontre. Elle aurait pu porter plainte, mais ne l'avait pas fait. Car, à défaut d'autre chose, Earl Sheridan était un homme patient. Sa patience n'avait d'égale que sa colère. Quel que soit le nombre d'années qu'il aurait passées derrière les barreaux pour ce qu'il avait fait, il n'aurait jamais oublié. Katherine savait qu'il l'aurait retrouvée et tuée. Que ce serait devenu sa raison d'être. De plus, Katherine considérait de tels événements comme une façon de mettre sa foi à l'épreuve. Les étoiles les plus brillantes attiraient les ombres les plus sombres. Elle croyait que Jésus était mort sur la Croix pour ses péchés, et que chacun devait se faire pardonner à sa manière. Parfois ce pardon exigeait le salut d'une autre âme perdue.

Earl Sheridan s'en était donc tiré avec un avertissement, et Katherine l'avait repris. Il s'était répandu en excuses, l'avait couverte de mots doux, et elle avait pardonné. Mais trois semaines plus tard il la coinçait dans la cuisine et lui plantait un couteau à désosser dans le cœur. Elle était morte avant de comprendre ce qui s'était passé, morte avant de heurter le lino. Earl Sheridan ne faisait rien à moitié, surtout dans ses liaisons.

Ce geste avait tapé sur les nerfs de douze jurés, d'un juge, et de l'État de Californie, et ils avaient décidé de tuer Earl Sheridan en retour. Ils l'avaient enfermé à Baker, avaient organisé un comité d'accueil au pénitencier d'État de San Bernardino. Il y résiderait pendant que les procédures habituelles traîneraient, et il y resterait jusqu'à ce qu'on lui passe la corde au cou. Donc, cet après-midi-là, le 20 novembre 1964, on l'envoya voir un médecin de l'hôpital de l'université d'Anaheim. L'homme demanda à Earl s'il accepterait de léguer ses yeux, vu qu'on faisait de grands progrès dans le domaine de la chirurgie optique. « Je crois pas que ce soit une si bonne idée, rétorqua Earl. Il me semble que la plupart des gens préféreraient être aveugles plutôt que voir le monde à travers mes yeux. »

Ses gardiens le menottèrent et lui passèrent les chaînes. Ils le placèrent dans un véhicule blindé et entamèrent à cinq heures de l'après-midi le trajet de deux cents kilomètres vers San Bernardino, au sud. Une voiture de patrouille les précédait, et une autre les suivait. Une puissante tempête survint soudainement. La Route 15 fonçait en ligne droite à travers le désert, avec juste un virage en épingle à cheveux au niveau de la jonction avec la Route 138, mais c'était un tel déluge qu'ils finirent à un moment par faire du quinze à l'heure. Ils ne voyaient pas grand-chose devant eux hormis le pare-brise mitraillé par la pluie.

S'arrêter à Barstow était hors de question. Ils n'y trouveraient guère plus qu'une cellule de détention au commissariat. Il y avait à Victorville une institution qui accueillait des orphelines et des femmes célibataires en situation précaire. C'était un endroit sécurisé, mais pas suffisamment pour loger un homme en route pour la potence. Ils devraient donc se rabattre sur Hesperia, et lorsqu'ils y arrivèrent, ils avaient mis trois heures et vingt minutes à parcourir les cent soixante-dix kilomètres depuis Baker. Sheridan avait passé le trajet à se plaindre, et sans le bruit de la pluie qui martelait le toit de la voiture, ils l'auraient peut-être écouté. Il était un peu plus de vingt heures trente lorsque le convoi franchit le portail de la maison de correction pour jeunes d'Hesperia. Huit surveillants attendaient le détenu.

Earl Sheridan n'avait jamais eu droit à un tel comité d'accueil de sa vie. Il les chambra sur le nombre de demi-portions qu'il fallait pour garder un homme tel que lui, et le chef du convoi, un ancien shérif adjoint de Death Valley Junction nommé James Rawley, saisit la chaîne entre les poignets de Sheridan et la tordit jusqu'à ce que le prisonnier pisse presque dans son froc de douleur. Les deux hommes se dévisagèrent pendant trente bonnes secondes, puis Rawley se fendit d'un large sourire qui laissa paraître ses dents cassées et tachées par la nicotine, et répliqua : « Je crois qu'une seule demi-portion suffira. »

Si Sheridan ne s'était pas senti défié, s'il ne s'était pas retrouvé en cellule d'isolement avec une sensation d'humiliation consumant tout son être, alors peut-être que la suite des événements aurait été différente, et peut-être que la Californie, l'Arizona et le Texas n'auraient pas sombré dans la terreur. Des gens allaient mourir, des gens totalement inconscients de ce qui les attendait, et même s'ils l'avaient su – eh bien, ils n'auraient rien pu y faire. Ce soir-là était censé marquer l'arrivée d'Earl Sheridan dans son ultime lieu de résidence, aux bons soins de l'État de Californie, mais en réalité il marquerait le début de la pire vague de crimes jamais perpétrés dans la région, une vague de crimes qui ne serait dépassée que quand Evan Sallis se déchaînerait près de trente ans plus tard.

Lorsqu'il fut placé à l'isolement, Earl Sheridan était dans un état lamentable. Trempé jusqu'aux os, les poignets en sang ; ses vêtements étaient infects et le bas de son pantalon semblait avoir été longuement mâchouillé. Mais il possédait un objet dont personne n'avait connaissance. Un peigne en métal. Il l'avait aperçu sur le sol de la voiture quand Rawley lui avait tordu les poignets, le réduisant au silence. Et dans les instants qui avaient suivi – tandis qu'il tentait de reprendre son souffle, la tête baissée entre les genoux comme s'il concédait la défaite –, il l'avait ramassé, enfoncé dans sa chaussure et glissé sous son pied, où il était resté pendant tout le trajet jusqu'à sa cellule. Une fois la porte franchie, on lui ôta ses menottes et on le laissa seul.

« Tu passes la nuit ici, lança Rawley à travers la grille de la porte. Demain matin on te conduit à San Bernardino et on achève ce qu'on a commencé. »

Rawley s'éloigna. Sheridan ne répondit rien. Ce n'est que lorsqu'il atteignit la porte extérieure que Rawley entendit Sheridan chanter. Il reconnut le morceau ; c'était cette vieille chanson de Rabbit Brown. *Parfois je me dis que tu es trop douce pour mourir. Et à d'autres moments je me dis qu'il faudrait t'enterrer vivante.*

Sheridan passa à l'action peu avant dix heures du soir. La tempête n'avait pas diminué, elle ne diminuerait pas avant six heures le lendemain matin, et alors la plupart des champs des environs seraient transformés en marécages. L'adjoint de Rawley, un type maigre nommé Chester Bartlett, apporta son dîner à Earl : bouillie de semoule de maïs, deux morceaux de lard, un œuf au plat et une tasse de café. Il ouvrit la porte, continua de porter le plateau pendant qu'Earl, qui était assis par terre, se levait. Bartlett avait peut-être l'habitude de convoyer des prisonniers enchaînés d'un bout à l'autre de l'État, mais quand il s'agissait de s'occuper d'un homme en cellule, il y avait une procédure et un protocole dont il ignorait tout.

Quand Rawley fut informé, Sheridan avait déjà atteint les cuisines. C'est là qu'il trouva Clay Luckman et Digger Danziger.

Chester Bartlett se vidait de son sang par une blessure à la gorge infligée par un peigne en métal. Il serait mort avant qu'on le découvre. Earl Sheridan s'était servi de ses clés pour l'enfermer dans la cellule d'isolement. Et maintenant il avait l'arme de poing de Chester Bartlett, une poche pleine de munitions, et il agissait avec vigueur et excitation.

Digger avait entendu parler de Sheridan. La nouvelle de son arrivée s'était répandue comme une traînée de poudre à travers la maison de correction. Une pendaison, c'était fascinant, et un homme en route pour l'échafaud, ça l'était encore plus. Lorsqu'ils se retrouvèrent face à face, Digger comprit que c'était sa chance de s'enfuir : s'il s'alliait à Earl Sheridan, s'il lui montrait comment sortir d'ici, alors l'un comme l'autre auraient ce qu'ils voulaient. Mais Earl avait une autre idée en tête. Ce qu'il voyait, c'étaient deux otages, une jolie collection de couteaux aiguisés, et un moyen d'éviter l'échafaud.

Après un rapide examen de la situation, Earl Sheridan comprit clairement à qui il avait affaire. Le plus vieux des deux gamins avait l'air prêt à s'amuser un peu, tandis que le plus jeune semblait sur le point de pisser dans son froc. Le plus vieux lui prêterait main-forte, il l'aiderait à contrôler l'autre, et ils seraient bientôt tous les trois hors d'ici. Il pourrait toujours tuer le plus jeune plus tard, et le plus vieux aussi. Ou s'il se sentait d'humeur charitable, il les larguerait quelque part sur la route et continuerait seul. Pour aller où, il n'en savait rien. Il avait été trop occupé à courir et à se planquer, trop excité et paniqué, pour réfléchir à ce qu'il ferait ensuite.

Lorsque Earl Sheridan, Elliott Danziger et Clarence Luckman atteignirent le portail principal, la totalité du complexe était illuminée par des projecteurs. Des chiens, des hommes, des armes ; des camionnettes qui vrombissaient à l'arrière de l'enceinte, prêtes à pourchasser ce type et à l'écrabouiller au besoin. Sheridan avait ligoté Danziger et Luckman l'un à l'autre avec de la ficelle trouvée dans la cuisine. C'était idéal, car maintenant il tenait les deux gamins au bout d'une laisse d'un peu moins d'un mètre de long. Un tireur au doigt un peu tremblant risquerait de descendre un des otages au lieu de Sheridan lui-même. Il exigea un pick-up. Il l'obtint. Il demanda suffisamment de nourriture pour trois jours ; il l'obtint également. Le directeur du centre, Tom Young, prit tout son temps pour lui fournir ce qu'il demandait, ordonnant à tous les hommes présents d'essayer de doubler Sheridan, de faire mine de coopérer tout en cherchant le moyen de mettre un terme à son effroyable plan. Le problème, c'étaient les otages. Young demanda à son adjoint d'appeler la police locale et les autorités fédérales. Ils avaient un condamné à mort qui tentait de s'échapper, il avait fait une victime de plus, et il devait être arrêté. Mais il ne fallait pas mettre en péril la vie des deux frères. Le fait que Tom Young se foutait éperdument de Clay Luckman et d'Elliott Danziger n'était pas la question. Les journaux ne s'en foutraient pas. Les contribuables non plus. Ce serait le public qui jugerait au final le déroulement des événements, et le public soutenait toujours le plus faible. Non, les garçons devaient s'en tirer vivants, et – plus que toute autre considération – c'était ce qui préoccupait Tom Young tandis qu'il se demandait comment berner Sheridan.

Quand Sheridan exigea un fusil en plus de l'arme de poing de Chester Bartlett, Tom Young lui répondit d'aller se faire foutre. Le prisonnier exhiba alors l'un des couteaux qu'il avait volés dans la cuisine et taillada l'épaule de Clay Luckman. La blessure était superficielle, mais elle pissait le sang, et Young n'eut guère d'autre choix que d'accéder à ses exigences. Sheridan annonça alors qu'il allait partir. Ils verraient pendant quelque temps la direction qu'il prendrait, et après il disparaîtrait pour de bon. Il ajouta que s'ils envoyaient des voitures, des camionnettes, des hélicoptères ou n'importe quoi de ce genre pour le suivre, alors les deux gamins étaient morts. Et en plus il se tirerait une balle. Ça ferait économiser quelques dollars à l'État, mais ça foutrait la journée de Young en l'air. Young – qui était assez vieux pour reconnaître un dingue quand il en voyait un – leva les mains et ne répondit rien. Comme il y avait enlèvement, l'affaire relevait désormais des fédéraux, et il comptait bien appeler le FBI dès que Sheridan aurait mis les voiles pour leur refiler le bébé.

Sheridan et ses otages franchirent le portail peu avant minuit. Tom Young alla superviser la fermeture du centre. Une fois les lieux sécurisés, il appela le FBI. Il parla à un certain Garth Nixon. Nixon répondit qu'ils prenaient l'affaire en main à partir de maintenant. Tout ce qu'il lui fallait, c'étaient des informations sur la camionnette volée et des photos des deux garçons. Ils avaient déjà suffisamment de clichés de Sheridan pour remplir tout un album. Young rédigea une dépêche avec les informations demandées, et envoya l'un de ses hommes à l'antenne du bureau à Anaheim. Nixon lui fit clairement savoir que le directeur Young et toutes les personnes impliquées dans ce fiasco n'étaient plus en charge de l'affaire. Le bureau s'occuperait des éventuelles enquêtes internes et des mesures disciplinaires à prendre à l'encontre de Rawley et de son équipe. Earl Sheridan était un fugitif, un condamné qui s'était échappé, et un ravisseur. Ajoutez à ça les inculpations qui lui avaient valu une condamnation à mort, et il devenait le *numero uno* sur la liste du FBI. Si Nixon avait connu un tant soit peu la nature de Sheridan, ou s'il avait connu ne serait-ce que quelques rudiments sur le comportement des sociopathes, il n'aurait pas été si prompt à critiquer et à réprimander ses collègues. Mais il considérait Rawley, Young et les gens de leur acabit comme à peine plus que des ploucs, des types à peine plus capables de maîtriser un criminel notoire et de le transférer deux cents kilomètres plus loin que lui n'était capable de danser une gigue irlandaise. L'affaire dépendait désormais du bureau, et le bureau allait la régler.

Des forces furent mobilisées pour les recherches. Des photos furent distribuées, des bulletins diffusés sur les radios et relayés à tous les commissariats des comtés voisins. Le FBI n'avait pas connu une telle effervescence depuis des années, et les fédéraux comptaient bien profiter de la publicité et du déchaînement médiatique qui surviendraient à coup sûr. Dans ce genre d'affaires, Nixon savait que si vous ne vous adjoigniez pas officieusement les services de la population, si vous ne faisiez pas en sorte qu'elle soit elle aussi sur le qui-vive et aux aguets, alors vous étiez foutu.

Earl Sheridan était une énorme source d'inquiétude, de même que les frères enlevés, Clarence Luckman et Elliott Danziger. Le gouverneur de l'État fut informé de la situation au bout de quelques heures. Il appela en personne la veuve de Chester Bartlett et lui assura qu'ils faisaient tout ce qu'ils pouvaient. Il lui jura qu'Earl Sheridan serait traduit en justice.

Mais tout ce qu'ils pouvaient faire était entravé par le fait qu'ils ne comprenaient pas Earl Sheridan.

À six heures le matin du samedi 21 novembre, Nixon fut chargé d'assister Ronald Koenig, l'agent de terrain d'Anaheim. Il était depuis quatorze ans au bureau, avait auparavant travaillé pour le shérif d'Anaheim, et avait avant ça passé une poignée d'années dans l'armée, dont les deux dernières à Berlin au moment de la rupture Est-Ouest. C'était un vieux de la vieille. Il estimait que Sheridan tuerait ou libérerait ses otages dans les vingt-quatre heures, et qu'ils seraient retrouvés soit morts soit vivants dans les trente-six heures. Il estimait aussi que Sheridan continuerait de courir pendant trois ou quatre jours avant de se faire descendre sous une pluie de balles dans un petit bled poussiéreux tel que Calexico ou La Rumorosa. Car il était certain d'une chose : Sheridan prendrait la direction du Mexique. Il rêverait de soleil, de tequila, de *cerveza* bien fraîche et de filles chaudes. Un homme comme Sheridan était motivé par son instinct et par sa queue.

Mais Ronald Koenig n'aurait pu se tromper plus. Earl Sheridan était motivé par son instinct et par sa haine. Il ne prit pas la direction du sud comme prévu. Il n'avait aucune intention d'aller au Mexique. Il se dirigea vers le sud-est, vers la frontière avec l'Arizona. Il ne comprenait pas suffisamment les lois fédérales pour savoir qu'il avait tout le gouvernement à ses trousses. Il croyait que son salut se trouvait hors de l'État de Californie, qu'une fois la frontière franchie personne ne pourrait plus grand-chose contre lui. Et alors il volerait un peu d'argent, achèterait quelques vêtements, se teindrait les cheveux, changerait de nom. Puis il se volatiliserait. C'était aussi simple que ça.

Mais les choses ne furent pas si simples, en grande partie à cause du fait qu'Earl Sheridan avait une forte propension à haïr des personnes dont il ignorait jusqu'au nom.

# 3

## Deuxième jour

C'était un minuscule restaurant avec quelques sièges à l'arrière pour les personnes de couleur. Le menu derrière la caisse était constitué de lettres en bois collées sur une planche. Une pellicule de poussière et de graisse recouvrait ces lettres. Lard, pain de viande, jambon et œufs, steak.

Sheridan avait une poignée de dollars. Clay ne savait pas où il se les était procurés. Il avait aussi un tee-shirt propre, qu'il ordonna à Clay d'enfiler. « Tu peux pas te balader couvert de sang, dit-il. Tu vas attirer les mouches et l'attention. »

Il était huit heures passées de quelques minutes, et ils se tenaient devant le restaurant comme si un mauvais vent les avait poussés jusque-là.

Digger et Clay avaient dormi à l'arrière du pick-up, ligotés l'un à l'autre, la corde enroulée autour du hayon et attachée au châssis. Earl – qui avait l'air de ne pas avoir fermé l'œil – était resté dans la cabine, le fusil sur les genoux, le revolver de Bartlett sur les cuisses.

Étonnamment, du moment où il avait posé la tête sur le plateau du pick-up à celui où une main l'avait brusquement secoué pour le réveiller, Clay avait dormi. Pas de rêves, pas de peur, rien. Il avait dormi comme un bébé. Mais une fois réveillé, il s'était rendu compte que son épaule le faisait terriblement souffrir. Bien que superficielle, la blessure avait abondamment saigné, et il craignait qu'elle ne s'infecte. À ce stade, il ne pouvait pas faire grand-chose. Le tee-shirt propre dissimulait sa plaie mais ne soulageait pas la gêne qu'il éprouvait. Cependant, plus que sa santé, ce qui l'inquiétait, c'était Earl Sheridan.

« Nous allons prendre un petit déjeuner », annonça Earl.

Il les détacha mais, même à cet instant – tandis qu'il essayait de paraître amical –, il y avait quelque chose de sombre et de troublant dans chacun de ses gestes. Clay n'aurait su comment exprimer cette sensation. C'était comme s'approcher d'un pétard allumé qui n'aurait pas encore explosé. Il y avait toujours un doute. Était-il défectueux ou allait-il vous sauter à la figure ?

Tandis qu'ils pissaient tous les trois au bord de la route, Earl déclara : « Je dois vous féliciter, les gars. La plupart des gamins chialeraient comme des mioches arrivant à l'orphelinat. Des petits merdeux pleurnichards. Et je vais vous dire, les gens qui s'apitoient sur leur sort me foutent hors de moi. Ils me donnent envie de leur donner une *vraie* raison de se plaindre, vous voyez ? Donc, c'est une bonne chose pour vous que vous soyez pas comme ça. Vous prenez les choses comme des hommes, et je trouve normal de le reconnaître. » Il agita son sexe et le renfonça dans son pantalon. « Quand on est partis de là-bas, je comptais vous liquider et vous abandonner quelque part, mais j'ai changé d'avis. Vous m'avez causé aucun tort, et j'ai aucune raison de vous faire du mal. On vient du même endroit, et il est plus que probable qu'on finira au même endroit, pas vrai ? »

Digger jeta un coup d'œil à Clay.

Clay secoua la tête, comme pour dire : *Ne dis rien.*

« Hé, je vous cause ! aboya Earl. Vous avez entendu ce que j'ai dit ?

— Oui, monsieur », répondit Digger.

Earl éclata de rire.

« Monsieur ? Bon Dieu, gamin, t'es resté là-bas trop longtemps. Pas la peine de me donner du "monsieur". Doux Jésus, vous êtes vraiment à côté de la plaque. Vous avez passé toute votre vie là-bas ?

— Depuis que notre mère est morte nous avons été dans plusieurs endroits », expliqua Digger.

Clay resta silencieux. Il voulait maintenir autant de distance que possible entre Earl Sheridan et lui.

« Votre mère ? demanda Sheridan.

— Oui, monsieur.

— Vous êtes frères ?

— Oui, monsieur, répondit Digger.

— Merde alors. Je l'aurais jamais deviné. » Il marqua une pause, regarda l'un, puis l'autre, en plissant les yeux. « Bon, maintenant que vous le dites, je vois une ressemblance. Peut-être dans les yeux, hein ? » Il haussa les épaules. « Bon, bref. On dirait que ça fait un bout de temps que vous en bavez, hein ? Je suppose qu'un peu de changement vous fera du bien. Vous en dites quoi ?

— Pour sûr, répondit Digger.

— Bon, très bien. Je pense qu'on pourrait commencer par un bon petit déjeuner, et après on décidera de la suite des événements. »

Clay écoutait son frère parler à Earl Sheridan. Il aurait voulu dire à Digger de la boucler, mais il ne pouvait pas. Si on l'ignorait, ce type risquait de devenir dingue, et impossible de savoir ce qu'il ferait alors.

La ville s'appelait Twentynine Palms. Elle s'étirait le long de la Route 62 à la limite du parc de Joshua Tree, à environ cent cinquante kilomètres d'Hesperia.

Earl leur avait déjà expliqué qu'il faisait ce à quoi les autorités s'attendraient le moins. « Je vais vous dire une chose. À ma place, quatre-vingt-dix-neuf types sur cent fileraient direct au Mexique. Mais je connais la région. J'y fous le boxon depuis aussi longtemps que je me souvienne. En ce moment, ils doivent avoir des hommes à Palm Springs, peut-être même à Moreno Valley et à Escondido. Merde, si ça se trouve ils ont des types qui nous cherchent à San Diego parce qu'ils croient qu'on va essayer de franchir la frontière à Tijuana. Il doit y avoir des barrages sur toutes les routes… Putain, ils vont s'épuiser à force de se demander où on a disparu ! Mais on va rien faire de tout ça. On va en Arizona, peut-être même au Texas. Les Texanes valent le coup d'œil… » Et alors Earl s'était retourné et il avait vu la serveuse marcher vers eux en souriant comme si c'était Noël.

Elle portait un chemisier de paysanne dont le motif à carreaux rouges et blancs aurait plutôt évoqué une nappe. Les pans de son chemisier formaient au-dessus de son nombril un nœud gros comme le poing qui soulevait sa poitrine et semblait être une invitation à tout un tas de choses indécentes et merveilleuses.

Earl Sheridan resta figé sur place avec un air ahuri.

« Vous voulez une table où vous allez rester plantés là jusqu'au coucher du soleil ? »

Earl ne répondit rien.

« Une table, s'il vous plaît », dit Clay.

La fille sourit et désigna la table juste à côté de la fenêtre.

« Vous voulez un petit déjeuner, je suppose ? demanda-t-elle.

— Trois », répondit Clay, et il donna un coup de coude à Digger pour qu'il lui fasse une place sur la banquette.

Earl était toujours abasourdi, comme une mule frappée par la foudre.

La serveuse se pencha en avant. Son décolleté était aussi profond que la vallée de San Fernando. On aurait pu lancer une pièce d'un dollar depuis l'autre bout de la pièce sans jamais manquer la cible.

« Mon nom est Bethany, dit-elle. C'est moi qui vais vous servir aujourd'hui. Qu'est-ce que vous voulez, café, lait, jus d'orange ?

— Ca... café », bégaya Earl.

Il sourit comme un idiot et ses joues se colorèrent.

« Bien, café », dit Bethany, et elle se retourna et s'éloigna.

Earl lorgna son derrière comme si c'était le dernier train vers la liberté.

La nourriture arriva. Digger posa un bras sur la table, protégeant son assiette de sa main gauche, serrant sa fourchette dans son poing droit. Earl lui montra comment la tenir convenablement.

« Comme un stylo, dit-il. Et tu peux mettre ta main gauche ailleurs, personne va te piquer ta bouffe. »

Il y avait du lard et du porridge, des œufs, des gaufres avec du sirop, et même de la chair à saucisse en sauce avec du maïs. Ils mangèrent de quoi nourrir une convention de Kiwaniens, puis s'adossèrent à la banquette en se tenant l'estomac comme le Père Noël.

Bethany apporta plus de café.

« Vous êtes toute seule ici ? » demanda Earl.

Clay vit quelque chose illuminer son regard. Quelque chose de sombre, une vilaine pensée. Il sentait qu'Earl était tendu comme un ressort.

« Pour quelque temps, répondit-elle. Mon mari et moi tenons cet endroit ensemble, mais il est parti chercher un pneu de secours pour sa camionnette. Il reviendra dans un moment. »

Elle retourna vers le fond du restaurant. Une minute plus tard, Earl ordonna à Clay et Digger d'aller l'attendre à l'arrière du pick-up.

« J'en ai pour deux minutes, dit-il, et il se leva. C'est moi qu'ai les clés, ajouta-t-il. Les armes à l'avant sont pas chargées pour le moment, et elles le seront pas jusqu'à mon retour. Vous pouvez vous enfuir, mais le temps que je finisse ce que j'ai à faire ici, vous aurez parcouru huit cents mètres, et encore faudrait-il que vous couriez comme des dératés. Je vous conseille donc de patienter jusqu'à ce que j'aie fini, et après on repartira ensemble. »

Ni Digger ni Clay ne bronchèrent. Ils s'assirent à l'arrière du pick-up et attendirent. Clay avait envie de dire quelque chose, mais il n'y avait rien à dire. Il savait ce qui se passait, mais ce n'est que lorsqu'il vit Earl sortir en courant du restaurant avec du sang sur les pans de sa chemise qu'il comprit que les choses avaient mal tourné. Earl avait frappé Bethany, peut-être même qu'il l'avait tuée. Elle était dans un sale état, ça, c'était une certitude. Earl enfonça les pans de sa chemise dans son pantalon avant de grimper dans la camionnette, mais ça ne changeait rien au fait que Clay avait vu le sang.

Earl se débattit avec les clés. Il les laissa tomber, les ramassa, en inséra une dans le contact et démarra. Le pick-up souleva un tourbillon de poussière dans son sillage tandis qu'ils s'éloignaient du restaurant et regagnaient la route. Earl avait une poignée de dollars, quelques billets de cinq, peut-être un ou deux de dix, qu'il enfonça dans la boîte à gants. Il y avait également du sang sur l'argent.

« Vous l'avez tuée ? » demanda Digger.

Earl enfonça violemment la pédale de frein. Le pick-up pila au milieu de la route. Digger n'eut pas le temps de réagir qu'il sentit la main d'Earl autour de sa gorge, tout son poids sur son corps. Il le regarda dans les yeux. C'étaient des yeux sombres, d'une profondeur infinie, qui semblaient renfermer toute la noirceur du monde.

« Ne pose jamais de question, déclara Earl d'une voix basse et râpeuse. Pigé, petit homme ? »

Digger fit oui de la tête.

Clay sursauta ; il se rappelait l'époque où Digger l'appelait ainsi : *petit homme.*

« Très bien », dit Earl.

Il lâcha la gorge de Digger, enclencha une vitesse, et le pick-up démarra en frémissant.

Clay regardait droit devant lui par peur de regarder ailleurs. Il sentit alors la main de Digger sur son bras. La présence rassurante de son frère. *Accroche-toi*, semblait dire ce geste. *Je vais bien. On va s'en sortir. D'une manière ou d'une autre, on va s'en sortir. Peut-être même qu'on atteindra le Texas. Peut-être même qu'on verra Eldorado après tout.*

Clay aurait voulu pleurer, mais il n'osait pas. Il avait une trouille bleue. Tout s'était passé si vite, et maintenant il était là – coincé dans une voiture avec son frère et ce cinglé – et le cinglé venait de tuer une pauvre serveuse sans méfiance pour une poignée de dollars.

Ici, tout était différent. Les règles de la maison de correction ne s'appliquaient pas en dehors de son enceinte, et pour le moment Clay n'avait d'autre choix que de subir la situation. Alors il décida d'ouvrir l'œil et de la boucler. Earl Sheridan avait tué Bethany, la serveuse. Il l'avait tuée pour de l'argent. Pour la violer aussi, plus que probablement. Le viol avait duré une minute, peut-être deux, et il ne devait pas y avoir plus de quinze ou vingt dollars en tout. Voilà le genre d'homme avec qui ils voyageaient, et il se demandait si Digger et lui vivraient jusqu'au lendemain.

Mais il y avait toujours la main rassurante de son frère sur son bras.

Clay regarda droit devant lui. Il ne devait pas montrer le moindre signe de faiblesse.

Ils suivirent la Route 62, franchirent le Colorado à Big River et pénétrèrent en Arizona. C'était la fin de matinée et ils avaient parcouru les cent soixante-quinze kilomètres depuis Twentynine Palms sans s'arrêter. Ils prirent la Route 72 à Parker et se dirigèrent vers le sud-est. Earl voulait atteindre la I-10 près de Salome, puis filer direct sur Phoenix.

« Dans deux heures on sera dans la plus grande ville que vous ayez jamais vue, annonça-t-il. Vu notre situation, c'est ce qu'il y a de mieux. Y a tellement de monde dans une ville qu'ils nous retrouveront jamais. Si on atteint Phoenix, on sera tranquilles pour de bon. »

Il se mit à rire comme un crétin, mais Clay ne le lui fit pas remarquer.

Loin derrière eux, l'agitation régnait autour du petit restaurant de Twentynine Palms. Des flics avaient débarqué de Ludlow au nord, et de Yucca Valley à l'ouest, mais c'était le shérif de Twentynine Palms, Vince Hackley, qui était arrivé le premier sur les lieux. Don Olson, le propriétaire du *Highway 62 Grill & Diner*, avait appelé pour signaler un incident. Hackley le connaissait bien, il mangeait souvent chez lui. Mais à son arrivée, il avait trouvé Don – un homme d'ordinaire calme et réfléchi – complètement hystérique et au bord de la crise de nerfs. Une fois dans la cuisine, il avait compris pourquoi.

Bethany Olson, assurément l'une des plus jolies filles que Twentynine Palms eût connues, était morte. Non seulement morte, mais elle avait été éventrée comme un porc. À première vue, on se disait que le type qui avait fait ça avait voulu la découper en trois ou quatre morceaux. Sa gorge était tranchée – profondément, comme s'il avait cherché à la décapiter. Puis, peut-être parce qu'il était exaspéré par la difficulté de la tâche, il s'était attaqué à son torse et à sa poitrine, taillant de larges incisions qui pénétraient cinq bons centimètres dans la chair. Le haut de ses cuisses était également lacéré, et son chemisier en lambeaux était trempé et d'un rouge écarlate. Hackley retourna dans la salle de restaurant et demanda des renforts des villes les plus proches, puis il appela le légiste du comté à Desert Hot Springs. Après quoi, il ressortit et s'entretint avec Don Olson. L'homme était parfaitement propre. Pas une goutte de sang sur ses vêtements, uniquement sur ses chaussures, et Hackley avait lui aussi du sang sur ses bottes. Les apparences semblaient indiquer que Don Olson disait la vérité : il était revenu du garage et avait trouvé sa femme exactement comme Hackley venait de la voir. Hackley n'avait aucun doute quant au fait qu'elle avait été violée. Car si vous étiez porté sur le viol, alors Bethany Olson était le genre de fille à qui vous vous en preniez.

Un cordon de sécurité fut tendu autour du restaurant. Le légiste du comté arriva et s'attela à son travail peu enviable. Hackley et ses deux collègues – Ed Chandler de Ludlow et Ethan Soper de Yucca Valley – commencèrent à ratisser la zone à la recherche de traces, d'indices, afin de déterminer qui avait pu passer par là avec des intentions criminelles. Le tueur était probablement arrivé et reparti par la Route 62, qui passait quatre cents mètres plus loin. Mais Hackley savait – plus par intuition que par expérience – que plus ils chercheraient, moins ils trouveraient. Il n'y avait rien ici, rien qui pût leur dire ni *qui* ni *pourquoi*. À moins que leur homme n'ait fait autre chose, à moins qu'il n'y ait eu un autre incident qui attire l'attention de la police, les chances de le retrouver étaient quasi nulles. C'était le problème ici. Les meurtres dans les petites villes étaient de deux types. D'un côté, les querelles domestiques, familiales, de voisinage. Dans ce cas, le coupable était facilement identifiable car il était le seul à avoir pu commettre le crime. D'un autre, les meurtres opportunistes. Jamais de témoin, toujours inattendus, aussi imprévisibles que la météo. Depuis un quart de siècle qu'il faisait ce boulot, il en avait vu trois ou quatre, même si aucun n'avait été aussi violent et sanglant que le meurtre de Bethany Olson. Des vols qui dégénéraient, des braquages, notamment un quand il officiait dans le nord de Las Vegas au début des années cinquante. Un abruti avait braqué une boutique d'alcool pour un peu plus de dix-neuf dollars, et le partenaire d'Hackley – qui était alors de repos – lui avait collé une balle dans la gorge. Tu parles d'une mort à la con.

Dans les grandes villes, c'était différent. Dans les grandes villes, il y avait toujours quelqu'un qui connaissait quelqu'un, quelqu'un qui avait vu des choses, qui avait entendu de la bouche d'untel quelque chose sur tel autre. Le prix à payer pour les informations était proportionnellement relatif au nombre de meurtres. On ne pouvait pas avoir l'un sans l'autre. Apparemment, c'était la nature des choses.

Vince Hackley ne se faisait donc pas d'illusions. Don Olson n'avait pas découpé sa femme, il en était certain. Il ne s'agissait pas d'une querelle domestique. Il s'agissait de quelque chose de complètement différent.

Il ne savait pas de quoi, mais il espérait que le type qui avait fait ça avait déjà quitté l'État.

## 4

Ce soir-là, dans la banlieue de Phoenix, Clay Luckman comprit que si Digger et lui ne s'enfuyaient pas, ils étaient finis. Aussi sûr que deux et deux font quatre.

Hormis un bref arrêt pour qu'Earl s'achète une chemise et se débarrasse de celle qui était couverte de sang, ils avaient roulé sans interruption. Puis Earl les avait déposés à une centaine de mètres d'un embranchement. Pour une raison ou pour une autre, il estimait que Digger était plus fiable que Clay, alors il lui avait ordonné de surveiller son petit frère et de ne pas bouger pendant dix minutes.

« Plus loin il y a un motel. Tout un tas de bungalows disposés en demi-cercle autour du bâtiment principal. Vous attendez ici dix minutes, puis vous vous amenez. Je vais nous prendre une chambre, mais s'ils voient qu'on est trois, ils vont nous faire payer trois fois. On y dormira tous cette nuit, et demain matin on quittera l'Arizona pour aller au Texas ou ailleurs. »

Il saisit sa veste et l'enveloppa autour du fusil. Il enfonça le revolver sous sa ceinture et tira sur sa chemise pour le recouvrir. Puis il prit la direction du motel. Clay le sentait qui les observait dans le rétroviseur.

« Qu'est-ce qu'on va faire, Digger ?

— J'en sais rien, Clay, j'en sais vraiment rien. J'avais peur qu'il nous tue, mais je crois pas qu'il le fera.

— Il a tué cette serveuse. Tu le sais, n'est-ce pas ?

— Je sais pas exactement ce qu'il a fait, Clay, et je veux pas le savoir. T'as vu comment il était quand je lui ai demandé…

— Et alors ? Tu vas le laisser nous trimballer à travers le pays jusqu'à ce qu'il en ait assez de notre compagnie ?

— Bon sang, Clay, je vais pas le *laisser* faire quoi que ce soit ! J'y peux rien, tu sais ? C'est pas moi qui nous ai mis dans ce merdier.

— Et c'est pas moi non plus. Tout ce que je dis, c'est qu'il faut faire quelque chose.

— Et qu'est-ce que tu suggères, vu que t'es si malin ?

— Digger… Bon Dieu, c'est pas ce que je veux dire. Je ne dis pas que ce qui s'est passé est de ta faute. Je dis simplement qu'on doit se dépêcher d'agir avant qu'il perde patience, ou avant qu'il nous considère comme un fardeau.

— Oui, ben, je sais pas… pour le moment la *seule* chose qu'on peut faire, c'est aller à ce motel et voir ce qui va se passer. »

Digger avait raison. Mais il y avait autre chose, quelque chose dans le ton de sa voix qui troubla Clay. C'était comme si Digger défendait Earl Sheridan. Mais c'était impossible, n'est-ce pas ? Digger n'avait pas pu se mettre dans le crâne qu'Earl était un type bien ?

« Digger… sérieusement… il est cinglé. Il a tué cette fille. Et s'il devait être pendu, c'est qu'il a déjà fait autre chose, pas vrai ? »

Pas de réponse.

« Digger, je suis sérieux. On doit partir. On était censés aller à Eldorado. Si on y allait tous les deux, hein ? On se tire et on entend plus parler de lui. »

Digger demeura silencieux pendant trois ou quatre bonnes minutes, puis il se leva et se mit à marcher en direction du motel. Clay le regarda s'éloigner. Il en avait gros sur le cœur. Il sentait le poids de sa conscience, le poids de la responsabilité, le poids de la *fraternité.* S'il laissait Digger avec Earl, alors son frère serait perdu pour de bon. Clay le savait, il en était persuadé. Il comprit donc qu'il n'avait pas le choix. Il inspira profondément, serra les dents et les poings. Il fit un pas en avant, puis un autre, et il suivit son frère car il ne pouvait rien faire d'autre.

Il n'y avait rien dans le bungalow, qu'un lit infesté de puces, une moquette miteuse, une minuscule salle de douche avec un lavabo et des toilettes. Il empestait comme si quelqu'un était enterré dessous.

Earl n'arrêtait pas de parler. Clay faisait son possible pour ne pas l'écouter, mais Digger semblait suspendu à ses lèvres. Clay songea que Digger cherchait simplement à se faire bien voir afin de les préserver tous les deux. Si Earl appréciait Digger, alors Digger s'en sortirait. Et si Earl appréciait suffisamment Digger, alors Digger serait en mesure de défendre son frère. C'est ce que Clay se disait. Mais ce qu'il croyait était un poil différent.

C'était un flot de paroles continu, et Clay tentait de ne pas laisser le venin infecter son esprit, mais c'était difficile. Parmi tous les mensonges, il y avait suffisamment de vérité pour allumer un feu, et ce feu semblait faire briller une étincelle dans les yeux de Digger. Clay regardait son frère qui était penché en avant, épaules baissées, aussi attentif que si Earl lui avait révélé toute la sagesse du monde et qu'il n'avait pu se permettre d'en manquer un seul mot.

« Les gens vous respectent parce qu'ils ont peur, disait Earl. C'est pas parce que son mari lui offre des fleurs de temps en temps qu'une femme le respecte. Elle le respecte parce qu'elle sait qu'il va lui en coller une si elle fait pas ce qu'il lui dit de faire. Vous savez pourquoi les femmes quittent jamais un mari violent ? Pas parce qu'elles ont peur, c'est moi qui vous le dis, mais parce qu'elles le respectent. »

Digger écarquillait les yeux et ouvrait grand les oreilles. Il semblait tout absorber comme une éponge.

« Le problème quand on est humain, c'est qu'on sait qu'on va mourir. On a cette conscience au fond de nous. Ce qu'on fait, l'argent qu'on a, les gens qu'on aime, tout ça n'a aucune importance. Au bout du compte, on va crever. C'est la seule chose qu'on ait en commun. On est tous égaux à cet égard. »

Earl fumait des Lucky Strike à la chaîne, allumant la nouvelle au mégot de la précédente. La pièce était remplie de nuages âcres, et la fenêtre était à peine entrouverte de quelques centimètres. Il faisait chaud, trop chaud pour être enfermé à l'intérieur. Mais la leçon n'était pas finie, et elle ne le serait pas avant un bon bout de temps.

« On entend ces gens raconter qu'ils ont tué quelqu'un. Ils disent que c'est irréel. Que c'est surréaliste. Que c'est comme s'ils étaient pas là. Mais c'est un ramassis de conneries. Bien sûr qu'on est là. On est plus là qu'on l'a jamais été. C'est la chose la plus réelle qu'on puisse faire, c'est un fait. » Il alluma une nouvelle cigarette, puis : « La douleur est l'enclume sur laquelle on forge sa personnalité. Regardez-moi. J'ai connu plus de douleur qu'un homme peut en endurer, mais j'ai un paquet de personnalité, un sacré paquet de personnalité. Merde, j'ai assez de personnalité pour trois ou quatre personnes normales. »

Digger semblait boire ses paroles, chaque mot, chaque affirmation. La chose la plus dangereuse avec Earl Sheridan, c'était sa confiance. Confiance qui ne reposait que sur ses certitudes. Le problème, c'est que les esprits impressionnables prenaient ses certitudes et son assurance pour des vérités. Digger avait toujours été malléable. C'était son défaut. Quand on manque d'assurance, on prend les certitudes des autres pour des vérités, aussi creuses et fausses soient-elles. L'esprit est comme une pâte, et Earl Sheridan semblait bien décidé à laisser ses empreintes sur celui de Digger. Il détestait le monde. C'était évident dès qu'il ouvrait la bouche. Clay avait déjà croisé ce genre de personnes, à Barstow, et aussi à Hesperia. Il avait alors joué un rôle de tampon entre Digger et eux. Mais ici, c'était différent. Ici, il n'y avait pas de travail pour occuper l'esprit de Digger. Ici, il n'y avait pas d'emploi du temps rigoureux, pas de couvre-feu au cours duquel ils se retrouvaient enfermés dans leur chambre pendant huit ou dix heures, couvre-feu dont Clay pouvait profiter pour désinfecter l'esprit de son frère et lui faire oublier ses idées absurdes.

C'est dans cette chambre de motel que Clay commença à voir un petit gouffre se creuser entre son frère et lui, et à chaque mot, à chaque minute qui passait, ce gouffre s'élargissait.

Earl Sheridan était un type dérangé et plein de haine. Le genre de haine qui, si vous l'examiniez de trop près, pouvait vous rendre aveugle. Ses raisonnements avaient la profondeur d'une rancœur enfantine. Il parla de son père, abordant le sujet en disant : « Merde, si quelqu'un écrivait un livre sur la vie d'un connard, mon père serait le personnage principal. » Et M. Sheridan senior occupa le devant de la scène pendant la demi-heure qui suivit. Il faisait ci, il faisait ça, et puis aussi ça. Il engueulait Earl sous prétexte qu'il parlait quand ce n'était pas à lui de parler, qu'il mangeait trop, ou pas assez, qu'il marchait trop vite, ou trop lentement, qu'il était idiot, grande gueule, simple d'esprit, qu'il boudait, qu'il mentait, qu'il disait la vérité. C'était un ramassis de contradictions, et s'il y avait une once de vérité dans ce qu'Earl disait, alors pas étonnant qu'il soit devenu comme ça.

Après la tombée de la nuit ils allèrent manger. Earl s'arrêta en chemin dans une boutique d'alcool. Il acheta un pack de bières et une bouteille de whisky. Il tendit une cannette à Digger, la retira alors que le garçon s'apprêtait à la saisir, et continua pendant un moment à jouer ce petit jeu de *tu-peux-l'avoir-non-tu-ne-peux-pas* jusqu'à ce que Digger s'avoue vaincu. Ce n'est qu'alors qu'il lui donna la cannette.

Earl semblait content de lui, content d'avoir appâté un adolescent et eu le dessus.

« Partagez-la entre vous, dit-il, et buvez-la lentement, parce que vous en aurez pas d'autre. »

Après quoi, il entreprit d'expliquer pourquoi quelques changements s'imposaient vu qu'il n'avait pas beaucoup d'argent pour lui, et encore moins pour les autres.

« De l'argent, on en trouvera quelque part », dit Digger en brandissant la cannette de bière comme un trophée.

La façon dont il prononça ces paroles laissait clairement comprendre à quoi il pensait.

« Peut-être », répondit Earl en s'engageant dans la cour d'un petit restaurant avec un auvent rouge et des lettres dorées sur les fenêtres.

Quand Clay descendit du pick-up, il scruta la rue. Elle s'étirait à perte de vue et semblait interminable. Et ce n'était pas la seule rue du quartier.

Une fois à l'intérieur, Earl commanda un festin. Entrecôtes, pommes de terre, légumes verts, sauce, pain de maïs, et d'autres choses encore. Il parla tout en mangeant. L'alcool l'avait mis de bonne humeur, et il était là à déblatérer à tout-va comme un animateur de débat télévisé.

Clay l'observait. Ce type avait autant de cœur qu'un serpent à sonnette. Il avait cent visages. Une multitude de couches, d'épaisseurs, de facettes. Mais Clay Luckman savait une chose : on pouvait creuser autant qu'on voulait, on ne trouverait pas une once d'humanité en lui.

En regardant de biais en direction de Digger, il s'aperçut que lui aussi observait Earl Sheridan. Mais tandis que Clay songeait : *Ce type me fait plus peur que la mort*, Digger – la tête penchée, aussi alerte qu'un chien de chasse – se disait : *J'ai jamais rencontré un type aussi marrant.*

À neuf heures, ils avaient fini de manger. Earl régla la note et laissa deux dollars de pourboire. Il avait trop bu pour conduire, mais Clay supposait que s'il se faisait arrêter il se contenterait de buter le flic et de poursuivre sa route comme si de rien n'était. Il n'allait certainement pas laisser quiconque se mettre en travers de son chemin.

Ils regagnèrent le motel sans incident. Earl leur donna une couverture chacun, les envoya dans la salle de bains, et bloqua la porte en calant une chaise sous la poignée.

« Si j'entends un putain de bruit pendant la nuit, connards, j'entre là-dedans et je vous fais sauter la cervelle, pigé ? »

L'invective ne suffit pas à éteindre la lueur d'admiration qui brillait désormais dans les yeux de Digger. Peut-être estimait-il qu'Earl faisait ce qu'il avait à faire. Après tout, il était en cavale. Il avait été condamné à la pendaison pour le meurtre de Katherine Aronson. Et si les flics le pinçaient maintenant ils lui colleraient aussi sur le dos celui de la serveuse dans le restaurant de Twentynine Palms. Quand on vivait comme ça, on ne pouvait faire confiance à personne.

Clay songea à attendre que Digger soit endormi pour tenter de s'enfuir seul. Ou peut-être qu'il pourrait bâillonner Digger avec une serviette, le plaquer au sol et essayer de lui faire entendre raison. Il supposait qu'il était assez fort pour le faire. Et alors

Digger serait forcé de faire un choix. Suivre Clay, tenter leur chance et voir s'ils pouvaient s'en sortir, ou alors rester avec Earl Sheridan. S'il avait disposé de suffisamment de temps, Clay savait qu'il aurait pu convaincre Digger. Il était juste impressionné par Earl, rien de plus. Earl était un caïd. Un type en cavale. Il avait des armes, de l'alcool, de l'argent, et il pouvait se procurer encore plus de chaque. Mais si Clay pouvait se faire entendre de Digger, lui dire tout ce qu'il avait à dire, alors son demi-frère verrait peut-être la lumière et comprendrait à quel point il s'était laissé manipuler. Mais il y avait la question de la fuite. Une fois sortis de la salle de bains, parviendraient-ils à sortir sans réveiller Earl ? Ou alors devraient-ils se jeter sur lui sitôt la porte défoncée ? À deux ils pourraient peut-être le maîtriser, l'étouffer avec une serviette. Le frapper de toutes leurs forces avec la lampe de chevet. S'emparer d'une de ses armes et lui régler son compte…

Mais Clay savait que c'étaient de stupides enfantillages. Pour commencer, il n'avait pas le cran de tuer qui que ce soit. Ensuite, Earl entendrait aussitôt leurs voix, et il déboulerait dans la salle de bains en canardant. De plus, Clay ne voulait pas survivre uniquement pour lui. Il devait arracher son frère à ses illusions, et il estimait aussi qu'il était de son devoir d'empêcher ce cinglé qui avait tué la serveuse de recommencer. Il savait – au plus profond de son cœur – qu'il n'en avait pas fini avec la folie meurtrière d'Earl Sheridan, et il savait aussi que quand tout se terminerait ils seraient peut-être tous morts.

Clay Luckman s'étendit par terre à côté de son frère. Il commença à murmurer quelque chose.

« Chut ! fit sèchement Digger. Tu veux qu'on se fasse tuer, espèce d'imbécile ? »

Clay se demanda ce qui allait se passer, et tandis qu'il s'interrogeait il se sentit gagné par une peur qu'il n'aurait jamais pu imaginer.

Il était persuadé qu'il serait mort d'ici une semaine, peut-être même dès le lendemain. Mais ce qui l'effrayait le plus, c'était la possibilité que Digger soit tellement sous l'emprise d'Earl qu'il ne ferait rien pour le protéger.

Ils étaient frères, mais ils étaient différents. Père différent, sang différent, héritage différent. On dit qu'un enfant qui grandit sans un parent aura toujours des aspects de sa personnalité qu'il ne saura expliquer. Il se passait en eux des choses qui venaient d'un endroit inconnu, et Clay Luckman s'interrogeait sur son père, et sur celui de Digger, et plus il se posait de questions, moins il semblait trouver de réponses.

Il ne dormit pas. Il écouta son frère ronfler. Frissonnant dans l'obscurité, il envisagea la fin de sa brève et cruelle vie.

# 5

Bailey Redman avait dix ans lorsqu'elle comprit que sa mère était prostituée. Elle comprit aussi qu'elle avait été sacrément idiote de ne pas s'en apercevoir plus tôt. Elle se disait que sa mère avait simplement beaucoup d'amis, rien que des hommes, qui venaient la voir à des horaires variables et ne restaient jamais longtemps. Peut-être à cause de quelque chose qu'elle avait entendu à l'école, d'une conversation surprise par hasard, d'un commentaire fait par quelqu'un dans la rue, son regard changea petit à petit et elle commença à comprendre que s'ils s'enfermaient dans la chambre au fond de leur petite maison de Florence, Arizona, ce n'était pas pour jouer à la belote ou au black jack. Les jeux auxquels sa mère s'adonnait avec ces messieurs impliquaient d'ôter ses vêtements et d'échanger de l'argent. Beaucoup de choses avaient alors fait sens, et une foule de questions s'étaient posées.

Elle dut attendre d'avoir douze ans pour que sa mère lui dise la vérité sur son père. Son nom était Frank Jacobs, et la dernière fois qu'Elizabeth Redman l'avait vu (de fait, la nuit où Bailey avait été conçue), il était vendeur de chaussures itinérant et vivait à Scottsdale. Il était bel homme, célibataire, bien élevé, et, non, elle n'avait pas de photo de lui, et, non, elle ne savait pas s'il vendait toujours des chaussures et vivait toujours à Scottsdale. Désolée, ma petite, c'est la vie.

Le jour de ses treize ans, Bailey Redman marcha jusqu'au centre-ville et se rendit à la bibliothèque. Elle trouva un annuaire de Scottsdale, nota le numéro de deux F. Jacobs, un Frank Jacobs et un Franklin Jacobs.

Elle les appela tour à tour et demanda à chacun s'il avait couché avec une prostituée du nom d'Elizabeth dans une ville nommée Florence en janvier 1949. Essayez de vous souvenir, disait-elle. Ça devait être à l'époque de l'investiture du président Truman.

Les deux F. Jacobs lui raccrochèrent au nez, de même que Frank Jacobs. Franklin Jacobs, quant à lui, marqua une pause, et quand il demanda à son interlocutrice son nom, son âge, et si sa mère savait ce qu'elle faisait, Bailey sut que c'était la voix de son père qu'elle entendait au bout du fil.

Une semaine plus tard, elle prit le bus de Florence à Scottsdale, soit une centaine de kilomètres, puis attendit avec un bout de papier à la main – l'adresse de Franklin Jacobs qu'elle avait soigneusement recopiée – devant une maison étroite dotée d'un perron et d'une jardinière à la fenêtre.

Quand il sortit de la maison et se mit à marcher dans la rue, elle sut. Quand il s'arrêta pour ouvrir la portière de sa voiture, une Oldsmobile qui avait vu des jours meilleurs, elle n'eut plus le moindre doute. Elle enfonça le bout de papier dans la poche de sa jupe et traversa la rue.

Lorsqu'elle se planta devant lui et le regarda avec un visage impassible, il demanda : « Tu es la fillette qui m'a appelé, n'est-ce pas ?

— Oui.
— Comment tu t'appelles ?
— Bailey Redman. »
Et alors il sourit et tendit la main.
« Moi, c'est Frank Jacobs, dit-il poliment.
— Ravie de vous rencontrer, répondit Bailey.
— Je crois que je ferais mieux de te ramener chez toi et d'avoir une discussion avec ta mère. »

Et c'est ainsi que, le soir du mercredi 17 octobre 1962, ce qui s'apparenterait le plus à une famille pour Bailey Redman fut réuni sur la pelouse d'une petite maison de Florence, Arizona.

« Comment savez-vous qu'elle est de moi ? fut la première question que Frank Jacobs posa à Elizabeth Redman. Je veux dire, étant donné votre métier et tout, je me demandais juste comment vous avez fait pour dire à votre fille que c'était moi.

— C'est une chose qu'on sait, répondit Elizabeth. Une de ces choses que les femmes savent instinctivement. »

Frank Jacobs ne mit pas sa parole en doute. Il avait bien couché avec Elizabeth Redman en janvier 1949. De plus, la fillette qui l'avait retrouvé à Scottsdale lui ressemblait tellement que c'en était troublant. Elle était belle, comme sa mère, et il ne regrettait pas ce qu'il venait d'apprendre.

Il voulut savoir si Elizabeth était à l'abri financièrement, si elle avait besoin de quoi que ce soit.

« Je n'ai pas voulu vous causer de problème à l'époque, Frank, répondit-elle, et je ne vais pas commencer maintenant.

— Je comprends, dit-il, et je vous en suis reconnaissant, seulement les choses ont changé. »

Il regarda sa fille.

« On dirait que je suis désormais père, et un père a certaines responsabilités.

— Vous prenez très bien la chose, observa Elizabeth. Je ne crois pas qu'il y ait beaucoup d'hommes qui accepteraient ça sans sourciller. »

Frank Jacobs, tête nue, le haut de sa chemise déboutonné, assis au bout du canapé dans le salon exigu, esquissa un sourire ironique.

« J'ai trente-neuf ans, dit-il. Je ne suis pas marié. Je ne suis pas mon propre patron. Je travaille toujours pour les mêmes gens qu'il y a treize ans, je continue de vendre des chaussures pour les mêmes pieds. Tout ce que je connais, ce sont les types de cuir et leur couleur, les richelieus en cuir de Cordoue, les mocassins, les chaussures habillées et les sandales. Je mange les mêmes repas dans les mêmes endroits. Je vais au cinéma une fois par mois. Je fume la même marque de cigarettes que quand j'ai commencé en 1940. Tout chez moi est prévisible, routinier, régulier. Mais maintenant je ne suis plus si prévisible que ça. Maintenant j'ai quelque chose qui n'est ni routinier ni régulier, et ça me plaît plutôt. » Il regarda Bailey. « Quand Bailey a téléphoné, j'ai su que c'était ma fille. Ne me demandez pas comment. Je l'ai simplement *su*, de la même manière que vous savez que c'est moi qui vous ai mise enceinte. Maintenant, nous sommes ici, et nous sommes tous impliqués, alors je vous demande si vous vous en sortez ou si vous avez besoin d'une aide quelconque, vous comprenez ? Je ne suis pas riche, mais je gagne ma vie, et je n'ai pas de vices à proprement parler. Je ne bois pas et je ne joue pas, et pour ce qui est de la manière dont nous nous sommes rencontrés... eh bien, j'ai dû faire ce genre de choses une douzaine de fois dans ma vie, et ça fait près de dix ans que je n'ai pas recommencé. » Frank Jacobs tira sur son pantalon et se pencha en avant. « Voilà. J'ai étalé mes cartes. Je suis ici si vous avez besoin de moi, et si vous n'avez pas besoin de moi je repartirai. Je ne souhaite pas plus que vous vous causer le moindre souci. »

Elizabeth Redman sourit.

« J'avais gardé de vous l'image d'un gentleman, dit-elle, et je ne me trompe jamais pour ce genre de choses. Je ne vais pas vous demander d'argent, mais je crois que Bailey aimerait apprendre à vous connaître puisque vous êtes son père, et si vous n'y voyez pas d'objection, alors vous pourrez couvrir les frais chaque fois qu'elle prendra le bus pour vous rendre visite.

— Aucun problème, répondit Jacobs, et il se tourna vers sa fille. Bailey ?

— D'accord, répondit-elle. Quel dommage que nous ayons perdu treize ans.

— Ces choses arrivent, dit Jacobs. Tout le monde fait ce qu'il fait, bien ou mal, pour une bonne raison, et nul n'a le droit de juger un autre en fonction des décisions qu'il a prises.

— Donc, on dirait que tu t'es trouvé un père », dit Elizabeth à Bailey.

Bailey sourit, retenant ses larmes, et quand elle se pencha en avant pour étreindre son père, il y eut un moment de gêne dont ils surent l'un comme l'autre qu'elle passerait avec le temps.

Bailey se construisit une routine. Pendant deux ans elle passa un week-end par mois chez son père. Elle approchait désormais des quinze ans. Elle était intelligente, lisait avidement, et avait accepté le fait qu'elle ne serait jamais normale. Elle était la fille d'une prostituée et d'un vendeur de chaussures. C'était une particularité bizarre, insolite, mais il y avait quelque chose là-dedans qu'elle trouvait extrêmement plaisant. Elle aimait les orages. Elle aimait le gâteau des anges. Elle aimait les pêches presque mûres, dont la peau était ferme et amère, et encore un peu pâle. Et même si elle avait un peu peur des chats, elle ne pouvait s'empêcher de les aimer. Ne serait-ce que de loin. Elle aimait les taches de rousseur sur les enfants, l'odeur du café noir. Elle aimait le maïs avec du beurre et la sensation du chocolat fondant entre ses doigts, même si ça ne lui était arrivé que deux fois dans sa vie et qu'elle ne savait pas trop si c'était la sensation elle-même ou la promesse de chocolat qui était si agréable. Elle aimait les vieux qui racontaient leurs histoires de jeunesse, le bruit de la plume sur le papier, l'odeur d'encre des livres neufs, le grondement de trois ou quatre contrebasses jouant à l'unisson. Mais plus que tout elle aimait être une fille, parce qu'une fille pouvait aimer un garçon, et il n'y avait rien de mieux que les garçons.

Frank Jacobs adorait Bailey. Il pensait n'avoir jamais autant aimé quelqu'un. Il ne le lui disait pas de peur de l'embarrasser, mais il le sentait dans son cœur, au plus profond de lui, et lors de ses moments de solitude, quand elle était absente et qu'il aurait voulu qu'elle soit là.

Les choses continuèrent ainsi jusqu'à la mort d'Elizabeth Redman.

Bailey comprit le mot *cancer* quand sa mère le prononça, mais elle ne comprit pas comment ni pourquoi elle avait attrapé cette maladie. Frank tenta de le lui expliquer, mais Frank n'était pas le genre d'homme qui avait l'habitude d'expliquer grand-chose hormis les différentes qualités de cuir et les réductions.

Pendant un temps, elle eut l'impression de voir le monde à travers du vieux verre opaque.

Elizabeth trouvait Bailey debout près de la fenêtre, le regard vide et la bouche entrouverte, comme si elle cherchait à gober les mouches. Elle essayait de consoler sa fille, de lui faire comprendre que les choses n'étaient jamais si simples.

« Mais pourquoi sont-elles si compliquées ? » demandait Bailey, et sa mère ne savait que répondre.

Un jour, un prêtre vint. C'était environ un mois après qu'elle avait appris la nouvelle.

« Si vous êtes honnêtes et franches, vous surmonterez toutes les épreuves, dit-il. Le diable ne tente pas les faibles et les vaniteux. Ils sont déjà perdus. Le diable s'attaque aux vertueux.

— Mais ma mère est une prostituée, répliqua Bailey.

— Je sais », dit le prêtre, et il vit à son expression que cette enfant avait des années d'avance sur son âge.

La vie l'avait forcée à grandir vite. Elle avait développé son intelligence, et la façon dont elle le défia alors le mit mal à l'aise.

« Les prostituées ne sont pas vertueuses, pas aux yeux de l'Église et de la Bible et de je ne sais quoi, déclara Bailey.

— Mon enfant, tout le monde est vertueux aux yeux de Dieu. »

Bailey trouva le prêtre hésitant et superficiel. Il avait l'air de douter de lui-même, de douter de sa foi, mais il continuait d'essayer de se convaincre et de convaincre le reste du monde qu'il avait raison et que Dieu était juste.

Après un choc d'une telle ampleur, certains trouvent une consolation dans le silence et la solitude. D'autres ont besoin de bruit et de gens, comme si la collision insignifiante de vies sans importance pouvait suffire à leur faire oublier la douleur.

Bailey ne cherchait ni la solitude ni le bruit. Elle cherchait à comprendre, mais n'y parvenait pas.

Une fois le prêtre parti, Bailey et Elizabeth s'allongèrent côte à côte sur le lit où sa mère avait diverti tant de clients, et elles restèrent là sans rien dire.

Elizabeth Redman mourut le matin du dimanche 15 novembre 1964. Bailey était à ses côtés. La dernière chose qu'Elizabeth dit à sa fille fut qu'elle ne devait écouter qu'elle-même, que son cœur dirait toujours la vérité, et que si on commençait à se mentir alors on était foutu.

Bailey embrassa sa mère, puis tira le drap par-dessus son visage. Elle sortit et appela Frank depuis la cabine au coin de la rue.

« Elle est morte.

— J'arrive », répondit-il, songeant que si ça n'avait pas été un dimanche, il aurait été sur la route.

Maintenant, il était responsable de sa fille. Elle n'avait plus que lui. Il était effrayé, excité, triste, un peu confus. Il se rendit à Florence, ignorant allègrement les limitations de vitesse sans se faire arrêter.

L'enterrement eut lieu à Oro Valley, juste au nord de Tucson, le dimanche 22 novembre. L'église s'appelait l'Église baptiste missionnaire du nouvel espoir. À l'extérieur, une pancarte disait *Mathématiques divines : Une Croix Plus Trois Clous Égalent Le Pardon.*

Bailey ne pleura pas. Elle supposait qu'elle avait déjà pleuré toutes les larmes qu'elle avait en elle. Frank lui demanda si elle voulait dire quelque chose. Mais qu'aurait-elle pu dire ? Et à qui ? Dans l'église il n'y avait qu'elle, son père, le prêtre, et le croquemort qui attendait à l'arrière qu'on l'informe que le cercueil était prêt à être enterré.

Frank paya tout. Ils allèrent manger dans un bar pas très loin. Ils commandèrent des sandwichs, des saucisses frites et des chips. Frank ne but pas d'alcool parce qu'il devait conduire. Bailey but du Coca.

« Nous devons retourner à Scottsdale, déclara Frank. Je ne sais pas quoi faire de vos affaires… » Il secoua la tête. « La maison où vous viviez a été louée. Nous devons la vider et la rendre au propriétaire.

— Laisse tout là-bas, répondit Bailey.

— Pardon ?

— Laisse tout là-bas. Je ne veux rien.

— Mais tes vêtements, tes livres, tout ce qui appartenait à ta mère…

— Laisse-le, Frank. Laisse. Je ne veux pas me trimballer tous ces trucs éternellement.

— Tu es sûre ? »

Bailey ne répondit rien. Inutile. Frank connaissait suffisamment sa fille pour ne pas insister. Elle était têtue, aucun doute là-dessus. Mais c'était une qualité. Le genre de trait de caractère qui l'aiderait à survivre seule.

Ils passèrent la nuit dans un motel bon marché légèrement à l'écart de la route. Frank laissa le lit à Bailey et dormit par terre. Ne parvenant pas à trouver le sommeil, elle sortit pieds nus, en jean et en tee-shirt, et alla contempler les ténèbres derrière le bungalow. Tous ceux qui disaient que la nuit était silencieuse ne faisaient pas attention. On en entendait plus en une demi-heure d'obscurité qu'à n'importe quel moment du jour. Les sillons faisaient ressembler les champs obscurs à du velours, la lune était un trou dans le ciel noir à travers lequel un autre univers était visible. Elle entendait des chiens hurler à tour de rôle, l'écho de leurs hurlements se répercutant encore et encore jusqu'à atteindre le bout du monde, où il était avalé par la mer.

La fin d'une chose, le début d'une autre. Elle ne savait pas à quoi s'attendre, et ne s'attendait donc à rien. Elle n'avait pas conscience de Clay Luckman, d'Earl Sheridan, de Digger Danziger. Si elle avait su que leurs chemins se croiseraient, elle n'aurait pas pu croire à une telle coïncidence. Elle avait un jour entendu ce vieux dicton : « Une coïncidence, c'est quand Dieu souhaite rester anonyme. » Peut-être que ça marchait aussi avec le diable.

## 6

## Troisième jour

Le soleil se leva tôt. La lumière était aussi pâle et propre que le quartier d'une pomme fraîchement coupée. Clay s'était endormi sur fond de jurons d'Earl. *Putain. Merde. Enfoiré. Fils de pute.* Ce type avait passé sa vie à prendre des mauvais tournants et avait fini dans un cul-de-sac. Ce que voyait Clay, ce qu'il comprenait désormais, c'était que sa noirceur n'était pas une illusion. Les hommes et les femmes – qu'ils soient hardis, courageux, anxieux, timides, pauvres, riches, sincères, superficiels – espéraient tous que le mal était une illusion, mais ce n'en était pas une. Earl Sheridan en était la preuve vivante.

Pendant qu'Earl se levait, qu'il retrouvait ses esprits, qu'il ôtait la chaise qu'il avait calée sous la poignée de la porte de la salle de bains, Bailey Redman était ailleurs, en train de se préparer pour l'enterrement de sa mère. Personne ne savait que son chemin croiserait celui de Clay Luckman et d'Elliott Danziger, et personne n'aurait pu le prédire.

« Petit déjeuner, annonça Earl. Et après vous resterez avec moi pendant que je vérifierai quelques trucs à Phoenix. »

Earl affichait ce calme parfait que certaines personnes ont avant de faire une chose complètement dingue. Sans qu'il en sache rien, ses parents – son père autoritaire, sa mère puritaine – recevaient désormais une douzaine de coups de téléphone par jour. Ils provenaient invariablement d'inconnus qui voulaient des renseignements sur leur fils. Quand l'avaient-ils vu pour la dernière fois ? Comment leur avait-il semblé ? Comment était-il enfant ? Avaient-ils envisagé qu'il puisse devenir un criminel ? Un tourbillon d'agents fédéraux s'était abattu sur Hesperia. Le monde voulait tout savoir sur Earl Sheridan, sur les garçons qu'il avait pris en otages, sur les agents Garth Nixon et Ronald Koenig, sur la manière dont un condamné avait pu échapper au système judiciaire, simplement armé de sa haine et d'un peigne. On le cherchait au sud d'Anaheim et de Palm Springs. On pensait qu'il avait pris la direction de la Basse-Californie. Les forces gouvernementales pouvaient être mises à contribution, et elles étaient en train d'être mobilisées alors même que les parents de Sheridan répondaient aux coups de fil incessants. Mais même les forces gouvernementales n'étaient rien face à l'immensité du pays. Sheridan était un homme. Même avec Luckman et Danziger dans son sillage, ça ne faisait que trois personnes. Il y avait des retards, des malentendus, des photos qui étaient de plus en plus floues au fil des réimpressions. Earl Sheridan devenait méconnaissable à mesure que son image était envoyée à tous les agents et individus qui pouvaient être concernés par son identification et son arrestation. Mais la plupart des gens qui s'intéressaient à l'affaire voulaient le voir mort. Ça éviterait à l'État et au comté d'avoir à le juger pour le meurtre de Chester Bartlett, et ils ne seraient pas forcés de nourrir cette vermine pendant les différentes étapes du procès et pendant son incarcération dans le couloir de la mort. Bon Dieu, ça leur ferait même économiser les quelques dollars de corde pour le pendre, ou les quelques cents d'électricité qui traverseraient son corps comme un ouragan au cas où ils décideraient de changer la méthode d'exécution. Quelqu'un quelque part devait régler la note pour ces choses, et ce quelqu'un pouvait très bien se passer de ce fardeau.

Il était neuf heures passées quand Sheridan et les deux frères quittèrent le motel et se dirigèrent vers le centre-ville de Phoenix. Clay Luckman n'avait jamais rien vu de tel. C'était comme s'il y avait plus de monde entassé dans un seul pâté de maisons qu'il n'en avait vu de toute sa vie.

Il était époustouflé, stupéfait. Et même si Digger ne disait rien, il suffisait de voir sa tête pour comprendre qu'il ressentait la même chose. C'était un monde différent, ç'aurait même pu être une autre planète vu que ça ne ressemblait à *rien* de ce qu'ils avaient vu jusqu'alors. Les vêtements, les véhicules, la simple quantité de choses qui assaillaient vos sens. Visions, sons, odeurs… Bon sang, même le ciel semblait différent de celui qu'ils avaient au-dessus de la tête quand ils creusaient des fossés ou quand ils avaient comploté pour voler de la *root beer*.

Earl les emmena dans un petit restaurant. S'il ne leur avait pas montré le chemin, Clay et Digger seraient restés plantés là à ouvrir de grands yeux émerveillés. Il leur fit savoir qu'ils avaient l'air de deux ploucs abrutis.

« Bon Dieu, on dirait que vous avez jamais vu une vraie ville de votre vie… »

Il disait vrai, et aucun des garçons ne répondit.

Une fois à l'intérieur, ils prirent place dans un box au fond, Earl s'asseyant le plus près possible de la vitre pour surveiller la voiture. L'arme de Chester Bartlett était enfoncée dans sa ceinture.

Un jeune homme s'approcha d'eux. Il portait un tablier, tenait un crayon et un carnet.

« Quel genre de steak vous avez ici ? demanda Earl.

— Nous n'en avons qu'un seul genre.

— Et c'est quoi, comme genre ?

— Le genre qui se mange. »

Earl sourit.

« Alors ça ira. On va en prendre trois. Et aussi des œufs et des pommes de terre. Café pour moi. Eau glacée pour les garçons. »

Digger demanda du café.

« Prends ce qu'on te donne et ferme ta gueule ! répliqua Earl. Sois content d'avoir à manger, gamin. »

Digger la boucla. Il semblait moins vexé qu'admiratif. Clay le voyait dans ses yeux, dans sa façon de se tenir, dans son attitude embarrassée quand Earl lui parlait. Digger aspirait désormais à être comme Earl. Un homme devait avoir des aspirations. Clay savait aussi que Digger pouvait être sacrément têtu quand l'envie le prenait, surtout quand Clay le sermonnait sur le bien et le mal. En certaines occasions, Digger était allé contre le bon sens le plus élémentaire, uniquement pour défier Clay. Il voulait avoir raison, et avoir raison revenait le plus souvent à refuser d'admettre qu'on avait tort.

Ils mangèrent un moment dans un quasi-silence, puis Earl se remit à leur assener sa philosophie éculée et confuse.

« Les meilleurs repas qu'on fait sont ceux qui sont payés avec les dollars des autres », déclara-t-il. Une fois de plus, il leur fit part de ses sentiments envers son père. « C'était rien qu'un sale fils de pute. Si la moitié de ses idées avaient été à moitié utiles, il serait toujours qu'un quart de l'homme que je suis. » Une autre perle : « Je pige pas pourquoi les gens lisent le journal. Tous ces trucs qui se sont déjà passés ? Ça me dépasse. Maintenant, si un journal vous disait ce qui *va* se passer ? Là, ça aurait de la gueule. » Ses paroles étaient claires et concises, mais pas son esprit.

Plus tard, bien plus tard, Clay repenserait à ces heures – à ce qui s'était passé le samedi soir et le dimanche –, et il se demanderait pourquoi il ne s'était pas enfui. Peut-être qu'il aurait pu convaincre Digger de partir avec lui, peut-être pas. Le recul, toujours notre plus perspicace et cruel conseiller, lui ferait comprendre que ce qu'il aurait dû faire, c'était s'emparer de l'arme d'Earl, lui tirer une balle en plein front, puis entraîner Digger hors du restaurant sous la menace du pistolet et se livrer au premier flic qu'ils croiseraient. Si Clay s'était enfui seul, alors il y aurait eu de grandes chances pour qu'Earl le traque et le descende. Digger n'aurait pas pu l'en empêcher. Il n'aurait eu aucune chance. Il le savait. Et puis il y avait autre chose. Digger était totalement fasciné par Earl Sheridan. Du coup, Clay était resté – non pas parce qu'il craignait pour sa vie, mais parce qu'il craignait pour celle d'autres personnes, principalement de Digger. Il s'en faisait pour sa santé physique, mais surtout pour sa santé mentale. Après avoir fréquenté un type comme Earl Sheridan, surtout quand on était aussi impressionnable que Digger Danziger, on avait besoin d'un exorcisme. Il faudrait un paquet de discussions, d'explications, de patience et de persuasion pour arracher ces sales idées de la tête de son frère. Et Clay pensait peut-être pouvoir limiter le carnage. Peut-être croyait-il qu'en restant avec eux il pourrait faire en sorte qu'il n'y ait pas d'autre Bethany Olson.

Le sens des responsabilités de Clay Luckman était déplacé, son appréciation de la situation était fausse et mal avisée, mais il croyait ce qu'il croyait, et il pensait pouvoir faire *quelque chose*.

Earl mangea son petit déjeuner. Digger l'observait en silence, presque comme s'il était suspendu au prochain mot qu'Earl prononcerait. Clay se sentait malade, mais il s'efforça d'avaler quelques bouchées. Le moment viendrait où il aurait besoin de forces.

Ils reprirent la route avant dix heures.

C'est après Phoenix, sur la Route I-10, à la sortie de Casa Grande, qu'Earl vit l'épicerie générale. Le magasin s'appelait ainsi – Épicerie générale du comté de Pinal. Peut-être est-ce le nom qui attira le regard d'Earl ; il le prononça « pénal » et rigola. La pancarte annonçait : Nourriture-Graines-Pneus-Pièces de Tracteur-Chaussures-Lait-Boulangerie-Etc.

C'était un magasin relativement grand, et Earl se gara devant et sortit les quelques dollars qui lui restaient.

« On est sacrément fauchés, dit-il. On va se payer un Coca et jeter un coup d'œil à l'intérieur. »

L'homme derrière le comptoir avait un ventre qui saillait comme un bow-window. Dans les cinquante, cinquante-cinq ans. Tout en sourires et amabilités. Earl le fit parler, le questionna sur le coin, sur Casa Grande.

« La ville s'est développée à la fin du XIXe pendant l'essor des mines, lui expliqua l'homme. Et maintenant elle abrite le camp d'entraînement de printemps des San Francisco Giants.

— Vraiment ?

— Pour sûr. Le premier match amical ici a eu lieu en 1961. Willie Mays a frappé un *home run* de cent quinze mètres.

— Vraiment ?

— Oui, monsieur, vraiment. »

Digger alla au fond de la boutique et enfonça deux ou trois articles dans ses poches. Clay le vit ; il fit la moue et secoua la tête. Lui-même avait suffisamment de raisons de voler, mais il ne l'avait jamais fait. Il supposa que Digger cherchait juste à impressionner Earl.

Earl continuait de faire parler l'homme. C'était le propriétaire. Son nom était Lester Cabot. Sa femme et lui tenaient le magasin depuis près de vingt ans. Il avait trois fils, qui avaient tous foutu le camp dans des villes plus grandes dans l'espoir d'une vie meilleure. Earl était tout ouïe et tout sourires.

« Je suis surpris que vous soyez ouvert le dimanche.

— Eh bien, fiston, nous avons commencé à ouvrir le dimanche pour diverses raisons. Beaucoup de gens du coin ne vont pas trop à l'église. Et il y a toujours des factures à payer, vous savez. Et si je ne donnais pas aux gens ce qu'ils veulent, ils iraient voir ailleurs. Y a de nouvelles boutiques qui s'ouvrent partout à Casa Grande, et y a aussi un magasin chicos à Florence. Faut maintenir le commerce à flot. »

Earl lui demanda comment allaient les affaires. Beaucoup de clients ? Lui arrivait-il d'avoir besoin d'un coup de main ?

« Eh bien, fiston, ça pourrait être mieux, mais ça pourrait aussi être pire. On s'en sort. Ça fait bouillir la marmite, comme on dit. »

Earl s'acheta un autre Coca, deux paquets de chips de maïs, et il raconta à Lester une blague sur une femme qui avait le cul aussi large qu'un pare-chocs. Ils rirent ensemble, et Clay devinait que Lester prenait Earl pour un gars bien, un gars sociable, le genre d'homme toujours prêt à filer un coup de main, un type à qui vous pouviez prêter quelques dollars en étant sûr d'être remboursé.

De retour dans la voiture, Digger vida ses poches et montra à Earl ce qu'il avait piqué. Deux paquets de chewing-gum, des bonbons, une montre de gousset bon marché.

Earl lui colla une baffe derrière la tête, le traita de foutu abruti.

« Et s'il t'avait vu ? Si tu t'étais fait choper, hein ? T'aurais foutu en l'air toutes nos chances de le dévaliser. Bon Dieu, t'as du cran, gamin, je te le concède, mais t'as vraiment rien dans le crâne. »

Digger eut l'air penaud.

« C'est quoi les bonbons que t'as ? »

Digger lui montra.

Earl en prit un, arracha l'emballage avec ses dents et mangea le chocolat.

« Putain de connard », dit-il en démarrant.

Clay regarda de biais en direction de Digger, le vit déballer un bonbon et le manger. Il n'en offrit pas à Clay, qui était pourtant juste à côté de lui. C'était comme si Digger ne le voyait pas. Clay, en revanche, avait fortement conscience de son frère, et il se sentait en colère, effrayé, profondément inquiet à l'idée qu'à chaque heure qui passait Digger tombait un peu plus sous l'influence d'Earl Sheridan. Que pouvait-il dire ? Rien. Et que pouvait-il faire ? Encore moins. Qui était-il – lui, le petit frère faible, le malin qui avait réponse à tout mais qui n'était pas foutu de se faire respecter avec ses poings – comparé à cette figure imposante qu'était Earl Sheridan, cet assassin, ce violeur, ou – comme l'aurait sans doute décrit Digger – ce héros américain ?

C'était comme regarder quelqu'un être emporté par la mer. Vous pouviez vous égosiller à lui hurler de revenir, tendre la main le plus loin possible pour le ramener vers la rive, il continuait de s'éloigner. Bientôt, Digger ne serait plus qu'un fantôme à l'horizon, et alors il disparaîtrait pour toujours.

« Demain matin, annonça Earl. La pancarte sur la porte dit qu'ils ouvrent à six heures. On entre dès l'ouverture, avant qu'ils aient le temps de porter l'argent à la banque. Toute la recette de la semaine. Je vous garantis que c'est le meilleur moment, et on va se servir. » Earl regarda Clay. « On va dormir dans la voiture, vous deux attachés l'un à l'autre parce que je vous fais pas confiance. Et demain à la première heure, Digger et moi on entre là-dedans et on fait le coup. »

Il n'ajouta rien.

Digger ne prononça pas un mot.

Clay sut alors que c'était fini. Earl avait choisi Digger, et Digger et lui allaient faire une chose terrible. Ce soir – peut-être pendant qu'Earl dormirait –, ce serait sa dernière chance de sauver son frère de la folie dans laquelle Earl cherchait à l'entraîner.

Il savait que si Lester Cabot ouvrait la bouche pour protester, s'il tentait de faire *quoi que ce soit*, Earl Sheridan le descendrait. Et alors, Digger et lui seraient complices. À vrai dire, Clay supposait qu'Earl Sheridan tuerait Lester Cabot quoi qu'il arrive. Ses émotions ressurgirent tout d'un coup, comme un troupeau de bêtes sauvages en pleine débandade. Le confiteor lui résonnait dans les oreilles. Il l'avait entendu tous les dimanches à Barstow. *J'ai péché en pensée, en parole, par action et par omission*. Puis l'écho : *C'est ma faute, c'est ma faute, c'est ma très grande faute*.

Clay savait que sa bataille contre la conscience de Digger était plus que probablement perdue. Il savait aussi qu'il ne pourrait aider Lester le lendemain matin. Il devinait que s'il tentait quoi que ce soit, il finirait mort dans un fossé et Lester se ferait buter de toute manière.

Earl enfonça l'accélérateur, soulevant un nuage de poussière au bord de la route.

Ils passèrent devant une église. À l'extérieur, il y avait une pancarte : *Jésus est le* rock *sans le* roll.

« C'est marrant, observa Earl. Putains de bêcheurs. Putains de bigots. Moi, je vais pas à l'église. La seule fois où on me verra dans une église, ce sera les pieds devant. »

Digger éclata de rire. Il se tourna vers Clay, s'attendant à ce que son petit frère rie aussi, mais Clay n'esquissa même pas un sourire. Son esprit était à des millions de kilomètres de là, mais il vit clairement la rancœur assombrir le visage de Digger.

« On va se faire notre propre rock'n'roll, déclara doucement Earl. Mieux vaut se brûler les ailes que crever à petit feu. »

Plus tard, alors qu'ils étaient garés dans un champ à la périphérie de la ville, Earl ligota Clay et Digger ensemble, et ils dormirent tous dans un enchevêtrement de bras et de jambes. Digger ronfla, Earl ronfla plus fort. Impossible de réveiller l'un sans réveiller l'autre. Clay sut alors que son frère était plus que probablement perdu, et il s'interrogea une fois de plus sur le pourquoi des choses. Il se demanda ce qu'ils seraient devenus si leur mère avait survécu. Il se posa de nombreuses questions, car telle était sa nature, et – comme toujours – elles ne lui apportèrent guère de réponses.

Dans la semi-pénombre de l'aube approchante, il frissonna de froid et d'angoisse, et devina qu'il n'aurait probablement plus jamais aussi peur que maintenant.

# 7

## Quatrième jour

Un désastre était inéluctable. Alors que le soleil se levait, alors que Clay émergeait de son sommeil inconfortable et agité, il sentit que ça se passerait mal. Sa conviction se renforça lorsqu'il entendit les fanfaronnades d'Earl, lorsqu'il regarda Digger et vit la lueur dans ses yeux, l'expression légèrement admirative qu'il arborait désormais.

Il en fut absolument certain quand Earl et Digger le laissèrent dans la voiture et quand Earl lui intima l'ordre de ne pas bouger, de ne rien faire, de ne pas même songer à s'échapper.

Earl se pencha en avant, son visage à quelques centimètres de celui de Clay. Son haleine empestait autant qu'une charogne en plein été.

« Digger m'accompagne, dit-il. Digger et moi, on n'a pas vraiment besoin de toi, mais je suis pas encore décidé à te tuer. » Il faisait tout son possible pour paraître menaçant, et ça fonctionnait. « On va entrer là-dedans, faire ce qu'on a à faire, et on sera très vite ressortis. Ça prendra pas plus de trois ou quatre minutes en tout. Comme je t'ai déjà dit, t'auras pas le temps de courir bien loin, et je te rattraperai et je te couperai en deux depuis la gorge jusqu'à la queue, et après on jettera tes tripes aux coyotes et aux vautours. Ça, c'est si tu cherches à t'enfuir. »

Derrière Earl, Clay voyait Digger qui le regardait. Il y avait dans ses yeux quelque chose qu'il n'avait jamais vu jusqu'alors. Il semblait gêné, certes, mais il était aussi sur la défensive, comme si Clay était désormais la seule personne qui se tenait entre lui et son destin. Digger avait à un moment pris une décision, peut-être pendant son sommeil, et dans les tréfonds obscurs de son esprit il s'était concocté une justification tordue à ce qu'il était sur le point de faire. Clay n'avait jamais douté de son frère. Bien sûr, il y avait eu des moments de colère, de rancune, de haine, mais ils avaient toujours été éphémères, fondés sur des jalousies mesquines ou des hypothèses injustifiées. Maintenant, c'était différent. Earl Sheridan semblait avoir réveillé un gène endormi, un aspect latent de la personnalité de Digger que Clay n'avait jamais perçu. Jusqu'alors, Clay avait toujours eu peur *pour* son frère ; peur de ce qu'on penserait de lui, peur de la manière dont on le traiterait quand il serait adulte.

Mais maintenant qu'il le regardait dans les yeux – des yeux aussi froids et durs que des cailloux gris polis par une rivière –, Clay Luckman avait peur *de* lui.

« Donc c'est toi qui décides, poursuivit Earl. Tu restes encore un peu avec nous et on te laissera dans un endroit sûr, ou alors tu peux tenter ta chance et t'enfuir. Mais crois-moi quand je te dis que je te rattraperai… Je te traquerai comme un chien et je te liquiderai dans un fossé, même si je dois y laisser ma peau. »

Clay le croyait. Earl avait l'expression d'un homme sur le point de faire une chose dont il a rêvé toute sa vie. Rien que la veille au soir, il avait dit quelque chose qui avait clairement fait comprendre à Clay à quel point il était cinglé.

« Dieu a un plan, pour sûr, qu'il avait dit. Et je fais autant partie de ce plan que n'importe qui. Quelqu'un croise mon chemin et je le bute, eh bien, ça aussi ça doit faire partie du plan, vous voyez ? C'est pas compliqué, c'est juste inévitable. Qui sera le prochain, et pourquoi ? Je le sais pas plus que lui. C'est ce qui rend tout ça si magique. Ses voies sont impénétrables, et je dois être l'une d'elles. »

C'était ce qu'il avait dit, et c'étaient les paroles qui résonnaient dans les oreilles de Clay tandis qu'il regardait Earl Sheridan dans les yeux et sentait son haleine de charogne.

Peut-être que ça s'appliquait désormais aussi à Digger. Peut-être que Dieu avait vraiment un plan, et que tout ce qui s'était passé jusqu'alors n'avait été que le prélude à la rencontre d'Earl et de son frère. Plus d'Eldorado, du moins pas pour Digger. Le rêve de ce qu'ils auraient pu y trouver, de la vie qu'ils y auraient vécue ensemble, semblait à des millions et des millions de kilomètres. Encore plus loin que la mauvaise étoile sous laquelle ils étaient nés tous les deux.

Clay Luckman regarda son demi-frère et se demanda quelle moitié de leur personnalité ils partageaient. Probablement celle qui venait de leur mère. L'autre moitié de Digger, Clay ne la reconnaissait pas. Il ne voulait *pas* la reconnaître. C'était comme si tout ce qu'il aimait chez son frère, tout ce à quoi il était attaché, tout ce qu'il respectait et admirait, avait disparu. Clay avait été tellement terrifié, tellement absorbé par ses propres pensées, qu'il n'avait pas perçu le changement. Mais il s'était produit. C'était indubitable.

« Je ne vais nulle part », répondit Clay, et il devait y avoir suffisamment d'assurance et de conviction dans sa voix, car Earl se redressa et le laissa tranquille.

Il resta assis à l'avant du pick-up, devant l'épicerie générale, conscient que Lester Cabot n'en avait plus pour longtemps. Il songea que certaines personnes tuaient pour voler, alors qu'Earl Sheridan semblait être du genre à voler uniquement pour tuer. Comme il l'avait dit : *C'est la chose la plus réelle qu'on puisse faire, c'est un fait*.

Earl Sheridan et Elliott Danziger ne se couvrirent pas le visage avant d'entrer dans le magasin. Ils n'avaient aucune raison de le faire. Quiconque serait à l'intérieur, quiconque les verrait, ne serait pas en mesure de donner leur signalement aux autorités locales ou fédérales. Le seul endroit où ils pourraient le donner, ce serait dans l'au-delà.

Earl était à cran. Il était excité et irrité, il avait mal dormi, trop fumé, et il n'avait pas pris de petit déjeuner ; il était dans l'état d'esprit idéal. Il avait l'arme, chargée, de Chester Bartlett. Le fusil que Tom Young lui avait fourni à Hesperia. Il avait le couteau dont il s'était servi pour taillader l'épaule de Clay Luckman. Il avait Digger à ses côtés. C'était un brave gamin, il le garderait avec lui jusqu'à ce qu'il commence à lui taper sur les nerfs, et alors il le descendrait et le balancerait dans un puits asséché ou quelque chose du genre. Il pourrait rester tant qu'il se comporterait convenablement. Et il avait assurément beaucoup plus de couilles que sa lavette de frangin à la con. Digger pourrait faire le guet à la porte pendant qu'Earl foutrait la trouille de sa vie à Lester et récupérerait le pognon. Il devait y en avoir un paquet, deux cents dollars, peut-être plus, et puis si ça se trouvait Lester ne faisait pas confiance aux banques et gardait tout dans un coffre au sous-sol. Earl était optimiste. Il sentait que la chance allait lui sourire. Il avait réussi à s'évader. Il était en cavale. Il avait eu un rendez-vous au pénitencier de San Bernardino pour finir au bout d'une corde, mais il ne serait pas de la fête. Les choses étaient en bonne voie. Tout allait comme sur des roulettes.

« Tu restes juste derrière la porte, ordonna-t-il à Digger. Tu gardes un œil sur la route, et un œil sur le pick-up. Assure-toi que ce petit con met pas les voiles, et si tu vois une voiture ou un camion approcher, peu importe qui est dedans, tu te mets à gueuler, compris ?

— Pas de problème », répondit Digger, et il perçut dans sa propre voix le ton de celui qui cherche désespérément à se faire accepter.

Il voulait être apprécié. Il voulait être considéré d'égal à égal. Il avait le cul entre deux chaises, et il ne savait pas ce qu'il fabriquait. Mais il était désormais dedans jusqu'au cou, et s'il ne se remuait pas, il allait se noyer. Earl lui faisait peur, bien sûr, mais il le mettait aussi au défi, il le provoquait, il testait son courage. Earl, c'était du sérieux, un hors-la-loi, un desperado, et être près de lui avait quelque chose de stimulant, d'excitant, d'addictif. Tout ce qu'il disait était à la fois plein de bon sens et tordu. Digger était électrisé. Et Clay finirait par voir les choses du même œil. Il finirait par comprendre, quand ils auraient de l'argent en poche et un repas à peu près décent dans l'estomac. Alors ils fausseraient compagnie à Earl Sheridan, et Clay et lui, les terribles frères de la route, prendraient la direction d'Eldorado et repartiraient sur de nouvelles bases.

Mais il y avait une chose qu'il devait savoir. Une chose qu'il devait demander à Earl.

« Est-ce que vous allez tuer ce type ?

— Le type dans le magasin ?

— Oui, le type dans le magasin. Vous allez le descendre, Earl ?

— C'est toi que je vais descendre d'une balle dans ta putain de tête si tu la fermes pas », répliqua Earl, et il lui colla une baffe sur la nuque.

Digger voulut prendre ça comme un geste amical. Il sourit comme un idiot, se mordit la lèvre, et parvint au prix d'un immense effort à retenir ses larmes.

Ils gravirent les marches et franchirent la porte.

Dehors, Clay Luckman regardait le ciel à travers le pare-brise. Il se demandait s'il était possible de voir la mauvaise étoile qui le suivait. Les mauvaises étoiles, puisqu'elles étaient sombres, se montraient peut-être de jour. Mais il n'y avait rien d'autre que le soleil étincelant, le ciel d'un bleu immaculé, l'air frais de novembre, l'incertitude de l'avenir. S'il avait pu penser à quelqu'un ou à quelque chose, alors il y aurait pensé. Mais il n'y avait rien. Il n'y avait personne. Il n'y avait qu'un grand vide, un vide auquel il s'était habitué, et il se demandait si toute sa vie serait ainsi. Il se souvenait à peine de sa mère, encore moins de son père, ne se rappelait rien de son passé avant Barstow et Hesperia.

Il regarda sur la droite et vit Digger qui l'observait depuis la porte du magasin. Digger avait fait son choix. Il était désormais du côté d'Earl. Certes, Clay était son frère, mais Earl était son pote, son mentor, son meneur. Son *véritable* ami. Si Clay s'enfuyait, alors Digger avertirait Earl, qui le pourchasserait et le tuerait. Bon Dieu, il pourrait même tuer Digger juste histoire de prendre son pied. Comme ça, il serait débarrassé une bonne fois pour toutes de ses otages, vu qu'ils n'étaient qu'une perte de temps et un fardeau. Clay n'en doutait pas une seconde.

Il regarda tout autour de lui, mais il n'y avait absolument rien. Pas de ravin ni de canyon, pas de bois, pas de forêt, pas d'affleurements pierreux, pas de rivière, pas de ruisseau. Il n'y avait nulle part où se cacher, nulle part où se perdre. Ici, il était une cible, et rien de plus. Il ne savait pas comment trafiquer le contact d'une voiture pour la faire démarrer, et c'était Earl qui avait les clés. Bon sang, il ne savait pas faire la moitié des choses qu'il avait besoin de faire. Il se sentait ignorant, impuissant. Tous les livres qu'il avait lus à Barstow et à Hesperia ne l'avaient pas préparé à ça.

Clay ne pensait pas que Digger aurait le cran de tuer quelqu'un, surtout pas son petit frère, mais il ne faisait aucun doute qu'il n'empêcherait pas Earl de mettre sa menace à exécution. Non, décida Clay, il ne s'enfuirait pas. Il attendrait de voir ce qui se passerait ensuite ; il devait savoir si tout ça arrivait à cause d'Earl, ou si c'était sa mauvaise étoile qui l'avait mené là.

Lester apparut au fond du magasin et reconnut Earl Sheridan.

« Bien le bonjour ! lança-t-il. Je vous croyais partis. »

Il vit alors le fusil, le couteau de cuisine, le revolver enfoncé dans le pantalon d'Earl, et il demanda :

« Vous allez me tuer, fiston ?

— Peut-être bien.

— Je peux vous demander pourquoi ?

— Oh, bon Dieu, j'en sais rien. Peut-être juste histoire de voir ce que ça fait.

— Vous savez ce qu'un meurtre va vous rapporter par ici ?

— Quoi ? À part la satisfaction ? »

Lester secoua la tête. Il ferma un instant les yeux comme s'il priait, puis il déclara :

« Eh bien, c'est vraiment dommage, et c'est un péché.

— Je vais vous dire ce qui serait dommage, mon vieux, répliqua Earl, ce serait que vous vidiez pas vos caisses et tout ce que vous avez à l'arrière, et si vous avez un coffre quelque part, ce serait aussi une bonne idée d'aller récupérer ce qu'il y a dedans. »

Lester acquiesça avec résignation. Il savait qu'il était inutile de le contredire ou de discuter. Il voyait dans les yeux d'Earl Sheridan que la conversation était à sens unique.

« Je dois avoir cent, cent cinquante dollars en tout, dit-il. Je n'ai qu'une caisse, rien à l'arrière, pas de coffre. L'argent part à la banque à la fin de chaque journée, sauf pendant le week-end où nous attendons jusqu'à la fermeture le lundi soir… »

Earl opina comme s'il comprenait.

« Mais je suppose que vous l'avez déjà deviné, hein ?

— Cent cinquante dollars ? Vous vous foutez de ma gueule !

— Non, m'sieur. C'est tout ce que j'ai. Cent cinquante dollars avec un peu de chance. »

Earl abaissa le couteau. Il tapa une fois du pied tel un gamin gâté piquant une crise.

« Et qu'est-ce que vous voulez que j'en fasse ? demanda-t-il. Bon Dieu de merde, putain d'enfoiré ! Qu'est-ce que j'ai à foutre de cent cinquante dollars ? »

Lester secoua la tête.

« J'en sais rien, fiston. Ça vous fera un peu plus que quand vous êtes entré, je suppose. »

Earl sembla un moment furax. Ses yeux lançaient des éclairs. Peut-être pensait-il que Lester cherchait à l'embobiner. Il bougea soudain, de façon brusque, et avant que Lester ait eu le temps de réagir il fut juste devant lui, juste de l'autre côté du comptoir, et il lui planta violemment le couteau dans l'épaule.

Lester hurla. Du sang jaillit, éclaboussant la chemise d'Earl.

« Putain de m… » commença Earl, et il recula et baissa les yeux sur sa chemise.

On aurait dit que c'était lui qui avait été poignardé.

Lester semblait chancelant. Il porta la main droite à son épaule gauche. Le sang coulait abondamment entre ses doigts. Il ne prononçait pas un mot, osait à peine regarder Earl de crainte de l'énerver encore plus.

« Va te faire foutre ! lança Earl.

— Fiston…

— Ferme ta gueule ! » coupa Earl.

Il posa le fusil sur un tas de sacs de graines et tira le pistolet de Chester Bartlett de son pantalon. Il fit deux pas en avant et pointa l'arme pile entre les yeux de Lester.

« Va chercher le fric ! »

Lester détourna le regard. Earl jeta un coup d'œil en direction de Digger, qui écarquillait les yeux tout en piétinant sur place. Il semblait à la fois terrifié, excité, submergé, incertain. Une large tache noire s'était répandue à l'avant de son pantalon.

« Surveille la putain de route ! » aboya Earl.

Digger cligna nerveusement des yeux, puis regarda de nouveau à travers la vitre.

« Maintenant passe-moi le pognon ! » ordonna Earl à Lester, et l'homme, dont l'épaule saignait abondamment, fit un pas en arrière et se tourna vers la caisse enregistreuse.

Il ouvrit le tiroir, le souleva de sa main valide et tira d'en dessous une liasse de billets de dix et de vingt. Dans le tiroir lui-même, il attrapa des billets d'un dollar qu'il posa sur le comptoir.

« Mets ça dans un sac », ordonna Earl.

Lester obéit.

Earl attrapa sèchement le sac et l'enfonça sous sa chemise. Il leva de nouveau le revolver et le braqua sur le visage de Lester.

« Qu'est-ce que t'as d'autre, mon vieux ?
— Je vous ai donné tout ce que j'avais, fiston, c'est la vérité. »
De la main gauche, Earl assena un nouveau coup de couteau. Il atteignit la base de la gorge de Lester, et bien que le coup ne fût pas mortel, il fit jaillir un nouveau jet de sang qui arrosa la chemise et les mains d'Earl.
« Bon Dieu… putain de merde ! » hurla Earl.
Lester semblait indifférent à la douleur. Ou alors c'était le choc qui l'avait rendu insensible.
« Voilà ce qui arrive quand on donne des coups de couteau aux gens », déclara-t-il d'une voix calme et mesurée.
Bien qu'il n'eût pas d'arme, bien qu'il fût la victime, il semblait contrôler la situation.
« Connard ! » répliqua Earl.
Il pivota sur lui-même et se dirigea vers la porte, et ce n'est que lorsqu'il l'atteignit qu'il s'arrêta et regarda en arrière.
Il leva de nouveau le revolver et, cette fois, il fit feu. Il n'aurait su dire s'il avait touché Lester, car celui-ci s'affala comme une masse derrière le comptoir.
Digger se dressa sur la pointe des pieds.
« Une voiture arrive ! cria-t-il.
— Merde », fit Earl.
Digger ouvrit la porte et ils descendirent les marches puis traversèrent l'allée poussiéreuse jusqu'au pick-up.
Earl s'assit à la place du conducteur et démarra.
Lester apparut alors à la porte armé d'un fusil à deux coups. La première volée de plombs transperça le pare-chocs et fit exploser un pneu.

Il n'eut pas le temps de tirer une seconde fois.

Digger se baissa instinctivement pour se mettre à l'abri derrière la portière, et Earl se pencha au-dessus de lui et vida les deux canons du fusil en direction de Lester qui se tenait quatre mètres plus loin.

Lester recula en titubant, ses bras battant l'air. Il percuta violemment la porte et ne s'immobilisa que lorsqu'il fut étendu sur le dos à l'intérieur du magasin. Quelques plombs traversèrent la paroi du réfrigérateur qui se trouvait en haut des marches, et des bouteilles de soda explosèrent comme des pétards.

La voiture que Digger avait repérée était désormais à moins de cent mètres.

Earl lâcha ses armes. Il enfonça l'accélérateur, et le pick-up démarra brutalement, ses trois pneus crissant sur le sol et projetant un large arc de poussière et de cailloux. Lorsqu'ils furent sur le bitume, la roue au pneu crevé se mit à produire un bruit de ferraille. Au bout de cinq cents mètres, la jante commença à transpercer le pneu. Au bout d'un kilomètre et demi, c'était une pluie d'étincelles qui les suivait dans leur fuite.

« Il nous faut une autre bagnole », déclara Earl sans se retourner, les yeux rivés sur la route.

Ses mains éclaboussées de sang serraient le volant de toute leurs forces, ses lèvres retroussées laissaient voir ses dents, son corps était tendu comme un ressort.

Digger se tourna vers Clay. Clay ne croisa pas son regard. Il tentait d'être invisible.

« T'aurais dû voir ça, dit Digger d'un ton excité, les mots franchissant ses lèvres à toute allure. T'aurais dû voir ça… il pissait le sang. Le gros porc… il pissait le sang… »

Il se mit à rire comme un dément, regarda Earl, la route. C'est alors qu'il prit conscience de son odeur, de l'urine qui avait imprégné son pantalon. Digger baissa la tête, puis il regarda Clay, et il y avait quelque chose de terrifiant dans son regard. Comme s'il avait désormais peur de lui-même mais était allé trop loin pour faire machine arrière.

Clay tendit la main vers l'épaule de son frère. Digger la repoussa d'une gifle.

« Fous-moi la paix, dit-il. Fous-moi la paix, Clay… »

Clay fixa Digger du regard comme pour lui faire passer un message. *Tu as le choix. Il n'est pas trop tard. On peut s'en sortir. On a survécu à tout jusqu'à maintenant. Laisse-moi t'aider. Ne fais pas ça, Digger… ne fais pas ça…*

Mais Digger ne l'entendit pas.

Il se contenta de lancer à son frère un regard à la fois honteux et haineux… un regard *mauvais*.

Quelque chose s'était produit en Digger, et Clay ne le reconnaissait plus.

Le pick-up atteignait péniblement les cinquante à l'heure. Le vacarme était ahurissant. Les étincelles volaient à l'arrière comme un feu d'artifice.

Digger était au comble de l'excitation.

Clay était au comble du désespoir.

Mais il leur restait encore à atteindre Marana.

# 8

Ils prendraient bientôt la direction de Scottsdale, et Frank Jacobs commencerait à comprendre que la vie ne serait plus jamais la même. Il se demanderait ce qu'il adviendrait de lui, et ce qu'il adviendrait d'elle, sa fille, Bailey Redman, tout en s'émerveillant de la façon détournée qu'avait le destin de ramener à votre porte des choses qu'on avait laissées derrière soi. S'il avait su ce que l'avenir leur réservait… eh bien, il aurait été consterné.

Plus tôt, Bailey avait dit quelque chose. Sa voix était calme et douce. Elle aurait pu s'adresser à n'importe qui, ou à personne en particulier, mais comme il était là, il avait entendu.

« Parfois, j'espère que ma vie est un rêve. »

Frank l'avait regardée, sa peau aussi pâle et douce que de la crème. Elle était tellement jolie. Difficile de croire qu'il avait quoi que ce soit à voir avec sa conception. Le genre de fille qu'un autre type vous piquerait avant qu'elle ait une chance de vous aimer. Du chagrin en boîte, bien emballé pour un anniversaire, livré en temps et en heure par le facteur.

« Oui, avait-elle répété. Parfois, j'espère que ma vie est un rêve… et qu'un jour en me réveillant je découvrirai que je suis une vieille femme, et que j'ai mené une vie vraiment extraordinaire. Un mari, une foule d'enfants, beaucoup d'amour. Une vie pleine de bons souvenirs... »

Il n'avait pas su quoi dire. N'avait pas su comment répondre. C'était si triste quand une jeune fille voulait laisser sa vie derrière elle, mais il comprenait.

Toujours le vieux dicton : la famille et l'argent – des problèmes quand on les a, des problèmes quand on ne les a pas.

La chambre de motel était si silencieuse qu'il entendait son propre sang couler dans ses veines. Il s'était alors levé et était sorti chercher quelque chose à manger.

Tandis qu'il marchait, il se mit à penser à la mère de Bailey. Il se souvenait d'elle, peut-être pas aussi bien qu'il l'aurait voulu, mais il se souvenait d'elle. Il se rappelait son rire. Se rappelait son sourire.

Il ne comprenait pas vraiment ce qu'il ressentait. Un certain soulagement ? Le poids de la responsabilité ? Non, pas un poids, et il ne se sentait pas responsable. C'était comme s'il avait toujours été seul, et que soudain il ne l'était plus. Comment cela fonctionnait-il ? Il avait eu un enfant, une fille, une fille magnifique, et il n'en avait jamais rien su. Mais au fond de lui, savait-il de façon innée, presque surnaturelle, qu'une partie de lui vivait dans un autre endroit du monde ? Et maintenant qu'il retrouvait cette partie de lui, se sentait-il de nouveau entier ? Était-ce ainsi que ça fonctionnait ?

Bailey était tout pour lui. Elle était le monde, présente dans chaque chose, et il ne pouvait plus envisager de prendre la moindre décision sans tenir compte de son opinion et de ses sentiments.

Elle lui appartenait. Il lui appartenait. Ils s'appartenaient l'un l'autre.

Ça l'effrayait, mais ça le rendait également heureux. Ça fit naître en lui une anxiété fugace – est-ce que tout irait bien ? Est-ce qu'ils s'en sortiraient ? –, mais cette anxiété fut surmontée par une étrange excitation. Il l'imagina au lycée. Il l'imagina à l'université. Il l'imagina mariée. Des petits-enfants, peut-être ?

Et, tandis qu'il marchait, il se surprit à rire, une larme lui monta à l'œil, et il la laissa couler.

Les choses étaient tellement différentes désormais. Différentes en bien.

Frank Jacobs regagna le bungalow du motel avec du jambon, du fromage, du lait, des beignets et un paquet de chips gros comme un oreiller.

Ils s'assirent sur leur lit respectif et mangèrent en silence.

Lorsqu'ils eurent fini, il fuma une cigarette. Elle lui en demanda une, et bien qu'elle n'eût que quinze ans, il fut incapable de refuser.

« Ça fait longtemps que tu fumes ? » demanda-t-il.

Elle fit non de la tête.

« Plus tu fumes longtemps, plus c'est dur d'arrêter. »

Elle haussa les épaules, sourit. Elle s'en fichait.

« Alors, qu'est-ce que tu vas faire de moi ? demanda-t-elle.

— Tu vas devoir venir vivre avec moi à Scottsdale. »

Ses yeux s'élargirent légèrement, de façon presque imperceptible, et elle se tourna vers la fenêtre.

« OK, répondit-elle, d'un ton si neutre que Frank se demanda si on lui avait déjà laissé l'opportunité de prendre une décision par elle-même.

— Je vais devoir continuer à travailler, et tu pourras finir tes études. Après ça, tu devras toi aussi travailler. »

Elle le regarda d'un air patient et accommodant, comme si ses paroles étaient déconnectées de la réalité.

« Ça va aller, ajouta-t-il. Tout va bien se passer. »

Elle ne répondit rien.

« Tu dois apprendre à croire que quelque chose de positif peut se produire à tout moment, mais tu ne dois pas trop compter dessus. Si tu comptes trop dessus, eh bien, ça n'arrive jamais. Comme la neige à Noël.

— Je n'ai jamais vu la neige, répondit Bailey.

— Peut-être parce que tu la voulais trop. »

Elle sembla perplexe. Un pli creusa son front comme une virgule.

« Donc, le meilleur moyen d'avoir quelque chose, c'est de ne *pas* le vouloir ?

— Non, il faut le vouloir, mais il faut seulement le vouloir une ou deux fois, pas tout le temps, et après on relègue ce désir au fond de son esprit et on laisse faire le travail tout seul. »

Bailey Redman demeura un moment silencieuse, regardant d'un air curieux à travers la vitre du bungalow, puis elle déclara :

« Autrefois, j'avais un poisson.

— Un poisson ?

— Oui. Un poisson doré.

— Où as-tu trouvé un poisson comme ça ?

— À la foire du comté, ou quelque chose du genre », répondit-elle.

Elle se tourna et regarda Frank avec la même expression curieuse. Elle avait le don de vous donner l'impression que vous deviez dire quelque chose alors même que c'était son tour de parler. « J'adorais ce poisson. J'étais folle de lui. Je n'arrêtais pas de lui donner à manger, parce que je voulais qu'il soit grand et fort et heureux et tout. » Elle secoua la tête d'un air résigné. « Je l'ai tellement nourri qu'il en est mort. »

Elle se tourna une fois de plus vers la fenêtre, vers le monde au-dehors, et Frank Jacobs se demanda en silence pourquoi elle lui avait raconté cette histoire de poisson. Pouvait-on trop aimer quelque chose ? Pouvait-on tuer quelque chose à force d'amour ? Il ne savait pas ce que l'histoire signifiait, et il ne fit aucun commentaire. Il était persuadé que la porte qu'il avait ouverte en acceptant cette adolescente ne se refermerait jamais.

Il n'aurait pas pu avoir plus raison, ni plus tort.

Ils partirent avant huit heures. Le type à la réception les lorgna d'un air soupçonneux. Frank aurait voulu dire : « C'*est ma fille, espèce de connard* », mais il se retint. Qui elle était, et ce qu'ils faisaient ensemble, ça ne regardait personne. Le monde pourrait le découvrir avec le temps, ou il pourrait rester ignorant.

Ils s'engagèrent sur la I-10. Ils traverseraient Marana, Eloy, Casa Grande, et longeraient Chandler avant d'atteindre Scottsdale. Un peu plus de cent cinquante kilomètres. Une heure et demie, peut-être deux s'ils s'arrêtaient pour admirer le paysage.

Frank conduisait une Oldsmobile Super 88 de cinquante-sept, une bonne voiture solide qui avait cependant connu des jours meilleurs. Cinq mètres vingt de long, deux tonnes, et parfois elle se traînait comme une vache. Transmission « hydramatique », direction et freinage assistés, vitres teintées, autoradio Wonderbar, sièges ajustables et pneus à flanc blanc – ça, c'était ce que le concessionnaire lui avait vendu, en omettant de mentionner le démarrage poussif, la consommation d'essence, les cent soixante-treize kilomètres à l'heure de vitesse de pointe qui faisaient un tel raffut qu'on avait l'impression que la bagnole allait laisser ses tripes sur la route.

Bailey trouvait que c'était une « beauté ». Elle alluma la radio, trouva une station basée à Phoenix qui passait du rockabilly et du rhythm and blues. Frank n'écoutait pas souvent la radio, il avait l'impression de toujours tomber sur du gospel ou de la parlote. Bailey s'enfonça dans son siège, posa ses talons sur le tableau de bord. Il eut envie de lui dire de remettre ses pieds par terre, là où ils étaient censés être, mais songea que la réprimander pour quelque chose d'aussi insignifiant n'était pas le meilleur moyen d'entamer leur nouvelle relation.

Alors qu'ils avaient parcouru cinq kilomètres, Frank observa qu'il faisait chaud. L'aération du côté conducteur était cassée.

« On a vécu dans des mobile homes, répondit Bailey. Pour savoir ce que c'est qu'avoir vraiment chaud, il faut vivre dans un mobile home avec un toit en métal. Quand il fait ce temps-là, tu passes ton temps à t'imaginer une brise fraîche.

— Qu'est-ce que ça change ?

— Si tu y penses assez fort, tu la sens.

— C'est dingue », dit Frank en souriant.

Bailey lui retourna son sourire, et dans ce sourire il vit qu'elle savait des choses que les autres ignoraient.

« Je préfère être dingue et ne pas avoir trop chaud qu'être saine d'esprit et en sueur. »

Frank éclata de rire.

Bailey monta le volume de la musique.

Une brume flottait toujours sur la campagne, et quelque part au loin on entendait le bruissement de bêtes, de créatures aux pattes multiples qui œuvraient infatigablement sous un tapis de feuilles, le murmure de choses invisibles et sans nom dans l'herbe haute et dans les sillons de la terre. Ici, il y avait toute la vie, une vie qui existait bien avant les hommes, et qui existerait bien après. Ils traversèrent des villes qui n'étaient pas tant des villes que des grappes d'habitations éparpillées à travers cette terre inhospitalière. Une terre qui briserait le cœur et les mains de quiconque essaierait de la cultiver. Frank Jacobs arpentait ces routes depuis aussi longtemps que remontaient ses souvenirs. Il les connaissait aussi bien que le son de sa propre voix. Des générations entières étaient nées et mortes dans ces villes minuscules, ces villes qui semblaient juste être une extension de la route. Les tombes des générations passées étaient marquées par un simple amas de pierres qu'on avait déposées là à la main, en quelques rares occasions par une croix formée de deux planches fixées au moyen de clous de tonnelier. Dans un cas comme dans l'autre, ces mémoriaux étaient effacés par le temps et les intempéries au bout de deux ou trois années. Les femmes et les hommes nés dans l'anonymat disparaissaient de la même manière. Et les enfants aussi, parfois en moins de temps qu'il n'en fallait pour laisser reposer une terre après quelques bonnes récoltes.

C'était une région morne et désolée, c'est du moins le sentiment qu'il avait, mais peut-être uniquement parce qu'à trop voir une chose on ne remarque plus ce qu'elle a d'essentiel.

« Tu vends des chaussures, n'est-ce pas ? » demanda Bailey.

Il le lui avait déjà dit. Deux fois. Peut-être cherchait-elle un moyen d'entamer la conversation.

« Oui, je vends des chaussures.

— Depuis longtemps ?

— Depuis aussi longtemps que je me souvienne.

— Ça te plaît ?

— C'est un boulot. Ça couvre mes frais. Ça me permet de manger à ma faim.

— Qu'est-ce que tu aurais voulu faire ?

— Voulu faire ?

— Quand tu étais jeune.

— Je ne suis pas si vieux que ça.

— Quand tu avais mon âge. »

Il réfléchit un moment et répondit :

« J'aurais voulu jouer du piano. J'aurais voulu jouer du jazz dans des bars et des clubs et peut-être aller à Hollywood pour jouer du piano dans des films.

— Qu'est-ce qui s'est passé ?
— La vie.
— Tu pourrais toujours apprendre.
— J'ai quarante et un ans, Bailey… Je ne pourrais pas me lancer dans un truc comme ça à mon âge.
— J'aime ta manière de le dire.
— Quoi ?
— Mon prénom. Bailey.
— Je suppose qu'il n'y a qu'une seule façon de le dire. Je le dis de la même manière depuis que nous nous connaissons.
— Je suppose », convint Bailey, et elle s'enfonça dans son siège.

Elle voulut s'arrêter à Marana.
« J'ai soif, dit-elle. C'est OK ?
— OK d'avoir soif ?
— OK de s'arrêter.
— Bien sûr, répondit-il. On peut s'arrêter. »
Il chercha un endroit, trouva une épicerie qui faisait également station-service et se gara.
Ils restèrent assis une minute. Il alluma deux cigarettes et lui en tendit une.
« Ta mère te laissait fumer ?
— Je n'avais jamais fumé avant aujourd'hui.
— Tu t'y prends bien pour une novice.
— Eh bien, je me disais que ça ne pouvait pas être si dur que ça, pas vrai ? Les gens passent leur temps à dire que c'est idiot de fumer, alors je me suis dit que je ferais aussi bien d'essayer et de me faire ma propre opinion.
— Et ?
— Ça pourrait finir par me plaire, je crois. »

Elle ouvrit la portière, sortit, marcha jusqu'à l'avant de la voiture et se tint là avec son jean trois-quarts, ses chaussures en toile à semelle plate, son tee-shirt, ses cheveux blonds attachés en queue-de-cheval. Elle se retourna et lui fit un sourire si chaleureux que Frank Jacobs en eut le souffle coupé.

« Viens, dit-elle. Je n'ai pas d'argent. »

Il descendit de voiture et suivit sa fille.

L'intérieur de l'épicerie était vivement éclairé. Il y avait une foule de présentoirs, d'objets accrochés aux murs, et plusieurs gigantesques réfrigérateurs à l'arrière pleins de jus de fruits, de lait, de beurre, d'œufs et d'autres aliments. Quatre parfums de glace maison étaient proposés, et une pancarte indiquait qu'on pouvait les mélanger pour obtenir le goût qu'on voulait.

Bailey colla son nez à un bocal de crackers, comme si les biscuits à l'intérieur étaient de l'or comestible, comme si le fait d'en manger un seul était une promesse de bonne fortune et de jeunesse éternelle.

Un homme apparut dans un embrasement de porte dissimulé par un rideau. Il avait la tête du parfait épicier – un peu trop curieux, prêt à vous vendre n'importe quoi, que vous en ayez besoin ou non.

« Hé, bonjour, braves gens ! lança-t-il.

— Bonjour, répondit Bailey avant de traverser la pièce et de se pencher au-dessus du comptoir.

— De passage ? demanda-t-il.

— Pour sûr, répondit-elle.

— Eh bien, je m'appelle Harvey, et je me ferai un plaisir de vous servir tout ce dont vous aurez besoin. »

Bailey tendit la main.

« Moi, c'est Bailey, et lui, là, c'est mon père, Frank. »

Ils se serrèrent la main.

« Ravi de vous rencontrer, dit Harvey. Alors, encore beaucoup de route ?

— Pour aller où ?

— Là où vous allez.

— Aucune idée, répondit Bailey. Je ne sais pas où nous allons. Peut-être chez mon père, peut-être pas. » Elle lança un regard de biais en direction de Frank, qui se tenait toujours au milieu des présentoirs. « Ce n'est pas moi qui décide. »

Harvey fronça les sourcils.

« Chez ton père, c'est pas chez toi ?

— Plus ou moins. Je vivais avec ma mère, mais elle vient de mourir et je dois aller vivre avec mon père, et c'est à peu près la première fois que nous sommes ensemble sans que je sois obligée de prendre le bus.

— Eh bien, j'en entends ici, Bailey, mais ce que tu me dis est intéressant.

— Oui, je suppose. Y a rien de tel que le changement, pas vrai ?

— Si. »

Harvey sourit.

« Alors, qu'est-ce que je peux te servir ?

— Vous avez du gâteau au chocolat ?

— Pour sûr. C'est ma femme qui l'a fait. Combien de parts tu veux ? »

Bailey se retourna.

« Papa ? Tu veux du gâteau au chocolat ? »

Frank s'approcha du comptoir.

« Du gâteau au chocolat ? Eh bien, oui, pourquoi pas ? »

Bailey sourit à l'épicier.

« Quatre parts, Harvey. Deux pour maintenant, et deux pour quand on sera arrivés là où on va.

— Scottsdale, dit Frank. Nous rentrons à la maison à Scottsdale.

— Je suppose que vous voudrez du babeurre avec le gâteau, déclara Harvey. Je peux vous en proposer un litre, frais de ce matin, tout droit sorti du réfrigérateur.

— D'accord, répondit Frank. Et donnez-moi une cartouche de Lucky, deux paquets de chips, une demi-douzaine de ces petits gâteaux là-bas avec le glaçage à la pâte d'amandes, et une bouteille de whisky.

— C'est comme si c'était fait », répondit Harvey. Il regarda à travers la vitre tandis qu'une voiture se garait dehors. « Allons bon. Je vois personne de la journée, et voilà que tout le monde débarque en même temps. »

Bailey marcha jusqu'à la devanture et, en regardant entre les pancartes, les autocollants et les publicités pour le diesel Red Parrot et le savon à raser Burma-Shave, elle vit deux hommes descendre de la voiture. Ils n'avaient pas le même âge, et le plus âgé des deux avait du sang sur sa chemise.

« On dirait que les problèmes arrivent », murmura-t-elle, et elle n'aurait pu avoir plus raison.

# 9

Si Earl Sheridan était arrivé cinq, peut-être dix minutes plus tard, il n'y aurait pas eu de Oldsmobile dans la cour de l'épicerie-station-service de Marana. Frank Jacobs et Bailey Redman seraient depuis longtemps repartis, et ils n'auraient jamais entendu parler ni d'Earl Sheridan, ni d'Elliott Danziger, ni de Clay Luckman, sauf peut-être à la radio. Mais il ne devait pas en être ainsi.

En se garant, Earl déclara : « Cette Oldsmobile. Je la veux. » Et avant même que le moteur ait cessé de tourner, il était descendu du pick-up et s'était mis à courir en direction de la boutique.

Digger le suivit. Peut-être qu'Earl allait tuer quelqu'un d'autre, et il ne voulait manquer ça pour rien au monde. Il était excité, aussi gonflé à bloc qu'une bouteille de soda qui aurait été secouée et serait sur le point d'exploser. Mais il était également terrifié, il avait les mains moites, et il sentait une pression dans sa tête, comme si son cerveau était trop gros pour son crâne. La montée d'adrénaline était indescriptible, et il adorait ça.

Clay le regarda partir, son cœur s'emballant comme une locomotive incontrôlable. Il était mort d'angoisse, mais il sentait aussi que le moment était venu. S'il ne s'enfuyait pas maintenant, il ne le ferait jamais. Il savait que Digger était perdu, qu'il ne viendrait pas avec lui. S'il devait aller à Eldorado, alors il irait seul.

C'est alors qu'il vit la fille. Son estomac se noua. Elle était au fond de la boutique, à droite de la vitrine. Instinctivement, Clay se baissa, puis il se demanda pourquoi il se cachait. Il tendit la main vers la poignée, ouvrit la portière, se glissa sur le côté et se laissa tomber par terre. Il parcourut quelques mètres sur la gauche, repartit sur la droite, puis il se précipita vers l'appentis qui se trouvait à l'arrière du magasin. Des cris retentirent alors.

« File-moi les putains de clés ! » hurlait Earl, tout en braquant son fusil sur Frank Jacobs.

Ils n'étaient que deux dans la boutique. Le type en costume et le type derrière le comptoir.

« Je ne veux pas de problème, monsieur, dit Frank Jacobs, et il enfonça la main dans sa poche.

— Lève ta putain de main ! hurla Earl. Qu'est-ce que tu crois que tu vas faire ?

— Les clés, répondit Frank. Vous voulez les clés, non ?

— Lentement, enfoiré, vas-y lentement. »

Frank obéit. Il sortit les clés, les tendit à Earl.

Earl les saisit, se retourna et les lança à Digger.

« Démarre la voiture », ordonna-t-il. Dès que Digger fut parti il se tourna de nouveau vers Frank et Harvey. « Le fric, dit-il d'une voix neutre. Toi, ajouta-t-il en pointant le fusil vers Frank, file-moi tout ce que tu as. Et toi, dit-il à l'intention d'Harvey, tu vides la caisse et tout le reste et tu me le passes. »

Frank Jacobs tendit vingt-quatre dollars à Earl Sheridan. Earl regarda les billets comme s'il venait de lui chier dans la main.

Harvey vida la caisse – billets et pièces – et poussa la pile d'argent vers Earl. Il y en avait en tout pour dix-huit dollars et des poussières.

« C'est quoi votre problème à vous autres ? demanda Earl. Y en a pas un qu'a du pognon dans le coin ? »

Earl s'empara de l'argent. Les pièces roulèrent par terre. Il se retourna alors que Digger entrait de nouveau.

« Il est parti ! annonça-t-il. Clay est parti !

— L'enfoiré ! » répondit Earl.

Il se tourna vers Frank et Harvey avec un sourire amusé. « Bien le bonjour chez vous ! » lança-t-il, et il vida les deux canons du fusil dans la poitrine de Frank Jacobs, qui fut projeté en arrière contre le comptoir. Harvey était couvert de sang. Earl leva le revolver et le pointa sur lui. « Tu sais ce qu'on dit d'un 9 mm ? »

Harvey secoua la tête, les yeux et la bouche béants.

« On dit qu'un calibre 9 mm, c'est rien de plus qu'une opinion avec six justifications à l'intérieur. »

Il tira une fois, deux fois, trois fois. Harvey resta immobile pendant quatre ou cinq secondes, de grosses taches écarlates se répandant sur sa poitrine et son ventre, puis il s'affala par terre comme si les fils qui le maintenaient debout avaient été coupés.

Earl se tourna vers Digger.

« Bon, faut retrouver ton frangin. »

Clay avait entendu une voiture approcher juste avant qu'Earl et Digger ne sortent de l'épicerie. Il avait aussi entendu une détonation de fusil, trois coups de feu.

Les voix d'Earl et de Digger furent noyées par le grondement du moteur tandis qu'Earl démarrait la Oldsmobile. Quelqu'un arrivait. Une voiture venait dans cette direction. Ils n'allaient pas traîner ici pour le chercher. Il s'accroupit dans l'appentis, les bras autour des genoux, tête baissée, et il pria.

La Oldsmobile s'éloigna. L'autre voiture sembla ralentir, puis elle reprit de la vitesse et s'éloigna à son tour. Peut-être le conducteur avait-il vu qu'il y avait un problème et préféré décamper. C'est ce que Clay aurait fait à sa place.

Il pensait savoir ce qui s'était passé. Earl avait tué le propriétaire de la voiture et le propriétaire du magasin – ça, il aurait pu le parier. Mais la fille ? Comment savoir ? Un seul moyen de le découvrir.

Clay se leva lentement. Il hésita deux bonnes minutes avant d'ouvrir la porte de l'appentis. Il faisait noir à l'intérieur, et il fut ébloui par la lumière vive en sortant.

Le pick-up – blessé, avachi à un angle – ressemblait à un chien attendant patiemment le retour de son maître. La Oldsmobile avait disparu. La route était absolument déserte. Clay resta un moment immobile, plissant les yeux à cause du soleil. Son cœur battait vite, il avait la bouche sèche, et il se demanda si à partir de maintenant les choses s'arrangeraient, ou si elles ne feraient qu'empirer.

Il la trouva accroupie par terre au milieu de la boutique, tenant délicatement la tête de l'homme mort contre son ventre. Ses mains et son tee-shirt étaient couverts de sang. Elle leva les yeux vers Clay Luckman lorsqu'il entra, mais ne prononça pas un mot. Son regard était si implorant et désespéré qu'il aurait voulu dire quelque chose. Mais qu'y avait-il à dire ?

Soudain, quelque chose sembla céder en elle, et elle poussa un cri irréel, presque inhumain, qui réduisit à néant le peu de force et de détermination que Clay était parvenu à rassembler. Il fut cloué sur place, incapable de réfléchir, incapable de bouger, et son cœur vola en éclats comme un pot d'argile.

C'était le cri d'une personne en train de mourir, comme si chaque nerf, chaque tendon, chaque muscle, chaque os était étiré, broyé, pulvérisé sous le poids de sa douleur.

Clay était abasourdi, en état de choc. Il resta plusieurs minutes immobile, incapable de respirer, son souffle comme un poing brûlant dans sa poitrine, jusqu'à ce qu'elle se mette à suffoquer. Il fit alors un pas vers elle, s'agenouilla au ralenti. Elle le regardait, mais ne semblait pas le voir. Il s'approcha en rampant sur les genoux, faisant tout son possible pour éviter la traînée de sang qui s'écoulait sur le linoléum usé en direction de la porte.

« F-faut qu-qu'on p-parte », bégaya-t-il, d'une voix aussi douce que possible.

Il pensa à Digger, son frère, qui avait définitivement sombré dans un monde insensé de violence et de haine aveugles. Son frère, qui avait pris part au carnage qu'il avait sous les yeux.

Il était hors de question de rester ici. Il y avait ces deux cadavres, cette fille, tout ce sang, et lui qui s'était enfui d'une maison de correction. Certes, il avait été pris en otage, mais il connaissait suffisamment les flics pour savoir comment ça se terminerait s'il traînait dans les parages. En plus, Earl et Digger risquaient de revenir. Earl était assez dingue pour décider qu'il avait besoin de bière et de clopes, et il pouvait faire demi-tour et débarquer ici d'une seconde à l'autre. Dieu seul sait quand arriverait le prochain client, et même si quelqu'un venait, il y avait de grandes chances pour que la personne reparte aussitôt en voyant ce qui s'était passé au lieu de lui donner un coup de main. Les gens n'étaient pas courageux ou calmes dans de telles circonstances, et Clay ne comptait pas laisser son sort entre les mains du premier inconnu qui passerait par ici.

Il se ressaisit, serra les dents et les poings. Il pouvait gérer ça. Il pouvait les tirer de là. Il pouvait survivre à cette épreuve comme il avait survécu aux précédentes.

« Relève-toi, dit-il à la jeune fille d'un ton autoritaire et assuré, comme s'il avait la situation bien en main. Relève-toi ! Tu ne dois pas rester ici. »

Elle le regarda sans rien dire et secoua la tête.

« Ils risquent de revenir », ajouta-t-il.

Plus il y songeait, plus ça lui semblait possible : Earl voulant s'assurer qu'il n'avait pas laissé de survivants ; Digger excité par le sang et le carnage ; tous les deux débarquant telle une immense tornade s'abattant sur une ville minuscule.

Elle ouvrit de grands yeux.

« Je suis sérieux. Je les connais, et ils sont complètement dingues. »

La fille baissa les yeux vers l'homme mort. Elle reposa sa tête et se mit lentement à genoux.

« On doit te nettoyer un peu », dit Clay, et il tendit la main vers elle.

Elle la saisit, ce qui le surprit. Peut-être que dans sa situation elle était bien obligée de lui faire confiance.

« Allons à l'arrière, dit Clay. Tu dois te laver, et je vais essayer de te trouver autre chose à mettre. »

Il l'aida à se lever. Ils marchèrent jusqu'à l'arrière-boutique, trouvèrent une pièce avec un lavabo et des serviettes. Clay fouilla autour de lui et ne trouva qu'un maillot de corps pour homme. Elle ôta son tee-shirt trempé de sang, enfila le maillot de corps. Elle l'enfonça dans son jean, retroussa les manches, mais il restait assez de place dedans pour mettre deux personnes de plus.

« Faudra faire avec, dit Clay. Attends ici une minute. »

Il retourna à la porte de l'épicerie et scruta les deux côtés de la route. Elle était déserte.

Clay vérifia la caisse enregistreuse ; tout l'argent avait été emporté. Il fit les poches du mort qui gisait par terre, mais son portefeuille était vide. Earl Sheridan n'avait évidemment pas laissé un cent derrière lui. Clay trouva un sac en toile et le remplit de provisions. Pas de conserves, juste des paquets de cacahuètes et de chips, un peu de fromage, des crackers et des briques de jus de fruits. Il trouva une boîte d'allumettes, du jambon fumé, du bœuf séché et un sachet de couenne de porc frite. Il fourra le tout dans le sac tout en gardant un œil sur la porte de devant, l'autre sur celle de derrière, par où il avait emmené la fille.

Il fonctionnait en pilotage automatique. Il savait qu'il était en état de choc, mais il ne pouvait pas s'en soucier pour le moment. Plus tard, à un moment ou à un autre, il verrait ce qui s'était passé – il le verrait *vraiment* –, et alors, il tremblerait, il vomirait, il hurlerait sa souffrance. Il savait que ce moment arriverait, mais pas maintenant, pas tant qu'il avait besoin d'être calme. Quelque chose s'était emparé de lui. C'était comme si une autre personne commandait son corps. Il faisait ce qu'il avait à faire. Il prenait des décisions et agissait.

Il était dans le pétrin. Vraiment un sale pétrin. Il n'avait aucune idée de ce qu'il allait faire. Il supposait qu'Earl et Digger changeraient de tactique. Les flics pouvaient relier le meurtre de la serveuse du restaurant à celui du vieux bonhomme du comté de Pinal, et aussi à ce qui s'était passé ici. Ils retrouveraient le pick-up, feraient le lien avec Hesperia, et ils comprendraient que les fuyards s'étaient dirigés vers le sud-est, vers le Texas. Earl aussi le comprendrait, et il irait ailleurs. Il ne retournerait pas vers le nord, car ce serait se jeter dans la gueule du loup. Peut-être vers l'ouest ? Quelque cinq cents kilomètres et ils atteindraient la mer.

Alors, qu'est-ce qui valait le mieux pour la fille et lui ? Sans doute continuer dans la même direction. Et où cela les mènerait-il ? Aucune idée, c'était une question à laquelle il ne pouvait répondre.

À cet instant – comme un signe du destin –, Clay vit un papier par terre près de la porte.

Il sut immédiatement de quoi il s'agissait, et tandis qu'il se baissait pour le ramasser, il sentit une sorte d'engourdissement le gagner.

C'était une sensation douce, comme une vague paisible, et il tomba à genoux, tenant la page pliée entre ses mains. Il la déplia prudemment, le souffle coupé, et ses larmes se mirent à couler. Ses mains tremblaient, sa vue était trouble, mais il aurait reconnu entre mille la publicité qui était tombée de la poche de Digger. Eldorado, Texas. Le domaine de la Sierra Valley.

Clay pleura. Pour lui, pour son frère, pour sa mère, et même pour son cinglé de père. Il pleura pour l'avenir, et à cause du passé. Il resta ainsi pendant trois ou quatre minutes, puis parvint à se ressaisir. Il replia méticuleusement la publicité et l'enfonça dans sa poche. Il ramassa le sac de provisions, reprit ses esprits.

C'était un présage. Il continuerait jusqu'à Eldorado. Il n'avait pas le choix. Il devait y avoir là-bas quelque chose qui compenserait toute cette souffrance.

Et personne n'irait le chercher à Eldorado. Du moins peut-être pas. Earl n'était pas idiot. Il comprendrait que la police savait dans quel sens il allait, et il prendrait une autre direction. C'était évidemment ce qu'il aurait de mieux à faire.

À moins qu'Earl ne s'imagine que les flics et les agents fédéraux iraient le chercher partout sauf là où il s'était dirigé initialement, et qu'il décide de berner son monde en poursuivant sur la même route. Non, ce serait trop risqué. Clay était persuadé qu'Earl et Digger iraient ailleurs, ce qui signifiait que la chose la plus sûre pour lui était de trouver la route du Texas.

Il lui fallait une carte. Il retourna à la caisse et se mit à chercher. Il en trouva une liasse, mais c'étaient toutes des cartes d'autres États – Nouveau-Mexique, Louisiane, et même Mississippi. Il n'y avait pas ce qu'il voulait. Il trouva cependant une petite boîte pleine de pièces, et la vida dans sa main. Principalement des pièces de vingt-cinq et dix cents, quelques pièces de un. Il devait y en avoir pour sept ou huit dollars en tout. Il les fourra dans sa poche.

C'est alors qu'il vit le pistolet. C'était un petit calibre, un 7,65, peut-être un 9 mm, à canon court. Il gisait là, comme s'il dormait et attendait qu'on le réveille. À côté se trouvait une boîte de munitions. Oui, un 7,65. Il le souleva. Petit, facile à manier, à peine plus gros qu'un poing. La tentation était trop forte : les munitions allèrent dans une poche, le revolver dans une autre, puis il alla chercher la fille.

Lorsqu'ils passèrent devant le cadavre du type à l'avant du magasin, elle se figea. Elle ne prononça pas un mot, se contenta de le regarder fixement avec un visage dénué d'expression. De toute évidence, sa journée ne se déroulait pas comme prévu. Et celle de Clay non plus, d'ailleurs. Il mit un moment à l'entraîner à sa suite.

« Faut y aller », insista-t-il, et il le pensait, il le pensait *vraiment*, car il était persuadé qu'avec la mauvaise étoile qui flottait au-dessus de lui, avec la poisse qui le poursuivait sans relâche, les choses ne pouvaient qu'empirer s'ils traînaient dans les parages.

C'était la peste ou le choléra – d'un côté, il pouvait être arrêté et accusé de complicité dans un braquage qui s'était terminé en double meurtre... Après tout, ne s'était-il pas trouvé dans le pick-up avec Earl Sheridan et Elliott Danziger ? Absolument.

N'était-il pas entré ici avec l'intention de saccager et de tuer ? Évidemment. Et pourquoi ses complices et *compadres* l'avaient-ils laissé là ? Allez savoir, ces gens n'en faisaient qu'à leur tête. Ils étaient dingues. Tous sans exception. Ils n'étaient ni loyaux, ni fiables, ni prévisibles, ni sains d'esprit. Ils ne seraient pas là pour dire qu'il n'y était pour rien, et même s'ils avaient été là, ils auraient dit le contraire. Earl était assurément le genre de type qui entraînerait dans sa chute autant de monde que possible.

Et l'autre option ? Que lui et la fille soient toujours ici quand Earl et Digger reviendraient. Ça ne faisait pas plus de vingt minutes qu'ils étaient partis. Earl avait pu s'arrêter à cinq minutes d'ici et être en ce moment même en train d'analyser la situation. Quelque chose lui avait-il échappé ? Le propriétaire avait-il un coffre-fort ? Ou, plus concrètement, devait-il revenir et descendre Clay Luckman histoire de ne pas laisser de témoin potentiel derrière lui ? Clay pouvait identifier Earl dans le restaurant de Bethany Olson. Il pouvait l'identifier dans l'épicerie du comté de Pinal. Maintenant, il pouvait aussi lui coller un double meurtre sur le dos. Et il était toujours là à essayer de convaincre cette fille qu'ils devaient partir. Il devait *absolument* sortir d'ici.

Clay essaya de se remémorer des visages – celui de sa mère, celui de son père, celui des personnes qu'il avait connues avant Barstow et Hesperia. Mais c'était comme si son enfance avait été remisée dans une boîte quelque part. Peut-être qu'elle lui reviendrait quand il serait vieux et mourant et qu'il n'en aurait plus l'utilité.

Bailey était groggy, silencieuse, accablée, confuse, perdue. Elle était à peine plus qu'une enfant, et d'abord elle perdait sa mère à cause d'une effroyable maladie, puis elle perdait son père dans un inexplicable déchaînement de violence aveugle.

« Il faut partir », dit Clay, et il commença à se diriger vers la route.

Elle hésita un moment, peut-être simplement afin de jeter un dernier coup d'œil en direction de son père, puis elle le suivit.

Quelques heures plus tard, l'épicerie-station-service de Marana grouillait d'agents de divers départements. Marana s'étirait le long de la I-10, depuis la frontière entre les comtés de Pima et de Pinal jusqu'à la limite de Tucson. La ville abritait un petit commissariat, une annexe du département du shérif du comté de Pima. Le représentant du département, l'agent Nolan Sharpe, qui n'était pas dans son assiette ce jour-là, n'arrêtait pas de faire le tour du bâtiment sans trop savoir ce qu'il cherchait. Personne ne voulait de ces meurtres. Une fois le pick-up identifié, il devint clair que l'affaire relevait du bureau fédéral, et ils poussèrent tous un ouf de soulagement.

Les agents fédéraux Garth Nixon et Ronald Koenig furent chargés de l'enquête et dépêchés sur place, et ils ne tardèrent pas à faire le lien entre Lester Cabot à Casa Grande, et Harvey Warren et l'inconnu dans ce magasin. Le pick-up désignait à coup sûr Earl Sheridan. Earl et ses deux otages, pour autant que ces derniers soient toujours en vie. Ils n'avaient pas pris la route du Mexique, mais s'étaient dirigés vers le sud-est pour rejoindre le Texas. Pourquoi le

Texas ? Allez savoir. Peut-être qu'Earl y avait sa dulcinée. Betty Olson n'entrait pas dans l'équation. Le lien n'avait pas encore été établi car elle était morte sur la Route 62, à la périphérie de Twentynine Palms, en Californie, et son meurtre ne semblait avoir aucun rapport avec ce qui se passait en Arizona. À Twentynine Palms, le shérif Vince Hackley et ses collègues Ed Chandler de Ludlow et Ethan Soper de Yucca Valley en étaient toujours à se gratter la tête en essayant de comprendre un acte incompréhensible.

Earl Sheridan et Elliott Danziger roulaient désormais vers l'ouest sur la I-8 dans la Oldsmobile de Frank Jacobs, tandis que Clay Luckman et Bailey Redman étaient à une quinzaine de kilomètres de là, en route pour Tucson.

Bailey Redman ne disait rien. Ils s'étaient arrêtés à deux reprises, et elle avait bu un peu de jus de fruits et mangé deux morceaux de couenne de porc, mais elle n'avait toujours pas prononcé un mot. Clay se demandait si elle était idiote, ou peut-être sourde et muette, ou si ce qu'elle avait vu avait détraqué quelque chose dans sa tête. Parfois, des connexions se brisaient et il était impossible de les réparer. Mais bon, il fallait lui reconnaître une chose : elle était encore capable de marcher après ce qui s'était passé. Clay ne savait pas qui était le type dans la boutique, mais il supposait qu'il pouvait s'agir de son père.

Chaque fois qu'elle entendait une voiture, ce qui était rare, elle s'arrêtait net. Debout sur un pied au bord de la route, elle tendait le pouce tout en conservant un visage inexpressif pendant que les conducteurs les plus indifférents du monde passaient à toute allure dans une pluie de cailloux et un nuage de poussière. Même si on leur avait donné un bus vide, ils auraient laissé les douze apôtres plantés au bord de la route.

Alors elle se remettait à marcher en silence à côté de lui, sans jamais le regarder, sans même jeter un vague coup d'œil dans sa direction, les yeux rivés droit devant elle. Le soleil était de plus en plus haut, et elle marchait dans l'ombre de Clay comme si elle avait besoin d'un peu de fraîcheur. Elle avait calé son pas sur le sien, et même si lui était presque un homme alors qu'elle n'était qu'une gamine, elle mettait un point d'honneur à ne pas le ralentir. À défaut d'autre chose, il pourrait toujours dire qu'elle avait tenu le rythme.

Clay lui parlait tout en marchant. Il lui parlait juste histoire d'entendre autre chose que la poussière et le vent. Il lui disait le nom des plantes qu'il voyait, et même s'il savait qu'il se trompait parfois, elle ne le corrigeait jamais. Soit elle n'en savait pas plus que lui, soit elle s'en foutait. Mauve des prairies, bois-bouton, pain de perdrix, sumac, massette, sagittaire à larges feuilles, morelle noire, stramoine, salsepareille, balsamine. Il en inventait certaines pour s'amuser. Juste pour voir si elle réagirait. « Celle-là, c'est une boulette de rat. On l'appelle comme ça parce qu'on peut utiliser les graines pour empoisonner les rats. Mais les humains peuvent les manger sans problème. Ça a un goût de barbe à papa. Un peu brûlée, peut-être, mais de barbe à papa quand même. »

Pas de réaction. Rien.

Au bout d'un moment, il s'aperçut qu'il parlait tout seul. Qu'il essayait de se raccrocher à ce qu'il pouvait. Il avait vu ce qu'il avait vu, certes, et il y repenserait chaque jour de sa vie. Mais ce qui lui faisait le plus mal, c'était que Digger soit parti. Son frère. Son défenseur, son protecteur, son mentor à bien des égards. Parti. Volatilisé dans la nature comme un animal devenu fou. Et tout ça à cause d'Earl Sheridan. Ou peut-être pas. Peut-être que c'était juste cette malchance qui les suivait partout qui avait fait en sorte de les séparer pour les affaiblir. Peut-être que tout ce qui s'était passé jusqu'alors n'était qu'un prélude aux véritables horreurs qui les attendaient.

À un moment, la fille s'arrêta pour inspecter un tronc d'arbre. Il y avait un trou dedans, comme si une bête y avait niché. Ils se remirent en route, s'écartant un peu de la route et marchant dans les champs qui la bordaient, leurs pieds aplatissant les sillons des jachères fraîchement retournées.

Ce n'était pas la première fois que Clay Luckman se sentait aussi seul. À Barstow et à Hesperia, malgré les gens autour de lui, il avait connu la solitude. C'était en de tels instants que tout dans le monde semblait vivant. Pas seulement l'herbe et les arbres, mais aussi les rochers, la poussière, les cailloux. L'air lui-même semblait chargé d'une énergie ancestrale qui portait toute l'histoire de la terre dans ses changements de direction capricieux. La terre se souvenait de tous ceux qui l'avaient arpentée – leur nom, leur visage, leurs pas –, et en tendant l'oreille vous pouviez entendre le vent parler d'eux d'une voix aussi vieille que Dieu. Clay savait que c'étaient des idées absurdes, mais il voulait y croire. Imprégner la vie d'un peu de magie lui donnait de l'espoir. L'espoir qu'il y avait une raison à chaque chose. L'espoir que même en ce moment l'avenir apprenait des erreurs du passé.

Ils continuèrent de marcher. Bailey – dont il ignorait le prénom – avançait juste à côté de lui, et pourtant il n'avait d'autre compagnie que ses idées noires et sa peur.

# 10

« On devrait y retourner et le chercher, suggéra Digger. C'est mon frère…

— La seule raison d'y retourner serait pour le tuer, répliqua Earl. Merde, j'aurais dû le faire hier. On va pas y retourner maintenant, hors de question. On va trouver la première ville sur la route avec une banque et on va se renflouer un peu, et après, direction le Mexique.

— Mais… »

Earl se tourna brusquement vers Digger. Son visage était plein de rage, ses yeux, remplis de haine.

« C'était rien qu'un petit merdeux, tu vois ? Il est rien pour toi. T'as un nouveau frère maintenant. Moi. Vu comment ça se passe, on sera peinards et riches avant la fin de la semaine. On doit trouver une route qui va au Mexique. Une fois au Mexique, on sera tranquilles.

— Je suis jamais allé au Mexique, déclara Digger, ne sachant que dire d'autre.

— Eh bien, t'y vas maintenant, gamin, t'y vas maintenant. »

Ils atteignirent Wellton peu après midi. Ils n'avaient parcouru qu'environ trois cents kilomètres depuis Marana, mais ils roulaient dans la Oldsmobile de Frank Jacobs, et elle portait bien son nom – vieille, mais mobile. Elle se traînait pépère, comme une grosse bête, et ne leur donnait pas le sentiment d'urgence qu'ils recherchaient.

« Ce type a eu l'air sacrément surpris quand vous l'avez buté », observa Digger.

Si Clay avait été là, il aurait perçu deux choses dans la voix de son frère. Tout d'abord de la peur, une horreur absolue au regard de la situation dans laquelle il s'était mis. Mais par-dessus, dominant l'autre émotion, il aurait perçu un besoin d'être reconnu, d'être accepté par Earl, d'être considéré comme un *alter ego*. Peut-être à cause de sa profonde insécurité, ou simplement parce qu'il n'avait jamais eu sa place dans le monde, Digger voulait être reconnu, il voulait être entendu, il voulait être *désiré*.

« Merde, les gens ont toujours l'air surpris quand ils se font buter. Ils s'y attendent pas. Même quand tu leur colles ton flingue sous le nez.

— Qu'est-ce que ça fait ? De tuer quelqu'un ? »

Earl sourit.

« J'en sais foutre rien. Pour moi, c'est juste un boulot. Faut le faire, et le faire du mieux possible.

— Je me demande ce que ça fait de mourir.

— Y a que les morts qui le savent, répondit Earl. Triste, hein ? Ce qu'ils disent avant de mourir vaut rien. Leur peur compte pas. Ils peuvent te supplier, confesser et promettre tout un tas de trucs, tout ça, ça vaut pas un clou parce qu'ils sont toujours vivants, tu vois ? Je crois que j'essaie toujours de trouver la réponse à cette question, et tant que je l'aurai pas trouvée, je continuerai de chercher. C'est comme chercher une ombre dans une pièce noire.

— Combien de personnes vous avez tuées ?

— Pas assez.

— Comment ça ?

— Bon Dieu, c'est pas moi qui décide. Comme j'ai dit, on fait ce qu'on a à faire. C'est comme ça, tu vois ? Certains types ont de la veine toute leur vie, tout leur réussit. Leur vie est comme ça. Même leur merde sent bon. Alors que les gens comme nous… »

Earl se tourna vers Digger, et dans son expression, dans l'éclat de ses yeux, il y avait quelque chose qui ressemblait à de la camaraderie. De la sympathie. Quelque chose de fraternel. Digger le vit, et son cœur s'emplit de fierté. À cet instant, il sentit qu'Earl Sheridan lui parlait d'égal à égal.

« Il y a des gens comme ça, tu vois ? Mais pas toi et moi, mon petit pote cinglé. Nous, on était baisés dès le premier jour. On était baisés dès qu'on est sortis du ventre de notre mère. Je vais te dire un truc… La seule fois où je suis allé à une fête, c'était par erreur. Ça résume bien ma vie. Je suis arrivé à l'improviste et ils m'ont tous regardé. Je me suis dit que je me faisais peut-être des idées. Je me suis dit que chacun s'était peut-être attendu à ce qu'un autre m'envoie une invitation. Mais non, c'était pas ça. C'était que la plupart d'entre eux n'avaient même pas pensé à m'inviter, et ceux qui l'avaient fait ? Eh bien, ceux-là, ils voulaient pas que je vienne. Les gens pensent à moi uniquement quand je suis devant eux. Le reste du temps, je suis invisible. Tu me suis ?

— Pour sûr », répondit Digger.

Et il pensait vraiment le comprendre. Il savait précisément de quoi parlait Earl, et plus il entendait ce genre d'anecdotes, plus il se persuadait qu'ils avaient quelque chose en commun. Ils n'avaient pas le même âge, ne partageaient aucun lien familial, mais au moins Earl était quelqu'un qui pouvait comprendre le genre de galères qu'il avait traversées toute sa vie. C'était un allié, à défaut d'autre chose.

« Les gens comme nous, on nous donne que dalle, alors on est bien obligés de se servir. Mais faut garder son amour-propre. C'est le plus important. Faut pas se laisser aller. Faut rester alerte, sur le qui-vive, tu piges ? Le moment où on commence à avoir des problèmes, c'est quand on sent plus sa propre puanteur. Faut garder toute sa tête. Prendre tout ce qu'on peut, mais sans être imprudent. Comme là-bas, dans ce magasin. Ils sauront qui a fait le coup à cause de la voiture. Et s'ils chopent ce petit connard, il se mettra à chialer comme une gamine. Mais le truc, c'est que quand ils auront tout pigé, on sera sur la plage à Ensenada en train de boire des *cervezas* et de se faire astiquer le manche par une ou deux *señoritas*.

— Vous avez pensé à tout.

— Bon Dieu, non, on pense jamais vraiment à tout. On fait juste ce qu'on peut. Je suis encore trop coulant. » Earl fit un grand sourire. « Tiens, vous deux. J'aurais dû vous descendre une heure après avoir quitté Hesperia, mais je suis trop tendre. Je connaissais un type en taule, crois-moi, il pouvait te faire un grand sourire comme Jésus, te planter un couteau dans le cœur, s'essuyer les mains sur ta putain de chemise, et puis après aller manger tranquillement.

C'est le genre de type avec qui il faut bosser. Le genre d'attitude professionnelle qu'il faut cultiver. »

Digger sourit. Earl également.

« Bon Dieu, tout le monde est cinglé. » Earl fit un clin d'œil. « Merde, même Kennedy avait plus toute sa tête. »

Ça lui prit un moment, mais Digger finit par saisir l'allusion. Ils se mirent à rire comme des hyènes. Digger percevait désormais l'homme derrière le masque. Il n'avait plus peur de lui. Du moins, pas autant qu'avant. Dans un sens, il était fier. Fier qu'un homme tel qu'Earl Sheridan l'accepte à ses côtés. Il songea aux personnes qui avaient trouvé la mort à Marana, et il dut bien avouer qu'il ne ressentait pas grand-chose pour eux. Puis il pensa à Clay, et il comprit qu'ils étaient différents, peut-être parce qu'ils n'avaient pas le même père. De toute manière, ça n'avait aucune importance. Il ne pouvait pas rester accroché à son petit frère toute sa putain de vie. C'était normal que chacun parte de son côté à un moment. Et s'ils ne le faisaient pas maintenant, alors quand ?

C'est ainsi qu'ils unirent leurs forces, et si le cœur d'Earl Sheridan n'était rien qu'un muscle noir et tordu, celui de Digger était fait d'ombres et de possibilités. Si Katherine Aronson avait dit vrai, si tout ce dont une personne avait besoin pour devenir meilleure, c'était de savoir que quelqu'un attendait qu'elle le devienne, alors Elliott Danziger était foutu dès le départ. Car Earl Sheridan était fondamentalement mauvais, et il estimait que tout le monde était comme lui. Il s'attendait au pire de la part des autres, et il avait décidé de s'attendre au pire du pire de la part de son nouvel acolyte.

Earl croyait sincèrement que rien de ce qu'il faisait n'était motivé par une colère aveugle. Bien sûr, il avait plein de raisons d'être en colère. Trop pour en dresser la liste. Mais il n'avait jamais laissé cette force prendre arbitrairement le dessus. Une telle puissance devait être contrôlée et canalisée. Il fallait de la discipline. Un homme était mesuré à ses actes, moyennant quoi ses actes devaient être mesurés.

C'était ce qu'il croyait, et il le croirait encore pendant quelques heures.

Ils arrivèrent à Wellton, dans le comté de Yuma, une poignée de minutes après midi.

Earl avait faim. Digger voulait juste tenir le revolver de Chester Bartlett et le braquer. Il voulait savoir ce que ça faisait, même si l'arme n'était pas chargée. L'anticipation d'un tel geste était bien plus importante que le déjeuner.

« On va d'abord manger un bout, décida Earl. Ça nous permettra de nous reposer un peu après toute cette route. »

Ils la découvrirent en roulant dans la rue principale. Elle semblait parfaite. Ni trop grande ni trop petite. La banque – Yuma County Trust & Savings – était à peu près telle qu'Earl se l'était imaginée. C'était ça qui l'intéressait. La banque. L'argent à l'intérieur. La suite de leur cavale dépendait de la somme qu'ils pourraient obtenir. Il y aurait deux ou trois caissières, un gestionnaire de prêts, un directeur adjoint, un directeur général – autant de gratte-papier veules qui n'auraient pas une once de courage. Leur bravoure se limitait à chasser les animaux errants qui s'aventuraient dans leur jardin. Une telle banque devait gérer les comptes de tous les fermiers et éleveurs du comté. Lundi après-midi, le début de la semaine, suffisamment d'espèces dans les coffres pour tenir cinq jours. Doux comme du miel, et deux fois plus riche.

Une rue et demie plus loin, sur le trottoir opposé, ils trouvèrent un restaurant. Une demi-douzaine d'habitués, des gens qui connaissaient suffisamment bien Wellton pour remarquer les deux arrivants, sans toutefois se poser plus de questions que ça. Earl Sheridan l'ignorait, mais Wellton était la dernière vraie ville sur la I-8 avant la frontière à Yuma, et alors, soit vous preniez à droite direction la Californie, soit vous preniez à gauche direction le Mexique. Wellton se trouvait sur la rivière Gila. On y rencontrait des passeurs et des voyageurs qui prenaient le bac, des gens qui se rendaient de San Diego à Phoenix, alors deux étrangers quelconques ne suscitaient pas le moindre intérêt.

Earl s'assit sur un tabouret au comptoir, demanda le menu.

« Le menu est au mur », répondit la serveuse.

Elle avait dans les cinquante, cinquante-cinq ans, portait trop de maquillage. Ses cheveux laqués formaient une choucroute monstrueuse. Elle tentait de paraître dix ans de moins mais ne faisait qu'aggraver son cas.

« On va prendre le pain de viande, dit Earl. Café pour moi, Coca pour lui. »

Earl sortit une cigarette de son paquet et l'alluma. Ils ne parlèrent pas avant de manger. Earl voulait réfléchir. Digger ne voulait pas interrompre ses réflexions. Le pain de viande était dégueulasse – sec et fade –, mais Earl l'arrosa de ketchup et l'engloutit. Digger vida son Coca bien frais comme si c'était son dernier rafraîchissement avant le désert.

À une heure moins le quart ils étaient de nouveau dans la voiture. Earl fuma deux autres cigarettes. Le canon du fusil reposait par terre, la crosse était contre sa cuisse. Il saisit le revolver, vérifia plusieurs fois le barillet. Une balle avait fini dans Lester, trois dans Harvey. Il n'en restait que deux. Il avait huit cartouches pour le fusil, et c'était tout.

« Tu t'es déjà servi d'un revolver ? demanda-t-il à Digger.

— Une fois.

— Bon, c'est pas sorcier. Normalement, il suffit de le pointer pour que les gens coopèrent. » Il le lui tendit. « Je te le confie parce que je te fais confiance, mais j'ai aucun scrupule, gamin, je te le promets. Je pourrais encore te descendre, mais pour le moment je compte bien braquer cette banque, et je peux pas le faire tout seul. »

Digger tint l'arme comme il aurait tenu un sein de femme – délicatement, comme s'il en était amoureux.

« Vous pouvez me faire confiance, répondit-il. Et c'est pas la peine de me descendre, mais si vous le faites, alors je serai content que ce soit vous et pas un autre. »

Earl esquissa un sourire bizarre.

« Merde, gamin, je crois que t'es aussi taré que moi. »

Alors que Garth Nixon et Ronald Koenig informaient le bureau d'Anaheim que le pick-up d'Hesperia se trouvait désormais devant une station-service à Marana, Earl Sheridan et Elliott Danziger descendirent de la Oldsmobile de Frank Jacobs et se dirigèrent vers la banque Yuma County Trust & Savings pour commettre ce qui serait peut-être le casse le plus stupide et le plus mal préparé de toute l'histoire de l'Arizona. Earl se prenait pour John Dillinger, il se voyait buvant des bières et se faisant sucer au Mexique. Digger sentait le poids du revolver de Chester Bartlett dans sa poche de pantalon, et pour une raison ou pour une autre, ça lui donnait l'impression d'être un homme. Et Clay ? Eh bien, Clay n'avait aucune idée de ce qu'il loupait. Ça allait être le pied.

# 11

Le premier obstacle était l'agent de sécurité. Son nom était Alvin Froom. Un mètre soixante-dix pour pas loin de soixante-dix kilos. Alvin n'était pas un costaud – ne l'avait jamais été, ne le serait jamais –, mais il avait un caractère de chien, peut-être précisément à cause de son gabarit. Son calibre 44 était trop gros pour lui, mais il le faisait se sentir bien. Il n'avait jamais tiré sur grand-chose à part des arbres dans les bois et des réfrigérateurs défoncés à la décharge, mais il atteignait généralement sa cible malgré le recul de l'arme.

Alvin avait une femme. Ses parents l'avaient baptisée Rosetta, peut-être d'après la pierre. Elle pesait dans les cent dix kilos. Beaucoup de gens se demandaient pourquoi Alvin s'était choisi un tel mastodonte et supposaient que les types de petite taille avaient peut-être peur d'être emportés à la première bourrasque, alors ils se trouvaient quelqu'un de massif pour s'y accrocher. Alvin et Rosetta s'entendaient bien. Ils avaient été amis avant leur mariage, l'étaient restés après. Alvin savait que certains hommes se bagarraient avec leur femme dès qu'ils rentraient chez eux. Mais lui estimait qu'il y avait assez de raisons de se battre au-dehors, et la dernière chose dont il avait besoin, c'était de remettre ça chez lui.

Ce jour-là, tout roulait pour Alvin. Il avait bien dormi, pris un bon petit déjeuner, et après le travail, Rosetta et lui iraient voir un film au nouveau cinéma de Yuma. Le directeur, Audie Clements, était dans son bureau. Le gestionnaire de prêts, Lance Gorman, s'entretenait avec le plus jeune des fils Leggett, du ranch T-Bone, une exploitation de six cents hectares coincée dans le V formé par la Route 95 et la rivière Gila. Les caissières – June Fauser, Laurette Tannahill et Jean Rissick – taillaient le bout de gras entre les rares clients. Le lundi était généralement calme, et celui-ci ne semblait pas faire exception.

Tout demeura donc calme, jusqu'au moment où un problème franchit la porte, sous la forme de deux hommes – le plus grand et plus âgé portant un fusil à canon double, le plus jeune, un 9 mm.

Le grand ne prononça pas un mot. Il colla son fusil sous le nez d'Alvin avant que celui-ci ait le temps de battre un cil. Puis il ordonna au plus jeune de prendre l'arme de l'agent de sécurité, et le gamin s'exécuta.

« Moi, c'est M. Chagrin, déclara le grand. Et lui, c'est M. Problème. »

Le plus jeune sourit comme un idiot. Il avait un visage quelconque, mais il y avait quelque chose d'étrange dans ses yeux. C'est de ça dont ils se souviendraient après coup. Malgré le choc, l'incrédulité, ceux qui seraient encore en mesure de se rappeler quoi que ce soit évoqueraient les yeux du plus jeune.

« Je vous le dirai qu'une seule fois, poursuivit M. Chagrin. Vous croyez peut-être nous connaître, mais je vous assure que non. Si vous coopérez pas, si vous faites pas exactement ce que je vous dis, je vous promets que les chagrins et les problèmes que vous avez eus jusqu'à maintenant seront rien comparés à ce qui vous attend. On se comprend ? »

June Fauser, la plus âgée et la plus ancienne des employés de la banque, avait déclenché l'alarme silencieuse dès l'instant où M. Chagrin avait ouvert la bouche. Le shérif de Wellton, Jim Wheland, et ses trois agents ne tarderaient pas à arriver. Ils s'étaient préparés un bon nombre de fois à ce genre de scénario, et il y avait eu au printemps 1961 un incident qui s'était soldé par l'arrestation du braqueur. Wheland était un homme sobre, collet monté, mesuré et professionnel. C'était aussi un ancien soldat qui avait combattu en Corée au milieu des années cinquante, et ce n'étaient pas les truands de seconde zone qui lui faisaient peur. Car c'était dans cette catégorie qu'il plaçait les types comme Sheridan et Danziger. Il ignorait qu'il s'apprêtait à faire face à un évadé du couloir de la mort qui n'hésiterait pas à tuer.

À une heure moins le quart, Alvin Froom, Audie Clements, Lance Gorman, June Fauser, Laurette Tannahill et Danny Leggett étaient alignés contre le mur de droite, les mains sur la tête. Jean Rissick – sous prétexte qu'elle ne devait pas avoir plus de vingt-trois ou vingt-quatre ans et était jolie comme un cœur – avait reçu l'ordre de mettre l'argent des caisses dans un sac. Mais Earl voulait aussi vider le coffre.

« Le c-coffre est pr-presque vide », déclara nerveusement Audie Clements. Il supposait que dire la vérité était sa seule chance de survivre à ce cauchemar. « Nous… nous le vidons le vendredi soir, et on ne reçoit pas de livraison avant trois ou quatre heures le lundi après-midi. Tout le monde le sait ici… »

Sheridan braqua le fusil sur le visage de Clements et répliqua qu'il n'était pas d'*ici*.

« Je ne sais pas quoi dire, monsieur. C'est le bon jour, mais vous arrivez environ trois heures trop tôt. »

Sheridan entendit alors des voitures devant la banque. Il demanda à Digger d'aller jeter un coup d'œil.

« Les flics ! lança Digger. Trois voitures !

— En ! Cu ! Lés ! » s'exclama Sheridan, accentuant violemment chaque syllabe. Il se tourna vers Audie Clements, lui colla de nouveau le fusil sous le nez. « Vous avez une alarme ici ?

— Une alarme ? »

Clements secoua la tête.

« Non, à moins que vous tentiez d'ouvrir le coffre.

— Menteur. Putain de menteur », dit Sheridan.

Il projeta la crosse de son fusil, d'un geste vif et brutal, et le bois heurta le côté de la tête de Clements avec un bruit féroce.

L'homme s'effondra lentement, du sang s'écoulant du coin de sa bouche avant même qu'il ait touché le sol.

« Qui a déclenché l'alarme ? » demanda Sheridan.

June Fauser semblait déterminée – terrifiée, mais bien décidée à ne pas le montrer. Laurette Tannahill et Jean Rissick s'accrochaient l'une à l'autre. Jean pleurait. Jusqu'alors, elle avait trouvé Earl Sheridan plutôt beau gosse. L'autre aussi, d'ailleurs, même s'il était trop jeune pour être mêlé à un braquage. Elle s'était dit que ça ferait une bonne histoire à raconter aux copines. Mais maintenant, les choses avaient pris une tout autre tournure. Maintenant, il semblait possible qu'il y ait des morts.

« Qui ? » répéta Earl, d'une voix aussi claquante qu'un coup de feu. Il baissa son fusil vers Clements qui gisait bras et jambes écartés au sol, et colla le double canon sur sa tempe. « Qui ? Dites-moi maintenant ou je transforme sa tête en bouillie. »

June Fauser fit un pas en avant. Elle ouvrit la bouche pour parler.

Mais le seul son qui franchit ses lèvres fut un râle de stupéfaction tandis que les deux canons se vidaient simultanément et que la puissance de l'impact la pliait en deux comme une poupée de chiffon. Elle tomba en arrière contre le lourd guichet en bois qui émit un craquement atroce. Puis son corps sans vie glissa jusqu'au sol et s'immobilisa.

Jean et Laurette se mirent à hurler. Earl arracha le revolver des mains de Digger et tira en l'air.

« Silence ! » cria-t-il.

Digger semblait tout aussi effrayé que Danny Leggett. Le type de l'épicerie, c'était une chose, mais là, c'en était une autre. S'il avait eu la vessie pleine, il aurait encore pissé dans son froc. Il comprit qu'il était coincé pour de bon. Qu'il n'y avait pas de retour en arrière possible. Maintenant, ce ne serait plus qu'une longue fuite en avant. Soit ça, soit la mort.

Earl rendit à Digger le revolver de Chester Bartlett, rechargea le fusil, marcha jusqu'au centre de la pièce. Il baissa l'arme au niveau de sa taille. Jean, Laurette, Danny Leggett, Alvin Froom et Lance Gorman ne le lâchaient pas des yeux. Audie Clements survivrait encore huit minutes avant qu'un vaisseau sanguin éclate dans son cerveau et le tue. June Fauser, cinquante et un ans – deux fois mère, quatre fois grand-mère, mariée depuis trente-deux ans et résidant à Wellton depuis trente-sept –, était depuis longtemps partie. Elle était morte avant de heurter le guichet.

« Bon, où est le reste du putain de fric ? » demanda calmement Earl.

Il savait que s'il tuait suffisamment de monde, il s'en sortirait. C'était généralement le principal problème des braqueurs. Ils perdaient leur calme. Ils avaient peur de faire couler un peu de sang. Ceux qui s'en tiraient étaient ceux qui ne reculaient pas quand les balles se mettaient à siffler. Et de toute manière, il était déjà en route pour la potence. S'il se faisait choper, ça ne ferait absolument aucune différence.

« Ce qu-qu'a dit M. Clements est vr-vrai », osa Lance Gorman.

Ce n'était pas un homme naturellement courageux, mais il comprenait qu'avec le directeur qui était hors service et le directeur adjoint qui était absent pour cause de maladie, c'était à lui de prendre les choses en main. Parfois, il fallait bien assumer son rôle et faire ce qu'on avait à faire.

Comme ce n'était pas ce qu'il voulait entendre, Earl tira une fois de plus, une unique cartouche qui arracha l'essentiel du côté gauche de la tête de Gorman.

Ce coup-ci, ce fut vraiment le chaos. Alvin Froom s'évanouit, de même que Jean Rissick. Laurette Tannahill, couverte des cuisses à la gorge de sang et de bouts de cervelle, se mit à brailler comme une alarme à incendie. Digger, songeant qu'il était peut-être temps de montrer qui il était et d'intervenir, marcha jusqu'à elle et braqua son arme sur son visage. Mais contrairement à ce qu'il s'imaginait, elle ne la boucla pas. En fait, elle hurla de plus belle. Du sang s'écoulait d'une vilaine entaille au-dessus de son oreille gauche. Quant à Danny Leggett, il était planté là comme un mannequin dans la devanture d'un tailleur. Ses yeux étaient écarquillés, sa bouche, béante, et le devant de son pantalon était sombre et trempé.

Earl inséra une cartouche dans le canon vide. Il saisit Laurette par le col de sa robe et la poussa vers la porte.

« Va chercher le fric », ordonna-t-il à Digger.

Digger attrapa le sac en toile que Jean Rissick avait rempli. Plus tard, lorsqu'il compterait l'argent, il arriverait à sept cent quarante-trois dollars. Plus d'argent qu'il n'en avait vu de toute sa vie. Mais pour le moment, ce qui le préoccupait, c'était Danny Leggett qui était toujours planté au même endroit.

« Et lui ? » demanda-t-il à Earl.

Earl ne semblait pas l'avoir remarqué jusqu'alors. Il sourit.

« Tu veux le descendre ? »

Digger sentit son estomac se nouer. Il regarda le revolver dans sa main, l'homme devant lui. Puis il se tourna vers Earl.

« Oh, bon Dieu ! » s'écria Earl. Il tendit le fusil à Digger, saisit l'arme de Chester Bartlett et n'hésita pas une seconde. Danny Leggett n'eut le temps de lever ni la main ni la voix pour protester. Earl visa le front du jeune homme et fit feu. Danny ne tomba pas. Pas tout de suite. Il resta planté là, avec un trou bien net au milieu du front et un amas de charpie gros comme un poing à l'arrière de la tête, les yeux et la bouche toujours grands ouverts.

Earl éclata de rire, puis il fit un pas en arrière et lui donna un puissant coup de pied dans les genoux. Danny Leggett tomba raide comme un arbre. Pas de bras battant l'air, pas de roulé-boulé. Boum, par terre, comme une pierre.

Earl, qui agrippait toujours le col de la robe de Laurette, lança à Digger un regard désapprobateur et demanda : « Je vais devoir tout faire tout seul ? »

Il lui rendit le revolver, reprit le fusil, n'attendit pas la réponse.

Digger resta immobile, des éclaboussures de sang sur les mains, le visage, le devant de sa chemise, une expression ahurie sur le visage. Il avait la vague sensation d'être déconnecté, désorienté. Avant, à Casa Grande et à Marana, ç'avait été différent. Les deux fois, il avait regardé ailleurs quand Earl avait commis ses meurtres. Il n'avait pas vu grand-chose. Pas comme aujourd'hui. Là, c'était en gros plan. Juste devant lui. L'homme était en vie. Et puis il était mort. Ça n'avait pas pris plus longtemps que ça. Et ç'aurait pu être lui. Lui – Elliott Danziger – qui aurait pu faire ça. Alors, il aurait vraiment su si tuer quelqu'un était la chose la plus *réelle* au monde.

Earl sortit et atteignit le perron, utilisant Laurette comme bouclier, pointant son fusil sous le bras de la jeune femme.

« Hé là, bande d'enfoirés ! lança-t-il haut et fort pour qu'on l'entende clairement. Reculez et dégagez de ma vue. On va prendre une bagnole et cette fille, et vous bougerez pas d'ici avant qu'on ait fait quinze bornes ! »

Jim Wheland émergea de derrière la portière ouverte de sa voiture, se leva et regarda Earl Sheridan. Il vit alors un deuxième type, plus jeune, apparaître derrière Sheridan. Maintenant il en avait deux sur les bras, ce qui doublait les risques que ça vire au bain de sang.

« Eh bien, fiston, je ne crois pas que je vais pouvoir te laisser faire ça », dit-il d'une voix neutre, calme et mesurée.

Le type qui tenait l'otage avait l'air cinglé, comme si un feu incontrôlable brûlait en lui. Le plus jeune semblait simplement terrifié.

« Bon Dieu, shérif, vous avez des *cojones* en acier trempé, pas vrai ? Et qu'est-ce qui vous fait croire que vous avez le choix ? »

Wheland sourit.

« Allez vous faire foutre ! s'écria Sheridan. De toute façon, je veux pas entendre vos conneries. »

Wheland se prit une décharge de fusil dans l'épaule. Il survivrait mais, sur le coup, il crut que c'en était fini pour lui. L'impact le projeta contre le pare-chocs arrière, puis il se retrouva au sol. Les lumières s'éteignirent, et il resterait dans le noir jusqu'à ce que tout soit terminé.

À cet instant, Digger sut qu'il ne s'en sortirait pas vivant. Il se jeta par terre et commença à ramper sur le côté. Profitant du fait que tous les yeux étaient braqués soit sur Earl Sheridan soit sur Jim Wheland, il se glissa près de la voiture du shérif et se plaqua contre elle. Il tenait le sac d'argent dans sa main gauche, le revolver vide dans sa droite. Et c'est alors qu'il vit le 9 mm de Wheland. Il devait l'avoir dans la main quand il s'était fait tirer dessus. Il n'était pas à plus d'un mètre de l'endroit où Digger était accroupi. Il utilisa le sac pour le faire glisser jusqu'à lui, et bientôt il fut de nouveau armé.

Earl n'avait plus qu'une cartouche dans son fusil. Il poussa Laurette devant lui en direction de la voiture du shérif. Digger grimpa à l'arrière, serrant le pistolet de Wheland dans sa main et surveillant les trois agents qui regardaient Earl Sheridan en écarquillant de grands yeux tels des cerfs surpris par des phares.

« Digger !

— À l'arrière de la voiture, Earl », répondit-il.

Mais Earl eut un bref moment d'inattention. Il se tourna pour pousser Laurette Tannahill à l'arrière de la voiture de Wheland, et pendant cette fraction de seconde, il se retrouva seul, sans bouclier, sans défense. L'agent qui l'abattit fut Lewis Petri, le beau-frère d'Alvin Froom. Il était plus grand, plus costaud, et bien plus beau qu'Alvin, et il deviendrait une légende pour le restant de sa vie : l'homme qui tua Earl Sheridan. Ce serait son Liberty Valance à lui. Alvin serait à jamais celui qui était tombé dans les pommes dans la banque, celui qui n'était pas plus foutu de protéger un sac en papier qu'un établissement financier. Malgré l'amour de sa bonne et corpulente femme, la honte ne le lâcherait jamais. Il plongerait dans l'alcool et Rosetta finirait par divorcer pour se tirer avec un type encore plus gringalet nommé Stanley Olser.

Earl fut projeté sur le côté et rebondit contre l'aile de la voiture. C'était une blessure au cou, suffisamment profonde pour qu'il se vide de son sang si personne ne s'occupait de lui.

Digger comprit que c'était maintenant ou jamais. Il bondit par-dessus le dossier du conducteur et démarra avant qu'Earl ait le temps d'essayer de le rejoindre. Laurette Tannahill, qui n'avait que deux ans de plus que Jean Rissick et était presque aussi jolie, se trouvait sur la banquette arrière, et c'est sa présence qui empêcha les agents de faire feu. Il y avait déjà assez de grabuge comme ça. Ils n'avaient pas besoin d'une fille morte, abattue par les soins de la police de Wellton.

Digger appuya sur l'accélérateur et fonça droit devant lui – reprenant la I-8 en direction de Tucson.

Derrière lui, deux agents se tenaient au-dessus d'Earl Sheridan pendant que le troisième pénétrait dans la banque pour évaluer le carnage. Quatre morts, deux personnes inconscientes, le shérif blessé, et Earl Sheridan aussi. Le second braqueur en fuite avec une otage. Et on n'était que lundi après-midi.

Lewis Petri et le deuxième agent, Reggie Sawyer, s'agenouillèrent à côté d'Earl Sheridan. Sa blessure à la gorge était sérieuse. Le sang ne coulait pas, il giclait. Pas en quantité énorme, mais il ne faisait guère de doute qu'il n'en avait plus pour longtemps.

« Qui était ton complice ? demanda Petri. Qui a emmené la fille ? »

Earl sourit.

« V-va te f-f-aire foutre », haleta-t-il.

Son visage se crispa soudain sous l'effet de la douleur, mais il y avait aussi autre chose : cette folie dans les yeux, cette lueur cruelle et mauvaise. Il tenta de sourire, mais ne parvint qu'à esquisser un rictus sarcastique.

« J-je v-vais vous le di-dire, bégaya-t-il. B-bande de co-connnards… » Il voulut tourner la tête mais n'y parvint pas. Un râle lui échappa, assez semblable à celui qu'avait poussé June Fauser quand elle avait été projetée contre le guichet. « P-putains d'enffoirés », dit-il. Il agrippa le col de chemise de Lewis Petri et l'attira vers lui. « V-vous v-voulez c-connnaître son nom ?

— Dis-nous qui a emmené la fille.

— Em-emmené la f-fille, oui. M-mais on a aussi bu-buté ce mec d-dans le comté de P-Pinal, et les t-types à Ma-marana… et mon pote… mon pote, il s'est f-fait cette pu-pute à Twen-Twentynine Palms. Il l'a b-bien b-baisée et il l'a t-tuée… et il a aussi tu-tué son f-frère, Dan-Danziger…

— Son nom ? demanda Petri. Quel est son nom ?

— Cla-Clarence. Clarence Lu-Luckman, c'est lui qu-qui a emmené votre pu-putain de fille… »

Ce furent ses derniers mots. Earl Sheridan mourut moins d'une minute plus tard. Il était treize heures quarante-trois, le lundi 23 novembre, et il partit avec un sourire sur son visage éclaboussé de sang, tordu qu'il était.

## 12

Quatorze heures, près de cinq heures qu'ils marchaient, se reposant de temps à autre en silence. Ils avaient parcouru dix-neuf kilomètres, et pas un seul conducteur ne s'était arrêté pour eux. Clay se disait que les habitants d'Arizona étaient soit les gens les moins généreux, soit les plus soupçonneux du monde.

La fille n'avait toujours pas décroché un mot.

Elle le regardait parfois, et il voyait dans son expression à la fois de la malveillance, de l'amertume, de la peur et de la séduction, cette dernière sans doute pour se refuser à lui si jamais il lui faisait des avances.

Il ne savait que penser d'elle. Après environ cinq kilomètres, elle s'était arrêtée net, assise au bord de la route, et elle s'était mise à chialer comme une gamine. Mais elle n'avait pas poussé les mêmes hurlements déchirants que dans le magasin. Clay ne savait pas s'il aurait pu les supporter une deuxième fois. Ce coup-ci, elle s'était roulée en boule, les genoux sous le menton, les bras autour des jambes, dissimulant son visage tandis qu'elle pleurait toutes les larmes de son corps. Ç'avait duré un bon quart d'heure.

Puis elle s'était relevée presque aussi soudainement qu'elle s'était arrêtée, et elle s'était essuyé le visage et remise à marcher. Il se disait que le type dans le magasin était *à coup sûr* son père. Les vêtements qu'elle portait étaient en loques. Elle était dans un sale état. Et qui qu'elle soit, elle ne parlait pas. La plupart des gens avaient des tonnes de problèmes, et ils les partageaient comme des bonbons. Mais elle, elle était différente. Elle gardait ses pensées pour elle, et après quatre ou cinq heures de silence, Clay décida que mieux valait les lui laisser. Elle parlerait le moment venu, ou alors elle continuerait à se taire.

Quant à Clay lui-même, eh bien, il crevait de chaud et était irrité. Il sentait la sueur couler sous le col de son tee-shirt. Il aurait donné un bras et à peu près tout le reste pour un stand de limonade. Il avait les pièces de la boutique de Marana, et il en aurait acheté un pichet entier qu'il aurait partagé avec la fille. Mais il n'y avait rien. Des maisons – certaines au bord de la route et d'autres en retrait ; des gens qui travaillaient dans les champs ici et là ; un groupe de femmes qui jaillissaient d'un bosquet puis faisaient demi-tour comme si elles avaient oublié quelque chose. Chacun vaquait à ses occupations, et la fille et lui étaient juste deux marcheurs invisibles. Où il allait, pourquoi il y allait, bon sang, il n'en savait rien, mais il y allait tout de même.

Clay pensait à son frère. Il pensait à Earl Sheridan. Il supposait qu'ils étaient en train de commettre quelque acte insensé et dangereux quelque part. Earl tuerait d'autres personnes, il volerait plus d'argent, et il finirait mort. Il espérait de tout cœur que c'est ce qui arriverait, et il estimait que le tuer serait un acte aussi charitable qu'un autre. Earl semblait farouchement décidé à faire de Digger une espèce de monstre, et plus vite Earl serait liquidé, mieux tout le monde se porterait. Peut-être qu'alors Digger aurait sa chance. Il se ressaisirait, verrait de nouveau les choses clairement. Clay en doutait, mais ça ne coûtait rien d'espérer.

Soudain, Clay se mit à parler. Il ouvrit la bouche et, supposant que la fille l'écoutait, laissa un flot de paroles s'écouler.

« Ce qui s'est passé là-bas. C'était affreux. Tu sais qui étaient ces types ? Le plus vieux s'appelle Earl Sheridan. Il devait être pendu quelque part dans le Sud, mais il nous a pris en otages, l'autre et moi, dans une maison de correction à Hesperia. Il a volé une voiture et de l'argent, et il a non seulement tué ces gens à Marana, mais il en a aussi tué d'autres. Une serveuse dans un restaurant à Twentynine Palms. Je ne l'ai pas vu la tuer, mais je sais qu'il l'a fait. Je crois qu'il l'a aussi violée. En tout cas, je n'ai jamais vu un tel enfer de ma vie, et ça ne fait que quelques jours qu'il nous a emmenés avec lui. Quant à l'autre, c'est Elliott Danziger. Et c'est mon demi-frère. Même mère, père différent. Nous n'avons qu'un an et demi de différence. Tout le monde l'appelle Digger. C'était un bon frère, vraiment un bon frère, mais je crois qu'il y a une faiblesse en lui, et maintenant il est sous l'influence de ce cinglé de fils de pute. Il s'est plus ou moins accroché à Sheridan, et Sheridan est une de ces personnes qui ont besoin d'être admirées pour avoir l'impression d'exister. Je crois que s'il ne s'éloigne pas de Sheridan, il finira comme lui, parce que je pense qu'il y a des gens qui sont nés mauvais, tu sais ? Je ne sais pas ce que tu en dis, mais c'est ce que je pense. Il y a des personnes qui naissent mauvaises, et quoi qu'on dise ou fasse, elles resteront mauvaises. Earl Sheridan est comme ça. Et il y en a d'autres qui tombent sous leur influence et qui deviennent mauvaises à leur tour. Toutes seules, ça va, mais dès qu'on les met avec quelqu'un de mauvais, elles se mettent à faire n'importe quoi. Digger est comme ça. Moi, en revanche, je suis né sous une mauvaise étoile. Tu sais ce que c'est ? Eh bien, je vais te le dire. C'est comme une conjonction de planètes. Tu sais ce que c'est qu'une conjonction ? C'est une combinaison d'événements ou de circonstances. Eh bien, quand je suis né, je crois qu'il y avait une conjonction particulière. Une planète était à tel endroit, une autre à tel autre, et ainsi de suite à d'autres endroits. Et elles ont une force magnétique. C'est comme ça, les planètes. Elles ont une force magnétique ou je ne sais quoi, et elles contrôlent les marées et tout. Bref, elles étaient dans une certaine position, et je suis né pile au mauvais moment, et c'est pour ça que je m'appelle Luckman, parce que de la chance, j'en aurai jamais… »

Clay marqua une pause, regardant la fille. Elle continuait d'avancer, mais quelque chose avait changé dans sa façon de marcher. Il se faisait peut-être des idées, mais elle semblait moins tendue, ses épaules paraissaient un peu moins crispées. Peut-être que le son de sa voix l'apaisait. Ou peut-être qu'elle avait cru qu'il était aussi dingue qu'Earl et Elliott mais s'apercevait en l'entendant qu'il n'était pas complètement cinglé. Il supposa qu'il n'avait rien à perdre à continuer.

« Bref, j'ai passé de nombreuses nuits à observer le ciel en cherchant ma mauvaise étoile. Je sais qu'elle est là-haut. Je lui ai même donné un nom. Tu veux savoir comment je l'appelle ? Eh bien, je vais te le dire. Je l'appelle Hesperion. Je l'ai baptisée d'après cette maison de correction où on m'a envoyé. Avant, j'étais dans un endroit nommé Barstow, et ça craignait vraiment là-bas, alors quand on m'a envoyé à Hesperia, je me suis dit que ce serait forcément mieux, mais je me trompais. C'est à ce moment que j'ai su que j'avais une mauvaise étoile. C'est là que j'ai su que l'avenir ne me réserverait jamais rien de bon. Donc je l'ai appelée Hesperion, en plus on dirait du latin, ou du grec, ou je ne sais quelle langue ancienne. Enfin, bref, que ça signifie quelque chose ou non, c'est comme ça que je l'ai appelée. Et elle me suit. Elle m'observe. Elle s'assure qu'il ne m'arrive jamais rien de bon. C'est son boulot. S'assurer que Clarence Luckman n'aura jamais de chance. »

Il s'interrompit de nouveau. Il n'avait jamais dit tout ça. Il se demanda si le fait de l'avoir formulé à haute voix ferait empirer les choses. Sa malchance s'accroîtrait-elle, ou diminuerait-elle ? Serait-elle renforcée ou affaiblie par ce qu'il venait de partager ?

Il resta un moment silencieux, demanda à la fille si elle avait faim. Elle tendit la main vers le sac en toile, en tira un biscuit et un peu de couenne de porc.

« Qui que tu sois, tu ne peux pas te nourrir exclusivement de biscuits et de couenne de porc, déclara Clay. Tu devrais manger un peu de fromage ou quelque chose. Du jambon, tu sais ? Tu devrais avaler un peu de protéines. »

La fille se figea, la bouche pleine de biscuits, la main pleine de morceaux de porc, et elle le regarda telle une maîtresse d'école réprobatrice.

Clay sourit.

« Bon sang, t'es sacrément jolie, mais parfois t'as vraiment l'air mauvaise. Cela dit, vu ce qui s'est passé, je ne peux pas t'en vouloir. Mange ce qui te plaît. C'est certainement pas mes oignons. »

La fille lui tourna le dos et se remit à marcher. Clay la suivit, un pas et demi en retrait.

Si ça devait être comme ça jusqu'à Tucson, eh bien, soit.

## 13

À quinze heures, Garth Nixon et Ronald Koenig commençaient à y voir plus clair. Le rapport du shérif adjoint Lewis Petri avait été net et précis. Earl Sheridan était mort. Clarence Luckman, l'un des otages d'Hesperia, s'était enfui. Il avait apparemment tué Elliott Danziger, son demi-frère, était responsable de la mort d'une serveuse à Twentynine Palms, et avait, avec Sheridan, tué Lester Cabot dans l'épicerie de Casa Grande, et Harvey Warren ainsi qu'un homme non identifié dans l'épicerie-station-service de Marana. Ils avaient aussi blessé le shérif Jim Wheland, et tué Audie Clements, June Fauser, Lance Gorman et Daniel Leggett dans la banque Yuma County Trust & Savings à Wellton. Pis encore, ce Clarence Luckman s'était enfui dans la voiture du shérif en emmenant avec lui une jeune femme nommée Laurette Tannahill. À en croire les exploits de Clarence Luckman jusqu'à présent, il semblait peu probable qu'elle reste longtemps en vie.

Koenig et Nixon se retrouvaient désormais avec une véritable vague de meurtres sur les bras qui couvrait plusieurs États.

Tout ce qu'ils savaient, c'était que Clarence Luckman s'était enfui par la Route I-8. S'il s'y tenait, il traverserait Gila Bend et Casa Grande, puis il aurait le choix d'aller soit à Phoenix, soit à Tucson. S'il avait un tant soit peu de jugeote, il avait dû se débarrasser aussitôt de la voiture du shérif et devait déjà conduire un autre véhicule volé. Ils ne savaient pas avec certitude s'il était armé, mais ils supposaient que oui. Le revolver du shérif Wheland n'avait pas encore été retrouvé. Et de toute manière, même si Luckman n'était pas armé, il le serait bientôt. Un fugitif de ce genre n'allait pas loin sans arme.

La maison de correction d'Hesperia fut contactée. Le gouverneur Tom Young reçut l'instruction de faire parvenir tous les documents, photos, empreintes digitales, et autres informations relatives à Luckman au bureau du FBI à San Bernardino. Les dossiers seraient ensuite envoyés au bureau d'Anaheim. À Anaheim, on s'assurerait que les informations seraient transmises non seulement à Koenig et à Nixon, mais aussi à tous les services officiels qui collaboraient sur l'affaire. Une chasse à l'homme allait devoir être organisée. Clarence Luckman était un assassin recherché, un évadé, un fugitif, et tout laissait désormais croire qu'il poserait encore plus de problèmes qu'Earl Sheridan n'en avait posés. Un ordre de l'abattre sans sommation serait très bientôt promulgué, les systèmes de communication entreraient en surchauffe à cause des dépêches et des alertes en provenance des quatre coins du pays, et si ce Luckman n'était pas arrêté d'ici vingt-quatre heures, alors il faudrait mettre le public au courant. Alertes radio, annonces télévisées, tous les moyens permettant de repérer Luckman seraient utilisés. Jamais Nixon et Koenig n'avaient vu un tel branle-bas de combat, et outre le fait qu'une telle affaire pouvait faire ou défaire une carrière, il y avait des vies en jeu. Il y avait eu assez de morts comme ça. Ça devait cesser.

Elliott Danziger abandonna la voiture du shérif à douze kilomètres de Marana. Le hasard voulait qu'il ne soit pas très loin d'Oro Valley, où avait été enterrée la mère de Bailey Redman, même si Oro Valley se trouvait sur la Route I-19, alors que lui était sur la route de Tucson. Laurette Tannahill n'avait pas fait grand-chose à part sangloter en silence, assise à côté de lui dans sa robe en coton imprimé et son pull assorti tachés de sang. Elle avait vingt-cinq ans, c'était une brune aux traits délicats, et Digger savait qu'à un moment ou à un autre il allait devoir se débarrasser d'elle. Mais le plus urgent était de trouver une nouvelle voiture, des vêtements de rechange, peut-être de se procurer d'autres armes. Les sept cent quarante-trois dollars étaient amplement suffisants pour le moment, mais ils ne serviraient à rien s'il ne contrôlait pas ses émotions. Il agrippait le volant pour qu'elle ne voie pas que ses mains tremblaient. Il ne disait rien pour que sa voix ne trahisse pas sa peur. Maintenant, il était dedans jusqu'au cou. Soit il s'en sortait, soit il se noyait, c'était un fait, et pour s'en sortir, il n'avait d'autre choix que de continuer dans la même direction. Il ne pouvait pas faire marche arrière. Il était complice de Dieu sait combien de meurtres. Il avait commis un braquage. Il était comme John Dillinger, pire que

John Dillinger. Et en plus il avait une otage. Marrant comme les choses s'inversaient. L'otage était devenu le ravisseur. Le blanc était devenu noir. Le jour était devenu la nuit. Et il était hors de question qu'il se rende. Tout ça n'était pas sa faute. Il avait été complice malgré lui. Mais ils ne l'écouteraient pas. Il était quasiment sûr qu'ils le descendraient dans la rue comme un chien. Tout ce qui les intéresserait, ce serait l'argent et la fille. Pas lui. Il n'aurait pas droit à un procès équitable. Earl avait raison : il y avait des gens à qui on ne distribuait jamais de bonnes cartes. Jamais. Peut-être le moment était-il venu de prendre sa destinée en main, et s'il devait le faire par les armes, alors soit. Pourquoi tout sourirait-il toujours aux autres ? Pourquoi lui n'aurait-il droit à rien ?

Tout ce qui s'était passé… bon sang, c'était comme être pris dans un tourbillon. Son souffle était coincé dans sa poitrine. Il savait qu'il était censé éprouver quelque chose, mais il ne savait pas quoi. De la culpabilité ? De la honte ? Était-il responsable de la situation dans laquelle il se retrouvait ? Il roulait dans une voiture volée, avait une otage et un flingue. Earl était là-bas devant la banque. Il ne dirigeait plus les opérations. Il ne pouvait plus lui dire quoi faire. C'était à Digger de prendre ses propres décisions. Et le choix était simple : faire demi-tour et se rendre, ou continuer. Il hésita, mais pas longtemps. Il était trop aisé de succomber au virus qui avait infecté son esprit.

La maison qui attira son regard se trouvait à deux cents bons mètres en retrait de la route. Il repéra immédiatement un pick-up qui semblait en bon état : relativement neuf, tout propre et blanc, prêt à prendre la route. Digger tourna à gauche sur un sentier plein d'ornières qui menait directement à la propriété et partagea quelques mots avec sa passagère.

« Bon, va pas te mettre de méchantes idées dans ta petite tête, chérie. On va juste changer de véhicule, et on repart. Je vais entrer là-dedans et toucher quelques mots au propriétaire, et on va trouver un arrangement. J'emporte les clés de la voiture avec moi, alors tu peux courir autant que tu veux, je serai ressorti au bout de quelques instants et je te verrai où que tu sois. Coopère et je te lâcherai à quelques kilomètres d'ici. Enfuis-toi et je te descends. On se comprend ? »

Il savait qu'il n'aurait pas plus pu la tuer qu'il n'aurait pu tuer Clay, mais il devait avoir l'air méchant, il fallait qu'elle le croie, et le seul moyen d'y parvenir était de s'imaginer ce qu'Earl aurait dit. Voilà ce qu'il devait faire. Il devait *être* Earl, même si c'était une idée complètement absurde. C'était comme un jeu, un jeu de faux-semblants et d'inventions. Il serait Earl Sheridan, ne serait-ce que brièvement, le temps de découvrir qui il était vraiment et de trouver un moyen de se sortir de ce merdier.

Laurette acquiesça entre deux sanglots, et Digger immobilisa la voiture devant la maison. Avant de sortir, il farfouilla sur le tableau de bord et par terre. Il trouva un chiffon, peut-être pour nettoyer les vitres, et il le noua autour du bas de son visage. Il avait son pistolet dans la main, et Laurette supposa qu'il n'allait pas négocier avec qui que ce soit. Ce qu'elle ignorait, c'était que le cœur de Digger cognait tellement qu'il semblait sur le point d'exploser. Il ne savait pas ce qu'il faisait. Il était à la fois effrayé et excité. Il n'avait jamais été seul. Pas comme ça.

Maintenant, c'était lui qui avait les choses en main, lui qui décidait. C'était agréable. C'était également angoissant. Mais quelles que soient ses émotions, il savait que ne rien faire n'était pas une option.

« Bonjour ! lança-t-il en franchissant la porte grillagée et en pénétrant dans le couloir. Y a quelqu'un ? »

Bruit de pas à l'étage.

Digger recula légèrement, tenant le revolver de Wheland contre son flanc. Il attendit que des pas résonnent dans l'escalier, puis il dit :

« Désolé de faire irruption comme ça, mais j'ai un problème de voiture, et je me demandais si je pourrais passer un coup de fil ou quelque chose ?

— Qui est là ? demanda une voix, une voix d'homme.

— Mon nom est Charlie, monsieur. Charlie Wintergreen. Je ne suis personne en particulier. Je ne suis pas de la région… juste moi et ma petite femme qui passons par ici, et notre véhicule qui nous joue des tours. »

Digger était nerveux, à cran, et il entendait l'incertitude dans sa voix. Il se tenait immobile, conscient que s'il bougeait l'homme risquait de voir que ses mains tremblaient.

L'homme souriait, mais son sourire disparut lorsqu'il vit Digger planté là, revolver en main, un chiffon noué autour du bas du visage. Il avait les cheveux sombres, les épaules larges, un visage bienveillant. Il ne s'attendait pas à avoir des ennuis. Les ennuis étaient rares par ici, et jamais très sérieux.

« Je veux pas de problème, fiston, dit-il. Qu'est-ce qu'il te faut ? De l'argent ? Une voiture ? Tu n'as pas besoin de ce pistolet. Je m'appelle Gil Webster… »

Digger leva son arme. Quelque chose s'empara de lui. C'était comme traverser l'ombre d'un arbre quand on marchait au soleil. Il se sentit soudain rafraîchi. Plus grand, plus large, plus fort, plus rapide. Il ne savait pas ce que c'était, mais c'était agréable. Ça venait du pistolet, aucun doute là-dessus. L'arme lui conférait de la puissance, du sang-froid, elle lui insufflait l'esprit d'Earl.

Digger resserra le doigt sur la détente. Il ne savait toujours pas s'il serait capable de faire feu, de tuer quelqu'un, mais sentir ce truc dans sa main était sacrément rassurant.

« Et moi je m'appelle comme ça te chante de m'appeler », répliqua-t-il.

Gil Webster baissa très lentement la tête. Il avait une expression penaude, quelque chose ressemblant à de l'incrédulité dans les yeux. Il secoua doucement la tête.

« J'ai pas grand-chose ici qui pourrait t'être utile, fiston, dit-il.

— Comme vous avez dit, vous avez de l'argent et vous avez une voiture, ça devrait me suffire.

— La voiture, tu peux la prendre, et je dois avoir dix ou quinze dollars dans la maison…

— Vous êtes seul ici ?

— Oui.

— Qui d'autre vit ici ? »

Gil Webster hésita. Il avait une femme. Marilyn. Elle était allée voir sa mère dans le Nord, à Lake Havasu City. Ils étaient mariés depuis si longtemps qu'elle était derrière chacune de ses pensées. Mais il avait déjà décidé de ne rien dire à Charlie Wintergreen. Si les choses dégénéraient, ce taré pouvait être assez dingue pour rouler jusque là-bas et la tuer elle aussi. On dit qu'il faut une année complète pour accepter la perte d'un être aimé. Qu'il faut survivre une fois à chaque célébration – anniversaire, Noël, toutes les occasions spéciales. Que si on tient le coup tout ce temps, alors on a des chances de s'en sortir. Gil supposait que Marilyn n'y arriverait pas. Elle ne mettrait pas fin à ses jours. Elle n'était pas comme ça. Elle irait simplement se coucher et ne se réveillerait jamais, comme pouvaient le faire les Indiens. Il se ressaisit soudain et se demanda pourquoi il pensait à ces choses. Parce qu'il avait peur, tout simplement. Mais ce gamin ne voulait rien d'autre que son argent et les clés de sa voiture. La voiture, il pouvait la prendre. Elle était assurée. Ça ne valait pas le coup de se battre pour ça.

« Je peux te donner tout l'argent que j'ai dans la maison, dit Gil, et aussi les clés de la voiture.

— Bien, répondit Digger. Alors, au boulot, hein ? »

Digger suivit Gil Webster à travers la maison. L'homme vida son portefeuille, tira une poignée de billets d'une cafetière posée sur une étagère dans la cuisine. Il vérifia même les tiroirs du bureau et trouva cinq dollars de plus. Il y avait vingt-trois dollars en tout, qu'il tendit à Digger avec les clés du pick-up.

« Vous avez une cave ? demanda Digger.

— Oui.

— Montrez-la-moi. »

Gil Webster traversa la pièce et pénétra dans la cuisine, au fond de laquelle se trouvait une porte qui menait à la cave. La clé était dans la serrure.

« Descendez, ordonna Digger. Je vais vous enfermer là-dedans, et vous allez la boucler pendant au moins une heure, et après vous pourrez faire tout ce qui vous chantera. Je vais rester ici un moment, et si je vous entends faire un putain de bruit, je descends et je vous colle une balle dans la tête. Compris ? »

Gil acquiesça. De toute évidence, il allait s'en sortir. Il n'arrêtait pas de penser à Marilyn. Il n'arrêtait pas de penser au moment où les flics rattraperaient ce fumier et le balanceraient en cellule. Ils lui flanqueraient sans doute une bonne raclée pour les problèmes qu'il avait causés.

Il marcha jusqu'à la porte de la cave et l'ouvrit. Il descendit deux marches et se retourna.

Et à cet instant – lorsqu'il vit Charlie Wintergreen qui le regardait –, il comprit que le jeune type avait autre chose en tête. Il perçut une lueur dans ses yeux, une lueur sombre qui trahissait la noirceur de ses intentions.

Gil Webster resta un moment immobile, et il ressentit une chose indescriptible. C'était à la fois mental, émotionnel, physiologique, et même spirituel. Plus fort que tout ce qu'il avait connu. Il venait de regarder la mort dans les yeux, et il avait survécu.

« Descendez », ordonna Digger.

Gil Webster s'exécuta. Il entendit la porte se refermer derrière lui, et se résigna à attendre en silence pendant une heure. Peut-être même deux, ou trois, histoire d'être sûr.

Digger commença à refermer la porte puis se figea. Une pensée lui vint à l'esprit. Une certitude. Une certitude absolue. Il sut, aussi bien qu'il savait comment il s'appelait, qu'Earl était mort. Cette blessure au cou, tout le sang qu'il avait perdu, le pauvre vieux n'avait pas pu survivre. Pas là-bas, pas au milieu de nulle part. Digger ferma les yeux une seconde, et il fut submergé par une sensation presque mystique. Comme ces prédicateurs qui disaient qu'ils étaient emplis de l'amour de Jésus et toutes ces conneries. Eh bien, c'était pareil, mais en mieux. C'était comme être submergé par l'esprit d'Earl Sheridan. Et Digger comprit que tout ce qu'il ferait à partir de maintenant, il le ferait non seulement pour lui-même, mais aussi pour Earl.

Quelques instants plus tard, après avoir placé le revolver et le chiffon dans sa poche, il ressortit. Il grimpa dans la voiture du shérif et roula jusqu'à l'arrière de la maison. Il y avait une remise, suffisamment grande pour garer la voiture à l'intérieur. Les portes n'étaient pas fermées à clé. Il ne lui fallut pas plus d'une minute pour y faire entrer la voiture, puis il saisit la main de la fille et l'entraîna vers la maison.

Elle n'était pas au courant pour Gil Webster. C'était peut-être mieux comme ça. Elle aurait pu devenir hystérique, se mettre à brailler pour qu'il vienne la sauver. Digger la mena à l'étage, la fit entrer dans la chambre de Gil et de Marilyn, et l'observa un moment.

« Je crois que je vais te faire quelques trucs, tu sais, dit-il d'une voix calme et mesurée. J'ai jamais fait ça avant, alors je sais pas comment ça se passe, mais j'en ai une assez bonne idée. Tu peux soit coopérer, soit résister. Si tu coopères, alors tout se passera bien. Je m'en irai et je te laisserai là. Si tu résistes, je te ferai quand même ce que je veux te faire, et après je te tirerai une balle dans la tête. » Il marqua une pause, l'examina attentivement. « Tu m'entends ? »

Laurette Tannahill ne prononça pas un mot. Elle se tourna vers lui, le défiant farouchement du regard. Elle savait qu'on en arriverait là. Elle avait essayé de s'y préparer. Elle avait voulu croire qu'elle pouvait le faire. Mais la vérité, c'était que si les choses se passaient comme elle le craignait, alors elle ne pourrait peut-être jamais vivre avec. Elle avait un jour entendu parler d'une fille à Payson qui avait été violée par un type, et elle avait été si traumatisée qu'elle avait fini par avaler une poignée de cachets. Elle n'était pas morte, mais quelque chose s'était brisé dans sa tête, et elle n'avait plus jamais été la même, et maintenant elle vivait chez les fous quelque part près de ce cratère de météorite au sud de Flagstaff.

« Tu l'as déjà fait ? » demanda Digger.

Elle acquiesça.

« Bon, c'est bien. Alors ce sera pas une nouveauté pour tout le monde. Maintenant déshabille-toi avant que je t'arrache tes vêtements. »

Laurette resta un moment figée sur place. Elle n'avait pas le choix. Si elle obéissait, elle avait une chance de s'en sortir. Ce n'était pas sûr, mais elle devait mettre toutes les chances de son côté. Si elle n'obéissait pas, alors elle était finie. Elle en était certaine. Elle aurait pu s'enfuir, mais pour aller où ? Nulle part. Cet endroit était un désert. Il n'y avait nulle part où se cacher, personne auprès de qui s'abriter. Bon sang, elle était restée dans la voiture, terrifiée, paralysée, incrédule. Ce matin, elle s'était réveillée et ç'avait semblé être une journée normale. Si quelqu'un lui avait dit…

« Active-toi ! » ordonna Digger.

Elle enleva son pull, ôta ses chaussures, et quand elle baissa les yeux elle vit qu'elles étaient tachées de sang, comme ses bas, comme le bas de sa robe. Elle se demanda à qui appartenait ce sang.

La bile lui monta à la gorge.

Elle passa la main sous sa jupe et détacha ses bas. Elle les roula le long de ses jambes et les ôta. Elle ne portait plus rien que sa robe et son soutien-gorge. Ça y était. C'était maintenant que ça tournait vraiment mal.

Elle passa les mains dans son dos et tenta de baisser la fermeture éclair. En vain.

« Attends, laisse-moi faire », dit Digger.

À l'instant où sa main toucha celle de Laurette, elle frissonna. C'est ce qui déclencha tout. Elle vit soudain les choses clairement et prit conscience de l'endroit où elle se trouvait, de la personne avec qui elle était, de ce qui s'était passé, de ce qui était *sur le point* de se passer...

Elle poussa un cri, se mit à sangloter. Sa respiration se bloqua et elle toussa.

Digger tira sèchement sur la fermeture éclair, puis il attrapa les bretelles de la robe et les tira. La robe tomba d'un coup et se tire-bouchonna aux pieds de Laurette.

Instinctivement, elle se couvrit avec les mains.

Digger attrapa l'avant de son soutien-gorge. Il tira violemment dessus et lui fit mal.

« Enlève ça ! » commanda-t-il.

Elle hésita. Digger leva la main pour la gifler, et s'aperçut qu'il en était incapable. Il se sentit soudain stupide. Il se sentit laid, stupide, ignorant. Ce n'était pas lui. Ce n'était pas comme ça qu'il considérait les femmes. C'était Earl Sheridan.

Laurette tressaillit lorsqu'il leva la main, mais elle ne fit pas un bruit. Des larmes emplirent ses yeux et le rouge lui monta aux joues. Sa respiration était courte, haletante, et l'espace d'un instant Digger détesta ce qu'il venait de lui faire, l'humiliation qu'il venait de lui faire subir. Il était désolé pour elle, puis il s'en voulut d'être aussi faible.

Laurette regarda en direction du lit. Elle remarqua les magnifiques oreillers. Chacun semblait avoir été brodé à la main. Elle avait eu deux rapports sexuels ; le premier avec Lennie Bisbee, et le second avec Charlie Gibson. Ils sortaient toujours ensemble, Charlie et elle, et elle supposait qu'ils finiraient par se fiancer. Ou peut-être pas. Peut-être que Charlie était le genre de type qui…

Elle sentit soudain sa main sur son épaule. Digger voulait la consoler, peut-être même lui dire qu'il était désolé, expliquer qu'il n'avait jamais fait de mal à personne, mais Laurette interpréta ce geste comme une menace. Il allait la pousser à la renverse sur le matelas, glisser sa main entre ses jambes, et alors il déferait sa braguette…

Elle pivota brusquement, le repoussa, fit un pas vers lui.

« Abrutie ! s'écria-t-il. Je voulais seulement…

— Abruti toi-même ! » hurla-t-elle.

Digger resta un moment immobile. Il ne ressentait rien. Il avait essayé d'être excité. La fille était là, l'essentiel de ses habits par terre, et il savait comment s'y prendre, mais pas moyen d'avoir une érection. « Salope ! cria-t-il. Putain de salope ! » Ce n'était pas lui le problème, c'était elle. C'était elle, le putain de problème. Il la regarda, sa peau blanche, son gros cul, le regard noir qu'elle lui lançait. Il regarda les oreillers avec leurs broderies à la con – *Marilyn et Gil*, et sur un autre, *Cinq Années de Bonheur Commun* –, et tout ça le rendit fou de rage.

Frustré, furieux après lui-même, après la fille, après la situation, il passa la main dans son dos et tira le pistolet de Wheland de sa poche arrière.

C'est alors qu'elle le gifla. Il ne s'attendait pas à ça, et il sentit le sang lui monter soudain au visage. Il se tint face à elle, pistolet en main, ne sachant que faire.

Il hésita une seconde, puis ordonna :

« Retourne sur le lit ! Retourne sur le putain de lit !

— Sinon quoi ? demanda-t-elle, avec un tel air de défi que Digger fut pris de court.

— Sinon quoi ? répéta-t-il. Sinon je te descends…

— Vas-y, répliqua-t-elle. Fais-le ! Descends-moi, qu'est-ce que tu attends ? Descends-moi maintenant, parce que je ne te laisserai pas me faire ça. »

Digger resta muet de stupéfaction. Il fit un pas en arrière. Le pistolet semblait trop lourd dans sa main.

La fille s'avança. Elle avait beau être quasiment nue, elle semblait soudain terrifiante. Elle fit un nouveau pas vers lui et il recula un peu plus.

Il leva de nouveau son arme.

« Ass-assieds-toi, dit-il d'une voix chevrotante.

— C'est toi qui vas t'asseoir, rétorqua-t-elle. Tu peux dire ce que tu veux. Tu ne me violeras pas. Tu peux me tuer, mais tu ne me violeras pas ! »

Digger se sentait malade. Il avait l'impression qu'on le réprimandait comme un gamin. Il avait voulu s'excuser, et maintenant c'était lui le méchant. N'était-ce pas un nouvel exemple de ce qu'Earl lui avait dit ? Certaines personnes avaient toujours les mauvaises cartes, et on ne pouvait rien y faire.

« De toute manière, tu n'y arriverais même pas », poursuivit-elle. Et elle s'aperçut qu'il reculait vraiment, qu'il était sur la défensive, qu'il n'était pas plus capable de la tuer que de la violer. « Salaud ! Espèce de salaud pathétique… »

Elle leva alors la main, comme pour le gifler une fois de plus.

Outré, furieux, plus honteux qu'autre chose, Digger la frappa. Il frappa au hasard et le revolver atteignit la tempe de Laurette, qui bascula comme une quille.

Elle tomba sur le lit. Du sang était déjà visible sur sa joue et sa mâchoire, et Digger resta une seconde immobile, à la fois fou de rage et terrorisé.

Il la regarda, et il lui sembla à cet instant que cette fille incarnait tout ce qui lui était arrivé – chaque honte, chaque rejet, chaque déni, chaque ignominie. Les larmes lui montèrent aux yeux.

*Espèce de salaud pathétique.*

Il la frappa de nouveau. Fort, à la tempe. Et encore une fois.

Il sentit alors le sang affluer vers son entrejambe, son sexe reprendre vie, et la nausée le gagna. Il se dégoûtait étrangement, mais son dégoût disparut presque aussitôt qu'il était arrivé et fut remplacé par un sentiment de panique. Il essuya le côté du pistolet sur le drap et se pencha vers la fille. Il entendit sa respiration, haletante, rapide, mais une respiration tout de même. Il ne savait s'il était censé être soulagé qu'elle soit toujours en vie, soulagé de ne pas l'avoir tuée, ou furieux qu'elle l'ait fait se sentir si honteux, si *pathétique*.

Digger marcha jusqu'à la porte et se retourna soudain.

La pièce était floue à travers ses larmes. Son nez coulait, et il avait l'impression d'être un gamin, un gamin apeuré. Il se détestait, il la détestait, il détestait le monde.

Il devait sortir d'ici. Sortir d'ici et partir le plus loin possible. Il baissa les yeux vers le pistolet dans sa main, vit le sang sur le barillet. Il sentait la tension dans son entrejambe, ses genoux chancelants, et il se demanda brièvement si ça produisait le même effet sur tout le monde.

Il faillit perdre l'équilibre tandis qu'il dévalait l'escalier et se précipitait vers le pick-up de Gil Webster. Il démarra brusquement et s'éloigna dans un crissement de pneus, son cœur cognant à tout rompre, mille pensées se télescopant dans sa tête.

*Fais ce qu'Earl ferait*, se répétait-il. *Fais juste ce qu'Earl ferait*.

Mais il ne savait pas ce qu'Earl Sheridan aurait fait, et Earl était mort. Plus personne ne pouvait lui dire quoi faire, et c'était ce qui l'effrayait le plus.

## 14

Tandis que Digger Danziger s'enfuyait de la maison de Gil Webster, Clay Luckman et Bailey Redman se faisaient prendre en stop, direction Tucson. Le pick-up s'arrêta au bord de la route et les attendit. Le conducteur était un type à l'air fruste, il avait les yeux bleu vif de celui qui a passé l'essentiel de sa vie au soleil. À l'arrière du pick-up étaient entassés pêle-mêle des épis de maïs et de vieilles boîtes de conserve.

« Montez. Je peux vous rapprocher de Tucson, mais je dois tourner avant, OK ?

— Où que vous puissiez nous emmener ce sera… » commença Clay, mais le conducteur avait déjà démarré et ses paroles se noyèrent sous le vrombissement du moteur.

L'homme les déposa à cinq kilomètres de la ville. Ils le saluèrent de la main tandis qu'il repartait, et ils restèrent plantés côte à côte au bord de la route – silencieux, fébriles – comme s'ils attendaient quelqu'un dont ils savaient qu'il ne viendrait jamais.

L'après-midi touchait à sa fin. Clay était épuisé. Il savait que la fille l'était aussi, mais elle ne le montrait pas et aurait certainement refusé de l'admettre.

Il savait aussi que bientôt des photos et des bulletins à la radio informeraient le monde de qui il était et du fait qu'il s'était enfui d'Hesperia.

« Nous ferions bien de trouver un endroit où nous reposer », suggéra-t-il.

Il regarda à droite, à gauche, se fiant à son instinct pour décider de la direction à prendre.

En aparté, presque comme s'il se parlait à lui-même, il ajouta : « Ça pourrait aider si je connaissais ton nom. Tu ne vexerais personne en me le disant. »

Il la regarda. Elle lui retourna son regard, tenta de sourire, mais n'y parvint pas vraiment.

« Non ? fit-il. OK. Je me disais que tu étais peut-être une nonne ou quelque chose du genre. Que tu avais fait vœu de silence. »

Clay opta pour la gauche et se mit à marcher. Il espérait trouver une grange, une cabane, une remise – un abri suffisamment long pour qu'ils puissent s'y étendre.

La fille le suivit – obéissante, implacable, silencieuse.

À un kilomètre de la route ils trouvèrent un endroit. Le toit s'affaissait, mais les murs étaient solides. Une grange abandonnée, ou bien une ancienne habitation – il n'avait aucune idée de ce à quoi ce bâtiment avait servi, mais il ferait l'affaire pour la nuit. Derrière, il y avait un tonneau rempli à ras bord d'eau de pluie qui semblait propre.

« On peut la boire si on la fait d'abord bouillir, dit-il. Ça ne va pas être confortable, mais ce sera mieux que dormir à la belle étoile. » Il leva les yeux vers le ciel. « Et je crois bien que la pluie arrive. »

À l'intérieur, le sol était dallé ; il y avait une chaise défoncée, une table qui n'avait plus que trois pieds. Des toiles d'araignées couvraient les coins et les angles, et une épaisse couche de poussière tapissait la moindre surface. Un assortiment de casseroles en métal jonchait le sol, ainsi que de vieux couverts rouillés et inutilisables, un journal vieux de quatre ans dont les pages aux tons sépia évoquaient des événements depuis longtemps oubliés. Clay fit un peu de ménage. Il se servit des restes d'une vieille couverture pour repousser la poussière et les excréments de souris d'un des côtés de la pièce, puis il demanda à la fille de laver l'une des casseroles en métal.

« Prends de l'eau dans le tonneau avec tes mains. Ne plonge pas la casserole dedans. L'eau est propre, pas la peine de la salir. »

Elle saisit la casserole sans un mot, sortit et s'attela à la tâche.

Clay brisa la chaise en morceaux, arracha les trois pieds de table restants, et entassa le tout dans la cheminée. Il espérait que le conduit n'était pas bouché par des vieux nids et des saloperies. Ils le sauraient bientôt. Grâce au journal et à quelques poignées de petit bois ramassé dehors, il alluma un feu. La chemінait fonctionnait. La fumée dans la pièce était tolérable.

La fille revint avec la casserole et il la lui prit des mains.

« Viens avec moi », dit-il.

Il ouvrit le chemin et elle le suivit. Ils passèrent un moment à ramasser des tiges de maïs brisées, celles auxquelles un épi était encore attaché, et lorsqu'ils en eurent suffisamment, ils retournèrent à l'intérieur.

Il jeta les tiges au feu, déposa les épis dans la casserole, qui fut bientôt à moitié pleine. Clay ajouta de l'eau, plaça la casserole au bord du feu et la laissa chauffer. Ils obtinrent bientôt une bouillie gluante qu'ils engloutirent alors qu'elle était encore brûlante. Clay partagea les dernières provisions qu'il avait prises dans l'épicerie. Il ne leur restait maintenant plus rien. Ils devraient faire avec le peu d'argent qu'ils avaient. Il compta les pièces. Sept dollars et quarante-deux cents. Il tira le pistolet de sa poche, la boîte de munitions, et avant qu'il ait eu le temps de l'en empêcher, la fille saisit l'arme et la tint par la crosse, le canon pointé vers le sol.

Elle lui lança un regard interrogateur.

« Juste au cas où, déclara Clay. Des fois que les autres types reviendraient. »

Elle lui rendit le pistolet, puis s'allongea sur le flanc, lui tournant le dos, et il l'entendit soupirer.

Il s'allongea à son tour. Le sol était froid, dur, inconfortable. À côté de lui, il y avait une fenêtre brisée à travers laquelle il vit le ciel qui s'assombrissait rapidement, des étoiles naissantes, des nuages menaçants poussés par le vent. Une crampe brûlante, provoquée par leur misérable repas, lui tordit les tripes. *Je vais le payer demain matin*, songea-t-il, *accroupi dans un buisson quelque part avec le cul en feu*.

La pluie se mit à tomber – rapide, implacable, martelant le sol comme si elle essayait de dire quelque chose, comme si elle cherchait à prolonger une discussion éternelle entre la terre et le ciel. L'eau s'écoulait en bouillonnant autour du vieux bâtiment, emportant dans son flot toutes sortes de débris.

Il ferma les yeux un moment et la sentit soudain tout contre lui. Son corps était froid, mince, délicat. Elle s'était approchée pour avoir chaud, car elle savait qu'ils dormiraient mieux s'ils partageaient leur chaleur.

Avant de s'endormir, Clay Luckman se demanda ce qui lui était arrivé. Il s'interrogea sur le présent, le passé, et s'aperçut que la vie ne vous préparait jamais à rien. Demain, ils atteindraient Tucson, et qu'est-ce qui les attendait là-bas ? Rien. Absolument rien. Les autorités seraient à sa recherche, et sans doute aussi à la recherche de la fille. Ça l'aiderait grandement de savoir quelque chose – quoi que ce soit – à son sujet. Et si la police et les agents fédéraux mettaient la main sur Earl et Digger, Dieu sait quels mensonges et quelles calomnies ils iraient raconter. Earl lui collerait plus que probablement les meurtres sur le dos, et alors ce serait sa parole contre celle d'un criminel condamné. Ses chances d'avoir droit à un procès équitable seraient alors minces. Tandis qu'il était allongé là, il s'imagina les voitures de police sillonnant la campagne, les annonces à la radio, sa photo dans le journal et à la télé. Le destin l'avait amené jusqu'ici, et le destin – il en était certain – lui réservait autre chose pour le lendemain.

C'était à peine le soir, et pourtant Clay Luckman et Bailey Redman s'endormirent au son de la pluie, et bientôt leurs respirations ne firent qu'une.

# 15

Tucson, le « Vieux Pueblo », stupéfia Elliott Danziger. La trente-deuxième plus grande ville des États-Unis, bordée au nord par les montagnes Santa Catalina et Tortolita, au sud par les Santa Rita, par les Rincon à l'est, et par les montagnes Tucson à l'ouest. La ville était époustouflante. Il n'avait jamais rien vu de tel.

Près du vieux centre-ville, à l'angle de Stone Avenue et de Broadway Boulevard, il gara le pick-up blanc de Gil Webster au bord du trottoir et resta un bon moment assis à l'intérieur. Il était en colère. Il était toujours effrayé. Il était contrarié par ce qui s'était passé avec la fille dans la maison, mais sa honte et sa culpabilité s'étaient transformées en une sorte de ressentiment. Il lui en voulait à *elle*. Voilà ce qu'il ressentait. Il espérait presque qu'elle mourrait. Ou alors qu'elle aurait le cerveau amoché et devrait être nourrie à la cuiller par des infirmières cruelles pour le restant de ses jours. Il comprenait aussi qu'il s'était mis tout seul dans ce pétrin. Earl n'était plus là pour le couvrir. Earl n'était plus là pour porter le chapeau. Il avait enfermé un homme dans sa cave, assommé une fille et volé un pick-up. Il était aussi en possession d'un pistolet qui appartenait à la police, et du butin d'un braquage.

Il avait faim et devait manger quelque chose. Il n'était pas à court d'argent, mais la ville était si étrange, si nouvelle, si énorme, qu'il était paralysé et avait peur de sortir. Il mit un bon quart d'heure à retrouver ses esprits. Il n'aimait pas l'idée de trimballer tout cet argent, mais il n'avait pas le choix. Il n'allait pas laisser sept cents dollars sans surveillance dans la voiture. Il avait aussi besoin de nouveaux vêtements. Ce qu'il avait sur le dos était sale, taché de sueur, et il y avait du sang sur la semelle de ses chaussures. Il ne pouvait pas voir ce sang. La fille lui avait fait honte, elle l'avait fait se sentir comme un gamin. Il se demandait si elle reprendrait bientôt connaissance, ou si quelqu'un la découvrirait, et si on trouverait l'homme à la cave, ou si…

Il y avait trop de *si*, et la priorité pour le moment, c'était le sang sur ses chaussures, car ce n'était pas très malin de se balader avec la preuve de ses méfaits sur ses pompes. Il divisa l'argent en quatre liasses à peu près égales, en plaça deux dans les poches intérieures de sa veste, et deux autres dans les poches avant de son pantalon. Le pistolet était trop difficile à cacher sur lui, alors il le glissa sous le siège. Il ne restait que quatre balles. Il se demanda comment s'en procurer d'autres, et cette idée lui fit peur. Pourquoi aurait-il besoin de balles ? Parce qu'il était en cavale, parce qu'il avait blessé la fille… peut-être même qu'il l'avait tuée. Il songea alors à Earl, à ce qu'il avait dit, et son inquiétude commença à laisser place à la détermination. Il devait être un homme. Il devait prendre une décision et s'y tenir. Il devait poursuivre sa route. Il marqua une pause, puis voulut tirer la publicité de sa poche arrière. Elle n'était pas là. Merde, elle n'était pas là ! Il vérifia ses autres poches, tout en sachant pertinemment qu'il l'avait perdue.

Merde ! Bordel de merde ! C'était important. Cette publicité, c'était son objectif.

Il prit un moment pour réfléchir. Peut-être que c'était un augure, un présage. Peut-être que c'était le destin qui lui forçait la main. Clay parlait souvent du destin. Clay croyait au destin. Si ça se trouve, il avait raison. Peut-être que le fait qu'il n'avait plus la publicité signifiait qu'il ne pouvait plus se satisfaire d'une photo, mais qu'il devait voir cet endroit pour de vrai. Ce serait logique. Transformer l'imaginaire en réalité.

Oui. Bien sûr. Eldorado. C'est là qu'il irait. C'était là qu'il allait depuis cinq ans.

Digger verrouilla le pick-up et alla faire un tour, identifiant des points de repère tout en marchant afin de retrouver son chemin le moment venu. Une foule telle qu'il n'en avait jamais vu emplissait les trottoirs. De la musique jaillissait des bars. Des femmes discutaient dans les laveries automatiques. Dans les restaurants aux devantures illuminées, des gens riaient, mangeaient, buvaient – un lundi soir ordinaire à Tucson. Il se sentait emprunté, pas à sa place. Il avait l'impression d'être un plouc fraîchement débarqué dans la grande ville. *Hé là, bien le bonjour, les gars !* Il se sentait naïf, ignorant, et il commença à en vouloir aux gens qui le regardaient passer.

Au bout de dix minutes, il trouva un restaurant dans Sutherland Street. Il y avait des gens de son âge dans la boutique de disques adjacente. Ils portaient des pantalons serrés et des chaussures plates aux couleurs pastel. Certains garçons arboraient un pull et une cravate. Les filles avaient des montagnes de cheveux sur la tête. Elles portaient du maquillage, de longs faux cils sombres et du rouge à lèvres écarlate, des colliers et des bracelets et des petits sacs à main dans lesquels on n'aurait pas pu faire entrer un paquet de cigarettes. Elles dansaient dans la boutique. Elles étaient provocantes tout en jouant les saintes-nitouches. Elles avaient l'air d'aguicher les garçons, et il était clair qu'elles savaient ce qu'elles faisaient. Digger les méprisa sur-le-champ. Elles lui rappelaient la fille de la banque. Elle l'avait giflé. Bon Dieu de merde, elle l'avait giflé ! Il se calma. Il se persuada que c'était lui qui avait contrôlé la situation. Il se persuada que de toute façon elle était stupide, grosse et moche, et que quand il le ferait pour la première fois ce serait avec une fille jolie, intelligente et respectueuse.

Dans le restaurant, il commanda de la viande, des pommes de terre et des haricots, ainsi qu'un verre de lait malté. Il prit deux morceaux de pain dans une corbeille près de la caisse pour les manger en attendant d'être servi. Ils n'étaient que trois clients, et les deux autres – un vieil homme au comptoir avec une tasse de café devant lui, et une jeune femme assise trois tables plus loin, légèrement sur la droite – ne prêtaient aucune attention à lui. Digger sourit à la femme quand il croisa son regard. Elle lui retourna un sourire un peu crispé. Elle avait une vingtaine d'années, frisant probablement la trentaine, et son visage était plat et quelconque. Il aurait voulu lui dire qu'elle ne risquait rien, qu'elle n'était pas son genre, mais il savait que les gens aimaient autant se faire aborder par un inconnu qu'enfoncer la main dans une ruche.

Il mangea lentement. Il ne plaça pas son bras autour de son assiette. Personne n'allait lui dire de se presser, personne n'allait lui piquer sa nourriture. Il commença à se détendre. Il était à la grande ville. Il était à Tucson. Earl était plus que probablement mort. Clay était Dieu sait où, fumier de lâche, demi-frère de mes deux qu'il était. On trouverait Gil Webster dans sa cave et la fille à l'étage dans la chambre. On trouverait la voiture du shérif dans la grange au bout de la propriété. Les flics comprendraient qu'il avait volé le pick-up blanc de Gil Webster, et ils se lanceraient à sa recherche. Mieux valait récupérer le flingue et trouver une autre bagnole. N'importe quel modèle ferait l'affaire. Quelque chose de discret, quelque chose dont on ne remarquerait pas l'absence avant un moment. Il les prendrait de vitesse, il les distancerait, il aurait tellement d'avance sur eux qu'ils n'auraient aucune chance de le rattraper. Et pour aller où ? Ça, c'est la question qu'ils se poseraient. Eldorado. Voilà où il irait. Un endroit qu'ils ne connaissaient pas, un endroit où ils ne songeraient jamais à le chercher.

Pour le moment, les détails n'avaient aucune importance. Il devait se trouver de nouveaux vêtements, de nouvelles chaussures, un endroit où dormir, et le lendemain matin il trouverait une autre voiture et il aviserait. Il ignorait ce qui se passerait ensuite, mais plus il partirait vite, plus il aurait de chances de décider de l'issue. Ça, au moins, il le savait. Il en était convaincu.

Il acheva son dîner, régla la note, ne laissa pas de pourboire. Il regarda une fois de plus la femme quelconque au fond du restaurant. Ses yeux vides semblaient ne rien voir.

Une fois dans la rue, il repartit dans la direction par laquelle il était arrivé, s'arrêtant devant un marché couvert où les jeans, les tee-shirts et les chemises à carreaux étaient en promotion. Il acheta ce dont il avait besoin, fourra le tout dans un grand sac en papier. Dans une autre boutique, il trouva de solides bottes à lacets et à semelle épaisse qui auraient pu survivre à trois hivers russes et à une expédition dans les Ozark. Il se changea dans le pick-up, plaça ses vieilles chaussures et ses vêtements sales dans le sac en papier qu'il referma bien en tire-bouchonnant la partie supérieure. Il enfonça le pistolet dans son jean, laissa les pans de sa chemise sortis pour le recouvrir, puis il essuya toutes les surfaces de la voiture, ouvrit la portière en se couvrant les mains avec le bout de ses manches, et verrouilla le pick-up de l'extérieur. Il balança les clés dans une bouche d'égout dix mètres plus loin dans Stone Avenue, et s'éloigna sans se retourner.

Trois rues plus loin, il vit une jeune femme aux cheveux sombres qui sortait d'une épicerie avec un sac de courses dans les bras. Elle était mignonne, avait une queue-de-cheval qui rebiquait vers le haut. Elle portait un pantacourt moulant, des chaussures plates, un tee-shirt qui accentuait la courbure de sa taille et le volume de sa poitrine.

Elle était à croquer.

Digger attendit qu'elle ait parcouru quinze mètres, et il commença à la suivre.

# 16

Les agents du FBI Ronald Koenig et Garth Nixon eurent la confirmation de l'identité de Frank Jacobs à vingt heures. Oui, ils avaient trouvé un portefeuille, deux ou trois documents sur lui où figuraient son nom et son adresse, mais rien d'incontestable comme un permis de conduire ou une carte d'identité. Les erreurs d'identification étaient légion. Pour s'assurer qu'il s'agissait bien de Frank Jacobs, ils avaient dû envoyer des agents chez lui à Scottsdale, à quelque cent cinquante kilomètres au nord. Ce qu'il faisait à Marana, ils n'en savaient rien, et d'après ce que les agents de Scottsdale avaient pu leur dire, il n'y avait rien d'inhabituel chez lui, hormis une quantité ahurissante de chaussures. Son Oldsmobile avait été prise par les fugitifs à Marana, et utilisée à Wellton pour le braquage sanglant qui s'était soldé par la mort d'Earl Sheridan. Le dernier fugitif – ce Clarence Luckman – avait volé la voiture de Jim Wheland pour s'enfuir.

Une Marilyn Webster hystérique avait signalé la découverte de son mari enfermé dans sa propre cave par un adolescent, et celle d'une femme inconnue dans leur chambre, grièvement blessée, dont l'état déclinait rapidement. Seulement elle avait appelé la police de Gila Bend, et ce ne serait que le lendemain matin que la voiture de Wheland serait retrouvée derrière la maison et que le département du shérif contacterait les autorités fédérales. Webster était incapable d'identifier le jeune homme qui l'avait enfermé à la cave. Il avait un chiffon sur le visage. Quant à Laurette Tannahill, elle ne serait manifestement pas en état de dire quoi que ce soit avant un bon moment, moyennant quoi les autorités n'étaient pas plus avancées.

Pour le moment, Koenig et Nixon avaient huit meurtres sur les bras, de Bethany Olson à Twenty-nine Palms à Danny Leggett à la banque de Wellton. De toute évidence, la mort d'Earl Sheridan n'avait pas mis un terme à leurs ennuis. Si Laurette Tannahill ne survivait pas, ça leur en ferait un neuvième. Même à huit, c'était déjà la plus importante vague de meurtres qu'avait connue l'Arizona depuis plus de quarante-cinq ans, et bien qu'Earl Sheridan ait été tué à Wellton, il semblait que leur problème continuait de se diriger vers l'ouest. Le précédent détenteur du record était un résident de Window Rock nommé Bernard Fenney. Il avait été l'exemple même du parfait cinglé. Un samedi après-midi, il avait décidé de se rendre au comptoir d'Hubbell Trading Post et il s'était mis à canarder avec deux fusils de chasse. Les cartouches qu'il avait utilisées étaient de sa propre invention – bourrées de plombs, d'hameçons, d'éclats de verre, de salpêtre et de billes en métal. Après avoir descendu une demi-douzaine de personnes au comptoir, il était parti se balader. Les autorités l'avaient finalement retrouvé dans une cabane près de Keams Canyon, et ils avaient achevé le boulot en balançant de la dynamite à l'intérieur. Fenney avait fait quatorze morts, autant de blessés, et quand la dynamite avait fait son ouvrage, il ne restait pas suffisamment de morceaux de lui pour fournir une explication.

Mais ça, c'était le passé, le folklore. C'était une de ces histoires de croque-mitaine qu'on racontait aux enfants qui ne mangeaient pas leurs légumes. *Mange tes choux ou Fenney va venir te chercher*. Les nouveaux meurtres appartenaient au présent, ils se passaient ici et maintenant, et huit était un chiffre suffisamment élevé pour alerter le FBI à Phoenix. Koenig et Nixon étaient de bons agents, des hommes d'envergure à la solide réputation, mais personne n'est infaillible, et ni l'un ni l'autre ne voulaient que cette affaire soit le chant du cygne de leur carrière. Clarence Luckman avait peut-être eu de la chance jusqu'à présent, mais ils feraient tout pour qu'il n'en ait plus. Koenig et Nixon rédigèrent des rapports et passèrent des coups de fil. Ils alertèrent leurs supérieurs jusqu'à San Francisco et Los Angeles. On les informa que d'autres hommes seraient mis sur l'affaire et dépêchés sur place, certains pour aider à localiser Clarence Luckman, d'autres pour chercher le corps du malheureux demi-frère, Elliott Danziger. Des annonces incitant les habitants à se méfier de Clarence Luckman avaient déjà été diffusées sur les radios de trois comtés, et d'autres suivraient. La photo de Luckman était reproduite à l'infini, et des copies étaient expédiées dans toutes les directions. Il devint rapidement l'individu le plus recherché par le FBI depuis vingt-cinq ans. Et Clay Luckman – terré dans sa grange en ruine au milieu de nulle part – n'avait pas la moindre idée de ce qui était sur le point de lui arriver.

## 17

Elle avait vingt-trois ans, et elle vivait seule. Son nom était Deidre, mais tout le monde l'appelait Dee. Dee Parselle. Sa mère s'en faisait beaucoup trop pour elle, mais son père, maroquinier à Apache Junction, estimait qu'une fille de vingt-trois ans devait être indépendante et avoir la tête sur les épaules. Il lui avait donné de quoi se payer un appartement, et elle en avait trouvé un – juste au-dessus de la quincaillerie de Peridot Street. Quatre pièces – salon, cuisine, salle de bains, chambre. Elle y vivait depuis sept mois, avait des amis qui lui rendaient visite, et il y avait ce type qu'elle avait rencontré au cabinet d'orthodontie où elle travaillait comme secrétaire, un type avec une prémolaire incluse prénommé Ben. Elle se disait que c'était peut-être *le bon*. Ben, pour sa part, voyait les choses d'un autre œil. Il voulait s'amuser, comme tous les garçons. Mais voulait-il plus que ça ? Elle l'espérait. Elle l'espérait vraiment. Ben – à l'insu de Dee – avait cependant déjà décidé de passer à autre chose. Après tout, ils sortaient ensemble depuis trois semaines, et elle ne l'avait toujours pas accepté dans son lit.

Son appartement se trouvait au-dessus d'une quincaillerie, et on y accédait en empruntant un escalier en bois puis une passerelle. Il lui procurait un sentiment d'intimité et d'altitude, et quand arriverait l'été elle installerait une chaise dehors et fumerait des cigarettes en écoutant le tourne-disque dans le salon. Elle aurait aussi des plantes en pot, et peut-être même qu'elle repeindrait la balustrade. Ce serait la belle vie.

Ce lundi soir, en rentrant des courses, elle poussa la porte-écran, puis la porte de l'appartement, et longea le couloir jusqu'à la cuisine sur la droite pour y déposer son sac. Quand elle retourna fermer la porte deux bonnes minutes plus tard, elle vit un jeune homme qui se tenait sur la passerelle et la regardait à travers la porte-écran. Elle sursauta et se demanda si elle avait laissé tomber quelque chose. À contre-jour, il était à peine plus qu'une silhouette, et elle ne distinguait pas son visage.

« Mademoiselle ? » demanda-t-il.

Elle s'approcha d'un pas.

« Oui ? Que puis-je pour vous ? »

Elle voulait paraître calme, mais il y avait une pointe d'agacement dans sa voix.

« Je me demandais juste si je pourrais avoir un verre d'eau », dit-il.

Sa question semblait innocente, et pourtant Dee fut quelque peu troublée lorsqu'il leva la main et la plaqua contre la porte-écran.

« Bien sûr, dit-elle. Attendez ici… »

Mais il entra, et ce n'est qu'alors qu'elle vit qu'il avait un pistolet dans la main et un foulard qui lui couvrait le bas du visage. Elle ressentit comme une boule dans le bas du ventre, puis ses jambes se mirent à flageoler et elle dut s'appuyer contre le mur pour ne pas tomber.

« Qu-qu'est-ce que v-vous v-voulez ? » bégaya-t-elle.

Maintenant, elle était effrayée, elle-même l'entendait dans sa voix. Elle n'avait jamais été très vaillante, très combative, jamais été du genre à prendre l'offensive. Elle aurait pu se jeter sur lui en le frappant et en le griffant, en hurlant de toutes ses forces, le prendre au dépourvu et le repousser contre la porte-écran – qui aurait certainement cédé sous son poids –, le voir tomber sur la passerelle, peut-être même tituber et basculer en arrière par-dessus la balustrade pour atterrir dans la cour en contrebas… Ç'aurait été la meilleure chose à faire, mais il était inconcevable que Deidre fasse une telle chose…

Parfaitement incapable de réagir, elle se contenta de pousser un petit gémissement lorsqu'il s'avança vers elle.

D'un geste doux, il lui prit le bras et l'entraîna jusqu'au salon.

Il y avait quelque chose de profondément troublant dans ses yeux. Ils étaient bleus, d'un bleu intense, sans la moindre trace de gris, mais c'était un bleu froid et insensible, et elle sut à l'instant où il posa sa seconde question qu'elle était foutue.

« Vous êtes seule ? »

Elle acquiesça. Fondit en larmes.

« Arrêtez de pleurer ! » dit-il, et même si sa voix n'était pas forte, elle était néanmoins dure, directe, autoritaire.

Elle arrêta de pleurer.

Il la poussa vers le milieu du tapis. Elle resta plantée là, les bras devant elle, les mains tendues vers lui comme pour le supplier. Elle ne parlait pas, ne *pouvait pas* parler, et elle avait l'impression qu'elle allait tomber dans les pommes d'un instant à l'autre.

« Comment vous vous appelez ? » demanda-t-il.

Elle secoua la tête.

« Vous avez pas de nom ? Tout le monde a un nom, ma petite chérie. Alors, comment vous vous appelez ?

— Dee », répondit-elle malgré elle, comme si elle ne contrôlait plus sa langue.

Elle n'avait pas eu l'intention de lui dire son nom, mais elle l'avait fait. Il avait demandé, et elle avait répondu.

« Dee, répéta-t-il. Dee. Dee. Dee.

— S-s'il vous pl-plaît ne me f-faites pas de m-mal… » bredouilla-t-elle.

À travers ses larmes, il n'était guère plus qu'une tache floue.

« Allons, Dee… ma petite chérie… qu'est-ce qui vous fait croire que je veux vous faire du mal ? Est-ce que j'ai l'air de quelqu'un qui fait du mal aux gens ? »

Elle ne sut pas quoi répondre. *Oui, monsieur, vous avez l'air de ce genre de personne. Non, monsieur, vous… vous quoi ?*

Elle ne répondit rien.

« J'ai demandé un verre d'eau, c'est tout. Si j'avais voulu vous faire du mal, je vous aurais fait du mal. Mais si je voulais un verre d'eau… »

Il n'acheva pas sa phrase. Quelque chose se passait. Quelque chose d'inattendu. Il était… quoi ? Désolé pour elle ? Chagriné de la voir si effrayée ?

Digger sourit intérieurement. Bon Dieu, qu'aurait dit Earl ? *Espèce de poule mouillée ! Bon Dieu de merde, t'es un homme ou une putain de lavette ? Fais-lui sa fête, Digger ! Fais-lui sa fête ! Baise-la et descends-la et qu'on en finisse !*

Mais non. Cette fille avait quelque chose de spécial. Elle était jolie et fragile, et elle le regardait presque comme si elle lui faisait *confiance*. Comme si elle croyait ce qu'il disait.

« Asseyez-vous », ordonna-t-il.

Elle obéit. Sans hésiter, sans poser de question.

Elle s'assit sur une chaise en bois toute simple qui se trouvait près de la porte de la cuisine.

Digger recula. Il baissa légèrement son arme.

« Vous avez peur de moi ? demanda-t-il.

— Ou-oui, acquiesça-t-elle.

— Bon, OK, je comprends. Ça me semble logique. Si j'étais chez moi et que quelqu'un arrivait à la porte avec le visage masqué et un flingue dans la main… eh bien, je crois que j'aurais aussi un peu la trouille, pas vrai ? » Il sourit sous le foulard. « Bon, évidemment, ça dépendrait de la taille du type et si je pensais pouvoir le maîtriser, mais s'il était beaucoup plus balèze que moi et qu'il avait un flingue, ou peut-être deux, alors, bien sûr, je serais un peu nerveux, tout comme vous. »

Il regarda Dee comme s'il attendait un consentement de sa part. Elle demeura silencieuse.

« Mais c'est pas ce qui se passe ici, ma petite chérie. J'avais juste besoin d'un endroit où me mettre au vert quelque temps, et je vous ai vue dans la rue, et vous aviez l'air du genre de fille qui aurait pitié d'un pauvre malheureux, c'est tout. On peut faire en sorte que ça se passe bien, ou on peut faire en sorte que ça se passe mal.

— Av-avez-vous des pr-problèmes ? » demanda-t-elle.

Digger lâcha un éclat de rire âpre.

« Bon Dieu, ma petite, est-ce qu'on n'en a pas tous... du jour de notre naissance au jour de notre mort ? C'est rien que des problèmes du début à la fin avec quelques distractions en cours de route.

— Enfin... je veux dire, de vrais problèmes... par exemple, avec la police, ou quelque chose comme ça.

— Non. Vous me prenez pour quoi, pour un criminel ? Je suis pas un criminel. J'ai juste pas de pot et les choses ont mal tourné, mais il y a toujours de l'espoir, pas vrai ? Faut juste se faire sa place, et alors les gens vous respectent de nouveau et tout s'arrange.

— Vous allez vous c-cacher ici ? demanda-t-elle.

— Me cacher ? Qui a parlé de se cacher ?

— Quelqu'un doit vous rechercher... si vous avez un pistolet... »

Digger regarda l'arme dans sa main. Il haussa les sourcils, presque comme s'il était surpris de la voir là.

« Eh bien... commença-t-il, puis il secoua la tête. Bon, c'est une longue histoire... aucune importance.

— Vous pouvez r-rester quelque temps si vous voulez », déclara Dee. Elle essaya de sourire. « Je n'ai pas si peur que ça... enfin... enfin, vous n'avez pas l'air si terrible, monsieur. »

Digger fronça les sourcils.

Dee leva la main, la baissa, la leva de nouveau, lentement.

Digger releva son arme.

« Qu'est-ce que… ?

— C'est bon, dit-elle. Je ne vais rien vous faire… »

Il la regarda tendre la main vers lui, puis il sentit le bout de ses doigts sur son visage. Il était intrigué, curieux de savoir ce qu'elle allait faire, et alors elle baissa lentement le foulard, et sourit en voyant son visage.

« Vous êtes beau garçon, dit-elle. Et v-vous avez de très beaux yeux. »

Digger se sentit rougir. Il ne savait pas ce qui se passait ici mais, tout à coup, la dernière chose dont il avait envie, c'était de lui faire mal.

Il entendait toujours la voix d'Earl – *Allez, fais-lui sa fête ! Baise-la et descends-la ! Baise-la et descends-la, espèce de lavette !* –, mais elle était de plus en plus lointaine.

Il ferma les yeux un moment, savoura le contact des doigts de la fille sur sa joue, et il comprit soudain ce qu'elle faisait.

Il recula brusquement, leva son arme. Mais elle ne tenta rien. Elle le regarda simplement – légèrement surprise par sa réaction – et continua de lui sourire avec douceur.

« Qu'est-ce que vous faites ? » demanda-t-il.

Elle fronça les sourcils, son expression changea furtivement, et elle secoua la tête.

« Rien, répondit-elle. Je vous regarde juste… »

La peur semblait avoir disparu de sa voix.

Qu'est-ce qu'elle disait ? Qu'elle voulait qu'il reste ici ? Qu'elle le trouvait beau, gentil ?

Soudain, Digger eut une vision d'Eldorado. Il repensa à Clay, au jour où ils avaient vu la publicité et s'étaient imaginé la vie qu'ils auraient pu mener dans un tel endroit.

L'émotion lui comprima la poitrine.

Digger et Dee à Eldorado.

Non, Elliott… il serait Elliott à Eldorado. Dee et Elliott. Elliott et Dee.

Sa gorge se serra. Il ferma les yeux, sentit une larme monter, comme s'il allait pleurer.

« C'est bon, dit-elle. Que voulez-vous que je fasse ? Je suis juste une fille. Je suis seule. Vous êtes plus grand et plus fort que moi. M'enfuir ? Jusqu'où j'irais ? Et même si j'y arrivais, qu'est-ce que je dirais aux gens ? Ce garçon est venu chez moi et nous avons discuté un moment, et il avait l'air vraiment gentil… »

Dans sa bouche, le mot *gentil* ne semblait être rien d'autre qu'un compliment. Il était *gentil*. Pour Dee, il était juste un *gentil garçon*. Quelqu'un dont sa mère aurait été fière.

« Vous semblez fatigué et affamé, poursuivit-elle. Je fais de très bons sandwichs. Je peux vous en préparer un avec de la dinde, du cheddar blanc et de la mayonnaise. Peut-être que vous voulez aussi des cornichons et des chips, hein ? Vous avez l'air d'avoir vraiment faim. »

Digger sourit.

« Oui, répondit-il. Un peu…

— Alors allez vous laver les mains. Fermez la porte d'entrée et lavez-vous les mains. J'ai de la *root beer* dans la glacière, on pourra discuter quelque temps. Vous pourrez me parler de vous et me raconter comment vous avez atterri à Tucson. » Elle commença à se lever. « On pourra faire semblant, vous savez ? »

Digger haussa un sourcil.

Elle sourit.

« On pourra faire semblant… vous savez. Semblant d'être amis ou quelque chose comme ça… »

Digger ne savait ni quoi dire ni quoi penser.

« Allez, reprit-elle. Fermez la porte et allez vous laver les mains avant de manger. »

Digger se leva de sa chaise, resta un moment immobile.

Elle fit un pas vers lui. Il ne recula pas. Son bras pendait contre son flanc, sa main serrait mollement la crosse du revolver.

Elle leva timidement la main et toucha une fois de plus son visage.

« Je ne connais même pas votre nom, dit-elle.

— Ell… Elliott, répondit-il.

— Eh bien, allez, Elliott… allez vous laver les mains. »

Après une hésitation, il enfonça l'arme dans la poche de son jean, marcha jusqu'à la porte et la referma, puis il suivit la direction qu'elle lui indiquait vers le fond de l'appartement.

Une fois dans la salle de bains, il fit un pas en arrière et jeta un coup d'œil dans le salon. Il l'entendit dans la cuisine. Elle était èn train de préparer des sandwichs.

Il s'observa dans le miroir, vit son propre visage qui le regardait, le foulard autour de son cou comme s'il était une espèce de cow-boy. Il le dénoua, l'enfonça dans sa poche. Il sortit le pistolet et le tint dans sa main. Il était froid et lourd. Il avait honte.

Il se dégoûtait de traiter si mal une pauvre fille sans défense. C'était vraiment moche de sa part. Une fille aussi gentille. Une fille aussi…

Il secoua la tête.

Bon Dieu de merde, pourquoi se comportait-il toujours comme un vrai connard ? Clay n'aurait jamais parlé à cette fille comme ça. Clay n'aurait jamais pensé à tout ça… à la baiser et à la descendre, ou peut-être à la poignarder ou Dieu sait quoi. C'était quoi son foutu problème ?

Il devait lui dire qu'il était désolé.

Il enfonça le pistolet dans son jean et retourna au salon.

Elle était silencieuse. Pas un bruit en provenance de la cuisine.

Elliott fronça les sourcils.

Et alors il entendit quelque chose. Un bruit comme si… comme si quelqu'un composait un numéro de téléphone.

Il se dirigea vers la cuisine et c'est alors qu'il le vit. Il le vit parce qu'il faillit se prendre les pieds dedans.

Le câble qui traversait la moquette.

Il accéléra le pas. *Non !* pensait-il. *Elle n'a pas fait ça… pas possible, elle n'a pas fait ça !*

Elle lâcha le téléphone en le voyant apparaître dans l'entrebâillement de la porte, inspira bruyamment sous l'effet de la surprise.

Digger tendit la main vers la gauche et arracha le câble du mur. Dans sa main droite il tenait déjà son arme.

Il était fou de rage, bouillait intérieurement. Il n'avait jamais été aussi en colère, à tel point qu'il avait l'impression que son corps allait exploser.

« J'allais juste… juste dire à ma mère que… que je serais… je serais en retard pour le dîner… »

Mais elle pleurait déjà, sa terreur se lisait dans ses yeux, son mensonge se lisait sur ses lèvres, et ça n'échappa pas à Digger ; il sentit la trahison et la tromperie qui flottaient dans l'air autour d'elle, et il se mit à la haïr, à la haïr plus qu'il n'aurait cru possible…

Oh, Earl serait entré dans une telle fureur, Earl l'aurait découpée en morceaux !

Elle se tenait devant lui, les yeux fermés, tremblant de la tête aux pieds.

Il leva son arme, s'éclaircit la voix, puis il lui colla le canon du pistolet contre le front et la fixa de ses yeux d'un bleu implacable.

« Ouvre les yeux ! » ordonna-t-il d'une voix forte et autoritaire.

Elle fit ce qu'il lui demandait.

« S'il vous plaît… je ne voulais pas… »

Il la gifla de la main gauche. L'impact se répercuta à travers tout son corps.

Il leva de nouveau la main. Elle secoua la tête, joignit les mains comme en prière.

« N-non, ne me fr-frappez plus », supplia-t-elle.

Il ne bougea pas. Se contenta de la regarder.

Elle se remit à pleurer.

« Ferme ta gueule, espèce de salope pleurnicharde… Putain, vous êtes toutes les mêmes, hein ? À vous balader dans des tenues toutes mignonnes, mais au final y a plus personne. J'ai été gentil avec toi. J'ai été vraiment gentil. “Va te laver les mains. Je vais te faire un sandwich…” »

Ses genoux se dérobèrent sous elle et elle s'écroula brusquement. Elle crut sentir une de ses dents se détacher. Elle songea à la prémolaire incluse de Ben, au fait qu'elle aurait une remise de vingt-cinq pour cent sur ses soins dentaires vu qu'elle était employée par le cabinet…

Il s'agenouilla près d'elle, posa la main sur sa nuque et se mit à la serrer violemment. Elle se demanda brièvement s'il allait l'étrangler, mais il relâcha son emprise et s'éloigna. Pensant qu'il s'en allait, elle se roula sur le flanc, remonta ses genoux contre sa poitrine et les serra fort entre ses bras. Mais elle s'aperçut alors qu'il ne s'était pas dirigé vers la porte. Il était allé dans la cuisine, et lorsqu'il réapparut, il tenait un couteau dans sa main.

« Oh mon Dieu ! » s'écria-t-elle, et elle pleura de plus belle.

Il fit deux pas vers elle, s'agenouilla à ses côtés, et lui planta le couteau dans l'épaule en fermant les yeux. Lorsqu'il les rouvrit et vit le sang, il eut un haut-le-cœur.

Il prit une profonde inspiration, et la poignarda une fois de plus.

Son esprit était embrouillé, et son cœur plein d'une chose qu'il n'aurait pu décrire. Il dut se concentrer de toutes ses forces pour s'accrocher au couteau et ne pas le laisser tomber par terre.

Il était réellement écœuré, réellement effrayé. Et alors il se sentit stupide et fou de rage. Il avait été trahi. Trahi par cette fille, et par celle de la banque, trahi par Earl, et avant ça par Clay, et encore avant par sa mère et son abruti de père…

Trahi par le monde entier, semblait-il, et les trahisons continuaient de déferler comme des vagues.

Dee s'apprêta à hurler, mais il lui plaqua la main sur la bouche et elle crut qu'elle allait suffoquer car il lui bouchait également les narines. Il planta le couteau une troisième fois. Elle l'avait trahi… elle s'apprêtait à passer un coup de téléphone… à qui ? À la police ? C'était ce qu'elle avait compté faire dès le début, et maintenant elle allait le trahir une fois de plus en hurlant de toutes ses forces pour que quelqu'un vienne l'aider, et alors il serait foutu. Alors il serait vraiment dans la merde. Mais elle n'en aurait pas l'occasion. Il ne pouvait pas la laisser faire. C'était elle ou lui – c'était un fait –, et le choix n'était pas compliqué.

Il lui planta le couteau dans la poitrine, la sentit se cambrer violemment sous lui. Il savait que s'il ôtait sa main de sa bouche elle se mettrait à gueuler comme une sirène à incendie. Bien décidé cette fois à ne pas se laisser avoir par une putain de fille – il posa le couteau et commença à l'étrangler de sa main libre. Elle résistait, se débattait comme une diablesse, mais il fit porter tout son poids sur elle et au bout d'une minute elle était inanimée, silencieuse. Elle n'était pas morte, simplement inconsciente. Il n'avait aucune intention de la tuer. Il avait juste besoin qu'elle la boucle.

Il se releva lentement, baissa les yeux vers elle. Il resta un moment sans bouger, pensant à ce qu'il venait de faire.

Une minute plus tôt, il la détestait. Une minute plus tôt, il voulait la tuer, la punir, l'annihiler. Une minute plus tôt, elle représentait tout ce qu'il méprisait chez les autres, chez tous ces gens qui l'avaient fait se sentir inutile, qui l'avaient fait avoir honte d'être qui il était.

Mais maintenant, en la voyant par terre, il éprouvait autre chose. Il aurait voulu la réveiller, lui dire qu'il était désolé, qu'il n'avait pas voulu faire ça.

Digger s'agenouilla auprès d'elle. Il écouta sa respiration.

Il avait envie de pleurer mais n'osait pas. Il avait peur qu'Earl Sheridan soit dans les parages, que son esprit soit dans la pièce, qu'il le considère comme un simple gamin effrayé. Car c'était précisément ainsi qu'il se sentait.

« Je suis désolé, murmura-t-il. Je suis sincèrement désolé. »

En entendant sa propre voix, il perçut ses intonations pathétiques. Il voulut alors la rouer de coups de pied, la poignarder encore. Il ramassa le couteau mais se contenta d'effacer ses empreintes dessus avec le bas de son tee-shirt, puis il le laissa de nouveau tomber par terre. Il se maudit de ne pas avoir acheté deux jeans.

Il ferma les yeux, prit une profonde inspiration, exhala lentement.

C'était fait. Impossible de revenir en arrière. Il avait pris sa décision.

Il se leva. Se servit du foulard pour effacer ses empreintes sur tout ce qu'il avait touché dans l'appartement.

Il s'arrêta à la porte, se retourna pour jeter un coup d'œil en direction de la fille, secoua la tête.

S'il avait eu besoin d'avoir la confirmation que les gens étaient tous pareils, eh bien, il venait de l'avoir.

Il quitta l'appartement rapidement, descendit au niveau de la rue et s'éloigna à la hâte.

Dee Parselle était vivante, à peine, mais elle était vivante. Elle avait réussi à s'accrocher à la vie, mais, pour être honnête, c'était à peu près tout ce à quoi elle avait réussi à s'accrocher.

# 18

## Cinquième jour

Une lumière riche brillait à travers la vitre défoncée de la porte. La fille dormait toujours. Elle s'était écartée durant la nuit et repliée en position fœtale, genoux contre la poitrine, le visage noyé parmi ses cheveux. Sa respiration était lente et profonde.

Clay s'assit. Il regarda autour de lui, retrouva ses repères. Quand elle se réveillerait, ils marcheraient jusqu'à Tucson et prendraient un petit déjeuner, et après… eh bien, après, il ne savait pas. Il fallait qu'elle parle. Qu'elle lui dise son nom, d'où elle venait, où elle devait retourner. Sa famille devait l'attendre, et Clay s'imaginait que ses parents s'inquiéteraient. Ils étaient venus jusqu'ici simplement parce que Clay pensait qu'Earl Sheridan irait dans la direction opposée. Ils étaient à une poignée de kilomètres de Tucson et il fallait qu'ils mangent quelque chose. Il avait aussi envie de fumer. Ça, il le savait. Il avait un peu fumé par le passé, ça lui avait plu, et maintenant, curieusement, il crevait d'envie de fumer une cigarette. Il en achèterait à Tucson, et tant pis pour ce que ça coûterait.

Quand la fille se réveilla, il annonça qu'ils allaient marcher jusqu'à la ville. Elle le regarda avec son habituel visage de marbre.

« Je ne sais pas si tu es muette, dit-il, mais je crois qu'on va arriver à un stade où je trouverai ton silence trop pesant pour le supporter. Je t'ai aidée à partir de là-bas parce que je me disais que tu risquais d'y laisser ta peau si tu y restais. Quant à l'homme qui est mort… bon Dieu, je ne sais pas qui c'était pour toi…

— C'était mon père. »

Clay resta coi de stupéfaction. Il s'attarda là à la regarder, bouche entrouverte, puis il la referma sans rien dire. Il ne savait pas s'il était sidéré de l'entendre parler, ou consterné par ce qu'elle venait de dire.

« Son nom était Frank Jacobs et c'était mon père », poursuivit-elle. Sa voix était douce, ronde, avec une pointe d'accent du Sud. « Et je te remercie de m'avoir aidée à partir de là-bas, mais je l'ai laissé derrière moi et je ne sais pas si je me le pardonnerai un jour. »

Clay sourit du mieux qu'il put.

« Lui, il t'aurait pardonnée, dit-il. La pire chose qui aurait pu lui arriver, c'est que tu te fasses également tuer. »

Elle acquiesça.

« C'est ce que je me disais. »

Clay s'éclaircit la voix, tendit la main.

« Mon nom est Clay Luckman. »

Elle saisit sa main.

« Bailey Redman. »

Clay fronça les sourcils.

« Ma mère et mon père n'étaient pas mariés.

— Je vois, et où est-elle ?

— On revenait d'Oro Valley. Elle est morte et on y était allés pour son enterrement.

— Merde, la chance ne te sourit pas trop, hein ?

— Je suppose que non.

— Donc, tu es toute seule maintenant ? »

Elle secoua la tête.

« Je t'ai toi.

— Oui, d'accord, mais je parlais de famille. Pas d'oncle ou de tante, de grands-parents, peut-être ?

— Non, répondit-elle. Personne.

— Merde… fit-il.

— Et toi ?

— Moi ?

— Oui. Où sont tes parents ?

— Bon Dieu, ça fait longtemps que je ne les ai plus.

— Donc, on dirait qu'on est dans la même galère.

— On dirait.

— Et ces gens… ceux qui ont tué mon père. L'un d'eux était ton frère ? »

Clay acquiesça.

« Mon demi-frère. Le cinglé de la famille, de toute évidence. Le plus vieux était un prisonnier en cavale. Il devait être pendu quelque part dans le Sud, je crois, mais il s'est échappé et il nous a pris en otages.

— Alors toi aussi tu es en cavale ?

— Pour sûr. Je suis certain qu'ils s'arrangeront pour me coller deux ou trois meurtres sur le dos. Mais ils rechercheront en priorité Earl Sheridan. C'est le nom du plus vieux. Ils le rechercheront histoire de finir ce qu'ils ont commencé.

— Et ton frère… ton *demi-frère* ? »

Clay secoua la tête avec résignation.

« Je crois qu'il a fait son choix. Je crois qu'il a choisi la voie du mal. Pendant le peu de temps que j'ai eu, j'ai essayé de lui faire entendre raison, mais il était bien décidé à ne pas écouter.

— Pourquoi ils devaient pendre l'autre type ?

— Je pense qu'il avait déjà tué quelqu'un et qu'il a été condamné à mort. »

Bailey pencha la tête sur le côté.

« C'est un truc que je n'ai jamais compris, dit-elle.

— Quoi ?

— La peine de mort. Enfin quoi, est-ce que c'est en tuant quelqu'un qu'on prouve que tuer est mal ?

— Bonne question, fit Clay.

— Alors, qu'est-ce qu'on fait maintenant ?

— Bon, c'est à ça que je réfléchissais. Il me reste quelques dollars. On pourrait s'acheter à manger et ce qui nous faudra pour deux jours, peut-être moins, et après on devra improviser.

— Tu comptais aller où ?

— Au début, je n'avais pas de destination en tête. J'ai juste pris cette direction parce que je me suis dit que les deux autres iraient vers l'ouest. Mais maintenant je pense qu'on devrait aller dans une ville nommée Eldorado, au Texas.

— Qu'est-ce qu'il y a à Eldorado ? »

Clay sourit. Il prit la publicité et la lui montra.

« De jolies maisons avec des pelouses vertes et des piscines.

— Et qu'est-ce qu'on va faire là-bas ?

— J'en sais rien, répondit Clay. Je sens juste que mon frère n'ira pas là-bas. C'était notre destination, mais maintenant, après tout ce qui s'est passé, je pense qu'ils vont repartir dans l'autre sens et aller ailleurs. Et si mon frère n'y va pas, alors Earl n'ira pas non plus, et plus je serai loin de lui, mieux je me porterai. »

Elle secoua la tête.

« Je ne compr…

— On devait y aller ensemble, on en parlait tout le temps. Il se dira que si les flics m'attrapent, je leur dirai qu'on était censés aller à Eldorado. Je suis sûr qu'il sera assez malin pour ne pas s'en approcher.

— Et c'est tout ? C'est ton plan ?

— Oui, c'est mon plan.

— Donc, en réalité… eh bien, en réalité tu n'as pas de plan. »

Clay esquissa un sourire ironique.

« Frangine, j'ai jamais eu de plan dans ma vie. C'est à peu près la première fois que je dois prendre une décision. Quand tu vis là où j'ai vécu… tu te réveilles quand on te le dit, tu manges quand on te le dit, tu travailles quand on te le dit, tu dors quand on te le dit. Il n'y a jamais la moindre décision à prendre. Tout ça, c'est complètement nouveau et mystérieux pour moi.

— On n'est peut-être pas forcés de prendre une décision.

— Pardon ?

— On pourrait peut-être continuer et voir ce qui se passera.

— C'est pas un plan.

— Il me semble que ça ne sert pas à grand-chose de prévoir quoi que ce soit dans cette vie. J'avais prévu de passer les prochaines années avec ma mère et après, peut-être, de voyager, et aussi de me trouver un boulot ou quelque chose, tout en continuant d'aller voir mon père à Scottsdale pour apprendre à mieux le connaître. Maintenant ils sont tous les deux morts, et la seule personne que j'aie au monde, c'est toi.

— Je suis désolé pour tes parents.

— Pourquoi tu es désolé ? Tu n'y es vraiment pour rien.

— Tu me comprends… Je suis désolé que quelque chose d'aussi moche te soit arrivé.

— Oui, dit Bailey. Moi aussi.

— Alors on va marcher jusqu'à Tucson et prendre un petit déjeuner, OK ?

— OK. »

Clay marqua une pause.

« Tu as quel âge ?

— Quinze ans, répondit-elle. Seize en octobre prochain.

— D'accord.

— Et toi ?

— Dix-sept ans. J'en aurai dix-huit en juin.

— Je ne coucherai pas avec toi », déclara-t-elle de but en blanc.

Clay se retourna soudain, les yeux écarquillés.

« De quoi ? Pourquoi tu dis un truc comme ça ?

— Ma mère m'a dit que les hommes pensaient au sexe trois cents fois par jour.

— Eh bien, je ne sais pas où elle est allée chercher ça.

— Elle était prostituée.

— Elle était quoi ?

— Prostituée. Tu trouves ça mal ? »

Clay secoua la tête. Il était tout retourné.

« Je trouve ça rien du tout. Ça ne change rien, ce qu'elle était. » Il hésita. « Enfin… heu, je dis pas ça pour lui manquer de respect ni rien. Bon sang, tu me comprends… »

Elle riait.

« C'est bon. Je te taquinais, c'est tout.

— Eh bien, arrête. Bon Dieu, assez parlé de ça. L'idée de coucher avec toi ne m'a même pas effleuré l'esprit…

— Pourquoi ? Tu ne me trouves pas jolie ? »

Clay recula d'un pas. Il avait du mal à parler.

« Je te fais marcher et tu cours, Clay Luckman.

— Assez », répondit-il.

Il se demanda s'il y avait quelque chose qui clochait dans sa tête. Peut-être que quelque chose s'était brisé. Peut-être que les décès soudains et inattendus de ses deux parents avaient cassé quelque chose là-dedans et que maintenant elle débloquait complètement. Clay se demanda l'effet qu'une telle tragédie pouvait avoir sur quelqu'un.

« Allons-y », dit-elle.

Elle se retourna et commença à marcher vers la porte.

Clay la suivit. Il allait devoir la surveiller attentivement. Dans quoi il s'était fourré, il n'en savait rien. Mais il avait le sentiment de ne pas être sorti de l'auberge.

## 19

Le département du shérif de Gila Bend informa les autorités fédérales de la découverte de la voiture de Gil Webster. À dix heures du matin, Nixon et Koenig arrivèrent chez les Webster. Laurette Tannahill était déjà à l'hôpital. Elle était presque immédiatement tombée dans le coma à cause de son traumatisme crânien. Elle était entre la vie et la mort, et il n'y avait aucun espoir qu'elle puisse identifier qui que ce soit. Gil Webster, pour sa part, n'avait guère d'informations à leur donner. Il leur fournit une estimation de la taille ainsi que la couleur des cheveux de son agresseur, bien entendu, mais le jeune homme avait le visage masqué par un chiffon, et il était incapable de l'identifier formellement. Ils lui montrèrent une photo de Clarence Luckman, à quoi il répondit : « Oui, bien sûr, ça pourrait être lui. Il a l'air d'avoir à peu près le bon âge… la forme de la tête est similaire… »

Nixon et Koenig étaient tous deux des vétérans dans le métier. Ils avaient vu leur lot d'agressions et de meurtres. Assassinats à coups de couteau, par arme à feu, pendaisons, décapitations, noyades ; ils connaissaient l'odeur d'un cadavre qui a pourri pendant des jours, le haut-le-cœur instinctif quand vous vous retrouviez face à un corps démembré ; ils avaient vu les meilleurs gens suppliciés par les pires monstres, mais ils demeuraient ouverts d'esprit et mesurés. La chambre à l'étage de la maison des Webster, cependant, semblait imprégnée d'une mélancolie telle que ni l'un ni l'autre n'en avaient jamais connue. Peut-être à cause des traces de sang sur le matelas, sur lequel la forme de la tête de Laurette Tannahill était toujours clairement visible. L'affaire avait pris une dimension personnelle quand Nixon avait parlé à la mère de la jeune femme la veille au soir.

« Nous faisons tout ce que nous pouvons, madame Tannahill. *Tout.* »

C'était quasiment une promesse. Et maintenant cette promesse allait être trahie. Ils avaient fait ce qu'ils pouvaient, mais pas *tout.* S'ils avaient tout fait, Laurette serait sûrement chez elle à l'heure qu'il était.

Garth Nixon resta un long moment immobile. Il pensa à sa femme, à son fils, à ses neveux, à ses nièces. Il pensa à la femme et aux enfants de Ronald Koenig, des gens qu'il n'avait jamais rencontrés et ne rencontrerait probablement jamais, mais dont il connaissait l'existence. Laurette Tannahill et ses parents leur ressemblaient beaucoup. Elle avait traversé l'enfance – les coups de froid, les oreillons et la varicelle, les bosses, les égratignures et les chutes, les béguins adolescents, les premières amours, le bal du lycée –, et alors qu'elle avait vingt-cinq ans et travaillait dans une banque, quelqu'un avait débarqué un beau jour et l'avait enlevée. De telles choses n'arrivaient pas aux jeunes filles de vingt-cinq ans. C'était impossible. Tout ça pour l'emmener dans la chambre d'un inconnu et la tabasser ? C'était inimaginable. Mais ce Clarence Luckman l'avait imaginé – pas seulement imaginé, il l'avait fait –, et maintenant elle était dans le coma, et ils devaient informer ses parents que les choses ne s'étaient pas déroulées comme prévu.

Apparemment, Luckman agissait seul, mais vu que le pick-up blanc de Gil Webster avait disparu, Koenig et Nixon disposaient au moins d'un modèle de véhicule et d'une immatriculation. Ils envoyèrent une alerte aux polices de Phoenix, Scottsdale, Mesa, Chandler, Glendale, Buckeye, Casa Grande, Wellton, Yuma, et même au sud-est jusqu'à Oracle, Oro Valley, Tucson et Tombstone. Pour le moment, ils n'avaient aucune idée de ses intentions. Il pouvait avoir pris n'importe quelle direction, si bien que toutes les routes devaient être couvertes. Des reproductions des photos les plus récentes de Clarence Luckman, gracieusement fournies par le personnel de Tom Young à Hesperia, furent également envoyées à onze départements de police locaux et aux bureaux fédéraux de la région. Nixon et Koenig convinrent cependant que faire circuler des avis et des affiches au-delà des services immédiatement concernés n'était probablement pas judicieux à ce stade. Alertez un fugitif de l'ampleur de la traque, et il risquait de se terrer quelque part. Et c'était précisément ce qu'ils craignaient, car les criminels avaient le don de s'évaporer dans la nature. Luckman avait été le complice de Sheridan, et maintenant il avait commis une agression seul. Il était donc clair que la vie des gens ne valait pas lourd à ses yeux. Non, ils n'avertiraient pas le public pour le moment ; les photos seraient entre les mains des unités et des départements concernés, et ils le retrouveraient. Quoi qu'il arrive, ils le retrouveraient. Restait seulement à savoir combien de temps cela prendrait, et combien de victimes il ferait avant qu'ils l'arrêtent ou l'abattent.

Tandis qu'ils quittaient le domicile des Webster, Koenig dit à Nixon quelque chose qui mit tout en perspective et lui fit l'effet d'un coup de poing dans les tripes : « Si tu veux retrouver un gamin comme ça, tu dois penser comme lui. »

Clarence Luckman était un gamin, même pas un homme, et il avait fait ça.

Garth Nixon sentit son sang se glacer dans ses veines, et il n'était pourtant pas homme à se laisser aisément déstabiliser.

# 20

La description du pick-up blanc arriva au département du shérif de Tucson juste avant onze heures ce mardi matin. Si le rapport signalant la découverte de Deidre Parselle était arrivé un tout petit peu plus tard, l'inspecteur John Cassidy aurait toujours été à son bureau, et le pick-up aurait peut-être attiré son attention, ou peut-être pas. Au bout du compte, ce ne serait que plus tard qu'il relierait ce véhicule à la scène qu'il s'apprêtait à découvrir dans l'appartement de Deidre Parselle.

À trente-quatre ans, Cassidy était toujours plein d'ardeur et suffisamment enthousiaste pour croire au bien et au mal, et au fait qu'il y avait une séparation nette entre les deux. Il était entré au service du shérif en juin 1950, tout juste trois mois après son vingtième anniversaire. Il bossait dur, posait des questions, étudiait, observait, et il était suffisamment humble pour estimer qu'il ne savait rien tant qu'il n'avait pas de preuves. Il avait été promu détective en août 1962. Ça faisait à l'époque quatre ans et trois mois qu'il était marié à Alice Frankenshaw. Ils avaient toujours dit qu'ils songeraient à fonder une famille le jour où il deviendrait inspecteur, et dès sa promotion obtenue, ils avaient cessé d'y songer et s'étaient mis au travail. Mais pendant les dix-huit premiers mois tout avait semblé indiquer qu'ils n'étaient pas destinés à avoir une famille.

Au printemps 1964, John avait emmené Alice dans une clinique spécialisée de Phoenix où on l'avait examinée, inspectée, questionnée, sondée. Après quoi, les Cassidy avaient été informés qu'Alice n'avait aucune pathologie identifiable l'empêchant d'avoir des enfants. Ce qui posait la question : y avait-il quelque chose qui clochait chez John ? Ils avaient continué d'essayer et, en août 1964, alors qu'ils commençaient à se dire que c'était au tour de John de se faire examiner, inspecter, questionner, sonder, elle était tombée enceinte. Ni l'un ni l'autre n'auraient pu être plus heureux.

Les Cassidy vivaient dans Brawley Street, dans une maison qui leur appartenait. Après le décès de la mère de John, trois ans plus tôt, il avait vendu celle dans laquelle ses parents avaient vécu pendant près d'un quart de siècle. C'était aussi la maison où il avait passé son adolescence, et même s'il y était profondément attaché, il estimait que c'était leur maison à *eux*, pas la sienne. Il n'avait donc rien éprouvé lorsque la propriété avait été vendue, hormis la promesse d'un avenir meilleur. Il avait payé la maison de Brawley Street rubis sur l'ongle, et il lui était encore resté de quoi retaper et moderniser la cuisine. Bien que petite, la maison ferait l'affaire jusqu'au jour où ils décideraient d'avoir un deuxième enfant. Le père de John, Eugene, un homme brusque et grave même quand il était d'excellente humeur, était mort d'un cancer du foie huit ans plus tôt. Il avait travaillé pour la société des chemins de fer du Midwest pendant onze ans après sa relève de l'armée à la fin de la guerre. Il avait vu le feu en France et en Belgique. C'était tout ce qu'il disait. Il avait vu le *feu*. Et son expression quand il disait ça faisait clairement comprendre qu'il n'avait aucune envie de s'étendre sur le sujet. Il avait perdu un frère là-bas, un petit frère, et il avait manifesté à partir de ce moment une intolérance obstinée envers tous les non-Américains. Il n'avait jamais exprimé la moindre opinion quant à la vocation choisie par son fils unique, mais quand John avait reçu son diplôme de l'école de police, Eugene était présent. Par la suite, durant la petite réception organisée par sa mère pour la famille et les amis, Eugene avait entraîné son fils à l'écart et l'avait regardé pendant ce qui lui avait semblé une éternité en le tenant par les épaules. Il l'avait regardé droit dans les yeux comme pour percer le fond de son cœur et de son âme, puis il s'était contenté de sourire et d'acquiescer. Ç'avait été le plus beau compliment que son père lui eût jamais fait. John n'aurait pu en espérer plus. *Tu as réussi à mes yeux*, voilà ce que ce regard avait signifié. *Tu es mon fils, et je suis fier de toi.*

Quand son cancer avait été diagnostiqué, Eugene n'avait pas bronché. Il s'était résigné à la mort comme on se résigne à aller se coucher. C'était ainsi, pas de quoi en faire toute une histoire. Lorsque sa femme pleurait, elle pleurait seule. Elle n'avait jamais partagé son chagrin avec son mari, et les choses étaient demeurées ainsi jusqu'au jour où il avait fermé les yeux pour la dernière fois. Il n'avait accepté aucun médicament, hormis des doses de morphine pour soulager la douleur vers la fin, et n'avait exprimé aucun désir de traitement. Il n'était pas religieux, mais semblait croire à la fatalité. Les choses étaient *censées* se passer ainsi, c'était le destin qui lui avait été choisi, et qui était-il pour le remettre en cause ? Il était tôt quand il mourut le matin du lundi 13 août 1956.

L'enterrement avait eu lieu le vendredi suivant, le 17, et Alice avait accompagné John par politesse. À l'époque, ils ne se connaissaient que depuis un peu plus de six mois, et ils ne se marieraient pas avant près de deux ans. Ils s'étaient assis séparément, John avec sa famille, Alice avec les amis, mais durant la veillée qui avait suivi, il était resté à côté d'elle et n'avait parlé à presque personne d'autre qu'elle. Peut-être avait-il déjà décidé que leur proximité serait ce qui définirait le restant de leur vie. Il savait qu'il n'y aurait personne d'autre. Il savait qu'il l'épouserait. Il savait qu'elle pensait la même chose. Et après leur mariage, leur relation s'était poursuivie comme si rien n'avait changé, si ce n'était le fait qu'ils vivaient désormais ensemble. Ils se correspondaient. C'était aussi simple que ça. Ils se correspondaient dans tous les domaines possibles. Si lui était ordonné, elle était propre. S'il était pragmatique, elle était imaginative. Si c'était un bosseur acharné, elle lui apprenait à se détendre, ce dont il semblait incapable, même quand le moment s'y prêtait.

Tandis qu'il roulait vers l'appartement de Dee Parselle ce mardi matin, John Cassidy songeait au fait qu'Alice avait passé son premier trimestre, que tout allait bien, qu'il n'y avait pas de signes inquiétants, et que si tout continuait comme prévu, il serait père en avril de l'année suivante.

Mais en découvrant la scène, il oublia Alice, le bébé, les trimestres et les préparations à l'accouchement, le choix de la peinture pour la chambre du bébé. Ce qu'il vit pénétra ses narines, fit se dresser les poils sur sa nuque, fit poindre la sueur sur son front, et il hésita pendant quarante-cinq bonnes secondes avant d'oser pénétrer dans la pièce.

D'après des rapports de témoins, Deidre Parselle avait réussi à ramper hors de son appartement jusqu'à la passerelle qui surplombait la cour. C'était là qu'elle s'était écroulée, là qu'elle avait été découverte. Une ambulance avait été appelée, la police aussi, et pendant que Deidre était emmenée en urgence à l'hôpital, un examen initial de la scène avait été effectué pour essayer de comprendre le cauchemar qui venait de s'y dérouler.

À première vue, la fille avait reçu trois ou quatre coups de couteau, mais il pouvait y en avoir plus. Elle avait été opérée et s'en tirerait, mais elle était traumatisée, sous sédatifs, et ne disait rien de son agresseur. Elle semblait tellement incapable de communiquer de façon rationnelle que toute description était impossible.

La quantité de sang sur la moquette surprit Cassidy. Il y avait aussi un couteau de cuisine – lourd, taché de sang, indiscutablement l'arme qui avait servi à l'agression. Cassidy l'examina minutieusement, se servant de son stylo à bille pour le retourner légèrement, pour l'incliner à la lumière. La lame était couverte de caillots de sang, mais il ne semblait y avoir aucune empreinte digitale nette. Il remarqua aussi que le câble du téléphone avait été arraché du mur et que le téléphone lui-même gisait par terre dans la cuisine. L'agresseur avait sans doute fait ça par mesure de précaution en entrant dans l'appartement. Il s'accroupit et resta un moment immobile. Il y avait des agents en uniforme à la porte, un autre sur la passerelle pour s'assurer qu'aucune personne non autorisée ne viendrait contaminer la scène de crime. Cassidy prenait le temps d'observer, de sentir, et d'essayer de comprendre ce qu'il avait devant lui. La psychologie le fascinait. On ne lui accordait pas une grande place dans le cadre des enquêtes criminelles, mais les mobiles, la mentalité et le profil du criminel lui semblaient extrêmement importants. Peut-être qu'un jour on prendrait ces choses en considération, mais pour le moment il devait se contenter de ce qu'il voyait avec ses yeux, de ce qu'il pouvait toucher avec ses mains, des réponses qu'on lui donnait. À part ça, tout n'était que soupçon, supposition, superstition. Curieusement, Alice était la seule à l'écouter avec intérêt lorsqu'il abordait ce sujet. Alice – un mètre cinquante-sept pour cinquante kilos, menue, modeste et délicate, et pourtant dotée d'un esprit plus solide et d'un estomac mieux accroché que la plupart des flics vétérans qu'il connaissait – croyait son mari quand il disait qu'un jour les méthodes d'investigation changeraient du tout au tout, qu'on commencerait à dépenser de l'argent au niveau fédéral pour essayer de comprendre les mobiles, les méthodes et le profil des pires criminels. Il y avait une raison à ces crimes. Il y avait *toujours* une raison. Et s'ils pouvaient comprendre le raisonnement des criminels, alors ils trouveraient peut-être le moyen de prédire et de prévenir de telles horreurs.

Mais, pour le moment, il devait se contenter des faits : les indices physiques probants, les empreintes digitales, les déclarations de témoins, la fille à l'hôpital.

Cassidy échangea quelques mots avec les agents en uniforme qui avaient répondu à l'appel initial.

Celui-ci était survenu à dix heures trente et une ; c'était la propriétaire de la fille qui l'avait passé. La collecte des loyers avait toujours lieu le dernier vendredi du mois, dans ce cas le 27, mais la propriétaire – Rena Fitzgerald – avait prévu de partir quelques jours avec sa sœur à Prescott. Elle avait donc appelé Deidre le samedi après-midi précédent et il avait été convenu qu'elle passe récupérer le loyer dans la matinée. C'est ainsi qu'elle était venue, et c'est ainsi qu'elle avait découvert la fille sur la passerelle. Pourquoi s'étaient-elles donné rendez-vous un mardi matin ? Deidre n'était-elle pas censée être au travail ? Un coup de fil au cabinet dentaire confirma qu'elle avait pris sa journée. Est-ce que ça avait quoi que ce soit à voir avec le moment de son agression ? Son agresseur savait-il qu'elle avait pris sa journée, s'était-il arrangé pour que personne ne remarque son absence jusqu'au mercredi matin quand elle n'irait pas au travail ? Personne ne pouvait répondre à cette question hormis l'agresseur lui-même, mais si tel était le cas, alors il devait la connaître. La première chose à faire était d'interroger la propriétaire, pour voir si elle avait touché ou déplacé quoi que ce soit dans l'appartement. Après quoi, il interrogerait les collègues de Deidre, tous ceux qui avaient pu la fréquenter dans le cadre de son travail, tous ceux qui avaient pu avoir accès à des informations sur elle au cabinet dentaire. Viendraient ensuite ses amis, puis il s'intéresserait à ses éventuelles activités, aux événements récents auxquels elle avait assisté, aux clubs, groupes, cercles auxquels elle appartenait, à l'église qu'elle fréquentait peut-être. Il s'agissait d'une tentative de meurtre, aucun doute là-dessus. Si elle mourait, eh bien, ce serait sa troisième enquête criminelle. La première avait concerné un mari jaloux qui avait étranglé sa femme, pour découvrir au final qu'elle ne lui avait jamais été infidèle. La deuxième avait été un crève-cœur. Une gamine de huit ans coincée entre un père violent et une mère alcoolique. La mère voulait partir, le père voulait l'en empêcher. La mère voulait emmener la fille avec elle, le père n'était pas d'accord. Pour résoudre le problème il avait tué la fillette. Abattue dans son sommeil. Puis il avait avalé des somnifères et sifflé une bouteille de whisky. Mais soit il n'avait pas pris assez de cachets, soit il n'avait pas bu assez de whisky, car il s'était réveillé un jour et demi plus tard en cellule. Ça s'était produit l'année précédente, et l'homme était désormais au pénitencier de Flagstaff, attendant le résultat de son deuxième appel de sa condamnation à mort. Son appel serait rejeté. Il finirait sur la chaise électrique. Restait juste à savoir pendant combien de temps l'État tergiverserait.

Cassidy considérait déjà l'agression de Deidre Parselle comme l'affaire la plus importante de sa courte carrière. Son raisonnement était simple. Les deux premiers meurtres avaient été des meurtres, certes, mais ç'avaient été des crimes commis sous le coup de l'émotion, des crimes passionnels. Jalousie, envie, vengeance, quelle qu'ait été l'émotion derrière l'acte, celui-ci n'avait pas été prémédité pour le plaisir. Alors que l'agression de la jeune Parselle, le fait qu'elle avait été poignardée et laissée pour morte dans son appartement, indiquait quelque chose de complètement différent. Les raisons étaient autres. Il n'y avait aucun signe de viol ni de violence sexuelle, alors quel pouvait être le mobile ? Le plaisir ? Du moins le genre de plaisir morbide qu'une attaque de ce genre pouvait faire naître chez l'agresseur. Et il y avait les coups de couteau. Elle n'avait pas eu la gorge tranchée. Elle n'avait pas eu le cœur transpercé. Elle avait été poignardée à l'épaule, et surtout à la poitrine, symbole de la féminité, de la maternité. Y avait-il un aspect psychologique au-delà de la simple agression physique ? Il y avait eu de la rage, mais une rage contrôlée, canalisée. De la colère, mais une colère dirigée, précise. Il y avait une méthode derrière cette folie, une motivation, un raisonnement derrière cet acte. Et c'étaient ces éléments, ces éléments seuls, qui, une fois identifiés, permettraient de restreindre leur champ de recherche. C'était ce que Cassidy croyait, il y croyait dur comme fer, aussi commença-t-il à prendre des notes dans l'appartement afin de ne pas oublier les réflexions que lui inspirait la scène. Le fait était que, fondamentalement, l'agression de Deidre Parselle l'excitait – intellectuellement, presque physiologiquement. Il ressentait cette excitation au fond de ses tripes, devinait qu'il venait de tomber sur quelque chose qui bousculerait ses idées préconçues sur la nature des criminels. Il en parlerait plus tard à Alice, et même s'il ne pourrait pas lui divulguer les détails spécifiques de la scène de crime, même s'il ne pourrait pas partager avec elle le résultat de ses interrogatoires et de ses investigations, il pourrait lui donner une idée générale, décrire ses impressions, ses intentions, et elle se ferait l'avocate du diable et remettrait en doute ses hypothèses à chaque instant. Son intuition lui disait que cette affaire était importante, et qu'elle aurait des conséquences majeures.

Le légiste du comté de Pima arriva un peu avant midi, accompagné d'un photographe indépendant que le département de police employait contractuellement pour ce genre de boulot. Cinquante-trois ans, aguerri, cynique et revenu de tout, l'homme blêmit néanmoins visiblement quand Cassidy expliqua ce qui s'était passé.

« Juste quand vous croyez avoir vu ce qu'il y a de pire, quelqu'un débarque et pousse le vice un peu plus loin », dit-il. Son flash se déclencha et la scène fut capturée dans un éclat de lumière vive. Presque monochrome dans sa désolation. Cassidy fut momentanément surpris par l'anormalité de la situation. Il savait qu'une fois la moquette remplacée, une fois les projections de sang nettoyées et les murs repeints, Deidre serait la seule à se souvenir de ce qui s'était passé ici. Et, avec le temps, même ses souvenirs s'estomperaient. Peut-être.

Il se tint un moment sur la passerelle, puis marcha jusqu'à sa voiture. Il soupçonnait que le couteau ne révélerait aucune empreinte, qu'il avait été essuyé, et même s'il y en avait elles ne seraient que partielles, maculées, et inutilisables. C'était ainsi.

Les enquêtes commençaient toujours avec trop peu d'informations, trop peu de faits, et, à vrai dire, la plupart s'achevaient de la même manière.

John Cassidy n'avait pas grand espoir que l'agresseur de Deidre Parselle soit un jour identifié et arrêté, mais il ferait tout son possible. Non seulement pour elle, mais pour toutes les victimes dont tout le monde se foutait.

# 21

Elliott se planta devant le miroir de la boutique de vêtements et se regarda. Pantalon beige, chemise bleue, veste en cuir, bottes marron. Il ressemblait à un cow-boy plein aux as, une célèbre star du rodéo rentrée à la maison pour le week-end. L'employé du magasin déclara qu'il ressemblait un peu à James Dean. Elliott supposa que le type était peut-être pédé, et il ne répondit rien.

Il paya et quitta la boutique, trouva un petit restaurant dans Bayard Street, s'assit dans un box près de la fenêtre et reluqua les filles tout en déjeunant. Après avoir quitté l'appartement de la jeune femme la veille au soir, il avait trouvé une pension rudimentaire aux portes de la ville. Il était entré, avait réglé sa nuit, puis il s'était enfermé dans sa chambre et avait nettoyé le sang sur son jean. Après quoi, il s'était assis au bord du lit et avait pleuré. Il ne savait pas pourquoi il pleurait. Il ne regrettait pas ce qu'il avait fait. Il ne se sentait pas coupable. À bien y réfléchir, il avait peut-être un peu honte. Il s'était demandé ce qu'il lui dirait s'il la rencontrait de nouveau. S'excuserait-il ? Certainement pas. Il ne savait pas ce qu'il dirait. Il avait réfléchi à ce qu'il avait fait, puis avait essayé de se concentrer sur la fille, mais c'étaient les coups de couteau et le sang qui lui étaient revenus à l'esprit. C'était en la poignardant qu'il avait été le plus excité. Il s'était par la suite demandé si de telles pensées signifiaient qu'il était fou. Certainement pas.

Son jean était encore humide quand il l'avait enfilé le lendemain matin, mais qu'importait. Il s'était baladé un peu, avait pris un petit déjeuner, s'était acheté de nouvelles fringues et avait jeté les vieilles. Il lui restait plus de six cent cinquante dollars en espèces. Maintenant, il lui fallait une voiture. En acheter une était hors de question. Claquer quelques dollars pour de nouveaux vêtements, soit, mais une voiture ? En plus, il n'avait pas le permis, et il pouvait avoir autant d'argent qu'il voulait, sans permis on ne lui en vendrait jamais une, c'était aussi simple que ça.

Rien ne pressait. Il pouvait profiter un peu de Tucson. Les filles étaient assez mignonnes pour déclencher une émeute dans une prison, et ce qui s'était passé la veille lui avait donné envie de s'amuser un peu.

Il resta quelque temps dans le restaurant, assis dans son box, sentant le pistolet du shérif Wheland sous sa ceinture, l'argent dans ses poches. Une douleur sourde se réveillait au niveau de son entrejambe chaque fois qu'une jolie fille passait. Certaines regardaient dans sa direction, et de temps à autre il recevait un sourire en retour.

Au bout d'un moment, il alla aux toilettes. Il entra dans une cabine, s'assit, et resta un moment là à réfléchir. Puis il ressortit, et bien qu'il n'eût ni pissé ni rien, il se lava les mains. La propreté du corps est parente de la propreté de l'âme et tout le tintouin.

Il examina son reflet dans le miroir au-dessus du lavabo.

Il tenta de sourire, mais pour une raison ou pour une autre n'y parvint pas. Sourire semblait juste douloureux.

Dans le miroir, il voyait l'homme qu'il deviendrait. Pas le garçon qu'il était.

Dans ses yeux, il voyait de la profondeur et du tempérament. Il voyait du sang-froid et la soif de vivre farouche qui l'avait mené jusque-là, soif de vivre dont il était certain qu'elle ne le quitterait jamais. Où elle le mènerait, eh bien, aucune importance. Il n'avait pas besoin de choisir pour le moment. Il n'aurait plus jamais besoin de choisir. Il était seul, et pourtant il ne se sentait jamais seul. Il pouvait avoir de la compagnie s'il le voulait. Il pouvait avoir la compagnie qui lui plaisait.

Elliott savait qu'il était spécial. Il le savait depuis le jour où il avait eu conscience de lui-même. Il savait qu'il était important, qu'il y avait une raison à son existence. Ces choses, ces distractions récentes, n'étaient pas son objectif. C'était juste un moyen de s'occuper en attendant la lumière qui viendrait à coup sûr. D'où elle viendrait – ou, peut-être plus important encore, de *qui* elle viendrait –, il l'ignorait. Il savait qu'elle ne viendrait pas de Dieu. Dieu était la réponse des faibles aux problèmes des faibles. À un moment, il avait cru que la lumière viendrait de l'esprit d'Earl Sheridan, mais dernièrement Earl s'était fait discret.

Tout ce qui s'était passé jusqu'à présent avait été une mise à l'épreuve. Il n'avait pas été à la hauteur, mais il avait persévéré, et grâce à cette persévérance il avait découvert sa force intérieure, et maintenant il n'avait pas peur de répondre aux coups par les coups, de prendre ce qu'il voulait comme il le voulait. Voilà à quoi se résumait la vie. Si vous ne preniez pas quelque chose, quelqu'un d'autre le prendrait. Earl l'avait bien compris. Bon sang, lui-même l'avait compris avant de rencontrer Earl. Il avait juste eu besoin de quelques situations concrètes pour que cette conscience devienne réalité.

Tout en regardant son reflet, Digger tenta de se rappeler quelque détail que sa mère aurait pu lui donner sur son père. N'importe lequel. Bon, mauvais, important, futile – absolument n'importe lequel. Il n'y avait vraiment pas grand-chose à se rappeler, mais il s'échina un moment, persuadé que si un détail lui revenait, les autres suivraient.

Il se souvenait d'un chien. D'un aboiement de chien. Il se souvenait d'une odeur de corps sales. D'une odeur de sueur et d'alcool et d'un goût salé dans la bouche. Il se souvenait d'avoir eu faim. Oh, comme il s'en souvenait ! Il se souvenait d'avoir tenu un oiseau dans ses mains, de l'avoir serré si fort qu'il avait cessé de bouger, et alors il l'avait mis dans une boîte qu'il avait cachée quelque part. Mais impossible de se rappeler où, ni à quoi ressemblait la boîte. Il ne se souvenait même plus de la sensation de l'oiseau tentant de s'échapper de ses mains.

Il se souvenait de la voix de sa mère. La revoyait s'en allant un jour. Il se rappelait comment elle était à son retour. Il se souvenait de la dernière fois qu'il l'avait vue vivante, et de la fois où il l'avait crue vivante alors qu'elle ne l'était plus. Il se souvenait de l'arrivée d'Evelyn, du fait qu'il avait su – même à cet âge – qu'une chose *affreuse* s'était produite. La première d'une longue série. Il se souvenait du policier. De l'homme qui était arrivé avec une civière ; quand ils l'avaient portée hors de la maison, le bras de sa mère était soudain ressorti de sous le drap, et ils n'avaient pas remarqué que sa main pendante cognait contre tout ce qui se trouvait sur son chemin. Il se souvenait de quelqu'un riant, et de quelqu'un fumant une cigarette, et de quelqu'un lui demandant s'il avait faim. Il se rappelait avoir pleuré.

Puis il n'y avait rien pendant une longue période.

Après ça, il se souvenait du premier pensionnat, puis du second, de la peur qu'il avait si longtemps éprouvée, et du fait que la seule personne qu'il avait au monde était Clarence Luckman.

Il se souvenait des couloirs et des dortoirs, des autres garçons et des gens qui criaient, du pas lourd de personnes sans nom qui voulaient lui faire du mal.

Et aussi des discussions. Des discussions interminables. Des gens aux yeux gris et ternes qui parlaient à n'en plus finir de choses qui ne signifiaient rien.

« Pourquoi ceci, Elliott ? Pourquoi cela, Elliott ? Et ça, Elliott, pourquoi ? Elliott. Elliott. Elliott. Pourquoi es-tu si violent ? Pourquoi es-tu si mauvais ?

— Parce que je le veux, répondait-il. Parce que je veux être mauvais, OK ? J'ai pas besoin d'une autre putain de raison. Je veux être comme ça. Maintenant, allez vous faire foutre et laissez-moi tranquille. »

Mais cette réponse ne semblait pas les satisfaire. Alors, ils continuaient encore et encore à poser les mêmes questions.

Un mormon était venu. C'était un grand bonhomme aux cheveux blancs qui portait des lunettes. Il avait déclaré que si Elliott *ne modifiait pas son comportement* et *ne venait pas au Seigneur*, alors il finirait en enfer.

Je crois que j'y suis déjà, avait rétorqué Elliott.

Le mormon avait souri et secoué la tête.

« Tu ne sais pas, mon enfant. Tu n'as pas la moindre idée de ce qui t'attend si tu ne te tournes pas vers le Seigneur, si tu ne pries pas pour qu'il te pardonne, si tu ne Lui demandes pas de s'emparer de ton cœur et de t'apaiser grâce à Son amour.

— Vraiment ? avait demandé Elliott.

— Vraiment », avait répondu l'homme.

Puis il avait poursuivi en affirmant que certains péchés pouvaient être expiés au moyen d'une offrande à l'autel… mais que d'autres ne pouvaient pas être rachetés grâce au sang d'un agneau, ou d'un veau, ou d'une tourterelle, que ces péchés-là devaient être expiés par le sang humain. Si Elliott continuait à faire ces choses terribles, à avoir ces pensées terribles, alors ce serait son sang qui coulerait. Il se retrouverait avec une condamnation à mort au-dessus de la tête, non seulement dans cette vie, mais aussi dans la vie éternelle.

« Allez vous faire foutre avec votre vie éternelle », avait rétorqué Elliott, et l'homme s'était tu, il avait semblé pleurer, puis il avait quitté la pièce et Elliott ne l'avait jamais revu.

Après ça, ils avaient cessé de lui poser des questions, comme s'ils avaient décidé qu'Elliott était trop fort pour être brisé. Quel que soit le moule dans lequel il avait été façonné, quelle que soit la matière dont il était fait, ils étaient incapables de le briser. C'était la simple et indéniable vérité. Elliott Danziger était plus coriace qu'eux tous réunis et, au besoin, il aurait pu leur prouver qu'il était destiné à de grandes choses.

Pendant un temps, il ne s'était rien passé de significatif. Et puis un jour, il avait estropié un garçon. C'était un garçon plus grand qui avait essayé de le sodomiser. Elliott avait dit qu'il préférerait le sucer. Le garçon avait accepté, et quand il avait collé son truc dans la bouche d'Elliott, Elliott avait mordu si fort qu'il s'était presque détaché. Ce qui lui avait valu de se retrouver enfermé seul dans une cellule pendant six semaines. Il n'avait jamais dit à Clarence pourquoi il était à l'isolement. Il n'en avait jamais parlé. On lui passait ses repas à travers une fente au bas de la porte. Il n'avait pas vu le soleil ni respiré l'air frais pendant tout ce temps. Et, à sa sortie, il avait dû voir un homme nommé Lansford. Il se souvenait du nom de Lansford parce que l'homme le lui avait fait répéter plusieurs fois, et l'avait obligé à répondre : « Oui, monsieur Lansford », à tout ce qu'il disait.

« Tu es mauvais. Jusqu'au plus profond de toi, tu es mauvais.

— Oui, monsieur Lansford.

— Je crois que tu passeras toute ta vie enfermé dans une institution ou une autre, Danziger. Je crois que tu verras des murs et des barreaux pour le restant de tes jours, et quand ta vie sera terminée, probablement parce que nous t'aurons exécuté, tu iras en enfer et tu brûleras éternellement pour tes péchés.

— Oui, monsieur Lansford.

— Je sais que tu me prends pour un idiot. Je sais que tu te crois meilleur que nous tous. Je sais que tu te crois plus intelligent et plus capable, et que tu estimes avoir toutes les réponses dont tu as besoin… mais laisse-moi te dire une chose, et je veux que tu m'écoutes attentivement. Tu es un enfant diabolique. Tu es diabolique, méchant et destructeur. Ton esprit est empoisonné et pervers. Tu es malade, cruel et fou à lier, et il n'y a pas de remèdes pour les gens comme toi. Tu es mentalement dérangé, ton cerveau est malade, et rien ne pourra jamais te soigner.

— Oui, monsieur Lansford.

— Tu vois, même maintenant tu me souris. Tu crois que c'est une plaisanterie. Efface ce sale petit sourire de ton visage.

— Oui, monsieur Lansford.

— J'ai dit efface ce petit sourire de ton visage, Danziger ! Arrête de sourire sur-le-champ !

— Oui, monsieur Lansford », avait-il répondu, mais ça n'avait manifestement pas suffi, car Lansford s'était mis à le battre, et Elliott avait encaissé les coups sans broncher, sans jamais quitter Lansford des yeux, et sans arrêter de sourire.

Quand Lansford en avait eu fini – en sueur, à bout de souffle, toujours furieux mais trop épuisé pour continuer de le frapper –, il s'était tenu au-dessus d'Elliott et avait dit : « Alors, garçon, qu'as-tu à me dire maintenant ? »

Et Elliott, arborant toujours son sale petit sourire, avait répondu : « Allez vous faire foutre, monsieur Lansford. »

Lansford lui avait alors donné un coup de pied qui lui avait cassé une côte, mais ça valait le coup.

Après Lansford, on lui avait foutu la paix. Il restait dans son coin, faisait profil bas, et ne prenait part ni aux conversations, ni aux disputes, ni aux bagarres. Il restait simplement avec Clarence, car il devait s'occuper de lui, s'assurer que personne ne lui faisait de mal. Il ne se faisait pas d'amis. Il ne se faisait pas d'ennemis. Parfois, il s'entichait d'autres garçons dont il pensait qu'ils avaient la même vision de la vie que lui. Mais la plupart du temps, il se trompait. Il essayait de leur dire quelques vérités, quelques faits bien réels sur la vie, mais ils étaient en général trop idiots pour l'écouter et apprécier la valeur de ce qu'il leur disait.

Et alors, il avait rencontré Earl Sheridan, et Earl l'avait compris. Earl savait de quoi Elliott Danziger parlait.

Et dès qu'il avait rencontré Earl, eh bien, Clay s'était montré sous son vrai jour. Il était devenu la vermine qu'il était réellement. Exactement comme les autres. Salaud. Enfoiré. Fils de pute.

Mais Earl connaissait la musique, il connaissait la vérité, toute la vérité. Quel type ! Un vrai homme. Un héros. Et ces trous du cul à Wellton qui l'avaient descendu ! Enfoirés ! Ce qu'il faisait désormais était une sorte de revanche. Une façon de rééquilibrer la balance. Il le faisait pour lui, mais aussi pour Earl. Earl Sheridan. Même son nom semblait être fait pour un roi !

Et ces salauds, ces menteurs, ces traîtres, ces fils de pute… qui essayaient avec leurs putains de sourires à la con de lui faire croire que tout allait bien, que tout roulait, que tout se passerait bien s'il leur faisait confiance…

À supplier et à chialer comme des putains de bébés, bon Dieu, ça le rendait dingue !

Elliott s'écarta du miroir – d'un geste soudain qui le surprit presque lui-même – et se colla une grande gifle. De toutes ses forces. Pendant une seconde, il ne ressentit rien, puis la douleur arriva, sa joue s'empourpra violemment, et il vit la marque laissée par ses doigts.

Il resta là quelques secondes, les yeux clos, retenant son souffle, attendant que la douleur s'atténue. Puis, après avoir jeté un dernier coup d'œil à son reflet, il sortit des toilettes.

Tandis que John Cassidy s'éloignait de la cour sous la fenêtre de Deidre Parselle, Elliott posait deux pièces de vingt-cinq cents sur la table et quittait le restaurant de Bayard Street. Il repartit par où il était arrivé, dans la direction de l'appartement de la fille, mais il tourna à gauche dans Holbrook et se mit en quête d'une voiture.

## 22

Si Digger avait été ébloui par Tucson, Clay le fut encore plus. C'était la foule qui le stupéfiait. Bailey avait vu Scottsdale et Mesa, et même Phoenix. Elle avait souvent voyagé en bus et parlé à des étrangers en de nombreuses occasions. Comparé à Clay Luckman, Bailey Redman avait une grande expérience du monde. En tournant au premier angle après avoir pénétré dans la ville, ils furent assiégés par une foule de fidèles qui distribuaient des prospectus et des tracts religieux, des fanions et des badges qui disaient *Jésus est amour* et *Je suis le chemin, la vérité, et la vie*. Leurs bouches n'étaient que paroles et sourires, mais leurs yeux étaient ternes et soupçonneux. Bailey agrippa le bras de Clay, l'entraîna de l'autre côté de la rue pour éviter la mêlée, et il se laissa faire car il se sentait emprunté, naïf, perdu.

Au coin de la rue, sur un perron à l'avant d'une maison haute, un homme agitait les mains tel un politicien coupable et fulminait contre le maire et les républicains, appelant à un changement à tous les niveaux du gouvernement. Une foule de gamins crasseux qui avaient l'air plus durs que la plupart des adultes le regardait. Clay s'arrêta, mais Bailey l'entraîna de nouveau et ils s'éloignèrent à la hâte.

« Où mène cette rue ? demanda-t-il.

— Elle mène là où elle mène et à tous les endroits en chemin », répondit-elle.

Elle éclata de rire et il eut l'impression d'être un petit gamin.

La route menait en fait au centre de Tucson, et lorsqu'ils l'atteignirent, ils ralentirent l'allure et elle lui laissa un peu le temps d'absorber ce qu'il voyait. Partout des devantures, des noms de rues, des panneaux publicitaires, des vendeurs de journaux, des stands de limonade, sans compter les voitures qui fonçaient en tous sens à cent à l'heure. Il en avait le souffle coupé. C'était comme si le Cireur lui avait donné un bon coup de pompe dans le derrière et l'avait projeté dans le futur.

*Bon Dieu*, n'arrêtait-il pas de penser. *Bon Dieu. Bon Dieu de merde*.

« Viens », dit Bailey.

Elle lui saisit la main une fois de plus et ils se remirent à marcher. Gauche, droite, gauche, droite, il ne voyait pas où elle l'emmenait, et il oublia bientôt ce qu'ils laissaient derrière eux. Il y avait trop à voir, trop à entendre, beaucoup trop à absorber.

Clay, qui n'était pas au courant de la mort d'Earl Sheridan, aurait été sacrément surpris d'apprendre que Digger était également à Tucson, en train de finir son déjeuner dans un restaurant de Bayard Street, à cinq blocs à peine de l'endroit où il se trouvait. Le plan de Digger était désormais d'aller au Nouveau-Mexique. Une fois hors d'Arizona, il pourrait gagner le Texas plus facilement. Il savait que les flics retrouveraient la voiture du shérif derrière la maison près de Gila Bend, et il savait qu'il serait alors un fugitif au même titre qu'Earl. Ce qu'il ignorait en revanche, c'était que les autorités fédérales le croyaient mort et qu'elles cherchaient en ce moment même un certain Clarence Luckman. S'il l'avait su, il se serait fendu d'un sourire aussi large que le Mississippi.

Une heure s'écoulerait avant que le pick-up blanc de Gil Webster soit retrouvé abandonné dans une rue de Tucson, et deux heures de plus avant que Garth Nixon et Ronald Koenig soient informés de cette découverte. Ils n'arriveraient pas en ville avant la fin de l'après-midi, et la police de Tucson aurait alors été informée de l'identité de Clarence Luckman, du fait qu'il était armé et dangereux, un sociopathe prêt à tuer, qui planifiait probablement de nouvelles agressions. Autant de pièces d'un puzzle qui devaient être rassemblées. Elles finiraient par l'être, mais ça prendrait du temps. Plus tard dans la soirée, John Cassidy parviendrait à la conclusion qu'il n'y avait aucun lien entre le fait que Deidre Parselle avait pris une journée de congé et son agression. Il avait questionné ses collègues, les quelques amis qu'elle avait en ville, et tous avaient eu la même réaction de stupéfaction incrédule. Ses parents étaient inconsolables, ce qui ne l'avait pas étonné. Il était aisé de comprendre le choc produit par un tel événement. Hormis les flics, le coroner et le légiste, rares étaient ceux qui étaient confrontés à une telle sauvagerie. Les meurtres, même les tentatives de meurtre, étaient relativement rares à Tucson. Et Cassidy espérait qu'ils le resteraient, même s'il pensait le contraire. Il avait beau essayer de conserver une vision optimiste, il ne pouvait s'empêcher de remarquer que l'ordre social foutait le camp. Centimètre par centimètre, certes, mais il foutait le camp. Parallèlement à l'assassinat de Kennedy l'année précédente, il avait cru voir apparaître une certaine arrogance et une certaine superficialité dans la société. La télévision consommait la vie des gens. La qualité des choses semblait se dégrader. Les gens avaient moins de temps pour les autres. Peut-être que c'était lui qui se faisait des idées. Peut-être pas. Si l'agression brutale dont avait été victime Deidre Parselle était une indication, alors il voyait la direction que prenaient les choses, et il finissait par se demander si le monde dans lequel son enfant allait naître était vraiment un monde qu'il souhaiterait à qui que ce soit.

C'est ainsi que les agents du FBI Garth Nixon et Ronald Koenig, de même qu'Elliott Danziger, l'inspecteur John Cassidy, les parents et les amis de Deidre Parselle, Gil et Marilyn Webster, la veuve d'Harvey Warren de l'épicerie-station-service de Marana, le personnel de la Yuma County Trust & Savings Bank à Wellton, notamment Laurette Tannahill, et même ceux qui avaient découvert le corps de Bethany Olson dans le restaurant tout proche de Twentynine Palms, se retrouvaient entraînés dans un même drame comme s'ils étaient reliés par les fils ténus d'une toile invisible. Si Earl Sheridan n'avait pas plongé un couteau à désosser dans le cœur de Katherine Aronson, si celle-ci avait porté plainte contre lui pour les raclées qu'il lui avait administrées précédemment, les choses auraient pu se passer différemment. Mais elles ne s'étaient pas passées différemment.

Clay Luckman et Bailey Redman arrivèrent à Tucson en début d'après-midi le mardi 24 novembre 1964, et ils virent des photos de John F. Kennedy accrochées dans les boutiques et les restaurants, entourées d'un ruban noir. Seulement deux jours s'étaient écoulés depuis le premier anniversaire de sa mort. Il y avait eu des commémorations, des messes dans les églises, et le maire avait fait une déclaration à la presse, évoquant sa tristesse infinie, une tristesse qu'il portait désormais en lui à chaque instant de sa vie publique comme privée.

Bailey Redman, à la fois décontenancée et amusée par la naïveté apparente de Clay Luckman, l'entraîna dans un petit restaurant et le fit asseoir dans un box situé dans un coin en lui disant : « Maintenant, on va déjeuner. » Elle aussi éprouvait une tristesse infinie, mais pas pour Kennedy. Elle était triste pour son père, et aussi pour sa mère. C'était une telle confusion d'émotions qu'elle ne pouvait ni les identifier ni les exprimer. Elle avait pleuré au bord de la route. Ça, elle s'en souvenait. Elle avait essayé de pleurer toutes les larmes de son corps, mais elle avait toujours le cœur brisé. Peut-être que ça recommencerait – une nouvelle vague de chagrin irrépressible – et qu'alors elle commencerait à accepter ce qui était arrivé. Mais elle en doutait. Elle supposait qu'elle mettrait longtemps à se remettre des événements, et même alors sa guérison serait incomplète.

Bailey commanda pour eux deux. Galettes de pommes de terre, saucisses, sauce, lait malté. Avant que la nourriture arrive, Clay se leva et annonça qu'il allait acheter des cigarettes. Il revint avec un paquet de Lucky Strike, l'une d'elles déjà allumée au coin de la bouche.

Les plats arrivèrent et ils mangèrent en silence. Lorsqu'il régla la note, il se rappela qu'ils n'avaient presque plus d'argent. Peu de choses pesaient aussi lourd que des poches vides.

Il montra à Bailey les quelques billets et la menue monnaie qui lui restaient.

« Faut qu'on trouve de l'argent, dit-il.

— En effet », répondit-elle, mais ni l'un ni l'autre ne suggérèrent comment.

Ils quittèrent le restaurant alors qu'Elliott Danziger optait pour une Ford Galaxy gris foncé garée à l'arrière d'une maison dans Montrose Street. Les clés seraient soit dans la maison, soit dans la voiture. Dans un cas comme dans l'autre, il les récupérerait, et alors, bye-bye l'Arizona. Il toucha instinctivement la crosse du revolver à travers sa veste et se dirigea vers le portail qui donnait sur l'arrière de la maison.

# 23

La malchance voulait que le propriétaire de la Ford Galaxy vive seul. Son nom était Walter Milford, et lui aussi était né sous une mauvaise étoile. Il avait cinquante-huit ans, avait servi à Salerne, se jetant dans la bataille avec ses camarades lors de l'opération Avalanche, puis parmi les rangs alliés lorsqu'ils avaient combattu pour prendre Monte Cassino, avant d'être rapatrié à la fin de la guerre à cause d'une cécité dégénérative et d'une grave blessure à la jambe. Près de vingt ans plus tard, Walter Milford avait encore des difficultés à marcher. Il se réveillait souvent en proie à une douleur infernale, se servait d'une lourde canne pour marcher, et sa gêne permanente l'avait rendu acariâtre. Sa vue, qui s'était dégradée au fil des années, en était désormais au stade où il ne distinguait guère plus que des formes et des ombres, et la voiture qu'il conduisait autrefois faisait désormais principalement office de décoration. Il l'entretenait uniquement pour les visites occasionnelles de son fils – Thanksgiving, Noël, parfois Pâques –, qui emmenait Walter au restaurant et le forçait à écouter patiemment tandis qu'il énumérait dans le détail les tribulations de son agence de publicité. La pension que percevait Walter lui offrait une qualité de vie qui laissait grandement à désirer.

Le jeune homme qui frappa à la porte située à l'arrière de sa maison ce mardi après-midi ne fit qu'accroître sa mauvaise humeur.

« Je me demandais, monsieur, si vous auriez un pichet d'eau. Ma voiture a l'air de surchauffer…

— Tu te crois où, dans un foutu garage ? »

Digger sourit d'un air contrit.

« Je ne crois pas que ce soit la peine d'être malpoli, monsieur, répondit-il.

— Je me fous de ce que tu crois ou non, déclara Walter, et je serais plus qu'heureux si tu foutais le camp de ma propriété sur-le-champ. »

Il se leva de sa chaise en s'appuyant sur sa canne et se tint face à Digger, les yeux braqués sur l'adolescent.

Digger tira le revolver de sous sa ceinture et n'observa aucune réaction sur le visage de Walter. Il fut surpris. Il ne se doutait pas que cette absence de réaction était due au fait que Walter ne voyait pas l'arme.

« J'ai un pistolet dans la main, vieux salopard.

— Ça, espèce de petit merdeux…

— Allez vous faire foutre, le vieux.

— Bon à rien de salopard. Qu'est-ce que tu veux ? Tu es venu me voler ? C'est ça ? »

Walter fit un unique pas en avant.

Digger franchit la porte grillagée et se tint dans le couloir. À peine plus de trois mètres les séparaient désormais. Digger tenait le pistolet contre son flanc. Il avait l'avantage. L'homme avait la trouille de sa vie. Il le voyait au tremblotement de ses yeux.

La sensation du pistolet dans sa main le rendait si calme. C'était comme planer. Il se sentait exalté. Il avait l'impression que tout son être avait été touché par la main de Dieu.

« Vous voler ? fit Digger. Je vois pas ce que je pourrais vous voler.

— Alors qu'est-ce que tu fais ici ? Tu es venu pour me tuer ?

— Peut-être. »

Walter poussa un petit ricanement méprisant.

« Tu ne me fais pas peur, espèce de petit voyou. Si tu crois que j'ai peur d'un petit nabot de ton genre… »

Digger sourit intérieurement. Il leva son arme et la pointa droit sur le torse de Walter.

« Moi, je crois que vous allez pisser dans votre froc, le vieux », dit-il.

Il avait un ton railleur et condescendant. Il voulait que le vieil homme dise qu'il avait peur. Il voulait qu'il avoue qu'il était terrifié.

Mais quoi qu'ait pu éprouver Walter Milford, il n'allait pas montrer à un petit crétin d'adolescent armé d'un pistolet qu'il avait peur. Il avait affronté les nazis en Allemagne, les fascistes en Italie. Il s'était retrouvé mêlé à des bagarres de bar avec des marins américains. Il avait un jour pourchassé un voleur de sac à main à San Diego et lui avait flanqué la raclée de sa vie. Il n'allait pas se laisser menacer par ce…

« Où sont les clés de la voiture ? » demanda Digger.

Il tenait fermement le pistolet. Étrangement, il semblait léger comme une plume.

« Va brûler en enfer », répliqua Walter.

Autant agiter un chiffon rouge devant un taureau.

Digger sourit. Il fit deux pas en avant. S'il tirait maintenant, la puissance de la balle enverrait Walter Milford direct sur son cul.

« Les. Clés. De. La. Voiture. »

Walter sourit à son tour.

« Va. Brûler. En. Enfer. »

Digger se précipita sur lui, mais Walter était rapide. Il leva brusquement sa lourde canne et atteignit par en dessous l'avant-bras de Digger. Le pistolet vola à travers la pièce et percuta le miroir au-dessus de la cheminée, le fêlant de part en part.

La douleur était intense, mais Digger était si furieux qu'il décocha un crochet qui atteignit le côté droit du visage de Walter et lui brisa deux dents. Walter chancela, mais ne tomba pas. Digger alla récupérer son arme, la braqua de nouveau sur l'homme. Walter brandit sa canne et l'abattit cette fois sur l'épaule gauche de Digger, qui, pris par surprise, tomba à genoux, plus à cause du poids de la canne que de la force avec laquelle le coup avait été porté. Il lâcha son pistolet une seconde fois et l'arme glissa bruyamment par terre avant d'aller heurter la plinthe. C'est alors que la mauvaise étoile de Walter prit le dessus. Tandis qu'il brandissait la canne dans les airs et s'apprêtait à l'abattre de toutes ses forces sur la tête de Digger, il s'arrêta net, une douleur atroce dans la poitrine. Son cœur se contracta violemment et il poussa un hurlement de douleur. Il lâcha malgré lui la canne. Digger était de nouveau sur ses pieds et traversait la pièce en courant pour ramasser son arme. Il songea à descendre le vieil homme qui était désormais à genoux, serrant sa poitrine à deux mains, le visage déchiré par la douleur tandis qu'il essayait de respirer. Il hésita un instant, puis se dirigea vers la cuisine.

Walter projeta son bras gauche et atteignit Digger au flanc. Digger tomba maladroitement, se cognant le coude contre l'accoudoir d'un fauteuil en bois. Il hurla de douleur, et tandis qu'il essayait péniblement de se relever, Walter frappa de nouveau.

« Putain de merde, le vieux ! hurla-t-il. Ça suffit ! »

Digger frappa à son tour et son poing atteignit Walter à l'épaule, mais l'homme ne tomba pas. Il était de nouveau debout, canne à la main.

Digger serra fermement son arme, visa la tête de Walter.

« Reculez, le vieux, ou je vous descends sur place.

— Ha ! » grogna Walter, et il leva de nouveau le bras pour abattre sa canne sur la tête de Digger avec toute la force qui lui restait.

Mais Digger était rapide. Il était plus jeune et plus fort, et il était très remonté. Il se rua en avant et frappa Walter Milford en pleine poitrine. Walter, la respiration coupée, lâcha la canne et tomba à la renverse. Le côté de sa tête heurta le bord d'une table basse. Il était inconscient avant de toucher le sol.

Digger reprit son souffle. Il resta immobile, pistolet en main. Il y avait un éclat vif dans ses yeux, son cœur cognait à toute allure, son estomac grondait. Il ressentait l'intensité singulière et caractéristique de la situation dans chaque partie de son corps.

Il ne prit pas le temps de réfléchir au fait qu'il avait failli se faire démolir par un aveugle.

« Va te faire foutre ! » lança-t-il.

Il se sentait courageux, intrépide, puissant.

Il attendit que les battements de son cœur ralentissent, que son pouls dans ses tempes et son cou retrouve un rythme normal.

Mais il ne s'était pas fait démolir. Il avait soumis par la force le vieux salopard, et maintenant il pouvait lui coller une balle dans la tête pour les emmerdements qu'il lui avait causés. Il avait le pouvoir de vie et de mort. Il avait la mainmise absolue sur le vieux. Il pouvait le tuer, ou le laisser vivre.

Digger recula d'un pas et regarda le pistolet dans sa main.

Il n'y avait rien de comparable à ça. Il ne *pouvait* rien y avoir de comparable. C'était l'œuvre de Dieu. L'œuvre du diable. C'était mieux que la religion. C'était une révélation, un exorcisme, une telle concentration de force que son esprit et son corps pouvaient à peine la contenir. Ce qu'il éprouvait en de tels instants était la chose la plus importante au monde. La chose la plus importante qu'un être humain puisse ressentir. Earl avait dit vrai dès le début.

Maintenant que le vieux était inconscient, il n'avait aucune raison de se presser. Il pouvait reprendre ses esprits. Faire un brin de toilette, trouver d'autres vêtements, chercher l'argent que le vieux pouvait avoir.

Quelques minutes plus tard, Digger était dans la salle de bains à l'étage, torse nu. Sa chemise bleue était par terre, son visage, ses mains et ses bras étaient propres. Il avait essuyé sa veste en cuir, trouvé une chemise propre parmi les affaires du vieux, et il était prêt à partir.

De retour en bas, Digger alla voir si le vieux respirait toujours, et le laissa par terre tandis qu'il se mettait à chercher les clés de la Galaxy. Il les trouva dans un plat sur le comptoir de la cuisine. Il fouilla les placards et les tiroirs, trouva le « fonds d'urgence » de Walter – une liasse de billets de un, cinq et dix dollars, entourée d'un bout de ficelle et planquée au fond du tiroir à couverts. Il compta trente-sept dollars, fourra les billets dans sa poche de jean et retourna dans le salon.

Avant de sortir, Digger passa en revue le rez-de-chaussée jusqu'à trouver la porte de la cave. Il tira sur une ficelle derrière la porte, et une ampoule éclaira une volée de marches. Il descendit lentement, sentit la fraîcheur de la pénombre et l'humidité, observa qu'il n'y avait pas grand-chose en bas à part de vieux pots en argile, des pichets à eau, une malle pleine d'uniformes militaires avec une boîte pleine de médailles dessus, des bottes de travail aux lacets noués ensemble, une échelle cassée, une caisse de thé vide. Il remonta au rez-de-chaussée, agrippa fermement le bas du pantalon de Walter et le traîna jusqu'à la porte de la cave. Il lui passa les bras sous les épaules et descendit les marches une à une. Le vieux ne pesait pas bien lourd, et il l'étendit sur le sol de la cave. Il était toujours dans les pommes, toujours en vie, mais il se réveillerait à coup sûr avec un sacré mal de tête. Il regarda Walter Milford qui gisait par terre, et n'éprouva absolument rien.

« Alors, t'as peur maintenant, petit bonhomme ? demanda-t-il d'une voix mesurée et paisible. T'as peur ? Rien qu'un peu ? Rien qu'un brin perturbé par l'expérience d'aujourd'hui ? »

Il savoura le silence qu'il reçut en retour.

Puis il tira l'arme de son pantalon et, la tenant fermement, visa la tête de Walter. « Pan ! » fit-il, et il sourit.

Il renfonça le pistolet dans son pantalon.

Il regagna le rez-de-chaussée, verrouilla la porte sans un bruit, puis se dirigea vers la voiture.

# 24

Entre deux rendez-vous, John Cassidy passa chez lui vers seize heures trente. Il avait passé l'après-midi à parler aux parents de Deidre Parselle, à ses collègues, ses amis, et la tristesse qu'il ressentait lui rappelait plus ce qu'il avait éprouvé au décès de sa mère qu'à celui de son père. Alice appelait ça son *ombre*. Elle affirmait qu'elle la sentait quand elle était là, qu'elle était aussi évidente que la lumière du jour. Et pourtant elle était la seule à la percevoir. Cette *ombre* était ce qui le poussait à tout remettre en question. C'était elle qui avait fait de lui un flic, un inspecteur, qui faisait qu'il semblait s'intéresser plus aux morts qu'aux vivants. À part elle, bien entendu. Elle et le bébé.

Elle vit l'ombre autour de lui tandis qu'il traversait le jardin et entrait par la porte de la cuisine.

Sa première question fut : « Qu'est-ce qui s'est passé ? » Et avant qu'il ait eu le temps de répondre, elle ajouta : « Qui est mort ? »

John sourit. Il tendit les mains et elle s'approcha de lui. Il l'étreignit quelques instants, ou plutôt, c'est *elle* qui l'étreignit, parce qu'elle savait qu'en de tels moments elle était son point d'ancrage, celle qui lui rappelait qu'il y avait de la lumière et de la vie dans son univers de noirceur et de mort.

« Une jeune femme a été agressée », répondit-il.

Il ne précisa pas son nom. Le protocole lui interdisait de divulguer ce genre de détail. Il pouvait lui dire que quelqu'un était mort, mais pas son identité.

« Assassinée ? demanda Alice.

— Non, pas assassinée, mais elle a été agressée très sauvagement. »

John s'assit à la table de la cuisine.

« Tu as du café de prêt ? »

Elle secoua la tête.

« Tu sais que je n'en bois plus. Je vais en préparer…

— Pas la peine, coupa-t-il. Je dois bientôt repartir de toute façon.

— Je vais en préparer, répéta-t-elle, et tu resteras assez longtemps pour boire une tasse de café. »

Elle s'affaira en silence. Elle ne posa pas de questions. Il parlerait quand il serait prêt.

« C'était une agression sexuelle, je crois, commença-t-il. Il ne l'a pas violée, mais il l'a poignardée à la poitrine. »

Alice ne se retourna pas. Cassidy la *sentit* fermer brièvement les yeux et se replier sur elle-même.

« Chez elle ou ailleurs ?

— Chez elle.

— Donc, il y a de grandes chances pour qu'il la connaisse. »

John secoua la tête.

« Je ne crois pas. Je crois que s'il la connaissait il aurait fait en sorte qu'elle soit morte. J'ai entendu parler d'assez de meurtres commis par des amants éconduits pour savoir qu'en général il n'y a qu'une blessure. Une gorge tranchée. Un coup de couteau dans le cœur. Une balle dans la tête. Presque comme s'ils voulaient que ce soit aussi rapide et définitif que possible.

— Y a-t-il eu effraction ?

— Elle vit dans un appartement, en haut d'un escalier, au bout d'une petite passerelle. Il est situé au-dessus d'une quincaillerie. »

Il marqua une pause.

« Et non, je ne crois pas qu'il soit entré par effraction. Il y avait un sac de courses sur le comptoir de la cuisine. Je pense qu'il l'a suivie chez elle. »

Alice Cassidy interrompit ce qu'elle faisait.

« Peridot Street ? »

John la regarda avec une expression qui était la réponse à sa question.

« La secrétaire du dentiste ? C'était elle ? »

John ne répondit rien.

« Doux Jésus, John, je lui ai parlé. » Alice marcha de la gazinière à la table et s'assit face à lui. « Je cherchais un nouveau dentiste. Tu sais, après ton problème d'abcès, et j'y suis allée. J'ai dû attendre avant de le voir, et nous avons discuté. Jolie fille, une petite vingtaine d'années. Elle m'a dit qu'elle habitait au-dessus de la quincaillerie de Peridot Street. »

Une fois de plus, John ne dit rien. Alice n'avait pas besoin d'en entendre plus. Elle secoua lentement la tête d'un air résigné.

« Seigneur, fit-elle en se relevant, où va le monde ? »

Une demi-heure plus tard, John Cassidy repartit avec ces mots qui lui résonnaient dans la tête. *Où va le monde ?*

Il n'avait pas besoin de dire à Alice de ne parler à personne de la fille qui vivait au-dessus de la quincaillerie de Peridot Street. Elle prenait ce qu'il faisait très au sérieux, et trahir la confidentialité aurait été un péché mortel aux yeux d'Alice. Elle le regarda partir. Elle ne voulait pas qu'il s'en aille, mais il lui avait expliqué qu'il devait interroger d'autres amis de la fille. Plus il traînerait, moins ils se souviendraient. Il avait aussi dit qu'il essaierait d'être rentré à sept heures, mais elle savait pertinemment qu'il rentrerait quand il rentrerait.

Elle vérifia instinctivement que la porte d'entrée et celle de derrière étaient verrouillées. Elle savait que c'était idiot, que l'agresseur de la fille était plus que probablement à cinq cents kilomètres d'ici à l'heure qu'il était, mais elle avait cette sensation de malaise rampant qui survenait chaque fois qu'elle apprenait une mauvaise nouvelle. Elle ne savait pas si le fil qui la rattachait à cette affaire était ténu, mais elle savait qu'il existait. Ce même fil qui faisait que Ronald Koenig et Garth Nixon avaient quitté Gila Bend pour venir voir le pick-up abandonné de Gil Webster, ce même fil qui s'étirait désormais jusqu'à plus de trois cents kilomètres au sud-est tandis qu'Elliott Danziger commençait à avoir un creux, quelque part sur la I-10 entre Lordsburg et Deming. Il avait laissé l'Arizona derrière lui, s'enfonçait à près de cent kilomètres à l'heure dans le Nouveau-Mexique, et avait décidé de s'arrêter au prochain restaurant qu'il verrait sur le bord de la route.

Pour leur part, Clay Luckman et Bailey Redman étaient en passe de s'attirer un genre d'ennuis totalement différent. Tout avait commencé quand

Bailey avait vu une publicité pour un film d'horreur qui passait dans un drive-in le soir même.

Elle avait regardé l'affiche un petit moment, puis, avec un sourire espiègle sur les lèvres, avait déclaré : « J'ai une idée. »

# 25

Il y avait encore assez de bleu dans le ciel pour fabriquer un uniforme de marin. Il était près de six heures du soir, il restait quelques vestiges de soleil, et ils étaient allongés dans l'herbe haute sur un promontoire qui dominait le drive-in. L'écran était en fait le mur d'un vaste entrepôt en brique qui devait mesurer vingt mètres de haut sur douze de large. Le mur avait été peint en blanc, une bordure noire avait été tracée de chaque côté, et vu de loin on aurait dit un cadre sans photo. Le drive-in n'était rien de plus qu'une zone clôturée avec une entrée sur la droite, une sortie sur la gauche, et suffisamment d'espace pour accueillir trois ou quatre cents voitures. Mais ce qui les intéressait, c'était le restaurant.

Établi en 1936 et tenu par la même famille depuis vingt-huit ans, le *Lunch Box* était désormais une petite affaire florissante sur laquelle régnaient Jack Levine et sa sœur Martha. Jack frisait les soixante ans, sa sœur en avait cinq de moins. Jack ne s'était jamais marié car il ne voyait aucune utilité aux femmes et avait tendance à les considérer comme une simple décoration, sauf quand une envie pressante le prenait, alors il trouvait une grande utilité à deux veuves d'une quarantaine d'années qu'il connaissait, l'une à Sells, l'autre à Benson. Martha, en revanche, avait été mariée quatre fois et avait porté onze enfants, dont neuf avaient survécu à l'enfance et étaient allés depuis mettre le bazar dans la vie d'autres personnes. Son dernier mari, Hobey Gerrard, était mort tout juste deux ans plus tôt. Une sorte d'embolie. Il lui avait laissé de quoi vivre ainsi qu'une maison confortable dans la banlieue de Tucson, et si elle aidait son frère, c'était parce qu'il avait besoin d'aide, pas parce qu'il la payait. Sans elle le *Lunch Box* aurait coulé depuis des années, même si Jack Levine n'aurait jamais admis une telle idée. À ses yeux, il était l'artisan de son succès. Mais leur arrangement fonctionnait bien, un peu comme un mariage grec. Il était la tête, elle était le cou. C'était elle qui tournait la tête du côté qui lui plaisait, et il ne s'en rendait même pas compte.

Le drive-in était une entreprise cogérée. Le cerveau était le propriétaire de l'entrepôt, Barnard Melville, un négociant en laine dont la famille vivait déjà à Tuba City et à Cameron avant la naissance de Dieu. L'entrepôt remplissait ses fonctions d'entrepôt, mais de tous les rejetons de la famille Melville, Barnard était celui qui s'apparentait le plus à un entrepreneur : il avait vu un jour à Payson un drive-in où un film avait été projeté sur un mur d'usine, et une lumière s'était allumée dans son cerveau. Jack Levine et lui avaient partagé les frais de peinture pour le mur, l'achat d'un projecteur, la location des films eux-mêmes, et le *Lunch Box* restait désormais ouvert jusqu'à ce que la dernière voiture ait quitté les lieux. Hamburgers, frites, hot dogs, poulet frit, lait malté, sodas, cookies, muffins, café, bonbons. Deux cents voitures ou plus, quatre cents occupants ou plus, un dollar cinquante par tête en moyenne, et Jack Levine et Martha Gerrard faisaient tourner l'affaire en alternance, payant le taux en vigueur aux serveuses, qui empochaient également la monnaie généralement laissée sur les plateaux qui étaient fixés aux portières pendant que les passagers se roulaient des pelles.

C'était ce qui avait donné cette idée à Bailey Redman. Les adolescents distraits, le bruit du film, l'obscurité, les plateaux fixés aux portières des voitures, la monnaie laissée là pour les serveuses. Deux cents voitures, même à dix ou vingt cents par voiture, ça faisait une somme.

Les films que Jack Levine et Barnard Melville louaient étaient de vieilles séries B que plus personne ne diffusait depuis au moins cinq ou six ans, mais la clientèle – dans l'ensemble – s'en moquait. Ce soir-là, on passait le chef-d'œuvre du cinéma d'horreur d'Edward L. Cahn datant de 1955, *Le Tueur au cerveau atomique*. Un scientifique fou, ancien nazi, utilise des zombies contrôlés à distance et alimentés à l'énergie atomique pour aider un gangster américain en exil à se venger de ses ennemis et à reprendre le pouvoir. Le programme habituel pour ce genre de soirée. Ironiquement, Cahn – le réalisateur de chefs-d'œuvre tels que *Les Quatre Crânes de Jonathan Drake* et *La Malédiction de l'homme sans visage* – avait aussi réalisé *Émeute à la prison pour jeunes* en 1959, ce qui n'aurait pas été pour déplaire à Elliott Danziger et, peut-être aussi, s'il avait été en vie, à Earl Sheridan.

Le programme comprenait des actualités, un court-métrage, puis le film lui-même à dix-neuf heures quarante-cinq. Avec une moyenne de quatre-vingts ou quatre-vingt-dix minutes par film, le spectacle s'achevait vers vingt et une heures. Bailey avait un plan. Ils descendraient furtivement dans le drive-in vers vingt heures quinze. Depuis leur poste d'observation dans les herbes hautes, ils distinguaient l'horloge près du château d'eau dans la cour de la caserne des pompiers. Des voitures commençaient déjà à pénétrer dans l'enclos. Des clients marchaient vers le *Lunch Box* pour commander à l'avance de la nourriture qui serait apportée une fois le film commencé.

Clay ne savait que penser de tout ça. C'était du vol. Il fuma une cigarette. Bailey en fuma une aussi. Lorsqu'ils eurent fini leur cigarette, il réfléchit de nouveau et parvint à la même conclusion : c'était du vol.

« Je ne sais pas », dit-il, et il laissa sa phrase résonner dans l'air un moment. Comme elle ne répondait pas, il répéta qu'il ne savait pas, puis ajouta : « Quel que soit l'angle sous lequel on envisage ça, cet argent n'est pas à nous. Soit il appartient aux personnes dans les voitures, soit il appartient aux serveuses. »

Une fois encore, Bailey ne répondit rien.

Clay, qui était allongé sur le dos, se roula sur le ventre et se souleva sur les coudes. Il forma une coupe avec ses mains et posa son menton dessus.

« Voler est mal.

— Crever de faim est encore pire, répliqua-t-elle.

— Oui, je comprends, mais on n'est pas forcés de toujours se procurer de l'argent de façon illégale.

— Je suis d'accord, dit-elle. Trouve-toi un boulot.

— Ben voyons.

— Le travail, c'est pour les adultes. J'ai quinze ans, toi dix-sept, ni l'un ni l'autre ne pouvons rien faire pour le moment, et même si on pouvait, on devrait travailler une semaine ou deux avant de toucher le moindre dollar. Bon sang, je ne sais même pas comment on pourrait se trouver du boulot à moins de mentir sur notre âge, et mentir est mal aussi.

— Donc, il s'agit de savoir lequel est le pire.

— C'est toujours comme ça dans la vie.

— C'est un point de vue tordu pour quelqu'un d'aussi jeune que toi.

— La vie est tordue.

— Donc, ce que tu dis, c'est que nous n'avons pas le choix ? »

Bailey se roula à son tour sur le ventre. Elle se souleva sur les coudes comme Clay, leva les pieds et les agita d'avant en arrière.

« Bien sûr qu'on a le choix. On peut descendre et prendre cet argent, ou alors on peut rester ici et crever de faim dans l'herbe. »

Clay sourit.

« Pourquoi tu souris ?

— À cause de ce que tu dis.

— Qu'est-ce qu'il y a de si drôle ?

— Tu rends les choses à la fois simples et dramatiques. Nous n'avons pas d'autre choix que voler de l'argent. Il s'agit simplement de savoir ce qui est le pire. Si on ne commet pas un délit, alors on va crever de faim dans l'herbe haute. »

Bailey Redman ne répondit pas. Elle le manipulait. Il le savait. Elle était aussi transparente que du verre.

« OK, dit-il. Mais on ne prend pas tout.

— On n'aura pas le temps de tout prendre.

— Alors on se faufile à quatre pattes, on prend la monnaie qui se trouve sur les plateaux fixés aux portières des voitures, et après on décampe.

— Ça se résume à peu près à ça, oui.

— Et si quelqu'un nous voit ?

— On prend nos jambes à notre cou.

— Et si l'un de nous se fait prendre ?

— Alors il finira sur la chaise électrique, répondit-elle, et elle se roula de nouveau sur le dos.

— T'as toujours réponse à tout.

— Eh bien, tu sais ce que John Wayne a dit un jour ?

— Quoi ?

— Il a dit que la vie était dure, mais qu'elle l'était encore plus quand on était stupide. »

## 26

Le type assis au comptoir avait quelque chose de déplaisant. Certes, il tournait le dos à Digger, mais c'était la *façon* dont il lui tournait le dos qui était irrespectueuse. Ses épaules voûtées, sa façon d'interpeller la serveuse en grommelant, le bruit qu'il faisait en buvant son café. Tout ça.

Le restaurant était plutôt petit – à peine plus grand que celui des Olson à Twentynine Palms –, et il n'aurait pu accueillir plus de trente ou quarante clients maxi. Le steak frit qu'on servit à Digger était cependant le meilleur steak qu'il eût mangé de sa vie, aucun doute là-dessus. Il avait eu la ferme intention de le faire savoir à la serveuse, peut-être même de lui laisser un pourboire, mais il avait alors vu ce connard irrespectueux au comptoir et tout le reste était passé au second plan. L'homme avait une petite quarantaine d'années, portait un jean, une veste en jean, une chemise à carreaux rouges et noirs, un foulard enroulé autour du cou et noué à l'arrière. Il avait posé son chapeau sur le tabouret à côté de lui, une espèce de feutre défoncé, et le fait qu'il occupait un tabouret avec son putain de galurin avait rendu Digger furieux.

Il aurait voulu dire quelque chose, aller demander le tabouret à côté du type pour voir s'il ôterait son foutu chapeau, mais il se ravisa.

Il y avait deux types de problèmes : ceux que vous résolviez quand ils se présentaient à vous, et ceux que vous vous créiez tout seul. Les premiers étaient inévitables, alors que les seconds étaient tout simplement idiots. Digger n'avait aucune intention de faire un scandale. Il devait veiller à ne pas attirer l'attention sur lui.

Mais alors, comme par simple provocation, le type se souleva sur une fesse et lâcha un pet alors que les autres clients mangeaient.

Un frisson de dégoût parcourut Digger, et il sut qu'il ne pouvait pas laisser passer un tel affront.

Il se leva lentement, porta sa note et son argent jusqu'au comptoir, se planta derrière le tabouret sur lequel était posé le chapeau du type, et adressa un geste de la tête à la serveuse.

« Tu as ta note, mon chou ? demanda-t-elle.

— Je crois que je vais prendre un autre café, répondit Digger. Si ça ne vous pose pas de problème, mademoiselle.

— Mon Dieu, non, mon chou. Assieds-toi où tu veux et je t'apporte du café. Je viens d'en refaire. »

Elle lui fit un sourire si chaleureux, si amical, que Digger sut qu'Earl l'aurait lui aussi vraiment appréciée.

Il resta planté là, attendant que l'homme retire son chapeau, mais l'autre continuait de faire comme s'il ne l'avait pas vu. Première provocation. C'était intentionnel. Digger le savait. Et les doutes qu'il aurait pu avoir furent vite dissipés lorsqu'il donna une tape sur l'épaule de l'homme et dit : « Excusez-moi, monsieur… je me demandais si ça vous ennuierait de déplacer votre chapeau pour que je puisse m'asseoir. »

L'homme ne bougea pas. Deuxième provocation.

« Monsieur… » commença Digger.

L'homme se retourna. Il se retourna lentement, comme s'il essayait simplement de localiser une mouche, une mouche bourdonnante, une sale petite mouche bourdonnante qui commencerait à lui taper sur les nerfs.

Il regarda Digger.

C'était un homme laid. Il avait la peau couverte de cicatrices, d'épais sourcils, le genre de type qui aurait donné un coup de pied à un chien juste histoire de rigoler.

« Va t'asseoir ailleurs, petit », dit-il.

*Petit.*

*Petit ?*

« C'est pas les sièges qui manquent… Dégage et trouve-toi un autre endroit pour t'asseoir… »

*Dégage ?*

Digger serra les dents. Il avait une étrange impression de distance entre l'homme et lui, comme si entre eux s'était soudain creusé un gouffre dans lequel l'écho de sa voix se répercuterait s'il disait autre chose.

Son sang bouillonnait. Il jeta un coup d'œil à la fourchette posée sur le comptoir. Il vit la main de l'homme, qu'il avait posée à côté de la fourchette en se retournant. Comme une invitation. D'un geste vif, Digger aurait pu saisir la fourchette, la lui planter à travers la main et la clouer au foutu comptoir.

C'est ce qu'Earl aurait fait.

Mais Digger se retint soudain.

Non, Earl n'aurait pas fait ça.

Il y avait deux types de problèmes. Les seconds étaient tout simplement idiots.

La serveuse réapparut. Digger lui sourit. Elle était gentille. Elle portait une cafetière pleine de café frais et une tasse propre, qu'elle remplit et lui tendit. Digger la saisit, lui donna l'argent, ajoutant vingt-cinq cents de pourboire vu qu'elle était si aimable.

« Oh, merci, mon chou, dit-elle. Fais un bon voyage, où que tu ailles.

— Merci, madame », répondit Digger, et il regagna sa table.

Il but son café, observant l'homme, entretenant sa rage.

Quelle que soit la manière dont ce type avait prévu de passer sa journée, elle ne se terminerait pas comme prévu.

Digger était la patience incarnée.

Au bout de vingt minutes, le type se leva, mit son chapeau, ajusta son foulard, balança deux pièces de vingt-cinq cents sur le comptoir et sortit du restaurant. Digger compta jusqu'à dix et sortit à son tour.

S'il avait attendu plus longtemps, il n'aurait pas vu la Chevy de 1958 bleu foncé quitter le parking et s'engager sur la I-10. L'homme se dirigeait vers l'est, comme Digger, vers Las Cruces, peut-être El Paso. Digger ne connaîtrait jamais sa destination finale, et, à vrai dire, il s'en foutait. Le conducteur de la Chevy, un certain Marlon Juneau, était un Canadien de Wynyard, près des lacs Quill, dans le Saskatchewan. Il était descendu pour voir sa sœur, Helen, et avait loué la Chevy qu'il conduisait à Albuquerque à sa descente du train. Son intention avait été de longer le Rio Grande sur la Route 25 jusqu'à Las Cruces, puis de bifurquer vers le nord-est, direction Alamogordo où vivait sa sœur. Mais il avait merdé vers Hatch, et avait pris la Route 26 vers le sud-ouest comme un abruti avant de se retrouver sur la I-10. Il avait vu le restaurant et s'était arrêté pour manger. Il n'était pas bon conducteur, n'avait pas autant roulé depuis dix ans, et ça ne lui plaisait pas. Les vibrations et les secousses incessantes lui détraquaient salement l'estomac, et il passait son temps à se dire qu'il aurait préféré ne pas avoir été obligé de venir. Mais il était venu. Sans hésiter. Car le connard de mari de sa sœur, un type nommé Tate Bradford, l'avait encore tabassée. Ce n'était certainement pas la première fois, mais ce coup-ci il n'y était pas allé de main morte. Il lui avait fracturé la pommette, l'avait commotionnée, et elle avait appelé la police pour l'aider à le foutre dehors. Alors Tate était parti, amer comme du poison, mais il risquait de revenir. Elle avait appelé Marlon dimanche en fin d'après-midi, et Marlon s'était arrangé pour venir le plus vite possible. Il avait pris un premier train de Regina à Rapid City, dans le Dakota du Sud, un deuxième de Rapid City à Denver, et un troisième de Denver à Albuquerque. Plus de vingt-quatre heures à dormir comme il pouvait, recroquevillé sur lui-même sans jamais trouver de position confortable, affamé et à cran, et encore plus irrité à l'idée de devoir affronter Tate Bradford à cause de sa cinglée de frangine. C'était vraiment le merdier, mais que pouvait-il faire ? La famille, c'était la famille ; la famille, c'était les liens du sang.

Il était à deux cent quarante kilomètres d'Alamogordo, et il pensait pouvoir y être à dix heures, pas avant. Si Tate était en route vers le domicile de sa sœur pour lui démolir le dos à coups de pelle, il ne pourrait rien y faire. Marlon Juneau n'était pas fataliste, mais réaliste. Il faisait aussi vite que la physique et la géographie le permettaient, et si la géographie plaçait Tate et Helen au même endroit avant qu'il ne soit là-bas, alors il arriverait trop tard. C'était aussi simple que ça.

Ce n'est qu'au bout d'une bonne cinquantaine de kilomètres qu'il remarqua la Galaxy derrière lui. Il la remarqua mais n'y prêta aucune attention. Une Ford Galaxy était une Ford Galaxy, et sa présence n'avait rien d'étonnant. Quand elle le doubla, il ne se tourna même pas pour voir le conducteur. Il la regarda disparaître dans le crépuscule et alluma la radio. Il oublia l'autre voiture jusqu'au moment où il vit quelque chose briller dans ses phares cent mètres devant lui. La Galaxy était immobilisée au bord de la route. Son capot était ouvert et son conducteur – un jeune homme, selon toute apparence – lui faisait signe de s'arrêter en agitant les bras au-dessus de sa tête. Il n'avait certainement pas de temps à perdre mais, malgré les apparences, Marlon Juneau était un bon Samaritain, preuve en était qu'il avait laissé sa vie en plan pour venir au secours de sa sœur à des milliers de kilomètres de chez lui. Il décida que le moins qu'il pouvait faire était d'emmener le jeune homme jusqu'au prochain garage, où il recevrait toute l'aide dont il avait besoin. La route était quasiment déserte, et vu le nombre de voitures qu'il avait vues jusqu'alors, ce garçon risquait de rester en rade pendant un bon bout de temps s'il ne lui filait pas un coup de main.

Marlon s'arrêta, descendit de voiture, marcha vers la Galaxy en se disant qu'il n'avait vraiment pas le temps de traîner. Lorsqu'il fut à trois mètres de Digger, il le reconnut. Le gamin du restaurant. Qu'est-ce que c'était que ce bordel ?

« Je suis en route pour Alamogordo, expliqua Marlon. J'ai des problèmes familiaux là-bas et faut que je me dépêche. Je peux vous déposer à… »

Mais il devint silencieux lorsque le jeune homme tira un pistolet de derrière son dos et le braqua droit sur son visage.

« Oh, merde, fit Marlon d'une voix plate, neutre.

— Oh, merde, exact », répondit Digger.

Il contourna la portière ouverte et fit un pas en direction de Marlon.

# 27

Dix-neuf heures quarante-huit, jeudi 24 novembre. Clay Luckman et Bailey Redman étaient allongés dans l'herbe sur le promontoire qui surplombait le cinéma de fortune. De temps à autre, Clay croyait sentir l'odeur des hot dogs et du poulet frit qu'on préparait dans le restaurant en contrebas, et ça lui donnait une faim de loup. Digger Danziger se tenait au bord de la I-10 à quelques kilomètres de Las Cruces, et il se demandait s'il devait descendre ce connard irrespectueux sur-le-champ ou le cuisiner un peu. Il penchait pour la seconde option. Et puis il y avait Tate Bradford, à moitié gavé d'alcool bon marché, qui avait décidé de se rendre de Tularosa à Alamogordo histoire de régler une bonne fois pour toutes ces conneries avec Helen. Il était plein de détermination, une détermination alimentée par son amertume, décuplée par le sentiment d'avoir vécu une vie d'épreuves et de vexations, et par la certitude qu'il était un type trop bien pour que ça continue. Il l'avait frappée, d'accord, mais elle l'avait mérité, et cette salope avait appelé les flics. Incroyable. On n'appelait pas les flics pour une querelle familiale. On n'appelait pas les flics pour des histoires personnelles. C'était totalement, totalement incroyable.

Quant à John Cassidy, il rentrait chez lui. Il se gara devant la maison et hésita un moment avant de descendre de voiture. Les entretiens qu'il avait menés dans l'après-midi semblaient confirmer que l'agresseur n'appartenait ni à la famille, ni aux amis, ni aux collègues et associés de Deidre Parselle. Tout pour le moment indiquait qu'il s'agissait d'une rencontre fortuite. Ce qu'on lui avait fait, et surtout la manière dont on le lui avait fait, le menait à la conclusion qu'il avait affaire à un sociopathe.

John contourna comme à son habitude la maison jusqu'au jardin et entra par la porte de la cuisine, où il fut accueilli par un parfum de rôti braisé. Il appela Alice, l'entendit descendre l'escalier puis longer le couloir. Il l'embrassa, lui tint un moment la main, puis s'assit à table.

« Bois une bière ou quelque chose, suggéra-t-elle. Le dîner sera prêt dans un quart d'heure.

— Pas soif, répondit-il.

— Mauvaises nouvelles ? »

Il secoua la tête.

« Pas pires que tout à l'heure. J'ai parlé à quelques personnes. C'était une brave fille. Jamais le moindre problème…

— Jusqu'à maintenant, commenta Alice.

— Exact, répondit-il. Jusqu'à maintenant. »

Elle se figea devant l'évier.

« J'ai l'impression que ce sont toujours les personnes sans problèmes qui finissent par avoir les pires problèmes », observa-t-elle.

John n'entendit pas son commentaire, ne lui demanda pas de le répéter. Il songeait à ce qu'avait dit la dernière personne qu'il avait interrogée au moment où il s'en allait. *C'est vraiment une honte. Cette fille ne disait jamais de mal de personne. Elle était adorable. Vraiment adorable.*

*C'est précisément ce que pensait son agresseur*, avait voulu répondre John Cassidy, mais il s'était ravisé. Il avait tenu sa langue, gardé pour lui ses idées noires, et il avait souri et remercié la personne de lui avoir accordé du temps, avant de quitter la maison avec son ombre.

« Je pense que l'agresseur est reparti à l'heure qu'il est, déclara-t-il. Je pense qu'il est reparti aussi vite qu'il est arrivé.

— Tu crois qu'il a agressé quelqu'un d'autre ?

— Pendant qu'il était ici ? Rien n'a été signalé, mais on ne sait jamais.

— Qu'en pense le shérif Powers ?

— Je ne lui ai pas parlé. Seulement à Mike Rousseau.

— On pourrait croire qu'une affaire aussi grave intéresserait le shérif, pas simplement son adjoint.

— Ça ne fonctionne plus comme ça, chérie. Bob Powers est un politicien. Il mène campagne pour sa réélection. Les tableaux de service, les missions, la supervision, les rapports d'enquête… c'est Mike Rousseau qui gère tout désormais. Et c'est mieux comme ça. J'ai toujours mieux travaillé avec Mike.

— Comment va-t-il ?

— Bien. Les jumeaux changent d'école. Ils avaient quelques difficultés. Il m'a dit que Caroline allait t'appeler à propos de vêtements qu'elle veut te donner pour le bébé.

— Je l'ai vue aujourd'hui, répondit Alice. Elle compte les apporter ce week-end. »

Il y eut un moment de silence. Juste le bruit du four, des assiettes et des couverts, de la porte du réfrigérateur s'ouvrant et se refermant. Parfois, il avait envie de musique. Il aimait bien certains de ces nouveaux trucs qu'ils passaient à Phoenix. Mais pas maintenant. Maintenant il voulait du silence. Tout se bousculait dans sa tête. Réflexions, sons, couleurs, images, la projection de sang sur la moquette... Il ferma les yeux un moment, inspira profondément, exhala lentement, sentit un frisson lui parcourir le dos tandis qu'il se demandait quel genre d'être humain il fallait être pour massacrer de la sorte une fille comme Deidre Parselle.

Mike Rousseau, shérif adjoint depuis seulement trois ans et déjà passablement usé, avait affirmé qu'il s'agissait plus que probablement d'un vagabond, un voleur opportuniste qui avait vu la fille entrer chez elle et l'avait suivie pour lui voler son argent. Comme il n'avait pas trouvé grand-chose – pour la simple raison que les filles comme Deidre Parselle n'étaient pas du genre à cacher des centaines de dollars chez elles –, il avait décidé de lui prendre autre chose.

« C'est un truc animal, voilà ce que c'est. Un truc animal qui s'empare d'eux, et ils pètent les plombs. »

Qui étaient ces *ils*, Rousseau ne l'avait pas précisé. Tout n'était qu'hypothèses. Tout n'était qu'hypothèses, jusqu'à ce que ça ne le soit plus.

Cassidy n'adhérait pas à ces histoires d'opportunisme ou d'animalité. Il pensait connaître la motivation derrière l'attaque : la *nécessité*. Il pensait que l'agresseur avait eu *besoin* de faire ce qu'il avait fait à Deidre. Il croyait à la dissociation mentale, à un état où les parties rationnelles de l'esprit se déconnectaient de l'irrationnel, engendrant une nouvelle perspective. Il ne s'agissait pas de *folie* dans l'acception clinique du terme. Les gens auxquels il pensait étaient capables de vivre leur vie comme tout le monde, mais seulement jusqu'à un certain point. À un moment, quelque chose cédait, et naissait alors une impulsion, un besoin soudain, qu'il était impossible de nier, de rationaliser, d'anticiper, de freiner ou d'empêcher. Le besoin devait être assouvi. C'était tout. Il devait être traduit en acte, et ce n'était qu'alors qu'il était satisfait. Après quoi, il s'estompait – pendant un temps –, et l'individu essayait de se convaincre qu'il n'était pas présent au moment du passage à l'acte. Il éprouvait peut-être un sentiment de culpabilité, mais son état dissociatif l'aidait à le surmonter. C'était une autre partie de lui-même qu'il ne pouvait ni prédire ni contrôler qui avait agi. Sinon, comment aurait-il été possible de faire ce genre de choses, puis d'aller fumer une cigarette et de s'acheter un soda ? Comment…

« John ? »

Il leva les yeux. Alice se tenait devant lui avec une assiette de nourriture.

« Coudes ? »

Il ôta ses coudes de la table et elle posa l'assiette devant lui.

« Arrête de réfléchir, dit-elle. Mange. »

John et Alice Cassidy étaient dans le salon quand on frappa sèchement à la porte. John se leva en fronçant les sourcils. Il était vingt heures trente passées.

Il alluma la lumière extérieure. À travers le verre dépoli de la partie supérieure de la porte, il distingua deux vagues silhouettes. Deux têtes surmontées d'un chapeau. Il hésita, se tourna vers Alice qui se tenait dans l'entrebâillement de la porte du salon, puis ouvrit.

« Inspecteur John Cassidy ?

— Oui.

— Bonsoir, monsieur. Désolé de vous importuner chez vous. Mon nom est Garth Nixon, et voici Ronald Koenig. Nous sommes du FBI, et nous aimerions entrer pour discuter avec vous. »

Ils présentèrent leur carte, et John Cassidy resta un moment immobile, certain que leur venue était liée à l'agression de Deidre Parselle.

Koenig était de toute évidence le plus âgé des deux. Cassidy lui donna une petite cinquantaine d'années. Il avait ce port autoritaire, presque martial, qui inspirait le respect. Le plus jeune, qui devait tout de même avoir dix ou douze ans de plus que Cassidy, avait également l'air professionnel, terre à terre, direct.

Cassidy les guida jusqu'au salon, leur demanda s'ils voulaient du café, de l'eau, autre chose. Ils déclinèrent poliment et attendirent en silence, jusqu'à ce qu'il devienne évident qu'Alice devait quitter la pièce pour qu'ils puissent entamer la conversation.

C'est Koenig qui prit la parole. Il était assis avec son chapeau sur les cuisses et parlait d'une voix calme, avec une expression concentrée.

« Un meurtrier du nom d'Earl Sheridan devait être transféré de Baker, en Californie, à San Bernardino pour y être exécuté. En route, le convoi a été ralenti par une tempête, et il a été décidé que

Sheridan passerait la nuit dans une maison de correction d'Hesperia. Sheridan a tué un gardien et pris deux détenus de la maison de correction en otages. Il s'est échappé d'Hesperia et a pris la route du sud-est vers l'Arizona. Sur son chemin, une serveuse du nom de Bethany Olson a été tuée à Twentynine Palms, ainsi qu'un homme nommé Lester Cabot à Casa Grande, et deux autres hommes dans une épicerie de Marana. Au cours d'une tentative de braquage d'une banque à Wellton dans le comté de Yuma, quatre autres personnes ont été tuées et le shérif a été blessé. Sheridan lui-même a été tué tandis qu'il tentait de s'échapper de la banque, mais l'un des otages, un jeune homme de dix-sept ans nommé Clarence Luckman, a pris une employée en otage, une jeune femme nommée Laurette Tannahill, et a pris la fuite dans la voiture du shérif. Juste avant de mourir, Sheridan a déclaré que Luckman avait violé et tué Bethany Olson, et qu'il s'était rendu complice des meurtres de Marana et Casa Grande. Il a aussi affirmé que Luckman avait tué l'autre otage d'Hesperia, un adolescent nommé Elliott Danziger. Nous avons depuis appris que Luckman et Danziger étaient demi-frères – même mère, père différent. Danziger était l'aîné d'un an et demi. Luckman a pris la fuite, et, sur la Route I-10, près d'une ville nommée Gila Bend, il s'est arrêté chez un certain Gil Webster. Il a enfermé Webster à la cave, puis a emmené la fille de Wellton à l'étage et l'a passée à tabac. » Koenig marqua une pause. « Il l'a sauvagement agressée, inspecteur Cassidy, vraiment sauvagement. » Consultant sa montre, il soupira et secoua la tête. « Nous venons d'apprendre il y a environ une heure qu'elle n'avait pas survécu. Elle est morte à l'hôpital.

— Donc, Luckman est en cavale et il ne sait pas qu'on le recherche également pour le meurtre de cette fille ?

— Nous ne savons pas s'il croit l'avoir tuée ou non, mais une chose est sûre, il est bel et bien recherché pour meurtre. Après avoir agressé cette fille, il est reparti dans le pick-up de Webster, dont nous avons suivi la trace jusqu'à Tucson. Nous venons d'arriver. Nous nous sommes entretenus avec votre shérif adjoint, Mike Rousseau, et nous pensons que Luckman a passé quelque temps à Tucson.

— Et c'est lui qui aurait agressé Deidre Parselle ? »

Koenig laissa passer un bref silence, puis il acquiesça.

« Nous pensons que c'est le cas. Rousseau nous a décrit l'incident. Le type d'agression, la brutalité… ces détails donnent à penser que nous avons affaire à la même personne.

— Et le pick-up de ce Gil Webster est ici, à Tucson ?

— Oui. Il a été saisi par les services du shérif.

— Donc, soit il est à pied et il se cache, soit il a trouvé un autre véhicule », observa Cassidy.

Koenig et Nixon répondirent oui à l'unisson.

« Et mon agression devient une affaire criminelle fédérale, et je suis déchargé de l'enquête ? »

Koenig sourit avec compréhension.

« Pas tout à fait, répondit-il. Nous pensons que Luckman quittera l'Arizona au plus vite. Vu le chemin qu'il a suivi jusqu'à présent, nous pensons qu'il va aller au Nouveau-Mexique, peut-être même au Texas. Nous avons mis en place un état d'alerte maximum, toutes les unités locales sont en train d'être averties de la situation. Pour le moment, nous avons limité la diffusion de l'information aux bureaux fédéraux de chaque zone et aux services de police et départements de shérifs concernés, mais nous élargirons bientôt le champ d'action. Des annonces seront diffusées à la radio, la photo de Luckman sera distribuée aux propriétaires de station-service, aux propriétaires d'épicerie, aux banques, motels, et ainsi de suite. Ce sera bientôt la plus importante chasse à l'homme que l'État ait connue. L'agent Nixon et moi-même devons le suivre, naturellement, ce qui signifie que nous ne pouvons rester dans chaque ville pour enquêter sur chaque incident. Nous devons laisser ça aux autorités locales. Nous sommes donc venus pour nous présenter à vous, pour vous communiquer les faits que vous devez connaître, pour répondre à vos questions, et pour nous assurer de votre coopération.

— Qu'attendez-vous de moi ? demanda Cassidy.

— Que vous transmettiez directement tout ce que vous pourrez apprendre au cours de votre enquête sur l'agression de Mlle Parselle à notre bureau d'Anaheim, qui fera en sorte que nous soyons informés où que nous nous trouvions.

— Oui, d'accord, dit Cassidy. Je peux faire ça.

— Excellent, répondit Koenig. Et maintenant, avez-vous des questions ?

— Avez-vous donné des photos de ce, comment s'appelle-t-il, Clarence Luckman ?, au shérif adjoint Rousseau ?

— Oui. Il nous a assuré que des copies seraient faites et distribuées à toutes ses unités mobiles et à tous ses agents de patrouille.

— Et le pick-up qui a été volé à Gila Bend va rester à la fourrière ici ?

— Il va rester ici, oui, mais nous avons des spécialistes qui arrivent de notre antenne à Mesa pour passer le véhicule au crible à la recherche d'indices. Il est peu probable qu'ils trouvent quoi que ce soit, mais nous ne devons rien laisser au hasard. Dans ce genre d'affaire, le moindre détail peut s'avérer très utile. »

Cassidy resta quelques instants silencieux, puis il se leva et marcha jusqu'à la cheminée. Il posa la main sur le manteau et se tourna vers les deux agents.

« Puis-je vous demander pourquoi Clarence Luckman et son demi-frère étaient dans cette maison de correction ?

— Ils y étaient en tant qu'orphelins, répondit Koenig. Le père de Danziger, d'après ce que nous avons compris, est parti avant la naissance de son fils. Quant à celui de Luckman, Jimmy Luckman, il a tué la mère des garçons quand Clarence avait cinq ans, puis a été abattu alors qu'il essayait de dévaliser une boutique d'alcool. »

Cassidy fronça les sourcils.

« L'établissement d'Hesperia était un orphelinat ?

— Non, c'est un établissement pour jeunes criminels.

— Mais ni l'un ni l'autre n'avaient commis le moindre délit ?

— Eh bien, à l'origine, Luckman était dans un orphelinat à Barstow, mais il a agressé un membre du personnel et a été envoyé à Hesperia. Certains estimaient qu'il avait agi en état de légitime défense, mais il y a tout de même été envoyé. Et le frère l'a accompagné. »

Koenig esquissa un sourire amer.

« On dirait que Clarence a joué de malchance depuis le début, ce qui est ironique, étant donné son nom.

— Et lui et cet Earl Sheridan ont tué Elliott Danziger ?

— C'est ce qu'Earl Sheridan a déclaré à la police de Wellton avant de mourir. Danziger était l'aîné des deux frères, et il causait des problèmes à Hesperia. Il s'est rendu coupable de nombreuses infractions au règlement, a fait preuve de violence et créé des troubles, et il aurait sans doute été transféré dans un pénitencier d'État à l'âge de dix-neuf ans.

— À San Bernardino ?

— Probablement.

— Là où Earl Sheridan devait être exécuté.

— Exact.

— Et Sheridan et Luckman ont tué Danziger ?

— Oui, on dirait.

— Pourquoi ? » demanda Cassidy.

Nixon regarda Koenig. Koenig regarda Nixon. Ils se tournèrent tous deux de nouveau vers Cassidy.

« Nous avons une théorie, répondit Koenig.

— Qui est ?

— D'ordre sexuel. »

Cassidy fronça les sourcils.

« Earl Sheridan avait une longue histoire d'homosexualité. Il a eu des relations avec de nombreux hommes à la prison de Baker. Nous pensons qu'il pouvait avoir une liaison avec Luckman, liaison que Danziger aurait ouvertement critiquée. Nous pensons, en toute probabilité, que Danziger a été tué à la suite d'un commentaire ou d'une réaction de sa part face à ce qu'il observait entre les deux autres.

— Mais son propre frère ?

— Demi-frère, rectifia Koenig. Et à en croire ce qui s'est passé avec la fille de Wellton et avec Mlle Parselle ici même, je ne pense pas que nous ayons affaire à un être humain sain d'esprit et rationnel. Nous avons affaire à un individu psychotique, et le comportement de ces personnes est parfaitement imprévisible.

— Trois personnes, c'est une de trop, observa Cassidy.

— Précisément, répondit Koenig. Nous ne pensons pas que Luckman ait tué Danziger… enfin, nous ne pensions pas au début que Luckman avait tué Danziger, mais quand la fille de la banque a été agressée, et maintenant celle-ci à Tucson… »

Koenig laissa sa phrase en suspens.

« Dynamiques situationnelles, suggéra Cassidy. Avant de connaître Sheridan, rien n'avait déclenché son comportement meurtrier, mais la rencontre avec une personne aux tendances comparables fait sauter le fusible, si j'ose dire.

— Vous semblez avoir une certaine expérience de ce genre de choses », observa Nixon.

Cassidy sourit.

« Un intérêt, rien de plus.

— Ce que vous dites est fort possible, reprit Koenig.

— Et cette fille à… où était-ce ? Twentynine quelque chose ?

— Twentynine Palms. Une femme nommée Bethany Olson. Elle a été violée et assassinée, et nous soupçonnons que Sheridan et Luckman ont agi ensemble.

— Donc Sheridan ne se limitait pas aux relations sexuelles avec les hommes.

— Sa préférence allait peut-être aux hommes, répondit Koenig. Mais il pouvait réserver ses penchants sadiques aux femmes.

— Mais les personnes tuées à la banque. Des hommes aussi bien que des femmes, n'est-ce pas ?

— Oui.

— Eh bien, fit Cassidy, je ne vous envie pas. Votre affaire est fédérale, et il s'agit de meurtres. Alors que moi, je n'ai qu'une agression à résoudre.

— Nous *espérons* que vous n'avez que ça, inspecteur Cassidy. Il est possible que vous découvriez une autre victime à Tucson. Et il y a toujours la possibilité que Mlle Parselle n'ait pas été attaquée par Luckman. Même si nous en doutons. Nous savons qu'il était ici. Le pick-up le confirme. La probabilité que nous ayons deux sociopathes en liberté dans la même ville est mince, ne pensez-vous pas ?

— Si, répondit Cassidy.

— Donc, voilà où nous en sommes, dit Koenig. Notre spécialiste automobile va arriver de Mesa, mais je ne crois pas qu'il nous apprendra quoi que ce soit. Nous espérons qu'il n'y a pas d'autres victimes à Tucson. Nous devons pour notre part essayer de deviner où Clarence Luckman va aller maintenant.

— Vous avez laissé les coordonnées de votre bureau à Anaheim au shérif adjoint Rousseau ? demanda Cassidy.

— Oui. »

Koenig et Nixon se levèrent.

« Tout ceci doit rester entre nous le plus longtemps possible, inspecteur Cassidy, ajouta Koenig. Je pense que vous saisissez suffisamment ce qui se passe pour comprendre qu'une confidentialité absolue s'impose.

— Bien entendu, oui, cela va sans dire.

— Je tiens aussi à vous préciser que nous visons une résolution immédiate. Si ce Clarence Luckman est vu, nous avons l'ordre de le mettre hors d'état de nuire.

— Vous êtes censés l'abattre ? »

Koenig sourit d'un air entendu, mais ne répondit rien.

« Je comprends », dit Cassidy.

Ils se serrèrent la main, et Cassidy les raccompagna à la porte.

Alice sortit de la cuisine et le rejoignit tandis qu'il regardait les agents fédéraux s'éloigner en voiture.

« Mauvaises nouvelles ? demanda-t-elle pour la deuxième fois de la soirée.

— Oui », répondit-il.

Il ne pouvait s'ôter de la tête la question qui lui était venue lorsqu'on lui avait parlé de Clarence Luckman : pourquoi un adolescent en apparence honnête qui avait passé douze ans dans une institution sans jamais causer de véritables problèmes deviendrait-il soudain un sadique brutal ? Pas seulement ça, mais un individu capable de tuer son propre frère ? Parce qu'il avait rencontré quelqu'un avec les mêmes penchants ? Parce qu'il avait été empêché de passer à l'acte et d'assouvir ses appétits pendant qu'il était incarcéré ? Peut-être, peut-être pas. Difficile de concevoir qu'un gamin de dix-sept ans soit capable de faire ce qui avait été fait à Deidre Parselle, et avant ça à l'otage de la banque. Ça prouvait une fois de plus que les structures culturelles et les contraintes sociales étaient en train de craquer, et que le pire type de personne en profitait pour sortir du bois. Les choses empiraient-elles, ou était-il simplement en train de devenir cynique et intolérant ?

John Cassidy referma la porte sur l'obscurité au-dehors et suivit sa femme jusqu'à la cuisine. Omettant les noms et les endroits spécifiques, il lui raconta précisément ce que Nixon et Koenig venaient de lui dire. Elle l'écouta silencieusement, attentivement, et lorsqu'il eut fini elle resta un bon moment sans prononcer un mot.

## 28

Ils restèrent un moment allongés sur le dos dans l'obscurité poussiéreuse. Ils étaient appuyés l'un contre l'autre, Clay Luckman sentait la chaleur du corps de Bailey contre le sien, sa main contre sa jambe, et il n'avait pas conscience de grand-chose à part d'elle – cette Bailey Redman. Il avait envie de l'étreindre, de refermer ses bras autour d'elle, de l'attirer encore plus près de lui, mais il n'osait pas bouger.

Il tenta de s'imaginer que c'était sa petite sœur, mais n'y parvint pas. Leur différence d'âge était minime, et il avait beau essayer d'adopter une attitude fraternelle et protectrice, ce qu'il éprouvait était beaucoup plus fort. Il ressentait des choses dont il ignorait le nom, mais ces choses le faisaient se sentir vivant.

La lumière de l'écran du drive-in projetait des ombres qui tombaient derrière les voitures. C'est dans ces ombres qu'ils étaient tapis et attendaient. Peu après vingt heures trente-cinq, ils passèrent à l'action. Elle se lança la première. Elle lui sourit et, dans l'obscurité, il vit le blanc de ses dents et celui de ses yeux, et il ne put s'empêcher de sourire en retour.

Elle se glissa en rampant de l'arrière d'une voiture à la portière, leva sa fine main et chercha à tâtons sur le plateau. Elle trouva quelque chose, revint en rampant et tendit la main. Une pièce de dix cents et trois pièces de un. Clay acquiesça. Il lui toucha l'épaule, l'attira vers lui et murmura à son oreille : « Par là. » Il pointa le doigt vers la droite. « Je vais de ce côté, toi, de l'autre, et on se retrouve là-bas. » Il pointa de nouveau le doigt vers l'autre côté du champ sur la droite. « Derrière le restaurant. » Elle acquiesça, sourit une fois de plus et repartit. Il la regarda s'aplatir au sol et avancer lentement à quatre pattes, tel un soldat se glissant sous une clôture de barbelés. Il continua de la suivre des yeux jusqu'à ce qu'elle ait disparu dans les ténèbres, puis s'approcha à son tour de l'arrière de la première voiture et commença à longer la rangée de véhicules.

De temps à autre, quand passait une scène vivement éclairée, l'écran s'illuminait. Le volume du film était suffisamment fort pour couvrir le bruit que Bailey et Clay pouvaient faire, et la grande majorité des occupants des voitures étaient bien trop absorbés par leurs batifolages pour se laisser distraire par les sons de l'extérieur. Pourtant, Clay était effrayé par ce qu'il faisait. Ils étaient en train de voler. On ne pouvait pas appeler ça autrement. C'était du vol, du chapardage, un délit qui pouvait lui valoir un aller simple pour Hesperia – ou peut-être pour un endroit bien pire. Et pour elle, ce serait l'orphelinat. Dieu seul sait ce qu'elle deviendrait alors. Mais il ne pouvait pas la laisser mourir de faim. Il leur fallait de l'argent, et ils étaient trop jeunes pour travailler. Alors quel choix avaient-ils ? La peste ou le choléra.

Voler de l'argent à des adolescents. Était-ce à ça que se résumerait désormais sa vie ?

Clay continua de ramper, levant la main pour chercher à tâtons sur les plateaux, trouvant ici et là quelques pièces qu'il enfonçait dans sa poche de pantalon sans même y jeter un coup d'œil. Ça semblait interminable. Voiture après voiture. Le sol était dur et poussiéreux, ses mains asséchées par la poussière, ses genoux et ses coudes irrités et douloureux tandis qu'il passait à la voiture suivante, et ainsi de suite.

À un moment, il renversa un gobelet de soda à moitié plein. Celui-ci tomba brusquement et lui éclaboussa les jambes. Il se roula sur le flanc et s'enfonça dans l'obscurité sous la voiture. Son cœur cognait, ses paumes étaient moites, il sentait l'odeur du soda et ses chevilles étaient collantes, son pantalon, trempé. Il eut l'impression que la voiture bougeait au-dessus de lui et eut la certitude que ses occupants avaient entendu le gobelet tomber, que l'un d'eux ouvrait en ce moment même la portière, descendait, était sur le point de s'accroupir et de regarder sous le véhicule. Et alors un cri retentirait, des phares s'allumeraient, et les adolescents autour de lui rajusteraient leurs vêtements, lèveraient les yeux, et eux aussi allumeraient leurs phares. Le projectionniste interromprait alors le film, et pendant un moment tout serait silencieux, puis Clay Luckman et Bailey Redman seraient tirés de leur cachette et livrés aux autorités…

Quelque chose comme ça. Et peut-être qu'il serait passé à tabac. Pas elle, pas la fille, juste lui. Un caïd aux cheveux coupés à ras lui foutrait une bonne raclée. Pour se prouver qu'il était un homme. Pour montrer à sa petite copine qu'il était plus grand et plus fort que ce gringalet crasseux qui piquait la monnaie des hamburgers dans un drive-in.

Bien qu'aucune portière ne s'ouvrît, qu'aucun pied n'apparût, qu'aucun phare ne s'allumât, Clay Luckman sentait dans sa poitrine un poids tel qu'il n'en avait jamais senti auparavant. Le cœur battant, il attendit une minute de plus, puis se glissa jusqu'au bord du châssis et regarda dehors. Il vit le ciel nocturne. Pas un nuage, un bleu profond. Chaque étoile, astéroïde, météorite, planète, était d'un blanc lumineux et magnifique. Mais quelque part là-haut il y avait aussi sa mauvaise étoile, celle qui le suivait, qui avait été là le soir où sa mère était morte, celle qui l'avait observé tandis qu'il était allongé avec elle dans la chambre de l'appartement, attendant un père qui n'était jamais revenu. Où était cette mauvaise étoile ?

Il recommença à avancer, se glissant lentement d'une voiture à une autre, roulant sur lui-même lorsqu'il changeait de rangée. Il procédait de plus en plus rapidement et, vers la fin de la dernière rangée, il commença à prendre confiance. Il avait passé en revue trente, quarante, cinquante voitures, et personne ne l'avait repéré. Les pièces tintaient dans sa poche. Il sentait leur poids. Il se sentait à la fois stupide et vide, étourdi et courageux, ivre de nervosité. Il n'était plus qu'à dix mètres du restaurant lorsqu'il vit Bailey jaillir de la pénombre sous l'écran et détaler tel un lièvre effrayé à travers la dernière étendue de terre battue. Elle disparut derrière le restaurant. Personne ne l'avait vue. Elle était à l'abri.

Les deux dernières voitures ne lui rapportèrent en tout qu'une seule pièce. Vu sa taille, il devina que c'était une pièce de vingt-cinq cents. Il l'enfonça dans sa poche, s'accroupit, et attendit tandis qu'une scène à l'écran illuminait soudain l'obscurité. Une fois la scène terminée, Clay se rua vers le côté du champ et se tapit contre un grillage. Il resta là un moment, puis courut jusqu'au bout du grillage, tête baissée, épaules voûtées, genoux pliés, et se glissa le long du restaurant.

Soudain, une porte s'ouvrit. Il ne l'avait pas vue. Deux marches, une rampe, une porte qui donnait sur l'arrière du restaurant, et il se retrouva au beau milieu du flot de lumière qui jaillit du bâtiment. Un homme se tenait dans l'entrebâillement de la porte, une cigarette dans une main, un briquet dans l'autre. Pendant une seconde, ils se dévisagèrent sans bouger, sans dire un mot. Clay distinguait chaque ligne de son visage, sa barbe de trois jours, le col ouvert de sa chemise, les poils de son torse qui s'échappaient par l'ouverture, les taches de graisse sur son tablier, les cordons enroulés autour de ses hanches et noués à l'avant…

« Qu'est-ce que tu… ? » commença l'homme, puis il fronça les sourcils en songeant qu'il s'agissait d'un resquilleur, un gamin trop jeune pour conduire une voiture, trop jeune pour avoir une petite copine, un gamin qui avait voulu voir un film à l'œil.

Clay Luckman décida alors de décamper, et fila comme une fusée.

Il détala, contourna l'angle du restaurant, appela Bailey et la découvrit juste à côté de lui.

Ils entendirent l'homme qui les suivait tandis qu'ils s'éloignaient en courant du bâtiment et traversaient la petite étendue qui les séparait de la route.

« Hé ! hé, les gamins ! Qu'est-ce que vous fabriquez ? Tirez-vous d'ici ! »

L'homme fit quelques pas, mais il était trop corpulent et trop âgé pour courir. Son nom était George Buchanan, c'était le cuisinier du restaurant. Il travaillait à plein temps dans un autre établissement situé au bord de la I-19 entre Tucson et Green Valley, et faisait des extras ici pour quelques dollars de plus, payés de la main à la main. Il vit les deux gamins s'enfuir et se demanda si le second était une fille ou un garçon. Plus jeune à coup sûr, car il était plus petit et courait plus vite.

Il regagna la porte à l'arrière du restaurant et alluma sa cigarette. Il inspira profondément, exhala, regarda la fumée se disperser et s'évanouir. Bon Dieu, songea-t-il, souriant d'un air nostalgique. À leur âge, il aurait fait pareil.

# 29

Avec les hommes, c'était différent. Digger en avait conscience, il le savait depuis qu'il avait essayé de coucher avec la fille de la banque. Le type à la banque, avec sa tronche de gros malin, celui qu'Earl avait abattu d'une balle dans la tête… eh bien, ç'avait été terrifiant de voir ça, mais ç'avait aussi été excitant. Une sacrée décharge d'adrénaline. La fille dans l'appartement, celle qu'il avait poignardée, eh bien, ç'avait été une tout autre histoire. Avec les filles, il y avait un élément sexuel. Alors qu'avec les types il y avait simplement l'envie de leur faire du mal, de leur montrer que c'était lui, Digger Danziger, qui avait la situation en main, que c'était lui qui avait le pouvoir et le dernier mot. Il aurait pu tuer le type qu'il avait enfermé dans la cave, et aussi le vieux contre qui il s'était battu. Mais il ne l'avait pas fait. Avait-il eu peur ? Savait-il qu'une fois cette limite franchie les choses ne feraient qu'empirer ? Il n'en savait rien. Et pour le moment, ça n'avait aucune importance.

Ce type-ci – avec son jean, sa veste en cuir, sa chemise à carreaux rouges et noirs et son foutu foulard enroulé autour du cou et noué à l'arrière, sans parler de son chapeau qu'il avait tranquillement posé sur le tabouret dans le restaurant – écarquillait désormais de grands yeux surpris comme s'il ne savait pas ce qui l'attendait, comme s'il avait cru pouvoir lui manquer de respect impunément sous prétexte que Digger n'aurait pas le cran de faire quoi que ce soit… Ce type était un connard de premier ordre.

« Allons, petit… je suis vraiment désolé pour ce qui s'est passé dans le restaurant…

— Ferme ta putain de gueule », coupa Digger d'un ton cassant, avec un petit frémissement de la lèvre façon Elvis.

Il plissa les yeux et regarda l'homme, qui devint silencieux. Il *sentait* la présence d'Earl autour de lui. Il la sentait même à l'intérieur de lui. Comme s'il était possédé.

« Petit… je voulais pas te manquer de respect…

— Oh putain que si.

— Je suis désolé… écoute, je suis vraiment désolé… j'ai pas mal de soucis en ce moment.

— Je t'ai dit de fermer ta gueule.

— Petit… »

Digger ferma les yeux une seconde, puis il fit un pas en avant et braqua le pistolet sur le visage de Marlon.

« Ne. M'appelle. Pas. Petit », scanda-t-il avec emphase.

Marlon ferma les yeux à son tour, mais il ne les rouvrit pas.

*Vas-y.*

*Putain, fais-le.*

Digger prit une profonde inspiration. Il entendait la voix d'Earl qui le poussait à tirer. Earl souriait.

Il l'entendait dans chacun de ses mots. Oh, putain, quel pied ! Earl aurait tellement aimé être là.

« Comment tu t'appelles ? demanda Digger.

— Marlon, répondit l'homme. Marlon Juneau. »

Digger entendit le frémissement de sa voix. Il essayait de jouer les durs, mais il se décomposait déjà.

« Marlon Juneau », répéta Digger.

Il fit un nouveau pas en avant. Il n'y avait désormais pas plus de trois mètres de poussière entre eux. Digger tenait fermement son arme. Il pensait à Earl, au type génial qu'il était, et aux flics qui l'avaient descendu devant la banque comme un animal sans défense. Les salauds !

« Marlon Juneau. Comme ce putain de Marlon Brando, hein ? »

Marlon acquiesça. Il avait la gorge sèche, les mains en sueur. Il avait l'impression d'avoir du verre pilé dans les yeux, et la pression dans sa vessie aurait suffi à gonfler un pneu de voiture.

« T'as quel âge, Marlon ?

— Qua-quarante-deux.

— Et tu viens d'où ?

— C-Canada.

— C'est un putain de grand pays. Quelque part en particulier ?

— Wynyard près des lacs Quill dans le Saskatchewan.

— Vraiment ? Près des lacs Quill dans le Saskatchewan.

— Ou-oui », répondit Marlon.

Il savait – il avait su dès la première minute – qu'il était dans de sales draps. Il ne s'agissait pas d'un simple vol. Il n'allait pas juste se faire piquer sa voiture et son argent. Ce putain de cinglé avait une lueur sombre dans les yeux et un flingue dans la main, et il était en train de lui faire un petit numéro. Oh, ce qu'il regrettait de ne pas avoir retiré son chapeau du tabouret. Oh, ce qu'il regrettait de ne pas avoir été aimable. Mais il avait été préoccupé, et il n'avait pas eu les idées claires, parce que d'habitude il était si poli…

Marlon leva les yeux vers Digger.

« Écoute, si c'est d'argent dont tu as besoin… »

Digger sourit.

« T'as pas idée de tout l'argent que j'ai. T'en as jamais vu autant, espèce d'abruti. »

Marlon ouvrit la bouche pour dire autre chose.

« Et puis je croyais t'avoir dit de fermer ta gueule. »

Marlon referma la bouche.

Digger pesait le pour et le contre. Il lui restait quatre balles et il avait conscience qu'elles ne dureraient pas éternellement. S'il se ruait sur le type – brusquement, avec force –, il pouvait le mettre par terre, lui coller un coup de crosse sur la tête, peut-être même l'assommer. Mais l'autre n'était pas une demi-portion. Il pesait son poids. Quoi qu'il arrive, Digger savait une chose. Le moment était venu. Le moment était vraiment venu. Deux filles, deux hommes, et ils s'en étaient tous tirés vivants. Il les avait laissé vivre. Ils lui avaient manqué de respect, mais il les avait laissé vivre. C'était ça, la véritable clémence. C'était ça, la véritable force. Mais maintenant… maintenant il était temps de montrer à Earl qu'il était un homme. Elliott Danziger était *un homme, un vrai*. Ce n'était pas un môme effrayé. S'il avait le pouvoir de vie et de mort, eh bien, de temps à autre, quelqu'un devait mourir, sinon ce n'était pas un vrai pouvoir, pas vrai ?

« À genoux, ordonna Digger. À genoux et mains sur la tête. »

Marlon hésita un moment. Il se demandait si le gamin aurait le cran de tirer, si le pistolet était même chargé, s'il pouvait se jeter sur lui avant qu'il ait le temps de réagir. Ça se résumait à ça. Pouvait-il l'atteindre avant qu'il appuie sur la détente ? Intentionnellement, involontairement, peu importait – pouvait-il atteindre le gamin avant que le coup de feu parte ?

Il le regarda dans les yeux. Bon sang, il ne pouvait pas avoir plus de dix-huit ou dix-neuf ans, et il était là à arrêter des inconnus au bord de la route et à les menacer avec une arme. Où allait le monde ? Où allait l'Amérique qu'il connaissait ? Ça lui ferait assurément une sacrée histoire à raconter à sa sœur quand il arriverait à Alamogordo.

Lorsque le gamin fit un pas de plus et fixa sur lui un regard plein de haine, il comprit que ce ne serait pas un réflexe involontaire qui le ferait appuyer sur la détente. Ce type était un cinglé, un fou furieux. S'il appuyait sur la détente, ce serait précisément parce qu'il en aurait envie, et pour nulle autre raison. Alors peut-être que s'il obéissait…

Marlon Juneau fit un pas en arrière, puis s'agenouilla tout en plaçant ses mains sur sa tête.

Digger sourit. Il contourna Marlon par la gauche et atteignit la voiture. Sans quitter des yeux l'homme agenouillé, il regarda par la portière ouverte, ne vit rien d'autre qu'une bouteille, un sac en papier maculé de taches de graisse, une paire de lunettes et une tasse en émail.

Il fit passer le pistolet dans sa main gauche et ouvrit la boîte à gants.

« Nom de Dieu de merde », fit-il.

Il enfonça la main dans la boîte à gants et en tira un 45.

Marlon ferma les yeux et se mit à prier pour la première fois en trois décennies. Il ne connaissait les paroles d'aucune prière formelle. Depuis qu'il était adulte, il n'avait jamais mis les pieds dans une église. Il se contenta de dire ce qui lui passa par la tête. *Oh, mon Dieu, ne me laissez pas mourir. Pas ici. Pas maintenant. J'ai été aussi bon que j'ai pu. J'ai une sœur qui a des problèmes… vous le savez, Seigneur, et je veux faire tout mon possible pour l'aider, sinon…*

« Enfoiré », prononça Digger.

Le 45 était plus lourd que son revolver, il donnait une impression de solidité. Il actionna le bouton près de la détente et éjecta le chargeur. Il était plein.

« Il fonctionne ? » demanda-t-il à Marlon.

Il retourna se poster face à l'homme agenouillé, tendit le 45 pour qu'il le voie.

« Pour autant que je sache », répondit Marlon.

Digger fronça les sourcils.

« Pour autant que tu saches ? Ça veut dire quoi ?

— Je n'ai jamais eu l'occasion de m'en servir, répondit Marlon.

— Il est chargé et tout. Il m'a l'air en bon état. Je vois pas pourquoi il fonctionnerait pas. Et toi ? »

Marlon secoua la tête. Il ne voulait pas le savoir, ne voulait pas le découvrir. La dernière chose au monde qu'il voulait, c'était la preuve que son 45 était en parfait état de fonctionnement. Il le possédait depuis deux ans, l'avait acheté à un homme dans un saloon à Fort Qu'Apelle contre vingt dollars et une bouteille de tord-boyaux. Le type était un ancien de l'armée, il l'avait rapporté de la guerre, et comme il en avait une demi-douzaine, il les vendait pour trois fois rien. Marlon n'avait jamais possédé d'arme de poing. Un fusil, oui, mais pas d'arme de poing. Il avait un peu chassé, possédait un fusil Remington, mais pas de pistolet. Ça lui avait semblé une bonne idée, et il le gardait à portée de main juste au cas où. Au cas où quoi ? Au cas où Tate Bradford et lui décideraient de jouer les cow-boys dans le jardin d'Helen ? Et qu'est-ce qu'il en pensait maintenant ? Trimballer ce foutu flingue était la plus grosse connerie de sa vie.

Le gamin se tenait au-dessus de lui. Il avait le 45 dans une main, le revolver dans l'autre. Il arborait un sourire de clown ivre.

Marlon avait peur, il avait la trouille de sa vie, et sa vessie se vida. Il sentit la chaleur se répandre à l'intérieur de ses cuisses. Il était comme un enfant réveillé par un cauchemar, terrifié par l'obscurité, un gosse qui se demandait si son rêve était réel ou non, si des monstres se cachaient dans la penderie, des monstres affamés, meurtriers…

Digger vit la tache sombre se répandre sur le devant du pantalon de Marlon.

À cet instant il se revit, se souvint que lui aussi avait pissé dans son froc comme un môme. Oh, ce qu'il avait détesté ça quand Earl s'en était aperçu. Et Clay ? Clay, où qu'il soit, devait aussi se souvenir qu'il s'était pissé dessus de trouille. Bon Dieu, quelle honte !

Mais bon, plus maintenant. Maintenant il n'avait pas peur. Maintenant il était ici, et il était armé, et il avait les choses en main.

Digger leva les deux armes simultanément. Il colla le revolver contre la tempe gauche de Marlon, le 45 contre la droite.

« Enfoiré », dit-il. Ce n'était pas une insulte dirigée à l'encontre de Marlon, simplement l'expression de son sentiment d'euphorie. Il compta : « Un... deux... trois... quatre... cinq... six... » Il s'interrompit. « Putain de merde ! » s'exclama-t-il, et il recula et effectua une petite danse.

Une espèce de gigue irlandaise, comme si quelqu'un avait joué du violon ou d'un autre instrument et qu'il n'avait pu s'empêcher de danser pour célébrer l'occasion. Il s'arrêta de danser, revint se poster face à Marlon, replaça les pistolets là où ils étaient.

« Où j'en étais ? demanda-t-il, puis il hocha la tête. Ah oui... six... sept... huit... neuf... » Il s'interrompit une fois de plus. « Prêt pour un petit feu d'artifice, Marlon Juneau de... d'où tu viens déjà ? »

Marlon ne répondit pas. Il ne pouvait pas. Il serrait fort les yeux, avait dans la gorge une boule grosse comme le poing.

« Marlon ! cria Digger. Hé, Marlon ? T'es là ? »

Il ôta les armes des tempes de Marlon.

Marlon ouvrit un œil, regarda ce gamin cinglé.

« Sas-saskatchewan, murmura-t-il.

— Saskatchewan ! Exact, enfoiré ! »

Il replaça le revolver contre le côté gauche de la tête de Marlon, le 45 contre le droit. Il hésita une brève seconde. « Dix », dit-il, et il appuya sur les deux détentes simultanément.

C'était comme si quelqu'un avait fait exploser une grenade dans une pastèque. Le corps qui avait été agenouillé là était toujours là. De même que les épaules et le cou. Mais à peu près tout ce qui s'était trouvé au-dessus du nez de Marlon Juneau de Wynyard près des lacs Quill avait disparu dans un nuage de matière.

Même sa sœur ne l'aurait pas reconnu, mais ça n'avait aucune espèce d'importance.

Digger était sidéré. Puis il éclata de rire et effectua une fois de plus sa petite danse, agitant ses armes dans les airs comme un cow-boy ivre le jour de la fête nationale.

Il s'arrêta soudain, fit un pas vers Marlon et regarda la bouillie qui avait remplacé sa tête.

« Merde », dit-il. Il le fit basculer en le poussant du genou. « Bon Dieu de bordel de merde ! »

Et alors il se mit à vomir. C'était un réflexe. C'était le frisson, l'excitation, l'horreur, le dégoût, la stupéfaction d'avoir fait ce qu'il avait fait. Il lâcha les deux armes, posa les mains sur les genoux, se pencha en avant et vomit violemment jusqu'à se sentir complètement vide.

Quand il releva finalement la tête, il n'en revint pas de se sentir aussi bien.

À cet instant, c'était comme si dix-huit années d'offenses s'étaient volatilisées. Digger pensait être devenu un homme. Il avait été mis à l'épreuve, et cette fois il avait réussi. Il n'avait pas échoué. Il n'y avait rien de comparable au monde.

Il ressentait tout et rien. Il croyait au même instant être quelqu'un et personne. C'était comme si le vent était entré par une oreille et ressorti par l'autre, emportant au passage tout ce qu'il y avait de mauvais dans sa vie. Il se sentait clair, simple, aussi droit qu'une route du Texas. Il voyait à la fois le passé, le présent et l'avenir, et il se voyait fonçant vers cet avenir comme un train de marchandises. Rien ne l'arrêterait plus. Personne ne se paierait plus jamais sa tête.

Digger continua de tourner autour du cadavre pendant un petit moment. Il n'arrêtait pas de se rapprocher et de regarder les dégâts qu'il avait provoqués. Il voulait ne rien ressentir. Il voulait juste atteindre un stade où il pourrait regarder encore et encore et ne rien ressentir – ni nausée, ni peur, ni regret, rien. Il voulait que ce soit la chose la plus naturelle au monde. Il sentait le sang de Marlon sur son visage, son goût sur ses lèvres, il le sentait qui séchait sur ses paupières et sur ses mains. Même ses vêtements commençaient à se raidir. Il y avait des fragments d'os sur ses bottes, et il ne faisait aucun doute que quelques instants plus tôt ces os s'étaient trouvés dans la tête de ce malappris insolent de Marlon Juneau.

Digger se sentait concentré. Il se sentait calme. Il pensait avoir franchi une étape réellement importante.

Mais il y avait aussi des questions pratiques. Il devait se laver. Il devait se changer et se débarrasser du cadavre, s'arranger un peu et mettre les voiles.

Dans le coffre de la voiture de Marlon il trouva une valise qui renfermait des pantalons, des chemises, des chaussettes. Ils étaient propres, à peu près à la bonne taille, et ils feraient l'affaire. Il y avait aussi un bidon d'essence et des chiffons.

Digger se mit en sous-vêtements, essuya le sang sur ses mains et son visage avec des chiffons imbibés d'essence. L'essence s'évaporait vite, mais l'odeur le faisait planer et il aimait ça. Il balança ses vêtements couverts de sang à l'arrière de la voiture, traîna le corps de Marlon jusqu'au siège conducteur. Puis il enfila les habits trouvés dans la valise et essuya ses bottes avec les chiffons. Il était fin prêt. Il examina une fois de plus les lieux. Il vit Marlon assis derrière le volant avec sa moitié de tête, l'autre moitié vaporisée sur le sol autour de l'endroit où il s'était agenouillé.

Il ne put s'empêcher de sourire.

De sourire comme un imbécile, comme un homme des bois attardé surgi du fin fond de la forêt.

Puis il pencha la tête en arrière et hurla comme un coyote en direction du ciel nocturne.

Vingt-cinq minutes plus tard, Tate Bradford arriverait chez sa femme à Alamogordo. Une dispute s'ensuivrait, durant laquelle Helen ne cesserait de prier pour que les phares de la voiture de Marlon apparaissent à travers les fenêtres. Mais ils n'apparaîtraient jamais. Et, de la même manière que la dernière pensée de Marlon avait été pour Helen, la dernière pensée d'Helen serait pour Marlon. À vingt et une heures quarante-trois le mardi 24 novembre, Tate Bradford attrapa sa femme à la gorge et lui cogna la tête contre le coin du manteau de cheminée. Elle s'effondra aussitôt, mourut avant d'avoir touché le sol, puis il resta planté là un long moment avant d'appeler la police. Les flics d'Alamogordo furent sur place à vingt-deux heures trente, et Tate

Bradford avoua avoir tué sa femme dans un accès de colère. Alors même que les flics enregistraient sa confession, Digger Danziger s'éloignait de l'épave en flammes de la voiture de Marlon Juneau. Il l'avait arrosée d'essence et y avait foutu le feu. Quand la voiture fut signalée à la police, Digger était à une heure de là, à la sortie de Las Cruces, et il roulait sur la I-10 vers Anthony et El Paso. Il crevait de faim, aurait pu avaler une charogne pourvu qu'elle soit bien arrosée de ketchup, mais il ne comptait pas s'arrêter tant que les battements de son cœur n'auraient pas ralenti et retrouvé un rythme normal. Marlon Juneau avait été la plus grande expérience de sa vie. La façon dont sa tête avait explosé. La sensation des coups de feu simultanés. Le bruit et la fureur. Où avait-il entendu cette expression ?

Voilà ce que c'était pour lui : le bruit et la fureur.

Le contrôle. Le pouvoir. Le droit de vie et de mort. Il avait dû le faire. N'avait pas pu s'en empêcher. Il crevait d'envie de tuer depuis que le vieux l'avait cogné avec sa canne. Maintenant, c'était qui le chef, hein ? Maintenant, c'était qui le putain de patron ?

Earl Sheridan, Dieu le bénisse, avait eu raison tout du long. C'était la chose la *plus réelle* qu'il ait jamais faite, la chose la *plus réelle* qu'il ait jamais vécue.

La route fonçait vers lui puis s'étirait derrière la voiture en un ruban noir, les phares illuminant les lignes blanches tandis qu'il roulait vers la prochaine décharge d'adrénaline. Il n'avait jamais été aussi heureux de sa vie.

# 30

Ils coururent jusqu'à être à bout de souffle. Ils coururent jusqu'à avoir les jambes en coton et le cœur qui cogne à tout rompre, riant comme des hyènes stupides, et quand Clay trébucha et se cogna le genou contre une épaisse racine, quand une douleur soudaine et vive lui traversa la jambe, il se mit à rire de plus belle. Ils continuèrent ainsi jusqu'à ce que l'écran ne soit plus qu'un fantôme vague et lointain cinq cents mètres derrière eux, et alors ils s'arrêtèrent parce que personne ne les poursuivait, et parce qu'ils étaient persuadés qu'un pas de plus les tuerait.

Ils s'affalèrent par terre – dans un champ aride constellé de pierres, de racines desséchées et d'empreintes durcies de lourdes bottes –, respirant à pleins poumons. De temps à autre, ils se roulaient sur le flanc, les genoux repliés contre le torse, et repartaient à rire.

« Doux Jé-Jésus », bredouilla Clay, et Bailey s'esclaffa une fois de plus, et le son de son rire fit chaud au cœur de Clay.

C'était comme si cette ridicule aventure avait en partie effacé le souvenir des derniers jours. La vie reprenait le dessus. Le meilleur moyen de surmonter la perte était de prendre tout ce qu'on pouvait ailleurs.

Après quelques minutes, ils devinrent silencieux, et ils n'entendirent plus que le bruit de leur respiration. Le ciel nocturne s'éclaircissait à mesure que leurs yeux s'accoutumaient à l'obscurité, et Clay se demanda alors ce qu'ils allaient faire maintenant.

« Combien ? » demanda-t-il.

Elle retourna ses poches, il fit de même, ils étalèrent les pièces au sol et commencèrent à compter.

« Quatorze dollars et vingt-huit cents, dit-il. Pas des masses, hein ?

— Je n'ai jamais vu autant d'argent… du moins pas qui m'appartienne.

— Ça nous nourrira quelques jours, peut-être une semaine si on saute deux ou trois repas.

— C'est mieux que rien. »

Elle se redressa sur son séant, enroula les bras autour de ses genoux, leva les yeux vers le ciel et soupira.

« Qu'est-ce qu'on fait maintenant ? demanda-t-elle.

— On s'en va.

— Pour fuir ton frère et l'autre ? »

Il secoua la tête.

« Plus maintenant. Je crois qu'ils sont partis depuis longtemps. Je crois qu'on les a semés pour de bon.

— Alors on va où ? »

Un silence épais comme de la poix s'installa.

« Où ? » répéta-t-elle après un moment.

Assis par terre avec les quatorze dollars et quelques devant lui, Clay chercha en vain quelque chose à dire qui les rassurerait l'un comme l'autre.

« À vrai dire, Bailey, répondit-il, j'en sais rien. Si je me fais pincer, ils me renverront à Hesperia, et cette fois ils trouveront une raison de me garder jusqu'à mes vieux jours. Quant à toi, tu es toujours une gamine aux yeux des autorités, alors Dieu sait où ils t'enverraient.

— On pourrait se cacher jusqu'à avoir dix-huit ans, et après on pourra faire ce qui nous chante.

— Bien sûr, on pourrait, mais on ne peut pas continuer à vivre en volant dans des drive-in. »

Bailey resta silencieuse. Elle s'allongea sur le dos, étendit les jambes et leva les bras au-dessus de sa tête.

« J'ai faim, dit-elle.

— Alors on ferait bien de trouver quelque chose à manger.

— Et je suis fatiguée.

— On va manger, et après on dormira.

— Où ça ?

— Bon sang, j'en sais rien, Bailey. Je le sais pas plus que toi. Je suppose qu'on trouvera une vieille baraque ou autre chose comme on l'a déjà fait.

— Il nous faudrait des couvertures. Ou peut-être un manteau ou je ne sais quoi. Quelque chose qui nous tienne chaud. C'est pas une saison pour dormir à la dure sans rien pour se couvrir. »

Clay s'étendit à côté d'elle. Il croisa les bras sur son torse et regarda les étoiles. Elle avait raison. Bientôt, il ferait assez froid pour qu'ils voient leur propre souffle. Et alors quoi ? Ils finiraient congelés et raides, morts de froid et plus bons à rien. Deux tombes anonymes de plus dans le cimetière des pauvres.

« C'est la merde, déclara-t-elle.

— Absolument.

— C'est vraiment, vraiment la merde.

— Je ne pourrais être plus d'accord.

— Alors tu crois qu'on devrait aller où ? »

Elle se roula sur le flanc, replia son bras et cala son menton dans sa main. Depuis l'endroit où Clay se trouvait, avec le clair de lune et les ombres, il était évident que Bailey Redman deviendrait un canon. Elle briserait un paquet de cœurs, songea-t-il, à commencer, plus que probablement, par le sien.

« Tu te souviens que je t'ai parlé de cette ville nommée Eldorado ? demanda-t-il.

— Oui, et ?

— Elle se trouve au Texas. Dans le comté de Schleicher. Je crois vraiment que c'est là qu'on devrait aller.

— À cause de cette publicité débile que tu m'as montrée ?

— La publicité, oui, mais je me dis aussi qu'un endroit nommé Eldorado doit porter bonheur, tu vois ? Comme cette ville d'Amérique du Sud qui était faite d'or. »

Bailey le regarda d'un air dubitatif, comme si quelque chose s'était détaché dans le crâne de Clay.

« Tu as une meilleure suggestion ? » demanda-t-il.

Bailey Redman réfléchit un moment, puis elle secoua la tête.

« Non, je crois pas.

— Mieux vaut avoir une destination. Sans destination, soit on erre, soit on est perdu.

— Et tu sais comment y aller ?

— Le Texas est à l'est, c'est tout ce que je sais, répondit-il. On continue d'aller vers l'est et on finira bien par tomber sur des pancartes ou par trouver une carte ou quelque chose. »

Elle ne répondit rien. Clay Luckman prit une profonde inspiration. Il sentait que la pluie approchait. Il se leva et s'épousseta.

« Je ne sais pas à quelle distance se trouve le Texas, mais c'est pas la porte à côté. Je crois qu'on a un bout de chemin.

— Tout le monde a un bout de chemin, répliqua Bailey.

— Tu vas philosopher comme ça jusqu'à ce qu'on soit arrivés ? »

Elle acquiesça, dissimula un sourire. Clay enfonça les mains dans ses poches.

« On va retourner à Tucson et s'acheter des hot dogs et de la *root beer*. »

Bailey se redressa, se releva, regarda en direction du drive-in.

« Quelqu'un t'a vu là-bas ? demanda-t-elle.

— Oui, le cuisinier, je crois. Il est sorti par-derrière quand je m'enfuyais.

— Ils vont sûrement appeler les flics.

— Peut-être, peut-être pas. Peut-être que les serveuses croiront simplement qu'elles n'ont pas eu de pourboires. Peut-être que les gens dans les voitures croiront que les serveuses ont pris la monnaie. Le cuisinier se dira juste que je me tirais en douce après avoir voulu voir le film sans payer. Il ne le signalera à personne. Je parie que ça arrive tout le temps.

— Exact. »

Clay se mit à marcher, Bailey lui emboîtant le pas. Maintenant qu'ils avaient ralenti l'allure, maintenant qu'ils ne détalaient plus comme des lapins,

— Je veux téléphoner aux gens qui étaient à la banque, dit-il, ceux qui étaient là quand le prisonnier a été abattu. Il a dû dire autre chose avant de mourir. Il a dû donner d'autres détails sur le garçon qu'ils ont tué.

— Et si c'est le cas ?

— Alors peut-être que je pourrais suggérer…

— Suggérer quoi, John ? coupa Alice. Suggérer rien, voilà quoi. C'est une enquête fédérale. Ces deux hommes qui sont passés ce soir, ils t'ont uniquement demandé de coopérer sur l'agression de Deidre Parselle. Ils veulent que tu enquêtes sur ce qui s'est passé, et si tu trouves quoi que ce soit qui puisse leur être utile, ils veulent que tu le signales. C'est tout ce qu'ils veulent, John. »

Il acquiesça avant qu'elle ait terminé.

« Tu as raison », dit-il.

Elle tendit la main et la referma sur la sienne.

« Je sais que ces choses te mettent hors de toi, dit-elle. Je sais combien tu voudrais te rendre utile, mais quand tu seras shérif…

— Mike Rousseau ne sera pas shérif avant dix ans, et il le restera pendant, quoi, vingt ans ? Quand mon tour viendra, j'aurai l'âge de la retraite.

— Nous ne sommes pas obligés de rester ici, John. Nous pouvons déménager ailleurs quand tu veux.

— Et si je devenais agent fédéral ? demanda-t-il soudain, comme si l'idée venait de lui traverser l'esprit.

— Agent fédéral ?

— Oui. Ils ne travaillent pas de la même manière. Ils ne sont pas cantonnés à une ville. Comme ces types d'aujourd'hui. Ils venaient d'Anaheim, en



il prit conscience du froid. Bailey avait dit vrai. Ils auraient besoin de manteaux ou de couvertures s'ils devaient continuer de dormir à la dure. Et le Texas ? Eldorado ? Une idée dingue, certes, mais pas plus qu'une autre. Il n'avait aucune intention de retourner à Hesperia, et il ne voulait pas que Bailey Redman se retrouve dans un orphelinat. Ce n'était pas un bon début dans la vie. Il y était allé, et voyez où ça l'avait mené.

Ils ne parlaient pas. Marchaient côte à côte. Les lumières de Tucson devenaient plus vives. Clay Luckman se demandait s'ils s'en sortiraient, si leur situation s'améliorerait, ou si sa mauvaise étoile continuerait de le suivre jusqu'au bout.

## 31

Le sommeil ne venait pas. Un peu avant vingt-deux heures trente, John Cassidy se releva et quitta silencieusement la chambre. Dans la cuisine, il se versa un verre de lait froid et s'assit à la table. Il ne pensait qu'à une chose : Elliott Danziger, le garçon que Clarence Luckman et Earl Sheridan avaient tué. Peut-être que l'hypothèse des agents fédéraux était correcte, peut-être que les deux garçons étaient amants et qu'ils avaient supprimé le troisième. Plus grand-chose ne surprenait Cassidy. Mais était-ce tout ce qu'ils savaient ? Qu'avait exactement dit Sheridan avant de mourir ? Avait-il révélé comment Danziger avait été tué ? Avait-il dit où se trouvait son cadavre ? L'avaient-ils retrouvé, et s'ils ne l'avaient pas retrouvé, le cherchaient-ils ?

Il retournait ces questions dans sa tête, et continua de les retourner jusqu'au moment où il entendit Alice descendre l'escalier.

« Je ne voulais pas te réveiller, dit-il.

— Pas grave », répondit-elle.

Elle plaça les mains sur son ventre. « Ces temps-ci, on dirait que je ne peux pas dormir plus de deux heures sans avoir besoin d'aller aux toilettes. »



Elle s'approcha derrière lui, posa les mains sur ses épaules.

« Cette affaire te perturbe ?

— Oui, répondit-il. Pas juste Deidre Parselle, le reste aussi. J'ai du mal à comprendre que quelqu'un puisse changer aussi rapidement. Un adolescent, un orphelin, il n'a jamais vraiment eu de problèmes, et tout à coup il est pris d'une folie meurtrière… à tel point qu'il participe au meurtre de son frère.

— Eh bien, comme tu le dis depuis je ne sais combien de temps, il y a beaucoup de choses que la police et les autorités fédérales ne comprennent pas sur le fonctionnement des criminels.

— Je sais, Alice, mais ce… »

Il secoua la tête.

« Il y a dans tout ça quelque chose qui ne colle pas. »

Elle fit le tour de la table et s'assit face à lui.

« Quoi ? Qu'est-ce qui ne colle pas ?

— Ceci, pour commencer. Le fait que ce gamin de dix-sept ans puisse soudain être de mèche avec un type comme ce prisonnier en fuite, qu'il se mette à tuer des gens, à braquer des banques, et Dieu sait quoi encore. Et alors le prisonnier, ce mentor effroyable qu'il a adopté, se fait tuer, et le gamin poursuit le carnage tout seul. »

Cassidy inspira profondément.

« Je ne saisis pas. Je ne saisis vraiment pas.

— Eh bien, tu ne peux pas y faire grand-chose pour le moment, et l'autre élément que tu dois prendre en compte, c'est que ce n'est pas ton affaire, et que ça ne le sera probablement jamais.

Californie, et maintenant ils sont ici, à Tucson. Ils enquêtent exactement sur le genre d'affaire qui m'intéresse, Alice. Ils travaillent avec le genre de personnes qui comprennent les choses dont je parle. Ces gens partagent certaines caractéristiques. Ces assassins, ces violeurs, et ainsi de suite. Il y a des dénominateurs communs. J'en ai la certitude absolue. Si seulement je pouvais acquérir un peu plus d'expérience, alors je pourrais leur prouver ce que j'affirme depuis des années.

— Et tu crois qu'ils t'écouteraient ?

— Les enquêteurs fédéraux ? Bien sûr. Ils ne sont pas bornés comme Bob Powers et Mike Rousseau. Je veux dire, ce sont de braves gars et tout, mais…

— Je sais ce que tu veux dire, John.

— Trop étroits d'esprit, tu sais ? Trop butés pour voir autre chose que ce qu'ils ont sous le nez, les indices immédiats. Et parfois ils observent les choses de si près qu'ils ratent l'essentiel…

— Assez, dit Alice. Faut que tu dormes. Cette histoire te met sur les nerfs. Tu dois te reposer. Tu pourras appeler qui tu voudras demain matin et commencer à te renseigner sur les candidatures fédérales, ou alors tu pourras essayer de découvrir ce qui est arrivé à Deidre Parselle. »

John Cassidy regarda sa femme. Il se demanda ce qu'il avait fait pour la mériter. S'il décidait de rejoindre le FBI, elle le soutiendrait jusqu'au bout. S'il devait voyager pour son travail, elle lui préparerait des sandwichs et à boire. S'il devait s'absenter plusieurs jours, elle ne demanderait rien qu'un coup de fil pour lui faire savoir qu'il allait bien. S'il lui posait la question – *Qu'ai-je fait pour te mériter ?* –, elle sourirait et répondrait qu'elle se posait souvent la même question.

« Certaines personnes fonctionnent mieux ensemble, avait-elle dit un jour. Certaines personnes sont faites l'une pour l'autre. Elles l'ont toujours été et le seront toujours. Ce n'est pas compliqué. »

Il ne s'endormit pas immédiatement. Elle, si. Elle dormait pour deux. Il resta allongé près d'elle, sentant la chaleur de son corps, son odeur. Il avait le sentiment que rien ne pourrait jamais les séparer, comme toujours à de tels moments, et il se rappela ses paroles et se demanda si elle disait vrai. *Ce n'est pas compliqué*. Il passait son temps à réfléchir, à se débattre avec tout un tas de problèmes, et il était toujours agité et insatisfait, quoi qu'il fasse. C'était ça, son défaut. Où qu'il soit, il se disait que ce qu'il cherchait était ailleurs. Ce n'était qu'en de tels instants, quand il n'y avait qu'eux deux, qu'il ressentait une certaine stabilité. Elle était son point d'ancrage. C'était pour ça que ça fonctionnait entre eux.

Cette affaire ? L'agression incroyablement brutale dont avait été victime Deidre Parselle et tout ce qui s'y rattachait désormais… serait-ce le grand tournant, le moment à partir duquel tout se résoudrait ? Et pourquoi celle-ci en particulier ? Pourquoi lui semblait-elle si importante ? Pourquoi avait-il soulevé la question de la suite de sa carrière, d'une éventuelle démission du bureau du shérif et d'une candidature au FBI ? Parce qu'il serait plus utile là-bas ? Parce que personne n'avait jamais entendu parler de ses théories à Tucson ? Même l'esprit le plus irrationnel avait ses mobiles. Même les tueurs les plus fous et les plus dérangés avaient un mode opératoire et un objectif. Y avait-il des facteurs influents ? Y avait-il des dénominateurs communs au niveau de leur éducation, de leur milieu familial, de leurs rapports sociaux, de leur tranche de revenus, de l'endroit où ils vivaient ? Certaines situations créaient-elles une *dynamique* qui produisait des Earl Sheridan et des Clarence Luckman ? Et dans ce cas, que pouvait-on faire pour prédire, freiner, empêcher de telles issues ? Que pouvait-on faire pour identifier les victimes potentielles, car – si certaines caractéristiques engendraient des assassins – il devait y avoir chez certains individus des traits de caractère qui faisaient d'eux des victimes ? Ou bien se berçait-il d'illusions ? S'imaginait-il un idéal inatteignable ?

Il finit par sombrer dans le sommeil. La dernière image qui lui vint à l'esprit fut la photo de Deidre enfant que ses parents lui avaient montrée. C'était presque comme s'il l'entendait demander…

*Pourquoi ? Pourquoi moi ? Pourquoi cela m'est-il arrivé ?*

Il n'avait pas la réponse à cette question, mais il comptait bien la trouver.

# 32

Digger atteignit El Paso alors même que les agents du comté de Luna installaient un cordon de sécurité autour de la Chevy de 1958 calcinée non loin de Deming. Ils devraient attendre dix heures le lendemain matin pour identifier la société de location à laquelle appartenait la voiture, onze heures pour avoir une confirmation officielle d'Albuquerque de la possible identité de l'homme dans la voiture. Un certain Marlon Juneau, dont le permis de conduire indiquait qu'il vivait dans le Saskatchewan. Ce qu'il fabriquait au Nouveau-Mexique, hormis le fait qu'il avait fini cramé dans une Chevy de location, était un mystère total. Le shérif du comté de Luna, Hoyt Candell, un homme aguerri et cynique qui avait déjà tout vu deux fois, fut lui-même quelque peu surpris. Il avait déjà vu deux ou trois cadavres brûlés, mais toujours dans des maisons ou des bâtiments. Là, c'était différent. On aurait dit que le type n'avait plus de tête avant même de prendre feu.

Digger avait laissé Marlon Juneau derrière lui, même s'il repenserait souvent à lui. Ce qui était fait était fait. Désormais, sa destination était El Paso, et tout ce qu'il y trouverait pour se distraire. Il supposait que la route était directe, et il pensait moins à l'endroit où il allait qu'à ce qu'il rencontrerait en chemin. Il n'envisageait pas de se faire arrêter ni rien. Il songeait juste à la sensation que lui avait procurée le meurtre de Marlon Juneau. Comme un dieu. Voilà comment il s'était senti. Comme un putain de dieu.

Digger continua de rouler jusqu'à trouver un motel, un croissant de bungalows délabrés avec un néon tremblotant quelque part dans la banlieue. Après quoi, il marcha jusqu'à trouver un restaurant ouvert tard le soir où l'on servait des hamburgers et des frites et une *root beer* qui avait un goût de bain de bouche antiseptique. À minuit, il serait endormi, allongé sur le dos, tout habillé, épuisé par tant d'excitation.

Clay Luckman, le fugitif bientôt recherché dans deux États, et Bailey Redman, la fille qui n'existait pas, mangèrent trois ou quatre hot dogs à vingt-cinq cents pièce puis repartirent par où ils étaient arrivés. Sans manteaux ni couvertures, ils se recroquevillèrent sous de la paille dans une grange près d'une ferme. Des branches d'arbre entassées près d'un mur imprégnaient l'air d'une puissante odeur de bois pourri, comme quelque chose en train de fermenter. Bailey s'endormit presque aussitôt, mais Clay resta éveillé – un peu comme John Cassidy – et s'interrogea sur la nature des choses. Il avait l'impression d'être né avec rien et d'en être toujours au même stade. Le saint patron des perdants. Il écoutait la respiration de Bailey et se demandait ce qu'ils allaient devenir. Ils avaient commencé par fuir Earl

Sheridan et Digger, et maintenant ils étaient en route pour un endroit nommé Eldorado, à cause d'une simple publicité débile dans un magazine. C'était complètement dingue, mais quel choix avaient-ils ? S'il se livrait aux autorités, il retournerait direct à la case départ. Et elle ? Une orpheline de quinze ans – quelles seraient ses perspectives ? Sous tutelle de l'État, négligée et mal nourrie pendant trois ans ? C'était ce qui lui était arrivé, et il ne souhaitait la même chose à personne. À part peut-être à Digger. Oui, c'était ce qu'il souhaitait à Digger.

Il se demanda où les deux autres étaient maintenant. Sheridan avait-il été arrêté ? Était-il mort ? Les autorités l'avaient-elles emmené Dieu sait où et achevé le boulot qu'elles avaient commencé ? Et Digger ? Avait-il lui aussi été arrêté ? Avaient-ils été traqués et abattus ? Ou bien Digger était-il toujours en liberté, à faire ce qui lui plaisait sans se soucier des autres ? Clay tenta de comprendre ce qui était arrivé à son frère. Mais il n'y parvint pas. Il tenta de se l'imaginer mort au bord d'une route, coincé par un barrage de police et criblé de balles. Il ne ressentit presque rien.

Il pensa aux personnes qui le rechercheraient, puisque lui aussi était un prisonnier en fuite. Est-ce ainsi que ça s'achèverait pour lui ? Descendu d'une seule balle par un tireur d'élite alors qu'il tenterait d'expliquer ce qui s'était passé ?

Clay leva les yeux. Il y avait des interstices entre les planches du toit de la grange. Il distinguait l'obscurité au-dehors, et à travers cette obscurité, les étoiles. Peut-être qu'il avait raison. Peut-être que sans destination, soit on errait, soit on était perdu. Eldorado, la ville dorée, une promesse de fortune et de chance pour quiconque l'atteignait.

Il sourit intérieurement. *Des rêveurs*, pensa-t-il. *Un duo de rêveurs idiots*. Mais il avait la curieuse certitude que les choses désormais ne pourraient que s'améliorer.

## 33

## Sixième jour

« Vous êtes le shérif adjoint à Wellton ? demanda John Cassidy.

— Eh bien, oui, répondit Lewis Petri, sauf que je ne suis pas exactement ce que vous appelleriez un adjoint. On est trois, et on se partage le boulot pour ainsi dire. Deux jours par semaine, et on couvre le septième jour en rotation. Ça se passe comme ça ici, vous savez.

— Mais vous étiez à la banque quand Sheridan a été tué ?

— Eh bien, oui, mais on y était tous les trois.

— Je croyais…

— Dans ce genre de situation on est tous appelés.

— J'ai cru comprendre que vous étiez avec Sheridan quand il est mort.

— Oui, monsieur, j'y étais.

— J'aurais voulu savoir précisément ce qu'il a dit, ses mots exacts.

— Eh bien, les mots exacts qu'il a dits sont les mots exacts que j'ai mis dans mon rapport, inspecteur Cassidy. Il a dit que ce Clarence Luckman avait enlevé

Laurette Tannahill. Et puis il a ajouté qu'ils avaient tué le type à Casa Grande et les types à Marana. Il a aussi dit que Luckman avait violé et tué la fille à Twentynine Palms, cette Bethany Olson, et qu'ils avaient tous les deux tué l'autre otage, Elliott Danziger.

— Vous êtes certain que c'est ce qu'il a dit ? Qu'ils avaient tué ensemble l'homme à Casa Grande et les deux autres à Marana, mais que c'est Clarence Luckman qui avait violé et tué Bethany Olson et qu'il avait participé au meurtre d'Elliott Danziger ?

— Eh bien, monsieur, vous devez comprendre que la situation était assez tendue et que c'était un sacré bazar, vous savez ? On était tous salement stressés avec tout ce qui se passait…

— Mais pour autant que vous vous souveniez, c'est ce qu'a dit Earl Sheridan avant de mourir ?

— Oui, monsieur, pour autant que je me souvienne.

— Et il n'a pas dit où l'autre otage avait été tué, ni comment il avait été tué, ni ce qu'ils avaient fait du corps ?

— Non, monsieur, pas un mot à part ce que je vous ai dit. Il n'a été en vie que quelques secondes, et c'est tout ce qu'il a dit.

— Très bien, monsieur l'agent, vous m'avez été très utile », répondit Cassidy, même s'il savait pertinemment que l'homme ne lui avait été d'aucune utilité.

Ce qu'un individu se rappelait avoir entendu à un moment de stress intense ne pouvait être considéré comme fiable. Impossible. Sheridan avait fort bien pu dire le contraire, que c'était lui qui avait violé et tué Bethany Olson, lui qui avait assassiné les hommes à Casa Grande et Marana, lui qui… eh bien, il avait pu dire n'importe quoi. L'agent Lewis Petri *pensait* l'avoir entendu dire certaines choses, mais ça ne pouvait pas être pris pour argent comptant.

Cassidy raccrocha. Il alla voir Rousseau, expliqua que des agents fédéraux étaient passés chez lui la veille au soir.

« Ils sont aussi venus ici, répondit Rousseau. Bob et moi, on a discuté avec eux, on leur a parlé de Deidre Parselle avant qu'ils aillent chez toi. Sacrée affaire, hein ?

— Ils veulent que je rassemble autant d'informations que possible sur l'agression de Deidre Parselle et que je les transmette au bureau fédéral d'Anaheim pour qu'elles leur soient relayées.

— Je suis au courant. Alors, quel est ton plan ?

— Retourner là-bas. Réexaminer les lieux pour voir si quelque chose nous a échappé. Apparemment, une équipe arrive de Mesa pour passer la voiture au peigne fin.

— La vérité, c'est que le type est parti depuis longtemps, dit Rousseau. Ce malade est plus que probablement de l'autre côté de la frontière, dans le Sonora ou je ne sais où. À sa place je ne m'attarderais pas pour admirer le paysage.

— Bien sûr, tu as raison, répondit Cassidy, mais je dois tout vérifier, et plutôt deux fois qu'une. Je n'ai aucune envie qu'ils débarquent en nous disant qu'on a laissé passer quelque chose.

— Bon sang, John, je ne m'en ferais pas trop pour ça. Comme ils ont dit, c'est une affaire fédérale maintenant. Ils ne peuvent pas s'attendre à ce que des gens comme nous fassent ce genre de boulot pour ce qu'on est payés. »

Rousseau sourit. Cassidy lui retourna son sourire. Il ne voyait pas du tout les choses sous cet angle, mais ça ne servait pas à grand-chose de discuter. Bob Powers avait la même attitude, et c'est pour ça que le poste de shérif reviendrait à Mike Rousseau. Dans dix ans, Cassidy continuerait d'entendre le même discours en se demandant pourquoi il ne s'était pas tiré quand il avait pu.

« Bon, j'y vais, dit Cassidy. Appelle-moi sur la radio si on a besoin de moi quelque part.

— Je n'y manquerai pas », répondit Rousseau.

Cassidy repartit et se dirigea vers sa voiture garée à l'arrière du bâtiment, en proie à une bonne dose de doutes. Il avait examiné l'appartement de Deidre Parselle sous toutes les coutures. Il avait questionné ses amis, ses collègues, les membres de sa famille. Il ne voyait pas ce qu'il pouvait faire de plus pour faire progresser l'enquête et aider les agents fédéraux. Ils avaient raison – le coupable était Luckman, un fou furieux bien décidé à se faire un nom coûte que coûte. Et il était au dire de tous parti vers l'est, direction le Nouveau-Mexique, puis le Texas ; ou alors il avait pu filer vers le sud pour atteindre le Mexique et tenter d'échapper à la justice. S'il y avait un bordel pire que celui-ci quelque part sur terre, Cassidy était bien content de ne pas y être.

Il démarra et se rendit à Peridot Street. La porte était toujours scellée, l'accès au balcon et à l'escalier était bloqué par un cordon. Il resta dans sa voiture et regarda le bâtiment. C'était là qu'elle vivait. C'était là que Clarence Luckman l'avait suivie, là que la vie de Deidre avait soudain basculé. Comment pouvait-on faire ça ? Envahir l'appartement d'une jeune femme, la poignarder, l'étrangler ? Qu'est-ce qui pouvait pousser à de tels actes, à une telle sauvagerie ? Ce n'était assurément pas quelque chose qui pouvait être compris dans un contexte rationnel. Mais bon, n'était-ce pas toujours le cas ? Ce que ces types faisaient dans leur tête et ce qu'ils faisaient avec leurs mains étaient toujours deux choses distinctes. Clarence Luckman avait terrorisé et blessé une jeune femme avec la vie devant elle. Mais dans sa tête… qu'est-ce qu'il faisait ? Se vengeait-il d'une trahison ? La faisait-il payer pour un rejet, un crime, un péché mortel ? Que se passait-il dans sa tête quand il était agenouillé à côté d'elle et plongeait la lame dans sa poitrine ? Est-ce qu'il lui avait parlé ? Est-ce qu'il lui avait expliqué ce qu'il allait faire, et pourquoi ? Et pourquoi maintenant ? Pourquoi, tout à coup, cette chose s'était-elle éveillée en lui ? Qu'est-ce qui était resté latent pendant toutes ces années pour finalement ressurgir à ce moment ? Une impulsion. Une exaltation si puissante qu'elle abolissait toute censure, toute éthique, toute morale, toute contrainte sociale, qu'elle foulait aux pieds les principes acceptés par la majorité.

Et maintenant, se sentait-il coupable ? Clarence Luckman était-il quelque part en train de sangloter, conscient de ce qu'il avait fait, torturé par le remords et la haine de soi ? Se rassurait-il en se disant qu'il n'était pas complètement coupable, que quelque chose s'était *emparé* de lui, en se persuadant que la prochaine fois, s'il y en avait une, il parviendrait à réfréner cette force, à la contrôler, à la dominer ? Ou bien y avait-il pris goût ? Était-il en ce moment même en train de préparer, ou de commettre, ou de laisser derrière lui un nouveau crime haineux ?

C'était une affaire remarquable, et même s'il n'était que marginalement impliqué, elle lui appartenait en partie. Il s'engagerait donc à fond et ferait tout ce qui était en son pouvoir pour aider à la résoudre.

John Cassidy ferma les yeux. Il prit quelques profondes inspirations, puis descendit de voiture et traversa la rue en direction de l'escalier. Quel meilleur endroit pour réfléchir à ce qu'il ferait ensuite que la scène de crime elle-même ? Il monta lentement, scrutant chaque marche, tentant de voir tout ce qu'il était possible de voir, et à chaque pas il était de plus en plus persuadé que la folie meurtrière de Clarence Luckman serait un tournant décisif aussi bien pour Luckman que pour lui-même.

# 34

Après avoir quitté la maison de John Cassidy la nuit précédente, les agents fédéraux Ronald Koenig et Garth Nixon avaient appelé leur antenne à Anaheim pour s'assurer que tous les services de police entre Tucson, Arizona, et San Antonio, Texas, étaient opérationnels. Des photos de Clarence Luckman avaient été largement distribuées, et d'autres étaient en train d'être imprimées. Comme Koenig l'avait dit à Cassidy, chaque station-service, chaque restaurant au bord de la route saurait bientôt à quoi Luckman ressemblait. Son nom serait diffusé à la radio, sa tête, à la télé. La Route I-10 traversait Houston, Baton Rouge, Pensacola, Tallahassee, et s'achevait à Jacksonville, en Floride, pour la simple et bonne raison que la terre s'arrêtait là. Pour le moment, Koenig estimait que San Antonio était assez loin, et les shérifs des comtés de Pima, Cochise, Luna, Doña Ana, El Paso, Lincoln, Otero, Pecos, Sutton, Kerr, Bexar, plus tous ceux au milieu, avaient reçu un câble des autorités fédérales. Clarence Luckman était armé, dangereux, imprévisible, et il arrivait. Un programme de barrages routiers avait été mis en place. Ils couvriraient tout d'abord la I-10 et les routes secondaires, puis, dans vingt-quatre heures, ils auraient les hommes et les ressources pour étendre les barrages aux petites routes qui reliaient les diverses villes. Ce qui leur permettrait non seulement d'arrêter peut-être Clarence Luckman, mais aussi de montrer sa photo aux voyageurs qui auraient pu le voir.

L'un de ces comtés était celui de Hoyt Candell, et peu avant treize heures ce mercredi il prit sur lui d'appeler le bureau du FBI à Las Cruces pour prévenir qu'une voiture calcinée et un homme à demi décapité avaient été retrouvés à proximité de Deming la nuit précédente. Les fédéraux de Las Cruces furent aussitôt très intéressés, et comme Koenig et Nixon étaient toujours à Tucson, ils s'y rendirent eux-mêmes pour jeter un coup d'œil. Candell leur donna autant de détails que possible – le nom de Marlon Juneau, les coordonnées de la société de location, son adresse, son lieu de travail –, et quand ils arrivèrent sur place ils partaient déjà du principe que l'incident pouvait être l'œuvre de Clarence Luckman. Pourquoi ? Simplement parce que c'était franchement bizarre. Il s'agissait de la route sur laquelle Luckman était censé voyager, la I-10, et le comté de Luna se trouvait à environ trois cents kilomètres à l'est de Tucson, la dernière ville où il s'était trouvé. Pour quelque chose qui n'avait aucun sens, ça paraissait en avoir beaucoup.

La scène elle-même était un bazar sans nom. Les restes noircis de la voiture calcinée gisaient au bord de la route comme un cauchemar à l'arrêt. Deux pick-up étaient garés de l'autre côté, et leurs occupants allaient et venaient sur la route, lorgnant le véhicule, l'homme mort à l'intérieur, comme s'il y avait une grande leçon à tirer de ce spectacle.

La première chose que Koenig fit en arrivant fut de leur demander de partir.

« Circulez, il n'y a rien à voir ici, dit-il à un homme.

— Bien sûr que si, monsieur, s'entendit-il répondre. Il y a un type mort avec la moitié de sa tête manquante dans une voiture brûlée. »

Les badauds se foutaient de savoir qui étaient les types en costume – fédéraux ou autres –, mais quand Koenig informa Candell qu'ils devaient partir, Candell décida d'aller les raisonner, et ils finirent par s'en aller. Koenig et Nixon examinèrent l'épave, le cadavre à l'intérieur, se demandant ce qui allait se passer maintenant. Il était impossible d'affirmer avec certitude que cet incident était l'œuvre de Luckman, mais ils devaient le prendre en compte pour la simple raison qu'il était totalement incongru.

« Dernier meurtre dans le coin ? demanda Nixon à Candell.

— Il y a deux ans, peut-être un peu plus. Une femme a poignardé son mari à la gorge avec un couteau de cuisine quand elle a découvert qu'il la trompait. Elle ne voulait pas le tuer, juste lui donner une leçon, mais elle a atteint la carotide et le type y est passé. »

Koenig regarda Nixon. Nixon lui retourna son regard. Il était clair que plus ils y réfléchissaient, plus ils se disaient que ça pouvait être Luckman.

Ils informèrent Hoyt Candell qu'il était de son devoir de préserver les lieux et de s'assurer que les résidents du comté et les voyageurs de passage ne compromettaient pas l'intégrité de la scène de crime.

« Et le cadavre ? demanda Candell.

— Le légiste l'emportera une fois que la voiture aura été examinée, répondit Koenig.

— Vous savez de quoi il est mort, parce que j'ai l'impression qu'il lui manquait déjà la moitié de la tête avant de se retrouver là-dedans, vous ne croyez pas ?

— C'est ce qu'on dirait. Peut-être un fusil de chasse. Ou plusieurs balles de pistolet…

— Faudrait un sacré pistolet, ou alors être vraiment tout près pour lui arracher le haut de la tête comme ça.

— En effet. »

Candell fronça les sourcils.

« Quel genre de fils de pute peut faire un truc pareil ? Et pourquoi ? »

Koenig secoua la tête. Il esquissa un petit sourire – le premier signe d'humanité ou d'humour qu'il témoignait depuis son arrivée sur les lieux.

« Shérif, je n'en sais pas plus que vous. Ce type qu'on recherche, ce Clarence Luckman… eh bien, disons qu'il n'en est pas à sa première atrocité.

— Et on dirait qu'il ne compte pas s'arrêter là, observa Candell.

— Oui, on dirait », répondit Koenig, et il fut stupéfait de découvrir l'effet qu'un tel aveu produisit sur lui.

S'il avait eu une attitude un peu moins professionnelle, il aurait pu prendre un moment pour songer à toutes les vies dont il avait désormais la responsabilité, toutes les personnes qui croiseraient le chemin de Clarence Luckman et découvriraient que ce simple hasard marquerait la fin de leur existence. Le nombre de vies qu'il sauverait dépendrait uniquement du temps qu'ils mettraient à rattraper le gamin. Le gamin ? Oui, c'était encore un gamin. Dix-sept ans et capable de telles horreurs. Même s'il restait encore à confirmer qu'elles étaient bien l'œuvre de Luckman. Mais Koenig était un professionnel, et il faisait depuis longtemps en sorte que les émotions, la compassion, l'intuition, et surtout les suppositions ne jouent aucun rôle dans une enquête. Même si cette fois l'intuition et les suppositions s'en mêlaient ; ce cadavre calciné dans la voiture l'interpellait. Il lui faisait *ressentir* quelque chose.

Et pour ce qui était de ce Clarence Luckman, eh bien, il n'y avait pas grand-chose à attendre à part sa mise hors d'état de nuire. Ils le trouveraient. C'était inévitable. La seule question était *quand*. Et dès qu'ils le repéreraient ils le liquideraient. Voilà ce qui se passerait. L'ordre avait été donné. Tirez pour tuer. Pas de questions, pas d'hésitations. Tirez pour *tuer*.

Koenig et Nixon restèrent moins d'une heure sur les lieux du crime. Ils échangèrent quelques mots et décidèrent de se rendre à Las Cruces. Il y avait là-bas une petite antenne du FBI, à partir de laquelle ils pourraient décider de la suite des événements avec les agents d'Anaheim et de Tucson. Si Marlon Juneau avait été la victime du tempérament imprévisible de Clarence Luckman, alors ce dernier continuait de rouler vers l'est et devait avoir atteint Las Cruces. S'il s'agissait bien de l'œuvre de Clarence, alors tout semblait indiquer qu'il se dirigeait en effet vers le Texas.

# 35

Ils trouvèrent une carte sans difficulté. Dans une petite station-service quelque part entre Tucson et la jonction avec la Route 83. L'homme à l'intérieur était serviable, et il les laissa la consulter sans les faire payer.

« Là, fit Clay en posant le doigt sur Eldorado. Ce n'est pas une coïncidence. »

Bailey comprit ce qu'il voulait dire. Ils étaient sur la I-10, et la I-10 traversait le Nouveau-Mexique jusqu'au Texas, puis – juste sous leurs yeux, environ cinquante ou soixante kilomètres après Fort Stockton – elle rejoignait la Route 190. Et où menait la Route 190 ? Qu'ils soient pendus si elle ne menait pas direct à Eldorado.

« Tu ne peux pas dire que ce n'est pas un signe, reprit-il. La route sur laquelle nous sommes va direct à Eldorado. Tu dois admettre que ça signifie quelque chose. On n'a qu'à continuer tout droit et on y arrivera, même si je n'ai aucune intention de marcher jusque là-bas. Ça doit faire, quoi, au moins mille kilomètres ?

— On va faire du stop, répondit-elle. Je parie qu'il y a chaque jour des camions qui relient Tucson à El

Paso. Ça fera pas loin de la moitié du chemin d'une seule traite. »

Clay replia la carte, la replaça sur le présentoir en acier. Il acheta deux pâtisseries et une bouteille de Coca. Ils avaient mangé des œufs dans un petit restaurant en route, mais Clay avait de nouveau faim. À chaque pièce qu'il dépensait il se rendait compte que bientôt ils n'auraient plus que leurs yeux pour pleurer.

Ils reprirent leur marche – ce vague no man's land entre un endroit et un autre. C'était un terrain plat et implacable. Les arbres étaient bas et chétifs. Tout ce qui s'élevait plus haut que l'épaule était invariablement une construction humaine. Ils aperçurent des pompes à essence rouillées – autrefois d'un turquoise vif, elles étaient visibles à cent mètres à la ronde et faisaient désormais partie du paysage –, et derrière, la station-service en ruine dont le bois avait été volé pour faire du feu, réparer des maisons, des plateaux de camionnette. Un appentis, une remise à outils, un château d'eau, une girouette, une pancarte rouillée qui disait : *Levez le pied dans les tournants, nous détestons perdre des clients – Burmashave*. Des personnes mal équipées et inadaptées à la région s'étaient installées ici avec tout un tas de belles idées. Mais la chaleur, la poussière, la sécheresse qui prenait à la gorge, avaient eu raison de ces belles idées, et toute l'énergie, tous les dollars qui avaient été investis ici n'avaient servi à rien.

Clay aurait pu dire qu'une malédiction divine s'était abattue sur cet endroit, mais il ne croyait pas que Dieu eût quoi que ce soit à voir avec toute cette désolation.

La matinée touchait à sa fin, et quelque part à la limite de Tucson, Jack Levine et sa sœur Martha, les propriétaires du drive-in, échangeaient quelques mots avec Barnard Melville. Ils avaient déjà discuté avec George Buchanan de l'absence de pourboires la veille. George leur avait alors parlé du garçon qu'il avait vu, un garçon qui ne devait pas avoir plus de dix-sept ou dix-huit ans. George l'avait pris pour un simple resquilleur, mais maintenant il commençait à saisir. Peut-être que le jeune type avait volé les pourboires sur les plateaux. Jack voulait appeler la police. Barnard disait que c'était inutile. La police avait bien mieux à faire que chercher un gamin dans Tucson pour quelques dollars volés. Il y avait cinq serveuses. Elles n'avaient pas gagné ce qu'elles auraient dû. Barnard, avec son grand cœur, tira un billet de cinq de son portefeuille et le tendit à George.

« Donne-leur un dollar chacune, dit-il. Et fais gaffe à ce que ça ne se reproduise pas. La prochaine fois, elles n'auront rien. »

Ils en restèrent là.

S'ils avaient appelé la police, si des agents étaient venus, ils auraient peut-être montré à George Buchanan la photo qui était parvenue du bureau fédéral un peu plus tôt. Et alors George Buchanan aurait dit, oui, ça lui ressemble. Mais je ne suis sûr de rien. Pas à cent pour cent. Il faisait sombre. Il m'a surpris. Je ne l'ai vu qu'une fraction de seconde et il s'est enfui.

Si cette information était parvenue aux oreilles de Koenig et de Nixon, elle n'aurait fait que confirmer ce que Koenig commençait à soupçonner. Pourquoi, alors qu'il avait le butin du braquage de Wellton, Clarence Luckman avait-il perdu son temps à voler de la menue monnaie dans un drive-in ? Facile. Parce qu'il était cinglé. Parce qu'il était irrationnel, impulsif, spontané, opportuniste, et, surtout, imprévisible. Koenig, s'il s'était retrouvé face à George Buchanan, lui aurait dit que la veille au soir il avait peut-être eu la chance de sa vie. « Ce gamin, aurait-il ajouté, vous aurait descendu sur place sans aucun scrupule. » Et cette phrase, le fait qu'il s'agissait d'un *gamin*, disait tout. Ils avaient affaire à un adolescent arrogant, qui croyait tout savoir, qui refusait l'autorité, qui était bourré d'hormones et d'énergie, et qui, par-dessus le marché, était barge au dernier degré. Le pire cauchemar imaginable. Il prenait les gens par surprise, comme il l'avait fait avec Laurette Tannahill et Deidre Parselle. Les adolescents ne font pas ce genre de choses. Ils sont un peu turbulents, certes, mais ils ne sont pas dangereux. Clarence Luckman était là pour leur prouver le contraire, et il le faisait à merveille.

Jack, Martha, George Buchanan et Barnard Melville retournèrent donc à leurs occupations et oublièrent l'incident. Ils n'y repenseraient que quand la photo de Clarence Luckman commencerait à être publiée dans les journaux. Mais ça ne serait pas pour maintenant. Ça ne se produirait que quand Elliott Danziger aurait vraiment sorti le grand jeu.

Clay et Bailey continuaient de marcher. Des églises tous les cinq cents mètres – évangélique, baptiste, congrégationaliste, église du Nazaréen. Et chacune avait sa pancarte – des jeux de mots et des tournures de phrase qui semblaient incongrus dans ce décor : *Assurance contre le feu disponible – adressez-vous à Jésus à l'intérieur. Les fruits défendus sont la recette de la déconfiture. Trente jours sans prières affaiblissent le moi. Acceptez Jésus dans votre cœur. Si vous n'aimez pas ça, le diable vous reprendra.* Ils aimaient décidément la religion dans le coin, songea Clay, et il se demanda si c'étaient toujours les plus pauvres qui avaient le plus la foi. Peut-être que si vous aviez suffisamment d'argent vous n'aviez pas besoin de vous encombrer avec Jésus.

Ils marchèrent une bonne douzaine de kilomètres, et quand vint l'heure de déjeuner ils s'assirent au bord de la route et se mirent à rêver d'un autre Coca.

Bailey parlait des plantes et des bêtes, tentait de les identifier. Couleuvres agiles. Grenouilles léopards. Lucioles. Engoulevents. D'autres choses que Clay n'avait jamais vues jusqu'alors.

Soudain, elle déclara : « Si l'amour est si merveilleux, pourquoi est-ce qu'il brise tant de cœurs ? »

Clay, pris de court, bredouilla : « Je ne sais pas, Bailey. »

Il se demanda si elle parlait de sa mère, de son père, ou de quelqu'un d'autre.

« Mon père me manque, reprit-elle. Ma mère aussi, mais je savais qu'elle était malade et qu'elle allait mourir, alors que mon père… »

Clay essayait de ne pas la regarder, mais ne pouvait s'en empêcher.

« Et ton frère… il te manque ? »

Clay acquiesça.

« Bien sûr. Mais c'est ce qu'il était qui me manque, pas ce qu'il est devenu.

— Pourquoi le sort s'acharne-t-il toujours sur les mêmes personnes ? Pourquoi ne leur laisse-t-il jamais de répit ? »

Clay soupira.

« Je crois que tu vas devoir poser cette question à quelqu'un de beaucoup plus intelligent que moi, Bailey. »

Il la regarda et elle lui sourit.

« Quoi ? demanda-t-il.

— J'aime ta façon de le dire.

— Quoi ? Qu'est-ce que j'ai dit ?

— Mon prénom. Il sonne bien dans ta bouche.

— Bailey.

— Exact, dit-elle. Bailey. »

Il sentit ses joues s'empourprer. Ne sachant plus où se mettre, il fixa le vide devant lui.

« Tu crois qu'on va mourir, Clay ?

— Mourir ? Mourir de quoi ? »

Elle haussa ses épaules étroites.

« J'en sais rien. De malchance, peut-être ? »

Clay ne sut que répondre et resta silencieux.

Le silence dura une bonne minute, puis elle répéta :

« Mon père me manque. Vraiment, il me manque vraiment. »

Un peu plus tard, ils se firent prendre en stop.

« J'peux vous emmener jusqu'à la bifurcation à Deming », annonça le chauffeur. Il avait quatre dents – deux en haut, deux en bas. La main qu'il tendit pour aider Bailey à grimper dans son camion avait le petit doigt manquant. Peut-être qu'il avait l'habitude de perdre des morceaux de lui-même au cours de ses voyages. « Faut qu'j'aille à Hatch, expliqua-t-il, sinon, j'vous aurais déposés plus loin. »

Clay monta à côté de Bailey et ils se mirent en route.

« Vous rentrez chez vous ? demanda l'homme.

— Oui, monsieur, répondit Bailey. Mon frère et moi. On était à Tucson, et maintenant on rentre à Las Cruces.

— Une sacrée trotte à pinces. Vous avez pas de famille pour vous emmener ?

— Non, monsieur, poursuivit-elle. Nous sommes allés voir notre grand-mère, et notre père est absent à cause de son travail.

— Il fait quoi, votre père ?

— Vendeur de chaussures. Il est toujours sur la route.

— Un boulot dur.

— Pas plus que conduire un camion, j'imagine. »

L'homme sourit. Ses chicots apparurent, tels des piquets cassés.

« Eh bien, j'suppose que vous avez raison, mam'zelle, répondit-il. Moi, c'est Milt. Milt Longfellow. Et vous êtes ?

— Caroline, et lui c'est mon frère, Jack, dit-elle.

— Ravi de vous rencontrer », fit Milt, et il n'eut pas grand-chose à ajouter jusqu'à ce qu'ils approchent de Deming.

Des cordes fixées sur des chevalets entouraient une voiture calcinée au bord de la route. Deux voitures de police étaient là, ainsi qu'un véhicule qui ressemblait à un corbillard.

« C'qui s'passe ? » demanda Milt, et il ralentit légèrement tandis que la scène se déployait devant eux.

Un flic qui se tenait au bord de la route leur fit signe de continuer. Tandis que le camion passait devant lui, Clay le regarda directement, droit dans les yeux, et l'espace d'une seconde il crut que l'homme le reconnaissait. Mais ce n'était rien, juste son imagination. Ils passèrent devant l'épave et toute l'agitation, et la route s'étira de nouveau devant eux – déserte, aussi plate qu'un ruban gris soigneusement étalé à travers la campagne.

Ils continuèrent de rouler – silencieusement, presque paisiblement –, puis une pancarte indiqua Hatch sur la gauche et le camion ralentit.

« Faut qu'j'vous laisse ici, annonça Milt. Content d'avoir eu votre compagnie. Prenez soin de vous.

— Merci, monsieur », répondit Bailey.

Debout côte à côte, ils agitèrent la main tandis que le camion prenait sur la gauche en direction de Hatch. Clay demanda alors à Bailey pourquoi elle avait menti sur leurs noms.

« Je n'ai pas menti, répliqua-t-elle. J'ai juste dit une autre vérité. »

Il fronça les sourcils d'un air interrogateur.

« Certaines personnes ont besoin de savoir certaines choses, et d'autres pas. Si jamais on a des ennuis… eh bien, moins il y aura de gens qui savent où on va, mieux ce sera. »

Comme il ne voyait rien à redire à son raisonnement, il garda le silence. Ils recommencèrent à marcher. Ils étaient désormais à près de cent kilomètres de Las Cruces, et il se demandait si, comme l'avait dit Bailey, le sort continuerait de s'acharner sur eux. Elle n'avait pas été épargnée par la poisse, c'était une certitude. Peut-être qu'elle aussi était née sous une mauvaise étoile. Peut-être qu'ils étaient tous deux nés sous le signe de la malchance, que c'était ce qui les avait rapprochés, et qu'ils étaient destinés à en baver quel que soit le chemin qu'ils prendraient.

# 36

Si Elliott avait réfléchi à ses actes après coup, il aurait principalement éprouvé de la fierté et un sentiment d'accomplissement. Il y avait une affaire ancienne dont il avait entendu parler, dans le Kansas pour autant qu'il se souvînt, deux types qui avaient descendu toute une famille – maman, papa, le fils et la fille. Ils avaient eu besoin d'être deux, et ils avaient agi sous couvert de la nuit. Alors que tout ce que Digger avait fait, il l'avait fait seul, et en plein jour.

Il dormit bien dans le bungalow du motel. Le lit était assez ferme, l'oreiller raisonnablement moelleux, et il avait laissé la fenêtre entrouverte de quelques centimètres pour laisser entrer un peu d'air frais dans la pièce. Il y avait peu de choses qu'il détestait plus qu'une chambre sans fenêtre. Il se réveilla au son de la circulation sur la route à quatre cents mètres de là. Il resta allongé un moment, conscient qu'il était neuf heures passées, un sourire étrange sur le visage tandis qu'il songeait à tout l'argent qu'il avait, toute la liberté, tout l'anonymat. Personne ne savait où il était, et c'était agréable. S'il avait su que ses actes étaient attribués à son frère, il aurait ressenti un mélange d'émotions – de la satisfaction et de l'émerveillement de voir que tout se goupillait aussi bien pour lui, mais aussi quelque chose ressemblant à de la jalousie. Non, pas de la jalousie, plutôt une sorte de sentiment d'injustice. Quelqu'un d'autre se voyait attribuer le mérite de son travail. Il n'avait cependant pas conscience de cette déformation fortuite de la vérité, et n'éprouvait donc pas grand-chose hormis la sensation que procurait chaque nouvelle journée. Une nouvelle journée dans une nouvelle vie. Il n'y avait pas de petit déjeuner, certes, mais il n'y avait surtout personne pour lui dire quoi manger et quand le manger. Il n'y avait pas de portes verrouillées hormis celles qu'il verrouillait lui-même. Il n'y avait pas de commandements, de défis, de provocations, d'insultes, de menaces… hormis, bien entendu, ceux qu'il décidait de proférer lui-même. Il avait peur, mais juste un peu, et il était facile d'y remédier. Il n'avait qu'à penser à Earl pour se sentir fort, presque invincible. Les choses étaient censées être ainsi. Elles l'avaient toujours été. Il avait juste dû être patient. Dieu bénisse Earl Sheridan de lui avoir rendu la liberté. Dieu bénisse Earl Sheridan de lui avoir montré la voie, la vérité, la lumière. Non, en fait, Dieu pouvait aller se faire foutre. Qu'avait fait Dieu pour lui ? Que dalle, voilà ce qu'il avait fait. Il n'y avait que lui, Elliott Danziger, et le souvenir d'Earl Sheridan, et c'était tout ce dont il aurait jamais besoin.

Digger quitta le motel et roula en ligne droite. Après une bonne demi-heure, il s'aperçut qu'il avait loupé la jonction avec la I-10 quelques kilomètres plus tôt. Vexé, il fit demi-tour, et tandis qu'il rebroussait chemin, il vit un petit restaurant un peu en retrait de la route. Il avait faim. À vrai dire, il était affamé. Il gara la Galaxy de Walter Milford et entra dans l'établissement sans perdre de temps.

Maurice Eckhart venait de Gunnison, Colorado. À cinquante et un ans, il pesait cinq ou six kilos de trop pour sa taille, mais était néanmoins en bonne forme. C'était un bosseur, un croyant pratiquant, un type bien. Sa femme, Margot, aurait dû être danseuse dans une revue. À vingt et un ans elle mesurait un mètre soixante-treize, avec un tour de poitrine de quatre-vingt-dix centimètres, une tour de taille de soixante-trois centimètres, et un tour de hanches de quatre-vingt-six centimètres, le tout gracieusement posé sur des jambes d'un mètre de long. Elle avait étudié le ballet depuis l'âge de cinq ans, soutenue et encouragée par ses parents, mais quand le moment était venu de choisir une carrière, son père, Hendrik Kristalovitch – un presbytérien non pratiquant, ancien calviniste –, avait mis son veto. N'ayant ni le courage ni la détermination de passer outre ce veto, Margot avait épousé par dépit Maurice Eckhart, un homme de neuf ans son aîné qu'elle avait rencontré tandis qu'elle s'apprêtait à passer un entretien pour un poste de secrétaire dans une école primaire de Plainview. Il s'avérait que Maurice était là pour une raison comparable. Il travaillait pour une société qui fabriquait et vendait des fournitures scolaires – cahiers, agendas, stylos et ainsi de suite. Sa société s'était emparée d'une bonne partie du marché du Colorado et cherchait à se développer au Texas, au Nouveau-Mexique, dans le Kansas et l'Utah. Le principal adjoint, qui était censé les rencontrer l'un à la suite de l'autre, avait une bonne heure de retard, et Maurice et Margot avaient eu le temps de discuter. Au final, le représentant en fournitures scolaires n'avait pas réussi à vendre ses marchandises, mais il s'était assuré un rendez-vous avec Margot. Maurice aurait été une bonne prise pour n'importe quelle fille normale, mais Margot n'était pas une fille normale. En plus d'être belle, elle était intelligente. Pas simplement cultivée, mais dotée d'une sagesse hors norme pour son âge. Elle avait lu avidement durant son enfance, et peut-être était-ce grâce à cette éducation extrascolaire qu'elle possédait cette compassion qui la rendait si envoûtante. Ou peut-être qu'elle était née comme ça, et que c'était sa mission de la partager avec le monde. Sa mère, Joan, une petite femme timorée qui passait inaperçue, trop fragile pour avoir un autre enfant après la naissance de Margot, n'avait guère été d'un grand soutien pour sa fille durant son enfance. Elle ne prenait jamais son parti quand éclatait une dispute familiale, car tel n'était pas le rôle d'une bonne épouse. Une bonne épouse se pliait à la volonté de son mari, et une fois qu'elle était pliée, elle ne se dépliait plus.

Plus tard, alors que ses deux enfants entreraient dans l'adolescence, Margot Eckhart aurait le temps de réfléchir à ses choix de vie. Elle avait presque toujours fait les mauvais, mais c'était une femme de caractère, une femme droite. Elle assumait les conséquences de ses actes. Maurice était un homme honnête, fidèle, loyal, gentil, qui subvenait aux besoins de sa famille. Et puis il y avait les enfants. À vingt-trois ans, elle avait eu Dennis, et à vingt-cinq, Linda. Ils lui ressemblaient physiquement, mais avaient le caractère ferme de leur père. Ils avaient pris le meilleur des deux. C'étaient des enfants dont n'importe quel parent aurait été fier, et elle ne regrettait jamais de les avoir eus, n'aurait en aucun cas voulu revenir en arrière. Margot avait désormais quarante-deux ans, c'était toujours une superbe femme et elle avait cette résignation qui la poussait à toujours se tourner vers l'avant. Les choses auraient peut-être pu être meilleures. Mais elles auraient aussi pu être pires. Peut-être le destin ne laissait-il parfois pas le choix.

Le mercredi 25 novembre en fin de matinée, la famille Eckhart quitta Lubbock, Texas, la ville dont Margot était originaire. Maurice, qui était toujours en charge quand il était question de cartes, de directions et d'itinéraires, avait insisté pour ne pas prendre la Route I-27 vers le nord. La I-27 avait été une vraie galère à deux ou trois reprises par le passé, et il ne voulait pas répéter son erreur. Elle ne les aurait menés que jusqu'à Amarillo, puis ç'aurait été une succession de petites routes avant de rejoindre la I-25 à Springer ou Raton. *Non*, avait-il décrété d'un ton autoritaire. *Ça ressemble peut-être à un détour, mais nous allons passer par El Paso, puis nous remonterons par le Colorado jusqu'à Pueblo, où nous rejoindrons la Route 50. Une fois à Pueblo, il ne nous restera que cent cinquante kilomètres avant d'arriver à la maison. Quel que soit le temps qu'on perdra pour atteindre El Paso, on le rattrapera en prenant la route vers le nord. Fais-moi confiance, ça sera plus rapide au bout du compte, et en plus, les enfants pourront voir le Texas et le Nouveau-Mexique.*

Maurice avait la logique de son côté. Ils avaient emprunté des petites routes secondaires à l'aller et le trajet leur avait pris quatre jours. L'idée de rouler quatre jours de plus pour rentrer à la maison lui était insupportable, et il se disait qu'en prenant la I-25 il raccourcirait le retour d'une journée. Quant à ce colossal voyage de deux mille kilomètres, il avait un motif bien précis : ils étaient allés à Lubbock pour enterrer le père de Margot.

*Pour s'assurer que ce salopard était bel et bien mort*, voilà ce que pensait Maurice, et il l'avait même formulé une fois à haute voix. Maurice Eckhart et Hendrik Kristalovitch n'avaient jamais vu les choses du même œil. Margot était trop bonne pour n'importe quel homme, telle était l'opinion d'Hendrik. Et Margot comprenait le ressentiment de son mari. Près de vingt ans de mariage, une famille solide, deux enfants magnifiques, stabilité, respectabilité, tout ce qu'un père aurait pu vouloir pour sa fille, mais tout ce que Maurice recevait en retour, c'était une poignée de main sèche et froide lors des rares occasions où son chemin croisait celui d'Hendrik, accompagnée d'un commentaire sur le fait que leurs visites étaient trop espacées et que les enfants grandissaient trop vite. Joan Kristalovitch était morte depuis cinq bonnes années. *Morte d'ennui*, affirmait Maurice, et Margot souriait sans rien dire, même si elle savait que son mari avait plus que probablement raison. Quand une vie était sans but, alors elle trouvait un moyen de s'arrêter. Le cancer qui avait emporté sa mère n'avait pas duré un mois. On le lui avait diagnostiqué, et elle était morte dans la foulée. Margot était descendue à Lubbock pour la voir, et l'état de sa mère s'était détérioré tellement rapidement qu'elle n'avait pas eu le temps de rentrer à Gunnison. Après l'enterrement, Margot était restée une semaine de plus avec son père. Une semaine avait suffi à lui établir une sorte de routine quotidienne, vu que c'était un homme qui n'avait jamais pris part à la moindre tâche domestique. Et une semaine, c'était suffisamment court pour que Margot tienne sa langue et ne pète pas les plombs.

Margot devait être honnête, même si ça lui faisait de la peine de l'avouer : quand elle avait appris la mort de son père – soudaine, inattendue, une crise cardiaque alors qu'il faisait la queue pour encaisser un chèque à la banque –, elle avait éprouvé un mélange de tristesse et de soulagement. Les voyages pour aller le voir – une fois en train, une fois en avion (Linda avait été affreusement malade et ils s'étaient promis de ne jamais recommencer), et les autres fois en voiture – étaient longs et épuisants. Ils y allaient deux fois par an, à Noël et à la fin de l'été, et restaient généralement une semaine. Mais en ajoutant la durée du voyage, ça leur prenait presque quinze jours en tout. Quand elle avait appris sa mort, elle avait su qu'ils n'auraient plus à le faire. Ce serait la dernière fois qu'ils iraient là-bas. Et comme Linda avait dix-sept ans et Dennis dix-neuf, ils seraient assez grands pour leur donner un coup de main. La maison devrait être vidée, nettoyée, peut-être une couche de peinture ici ou là, puis ils la mettraient en vente et s'en débarrasseraient le plus vite possible. Maurice et l'avocat de la famille à Lubbock pourraient s'occuper des affaires personnelles d'Hendrik Kristalovitch. Les Eckhart avaient espéré ne pas rester plus d'une semaine, mais Maurice avait eu droit à un congé exceptionnel de la part de la société de fournitures scolaires qui l'employait autrefois comme vendeur et dont il était désormais le directeur adjoint, et ils avaient donc une certaine marge de manœuvre. C'était le mois de novembre, une période plus agréable pour voyager que l'été, et Noël était encore suffisamment loin pour ne pas être gâché. Ils avaient donc décidé de passer Thanksgiving au Texas ; ça aurait pu être pire.

C'est précisément ce que songea Maurice lorsqu'il décida de faire un bref arrêt dans un restaurant avant d'atteindre El Paso : ça aurait pu être pire. Il ne se doutait pas à quel point il avait raison. Il y avait des choses bien pires, et les Eckhart étaient sur le point de tomber sur l'une d'elles.

Maurice conduisait depuis un peu plus de trois heures et demie. Ça faisait une heure que Linda et Dennis se plaignaient d'avoir soif et envie d'aller aux toilettes. Quant à Margot, elle voulait rafraîchir son maquillage et se dégourdir les jambes. Malgré les petites routes, ils avaient bien roulé et atteint la périphérie d'El Paso avant l'heure du déjeuner.

« Un quart d'heure, annonça Maurice en s'arrêtant devant le restaurant.

— Une demi-heure », protesta Margot.

Maurice capitula en ne soulevant pas d'objection.

Les enfants s'éloignèrent vers les toilettes avec un dollar chacun, Margot fit deux ou trois fois le tour de la voiture, puis demanda à Maurice s'il voulait aller prendre un café.

« On ferait probablement aussi bien de manger quelque chose, ajouta-t-elle. Une fois qu'on aura franchi El Paso, on sera sur l'autoroute et tu ne voudras pas t'arrêter. »

Maurice acquiesça.

« Oui, d'accord, dit-il. Bonne idée. Appelle les gosses. Dis-leur qu'on déjeune de bonne heure. »

Maurice se dirigea vers le restaurant. Seul, il n'attira pas l'attention d'Elliott Danziger, mais quand sa femme entra à sa suite avec les deux enfants dans son sillage, Elliott leva les yeux et les regarda se diriger vers une table dans un coin. La fille ressemblait un peu à la nana de Tucson, celle qui portait ses sacs de courses, celle qu'il avait poignardée avec le couteau de cuisine. Elle avait des couettes attachées par un élastique jaune vif. Il songea au pied que ce serait de s'agripper à ces couettes pendant qu'il la sodomiserait. La mère aussi était mignonne. Elle avait une sacrée paire de jambes – très, très longues – et portait un de ces pantalons qui descendent juste en dessous du genou. Et puis il y avait le père et le fils.

Quelque chose se produisit dans l'esprit d'Elliott. Il cessa de voir quatre personnes et ne vit plus qu'une seule entité : une famille.

Il ne comprenait pas ce qui lui arrivait, mais il savait qu'il se sentait différent. Il éprouvait de la tristesse, une sorte de nostalgie, un étrange sentiment de vide qui lui transperçait le cœur de part en part. Mais aussi du ressentiment, du mépris, de la colère, de l'hostilité. Il avait la bouche sèche, les paumes moites, et les poils sur sa nuque étaient au garde-à-vous comme des prisonniers à l'appel.

Une famille.

Il songea à ce sale petit fils de pute de Clay. Curieusement, il aurait aimé qu'il soit là, en train de manger avec lui, de sourire peut-être, de lancer des vannes sur tel ou tel sujet comme ils le faisaient autrefois.

Putain de traître de Clay.

Une famille.

La mère, le père, le fils et la fille.

La mère se mit à rire tandis qu'elle se tenait au comptoir, et elle toucha le bras de son mari. C'était un geste affectueux. Digger aurait voulu être à côté d'elle pour savoir ce qui les faisait rire. Mais il aurait aussi voulu l'attraper par les cheveux et lui écraser la gueule contre la vitre froide du réfrigérateur.

Une famille.

Il ferma les yeux, serra les dents, puis il se pencha sur le côté et regarda dehors. Le seul nouveau véhicule sur le parking était un break marron foncé, de toute évidence le leur.

Il plaça son bras autour de son assiette et baissa la tête. Il mangea ses œufs et son hamburger tout en se demandant ce qu'il allait faire maintenant.

# 37

C'est sur la route de Las Cruces que Clay Luckman décida de se débarrasser du pistolet. Il le trimballait depuis Marana, soit depuis deux jours, et le poids de l'arme, sans parler de la boîte de munitions, était plus gênant qu'autre chose. Et puis il se disait que s'il le gardait, eh bien, il risquait de s'en servir, ce qui ne serait qu'une cause d'ennuis supplémentaire. Il pensait aussi à Bailey. Elle était pragmatique et réaliste pour son âge, mais elle avait aussi un côté déraisonnable. Il le sentait, le devinait. Il pensait qu'elle pourrait chercher à le convaincre de la garder, au cas où ils en auraient besoin pour se défendre. Se défendre contre quoi, elle aurait été incapable de le dire, mais il savait qu'elle pouvait être persuasive et n'hésiterait pas à utiliser la ruse et la séduction pour parvenir à ses fins. Les filles étaient comme ça. C'était dans leur nature. C'était donc son instinct de conservation qui dictait sa décision. Sans arme, vous ne pouviez tirer sur personne. Alors que si vous tiriez sur quelqu'un, il y avait de grandes chances pour que vous vous fassiez tirer dessus en retour.

Ils avaient parcouru un peu plus de cinq kilomètres depuis l'embranchement avec la route de Hatch, et il leur restait un bon bout de chemin avant d'atteindre Las Cruces, quand soudain Bailey désigna des marques sur la route.

« Regarde », fit-elle en pointant le doigt vers de larges traînées noires qui déviaient brusquement vers la droite et disparaissaient dans les broussailles.

Environ trente mètres plus loin, dans la direction suivie par les traces, le paysage se creusait et seule la cime des arbres était visible.

« Tu crois qu'il a pu y avoir un accident ? »

Clay secoua la tête. Tout ce qui l'intéressait, c'était de trouver quelque chose à manger.

« Il y a peut-être une voiture là-bas, insista-t-elle. Peut-être que quelqu'un a besoin d'aide. »

Ce fut l'argument qui fit mouche. Il ne l'aurait pas cru, mais il était le genre de type prêt à donner un coup de main même si ça lui valait des ennuis. C'était sans doute pour ça qu'il se retrouvait accusé de tout un tas de choses alors qu'il était innocent. Il haussa les épaules d'un air indifférent, mais elle avait visé juste. Il la regarda avec une moue irritée.

« Misérable, reprit-elle. Et s'il y a des blessés là-bas ? Si quelqu'un a quitté la route et a besoin d'aide ? Si ça se trouve des gens sont passés ici toute la matinée sans rien remarquer ?

— Allons-y », fit Clay, songeant que ce serait au moins l'occasion de se débarrasser de l'arme sans qu'elle s'en rende compte.

Les traces de pneus quittaient la route à un angle de trente ou quarante degrés. Clay ne connaissait rien aux voitures, Bailey encore moins, mais son bon sens lui disait que la voiture avait fait une embardée à grande vitesse et avait continué sans ralentir.

Au bout de deux cents ou deux cent cinquante mètres, Clay perçut une odeur d'essence.

Il augmenta l'allure, son intention de se débarrasser de l'arme passant au second plan. Peut-être que Bailey avait raison. Peut-être que quelqu'un avait fait une sortie de route et était blessé.

Ils atteignirent une pente abrupte ; c'était elle qui avait dissimulé la scène.

« Là-bas ! » s'exclama Bailey en apercevant une voiture qui semblait plantée dans le sol, l'arrière se dressant vers eux.

Elle avait été arrêtée par un arbre, et l'immobilité de la scène était parfaitement surréaliste. Clay s'attendait à voir de la fumée, mais il n'y en avait pas. Tout était aussi figé qu'une photo.

Impossible de savoir depuis combien de temps la voiture était là. Lorsque Clay rattrapa Bailey, elle avait déjà la nausée. Elle s'appuya contre un affleurement rocheux et fut secouée par des haut-le-cœur douloureux. Clay s'approcha de la voiture. Il vit les épaules voûtées et le dos du conducteur. Il y avait une deuxième personne à l'intérieur, un homme qu'il n'aperçut que lorsqu'il fut à environ un mètre de la portière du côté passager, et il ne mit pas longtemps à se faire une petite idée sur ce qui avait pu se passer.

La tête du conducteur avait percuté le pare-brise, puis il était retombé en arrière contre son siège. Son visage était couvert de sang séché. Un de ses yeux semblait avoir explosé, l'autre était fermé. Le sang s'était écoulé des nombreuses blessures qu'il avait au visage et au cou, imprégnant sa chemise et le haut de son pantalon. C'est là que Clay vit ce qui avait distrait le conducteur au point de lui faire quitter la route.

Son pénis était sorti, mais il semblait avoir été tranché au milieu. Du sang couvrait ses cuisses jusqu'à ses genoux. Le passager, un autre jeune homme, était de travers sur son siège, une épaule contre le tableau de bord, les mains, le visage et les bras couverts de sang. Il était penché sur le côté, et il était clair qu'il avait été occupé à quelque chose qu'il aurait vraiment mieux fait d'éviter dans une voiture. Peut-être qu'ils avaient heurté une bosse, peut-être que le conducteur avait perdu sa concentration et quitté la route, en tout cas il semblait que l'autre lui avait tranché le sexe avec les dents. C'était du moins ce que supposait Clay Luckman. Paniqué, hystérique, son sang giclant à travers l'habitacle, le conducteur avait fait une embardée dans les broussailles et percuté un arbre. Et quand un arbre rencontrait une voiture, il n'y avait qu'un gagnant. La tête du conducteur avait heurté le pare-brise, celle du passager, le tableau de bord, fin de l'histoire. Même si le conducteur avait survécu à l'impact, il avait dû se vider de son sang très vite. Dans un cas comme dans l'autre, il était foutu.

Clay examina la scène une fois de plus, puis porta son attention sur Bailey. Elle s'était éloignée en titubant et était désormais accroupie trois mètres plus loin, tournant le dos à la voiture. Elle était livide et une fine couche de sueur couvrait son visage.

« Ça va aller ? demanda-t-il.

— P-peut-être la s-semaine pr-prochaine », bégaya-t-elle.

Elle eut un nouveau haut-le-cœur, mais rien ne sortit.

« C'est moche, hein ?

— Oui, on peut le dire. Qu'est-ce que… ? »

Mais elle n'acheva pas sa question. Elle allait lui demander ce qui s'était passé d'après lui, mais se sentit soudain gênée. Elle n'était pas stupide. Elle avait déjà compris. Tu parles d'une façon de mourir.

Clay retourna à la voiture. Le capot était froid. Le moteur ne faisait pas un bruit. Il n'y avait pas de fumée. Rien. Le véhicule était aussi mort que ses occupants. À en croire le sang – raide, noir, sec –, ils devaient être là depuis quelques heures. Pourquoi les vautours n'étaient pas encore arrivés, il n'en savait rien. Peut-être à cause de l'odeur d'essence. Il fit le tour du véhicule, tira le pistolet et les munitions de ses poches de pantalon, se pencha en avant et les poussa aussi loin que possible sous la voiture.

Prudemment, il passa la main à l'intérieur et fouilla du bout des doigts la poche de veste du passager. Il en tira un portefeuille et un peigne. Il laissa tomber le peigne dans l'habitacle et ouvrit le portefeuille. Pas de pièce d'identité, pas de permis de conduire, mais il trouva neuf dollars – un billet de cinq et quatre de un. Il les enfonça dans sa poche et balança le portefeuille sur les genoux de l'homme.

Il fit de même avec le conducteur, soulevant prudemment le revers de sa veste jusqu'à pouvoir glisser la main dessous. L'œil explosé le regardait fixement. Il était grotesque, répugnant, mais la nécessité était plus forte que le dégoût de Clay. Lui aussi avait un portefeuille, mais beaucoup mieux garni que le premier. Trente-huit dollars. Quarante-sept en tout. Avec les quelques dollars qui leur restaient, Clay et Bailey avaient désormais un peu plus de cinquante dollars. Tout n'était pas perdu pour tout le monde. Les choses s'arrangeaient.

Clay compta l'argent. Il avait quelque chose de rassurant. Il était synonyme d'estomacs pleins, et peut-être d'un manteau pour Bailey. Synonyme de couvertures, de hamburgers, peut-être de galettes de pommes de terre et de steaks frits. Il enfonça les billets dans sa poche et retourna s'occuper de Bailey. Elle s'était relevée et tournait en rond autour du rocher sur lequel elle s'était auparavant appuyée.

« Je suis malade, marmonna-t-elle. Vraiment malade.

— J'ai trouvé près de cinquante dollars », l'informa Clay.

Elle le regarda avec de grands yeux.

« Tu as pris leur argent ?

— Bien sûr. Ils n'en avaient plus franchement l'utilité.

— Mais ils sont morts. »

Clay était déconcerté.

« Et c'est pire que de voler les vivants ? demanda-t-il.

— C'est différent. C'est un manque de respect. Tu n'es pas superstitieux ?

— Superstitieux à propos de quoi ?

— Voler l'argent des morts... ça signifie que leurs fantômes nous suivront jusqu'à ce qu'on les ait remboursés.

— Foutaises ! Bon Dieu, où tu es allée pêcher ça ? »

Bailey lui tourna le dos et marcha en direction de la route.

« Attends ! » lança-t-il à sa suite. Il la laissa parcourir quelques mètres puis la rejoignit au petit trot. « Tu peux en avoir la moitié, dit-il.

— Hors de question que je touche à l'argent d'un mort.

— Comme tu veux. Mais ça ne t'empêchera pas de manger ce qu'on s'achètera avec, si ? »

Elle s'arrêta net. Il faillit lui rentrer dedans. Elle le fusilla du regard pendant un moment, puis sembla se résigner. Son visage s'adoucit, elle se tourna de nouveau vers la route, et Clay resta silencieux.

Ils marchaient depuis quelques minutes lorsqu'elle demanda :

« Tu crois qu'on devrait faire quelque chose ?

— Comment ça ?

— Pour ces deux personnes. Cet accident.

— Qu'est-ce que tu suggères ?

— Je pense qu'on devrait prévenir quelqu'un. La police peut-être. On devrait passer un coup de fil anonyme dès que possible et prévenir quelqu'un qu'il y a deux morts là-bas.

— Et si on le fait, tu ne parleras pas de tes superstitions et de l'argent des morts ? »

Elle hésita un moment, puis acquiesça.

« Marché conclu, dit-elle.

— OK, répondit Clay. Dès qu'on trouvera un téléphone on passera ton coup de fil. »

Elle sembla satisfaite. Ses épaules se détendirent. Elle releva les yeux et regarda droit devant elle. L'atmosphère s'allégea.

Clay était à côté d'elle, et une fois de plus elle marcha dans son ombre et cala son pas sur le sien.

## 38

Circonstance, coïncidence, la raison n'avait aucune importance. Tout ce qui comptait, c'était l'apparition du voisin de Walter Milford en ce début de mercredi après-midi. Walt Milford et Frederick Ross vivaient côte à côte depuis quinze ans, et s'étaient probablement adressé la parole environ quinze fois. C'étaient des types à l'ancienne – des hommes seuls, plutôt malheureux –, mais il ne leur était jamais venu à l'esprit de rassembler leur solitude et leur malheur et d'en faire quelque chose de mieux. C'était comme cette vieille anecdote : deux Anglais sont échoués sur une île du Pacifique, et après plusieurs années un navire de secours arrive. Ils s'approchent du vaisseau, et des rameurs viennent à leur rencontre, supposant naturellement qu'ils se connaissent. « Oh, non, répond l'un des Anglais. Nous n'avons jamais été formellement présentés. » Ces deux crétins auraient pu être Walt Milford et Fred Ross – des fortes têtes, des silencieux, des types qui savaient toujours tout mieux que tout le monde, qui n'avaient jamais l'humilité d'accepter qu'on les corrige, qui n'avaient jamais assez tort pour avoir raison.

Le motif de la visite de Fred Ross ce mercredi était des plus inhabituels : à savoir, un chien, un saint-hubert nommé Wagner, *un abruti de clébard*, de l'avis de Walter. Ross avait en quelque sorte hérité de Wagner trois ans auparavant. Une famille californienne avait emménagé plus loin dans la rue, elle était restée un peu plus de six mois, puis elle avait foutu le camp du jour au lendemain. Wagner était le chien de la famille, et la pauvre bête s'était retrouvée abandonnée. Il avait hurlé sans interruption pendant vingt-quatre heures, jusqu'à ce que Fred Ross entre par l'une des fenêtres de la maison et le découvre. L'affaire était pliée. Fred était le sauveur de Wagner. Wagner ne l'avait plus lâché. Fred Ross n'avait jamais été amateur de chiens. D'ailleurs, il n'avait jamais été amateur de rien dès qu'il s'agissait d'animaux domestiques. Mais Wagner avait quelque chose, une sorte d'intelligence. Il semblait savoir quand rester tranquille, quand être joueur, quand foutre la paix à Fred, quand se fourrer dans ses pattes. C'était un bon arrangement. Un arrangement qui fonctionnait.

Fred Ross avait peut-être un chien, mais il n'avait pas de voiture. Alors que Walter, bien qu'il ne fût plus en état de conduire, possédait une Ford Galaxy. Et c'était cette Ford Galaxy que Fred Ross comptait emprunter pour emmener Wagner chez le vétérinaire. Le chien n'avait rien avalé depuis vingt-quatre heures, il avait à peine bu un peu d'eau. Il était amorphe et léthargique, et même s'il n'était pas d'un naturel très énergique, cette apathie ne lui ressemblait pas. Si le cabinet du vétérinaire s'était trouvé à six ou huit rues de chez lui, Fred aurait pu porter Wagner. Mais il n'était pas à six ou huit rues, il était à six ou huit kilomètres. Et comme ils ne pouvaient pas compter sur une ambulance, Wagner resta à la maison pendant que Fred se rendait chez Walt.

Ross apparut donc à la porte, et la première chose qu'il remarqua fut l'absence de voiture. Celle-ci n'était absente que les rares fois où le fils de Milford débarquait. Ce serait une sacrée coïncidence s'il était là. Juste quand Ross avait besoin de la voiture. Un sacré manque de pot. La deuxième chose que Ross remarqua fut que la porte-écran ainsi que la porte intérieure n'étaient pas fermées à clé. Il tira sur la première, poussa sur la seconde, qui s'ouvrit. Ça n'avait aucun sens. La voiture absente, la porte laissée ouverte ? Peut-être un moment d'inattention, mais il en doutait. D'après le peu qu'il savait, Walt Milford était un homme tatillon et organisé, un peu comme lui-même. Ça tenait à leur âge, à leur culture, parce que ces temps-ci les jeunes semblaient se foutre de tout. À part peut-être des filles. Des filles et de la musique.

Fred Ross appela : « Walter ? Walter ? Y a quelqu'un ? »

Rien. Pas un bruit.

Il appela encore : « Walter ? C'est Fred… le voisin. Vous êtes là, Walter ? »

Il eut alors un mauvais pressentiment. Dix ans, vingt ans plus tôt, il n'aurait pas été plus étonné que ça. Walt Milford était sorti. Il avait oublié de fermer sa porte à clé. Pas de quoi en faire une histoire. Mais maintenant ? Une fois la soixantaine passée, on pensait immédiatement à une chute, un accident, un infarctus, une attaque.

Fred Ross laissa la porte se refermer derrière lui et se tint un moment dans l'obscurité silencieuse du couloir. Il sentit son pouls s'accélérer légèrement. Ses narines se dégagèrent comme s'il avait inhalé de l'ammoniaque.

Il fit un pas en avant. Ravala bruyamment sa salive. S'éclaircit la voix.

« Walter ? Ça va ? Vous m'entendez ? »

S'il était mort ou inconscient, ou s'il avait été terrassé par une attaque et gisait par terre, marmonnant la bave aux lèvres, de telles questions étaient absurdes et inutiles, mais Walter les posa instinctivement.

Fred avança lentement jusqu'à la porte au bout du couloir. La maison était conçue suivant un plan similaire à la sienne. Cette porte donnait sur le salon. Sur la droite du salon se trouvait la cuisine, sur la gauche, la salle à manger.

La porte était fermée, et avant de tendre la main et de la pousser il se prépara au spectacle qui l'attendait derrière. Il savait qu'il était idiot, qu'il y avait une explication rationnelle à l'absence de voiture et au fait que la porte n'était pas fermée à clé, que Walter était simplement parti avec quelqu'un pour régler une affaire inopinée et avait oublié de verrouiller la porte derrière lui… ou peut-être qu'il n'avait pas voulu la verrouiller. Encore une question de génération. Ça ne faisait que cinq ans, dix ans au plus, qu'ils faisaient attention aux personnes qui venaient dans le quartier, aux gens qui pouvaient observer leur maison dans l'espoir d'y entrer pendant leur absence. Walter avait peut-être compté s'absenter un petit moment et estimé qu'il n'était pas nécessaire de chercher ses clés…

Fred leva la main et poussa la porte. Elle s'ouvrit lentement. Les rideaux étaient tirés. De la lumière pénétrait par les fenêtres qui donnaient sur le jardin. La pièce était déserte. Il fit un pas en avant, s'attendant à découvrir les pieds de Walter dépassant de derrière un fauteuil, le reste de son corps invisible.

Il n'y avait rien.

Il poussa un premier petit soupir de soulagement.

C'est alors qu'il entendit un bruit. Comme un grattement. Un grattement et des coups frappés.

Fred pencha la tête sur la droite et fronça les sourcils. Était-ce un chien ? Un chat, peut-être ? Ça ressemblait à un animal coincé quelque part.

Puis il entendit un gémissement sourd, et il sursauta. Un frisson lui parcourut le dos et les poils se dressèrent sur sa nuque.

Il l'entendit de nouveau.

Il n'était pas du genre trouillard, mais quelque chose dans ce gémissement faible et plaintif lui glaça le sang.

La porte. La porte de la cave.

Il ferma les yeux. Les maintint fermés dix bonnes secondes. La même porte chez lui menait à la cave. Il s'approcha, passa par toute une gamme d'émotions, chacune teintée d'une appréhension glaçante. Il savait. Il savait instinctivement que quelque chose était arrivé à Walt Milford.

Fred parcourut la pièce du regard, vit la canne de Walter qui gisait par terre.

Ça n'avait aucun sens. Walter, sans sa canne ?

Deux et deux commencèrent alors à faire quatre, et il comprit petit à petit ce qui s'était passé. Sa peur se dissipa soudain et il se précipita vers la porte.

Il tenta d'appeler Walter, mais sa voix était faible et se brisa à la deuxième syllabe. En s'entendant, il se fit penser à une gamine effrayée.

« Walter ? Walter, vous êtes en bas ? »

Le gémissement se fit plus fort, et Fred n'eut plus aucun doute. Il déverrouilla la porte, l'ouvrit sèchement et trouva le vieil homme étendu sur les marches, le visage crasseux, le souffle faible...

Il l'aida à remonter, le soutint jusqu'au canapé où il le fit s'étendre, puis il décrocha le téléphone pour appeler les secours, la police, la première personne qui lui passerait par la tête.

Il se tourna vers Walter tandis qu'il se tenait là, combiné en main, et le vieux bonhomme lui fit pitié.

Une demi-heure plus tard, alors que Walter avait été emmené en ambulance, Fred Ross était assis dans la cuisine de Walter Milford et répondait aux questions d'un inspecteur nommé Cassidy.

Une fois Cassidy reparti, Fred Ross rentra chez lui. Il siffla deux ou trois whiskys, et sortit s'acheter un paquet de cigarettes. Il n'avait pas fumé depuis trente ans.

Un peu plus tard, l'inspecteur Cassidy revint. Il expliqua qu'il était allé voir Walter à l'hôpital, et qu'il voulait lui faire savoir qu'il s'en sortirait.

« C'est un coriace, déclara Cassidy. Il a la peau dure.

— Il vous a dit ce qui s'est passé ? demanda Fred Ross.

— Pour sûr.

— Mais il ne peut pas vous dire qui c'était, vu qu'il est à moitié aveugle et tout, c'est ça ?

— Exact », répondit Cassidy.

Ross s'assit et Cassidy se mit à parler. Il expliqua que l'agression de Walter Milford était liée à une autre attaque qui s'était produite à Tucson, sur une jeune femme qui vivait au-dessus d'une quincaillerie. Qu'il regrettait que Fred Ross ne connaisse pas l'immatriculation de la Ford Galaxy gris foncé de Walt Milford, mais qu'ils n'auraient pas trop de difficultés à la découvrir. Qu'il avait déjà appelé l'antenne du FBI à Anaheim, Californie, pour leur transmettre toutes les informations, et qu'apparemment des agents étaient déjà sur le coup, des agents qui voudraient peut-être parler directement à Ross. Que si jamais il était contacté par des hommes nommés Koenig et Nixon, Cassidy lui serait reconnaissant de bien vouloir leur répondre aussi précisément que possible.

Pourquoi cet inspecteur Cassidy lui disait tout ça, il l'ignorait. Ross ne voulait certainement pas en savoir plus sur l'agression dont avait été victime Walt Milford, pas plus qu'il ne voulait savoir ce qui était arrivé à d'autres. Il voulait essayer d'oublier tout ça. Même s'il savait qu'il n'y parviendrait pas. Du moins pas avant un bon bout de temps.

Fred Ross regarda l'inspecteur John Cassidy sortir par la porte de derrière et traverser le jardin. Il atteignit la propriété de Walt Milford et entra de nouveau dans la maison. Fred devina que l'inspecteur y resta environ une heure, car sa voiture était garée devant. Il se demanda ce que ça faisait d'avoir un tel boulot, de faire ce genre de choses au quotidien. Il se demanda où allait le monde. Il se posa un paquet de questions, mais ne trouva pas une seule foutue réponse.

# 39

C'est Bailey qui parla pendant que Clay se tenait près des paquets de chips et de couenne de porc. Ils étaient tombés sur une station-service qui vendait des courroies de ventilateur, des bougies, des bidons d'huile, des lacets, un assortiment de nichoirs pour oiseaux, des sachets de graines, et tout un tas d'articles qui semblaient incongrus et sans rapport les uns avec les autres.

« Nous avons marché environ une heure », expliqua-t-elle à l'homme derrière le comptoir. Il portait une chemise rouge à carreaux et une salopette loqueteuse. Ses mains semblaient avoir été trempées chaque nuit dans du pétrole brut pendant l'essentiel de sa vie. Un badge sur sa poche de poitrine disait *Clark*.

« À peut-être six ou sept kilomètres dans cette direction, poursuivit-elle. Une voiture a fait une sortie de route. Il y a deux morts à l'intérieur.

— Et qu'est-ce que tu veux que j'y fasse ? demanda Clark.

— Vous, rien, répondit Bailey. Mais vous pourriez peut-être appeler la police. Lui dire d'aller voir et de s'en occuper. Ces gens devaient avoir une famille, vous ne croyez pas ? »

Clay acquiesça lentement.

« Je suppose, dit-il. OK, je peux le faire. »

Il regarda Clay Luckman d'un air soupçonneux. Peut-être qu'ils cherchaient à l'embobiner. Peut-être que la fille tentait de le distraire avec ses élucubrations alarmistes pendant que son complice dévaliserait sa boutique.

« Merci », dit la fille avec un sourire.

Elle n'avait pas un sourire de voleuse. Clark se détendit un peu.

Le garçon s'approcha alors. Il tenait deux paquets de chips, un paquet de couenne de porc et un paquet de biscuits. Il n'avait pas l'air de cacher quoi que ce soit sur lui. Il paya avec un billet de cinq. Clark rendit la monnaie, lui donna un sac en papier pour ses courses.

Clay et Bailey repartirent, et dès qu'ils furent sur la route, Clark appela le commissariat du comté de Luna. Il eut la chance de tomber sur le shérif en personne. Hoyt était sur le point d'aller déjeuner. Clark connaissait Hoyt Candell. Il le connaissait depuis des années. Le shérif sembla d'abord surpris, puis très intéressé. Il déclara qu'il irait voir lui-même sur place, puis il voulut savoir de quel côté étaient partis les gamins. *Deux, tu dis ? Un garçon et une fille ? Quel âge ? Tu te souviens à quoi ils ressemblent ? Si tu les revoyais, tu pourrais les identifier ?*

Clark raccrocha. Le shérif passerait le voir plus tard pour lui dire s'il y avait vraiment deux cadavres dans une voiture à six ou sept kilomètres de là.

Alors que le shérif Candell quittait son bureau, Clay Luckman et Bailey Redman se faisaient prendre en stop. Dans moins d'une heure, ils seraient à Las Cruces et n'auraient aucune idée de ce qui se passerait au même instant à une soixantaine de kilomètres derrière eux.

## 40

Digger attendit qu'ils aient fini de manger.

Plus il les observait, plus il les aimait. La fille ne ressemblait plus à personne d'autre, elle ressemblait seulement à elle-même. La mère et le père avaient l'air de braves gens. Ils discutaient tous les deux, le père demandait de temps à autre à la serveuse quelque chose en plus pour les enfants, et quand ils semblèrent prêts à partir il sortit son portefeuille et laissa un généreux pourboire sur la table.

De braves gens.

Le genre de braves gens qui aideraient certainement une personne dans le pétrin.

Digger se leva et marcha vers eux.

Il ajusta sa veste. Aplatit sa frange sur son front des fois qu'elle serait ébouriffée, et tenta de sourire du mieux qu'il put.

Il était nerveux, aucun doute là-dessus.

Il se sentait comme un gamin de sept ans accusé à tort.

L'homme le vit arriver, posa sa tasse de café et fronça légèrement les sourcils.

« Bonjour, monsieur », commença Clay.

Même sa voix ressemblait à une voix d'enfant.

« Salut, petit. Qu'est-ce qui t'arrive ? »

*Petit.*

Digger mordit sa lèvre inférieure.

« J'espère que vous allez bien, poursuivit-il. J'espère que vous avez bien mangé et tout. »

La fille se mit à ricaner.

Le garçon lui donna un petit coup de coude pour la faire taire.

La mère semblait simplement déconcertée.

« Qu'est-ce qui t'arrive, petit ? Qu'est-ce qu'on peut faire pour toi ? »

*Petit.*

Digger ferma les yeux un moment. Ses mains étaient en sueur. Il sentait les gouttes tomber de ses doigts. Il savait que c'était impossible, mais c'était pourtant ce qu'il sentait.

« Salut », lança-t-il au garçon, ce qui arracha un nouveau ricanement à la fille.

Digger sentit le rouge lui monter aux joues.

Non, il *pouvait* y arriver. Il *pouvait* demander à ces braves gens de l'emmener. Il *pouvait* tirer avantage de la situation. Quelques kilomètres dans la bonne direction, quelque part où il pourrait peut-être trouver une autre voiture. La police devait être à sa recherche, évidemment, mais elle ne cherchait pas une famille. Non, elle ne cherchait pas une famille.

Ça, c'était bien réfléchi. C'était exactement ce qu'aurait fait Earl.

« Je me demandais juste si vous autres alliez dans la même direction que moi…

— Tu cherches quelqu'un pour t'emmener, petit ? »

La femme sourit, comme si elle était un peu embarrassée, mais il y avait autre chose en dessous…

Bon sang, quel était le mot ? Clay aurait connu le mot. Quelque chose qui donnait l'impression à Digger qu'elle le prenait de haut. Le genre de regard que vous aurait lancé le Cireur du haut de son cheval. *Tu n'es pas comme moi. Je suis supérieur à toi.* Quelque chose du genre.

« Oui, m'sieur, répondit Digger, le plus poliment possible. J'ai vu que vous étiez arrivés dans ce break et je me demandais si vous auriez de la place pour une personne de plus.

— Eh bien, petit, je ne sais pas si ça va être possible. Nous nous sommes juste arrêtés pour manger un bout, et nous comptons repartir aussi vite que possible. Nous avons beaucoup de route devant nous, et très peu de temps pour faire des détours, désolé. »

*Désolé.* Digger savait ce qu'il entendait par là. Earl le lui avait dit. *Les gens disent « désolé », mais en fait ils t'insultent, ils te disent une saloperie, c'est juste qu'ils veulent pas que tu t'énerves. Qu'est-ce que tu dis de ça ? Désolé ? Et si t'allais te faire enculer, hein ? Qu'est-ce que tu dis de ça au lieu de désolé ?*

« Désolé ? Digger s'entendit-il répéter malgré lui.

— Exact, petit, désolé… Maintenant, si ça ne t'ennuie pas, faut qu'on file. »

Digger jeta un coup d'œil en direction des enfants. La fille avait l'air de se foutre de lui. Elle avait une expression nerveuse, certes, mais il savait qu'en dessous elle rigolait. Pourquoi ? Il n'en savait rien. Avait-il dit quoi que ce soit qui aurait pu les contrarier ? Non, certainement pas. Il avait été poli et respectueux, et tout ce qu'il avait fait, c'était demander s'ils avaient de la place dans leur break pour une personne de plus. La place, ils l'avaient. Évidemment qu'ils l'avaient.

Ils lui manquaient juste de respect… comme ce type dans le restaurant, le type au chapeau.

Digger serra les poings. Il sentit la sueur poindre entre ses doigts.

Il n'avait aucune raison de se sentir comme ça.

Earl ne se serait pas senti comme ça. Earl aurait dit au type qu'il allait l'emmener, point final, et l'autre n'aurait pas bronché.

Digger ne bougeait pas.

« Petit… si ça ne t'ennuie pas…, dit l'homme en commençant à se lever.

— Je ne voulais pas vous déranger, coupa Digger. Je vous demandais juste si vous auriez la gentillesse de m'emmener, c'est tout. »

L'homme fronça les sourcils. Il inclina la tête comme s'il essayait d'examiner Digger sous un autre angle, comme s'il y avait autre chose à voir que ce qu'il avait devant les yeux. Il le regardait d'un air dédaigneux, exactement comme l'autre fils de pute dans le restaurant. Marlon Machin-Chose.

« Tu as demandé très poliment, petit, et je te réponds très poliment… »

*Petit ?*

*Qu'est-ce que c'était que ce bordel ?*

*Personne ne voyait-il donc l'homme ? Ne voyaient-ils qu'un abruti de gamin planté devant eux ?*

« … mais nous avons de la route à faire, et comme je te l'ai déjà dit, nous n'avons pas l'intention de faire des détours. J'espère que tu trouveras quelqu'un pour t'emmener, mais faut qu'on y aille. »

Digger recula tandis qu'ils quittaient la table et se dirigeaient vers la porte. Une sensation oppressante l'envahit. Il savait ce qu'il lui restait à faire.

En passant devant Digger, le garçon lui fit un sourire. C'était un sale petit sourire. Un petit sourire narquois.

Il cherchait à humilier Digger. Mais Digger n'était pas humilié. Il avait quelque chose en lui. Quelque chose de puissant. Il avait Earl. Earl était avec lui.

*Attends le bon moment, mon pote. Attends le bon moment. Si tu t'énerves, tu perdras la partie. Alors que si c'est toi qui fixes les règles, bon Dieu, tu gagneras haut la main.*

Digger attendit qu'ils soient sortis, attendit d'entendre le break démarrer, puis il sortit à son tour.

Digger suivit le break pendant plus de cinq kilomètres. Ils allaient dans le même sens que lui, vers l'ouest, direction El Paso.

Ils auraient pu l'emmener.

Ils auraient pu se comporter comme de braves gens, de bons citoyens, mais non, ils voulaient être des connards.

Earl aurait été tellement furax. *Des hypocrites*, voilà comment il les aurait appelés. *Des putains d'hypocrites creux et superficiels.*

Digger les suivait à bonne distance. Il les avait laissés prendre quatre cents bons mètres d'avance, et ce n'est que quand sa colère commença à laisser place à une détermination froide qu'il décida de les dépasser et de les forcer à s'arrêter. Il regarda l'horloge du tableau de bord. Il était midi passé de quelques minutes.

Pourquoi Maurice Eckhart s'était-il arrêté ? Telle serait la question qu'on se poserait par la suite. Mais en réalité, il n'avait pas eu d'autre choix. Le jeune homme qui lui avait demandé de l'emmener dans le restaurant roulait désormais à côté de lui dans une Ford Galaxy gris foncé, et il était armé. Il pointait son pistolet par la vitre, droit sur Maurice, et il lui gueulait : « Ralentissez ! Ralentissez, nom de Dieu ! » Et lorsque Maurice ralentit, le jeune homme dans la Galaxy l'accula au bord de la route et le força à s'arrêter.

Maurice était troublé, désorienté. Le jeune homme descendit de la Galaxy et marcha vers le break. Linda demanda ce qui se passait. Dennis déclara que c'était un cinglé, à quoi Margot répliqua : « Ne sois pas idiot, Dennis. Arrête de faire peur à ta sœur. » Mais c'était trop tard. Linda avait déjà peur. Le jeune homme se tenait près de la voiture, et l'arrogance et l'assurance avec lesquelles il s'était approché lui avaient foutu la trouille de sa vie. Si quelqu'un avait pu l'interroger par la suite, Linda aurait été celle qui était la plus proche de la vérité. *J'ai su qu'on allait avoir des ennuis dès que j'ai vu ce garçon venir vers notre table. J'ai su qu'il allait se passer quelque chose. Et je savais que ce serait terrible.* Voilà ce qu'elle aurait dit si quelqu'un avait pu lui poser la question.

Maurice Eckhart, cependant, était confronté à une situation inédite. Un jeune homme armé d'un pistolet. S'agissait-il d'un détraqué qui avait bu un coup de trop ? Le pistolet était-il réel ?

« Salut ! lança le jeune homme. Mon nom est Charlie… » Il marqua alors une pause et esquissa un sourire tordu, puis il reprit : « Et puis merde, hein ? Je crois qu'on sera tous copains d'ici la fin de l'après-midi. Mon nom, c'est pas Charlie, c'est Digger. Du moins, c'est comme ça qu'on m'appelle. »

Digger se pencha vers la vitre ouverte du côté conducteur et fit un grand sourire à Maurice.

« Vous vous souvenez peut-être pas, mais on s'est parlés y a pas longtemps. Dans le restaurant. »

Maurice acquiesça.

« Bon, écoute, petit… »

Digger pointa son arme entre les yeux de Maurice et scanda chacun de ses mots d'un coup de canon dans le front. « Ne. M'appelle. Pas. *Petit*. Pigé ? »

Maurice devint silencieux.

Digger porta son attention sur Linda.

« Tu sors de la voiture, chérie, dit-il. Tu sors et tu montes dans la mienne. »

Margot passa la main par-dessus le dossier de son siège et agrippa instinctivement le bras de sa fille.

« Maman ? Papa ? » fit Linda d'une voix chancelante.

Maurice se tourna vers elle. Il secoua la tête en ouvrant de grands yeux effrayés, puis se tourna de nouveau vers Digger.

« Monsieur, je ne sais pas quel est le problème, mais ma fille ne sortira pas de cette voiture… »

Digger était rapide. Maurice n'eut pas le temps de finir sa phrase que la main gauche de Digger se refermait autour de sa gorge. Sa main droite tenait toujours le pistolet, dont le canon était collé au front de Maurice – pile entre les yeux, au-dessus de l'arête du nez.

Margot blêmit ostensiblement. Elle était assise de biais contre la portière, agrippant sa fille d'une main, le bord de son siège de l'autre. Son visage était paralysé par la terreur. Elle regardait le jeune homme au pistolet avec dans les yeux une expression farouche, presque sauvage, comme si la simple force de son instinct maternel pouvait arrêter les balles.

« Hé ! s'exclama Dennis. Je ne sais pas pour qui vous vous prenez, mais… »

Le pistolet se retrouva soudain contre son visage. Il resta la bouche ouverte sans achever sa phrase.

« Ferme ta gueule, gamin ! ordonna Digger.

— OK, OK, fit Maurice. Je veux sortir. Laissez-moi descendre de voiture.

— La seule qui descend de la voiture, c'est la fille. »

Les yeux de Linda s'emplirent de larmes.

« Maman, implora-t-elle d'une voix faible. Papa… non… »

Margot tendit encore plus le bras en arrière, comme pour cacher complètement Linda.

« Ma fille ne va nulle part avec vous, monsieur », déclara-t-elle d'un ton catégorique et déterminé.

Digger contourna la voiture avant que quiconque ait eu le temps de réagir. Il ouvrit violemment la portière arrière, saisit le bras de Linda, qui se retrouva à genoux par terre tandis qu'il l'entraînait sans ménagement. Dennis tendit la main pour la retenir, mais Digger donna un coup de pied dans la portière, qui se referma sur son poignet gauche. Il hurla de douleur.

Digger força la fille à se relever et la poussa vers l'avant de la voiture.

Maurice, qui était alors sorti, se précipita vers sa fille, mais Digger fit un pas en arrière et lui assena un violent coup de pied dans le genou droit. Maurice poussa un cri et tomba comme une pierre. Malgré la douleur, il se releva bientôt, son corps penchant lourdement d'un côté.

« Espèce d'abruti ! s'écria Digger. Tu sais pas quand t'avouer vaincu, hein ? »

Il balança un nouveau coup de pied, qui atteignit cette fois Maurice au menton. Il hurla de douleur et s'effondra une deuxième fois.

Digger se pencha en avant tout en agrippant Linda fermement et colla le revolver contre le visage de Maurice.

« Maintenant retourne dans ta bagnole, le vieux, et suis-moi. Suis-moi et tu récupéreras ta fille. Va prévenir la police et elle meurt. »

Linda fondit en larmes, Margot se mit à hurler. Maurice essaya de se relever, parvint à saisir la poignée de la portière et se remit péniblement sur ses pieds.

Margot s'apprêta à sortir à son tour.

« Reste dans la bagnole ! hurla Digger. Je l'emmène avec moi, comme j'ai dit. Suivez-moi, et tout le monde s'en tirera. Enfuyez-vous, et elle meurt. »

Sans attendre de réponse, Digger poussa à la hâte Linda Eckhart jusqu'à la Galaxy, la fit asseoir à la place du passager, puis fit le tour de la voiture.

Comme il tournait momentanément le dos au break, Digger ne vit pas Dennis en descendre. Son bras gauche pendouillait inerte contre son flanc, mais il avait toujours suffisamment de présence d'esprit, suffisamment de force dans le bras droit pour se ruer armé d'un thermos vers Digger. C'était un objet en métal, solide, pesant au moins sept cents grammes. Il le lança de toutes ses forces et atteignit Digger à l'arrière du crâne, le mettant à terre.

Après un moment d'étourdissement, Digger s'aperçut que Linda s'était enfuie de la Galaxy et était de nouveau dans le break, avec le reste de sa famille. De la poussière jaillissait de sous les roues arrière tandis que le véhicule s'éloignait dans un dérapage.

« Putain de bon Dieu de bordel de merde ! » hurla-t-il, et il grimpa dans la Galaxy, démarra, quitta le bas-côté sur les chapeaux de roue et se lança à leur poursuite.

Il les rattrapa en deux ou trois minutes, se portant à leur hauteur afin de braquer son arme par la vitre ouverte.

« Arrête-toi ! hurla-t-il. Arrête-toi tout de suite ! »

Maurice, avec sur le visage une expression de terreur abjecte, enfonça l'accélérateur. Il reprit les devants, mais la Galaxy était plus légère, et elle ne transportait qu'une personne, alors qu'ils étaient quatre dans le break. Digger n'eut aucune difficulté à les rattraper.

Il jeta un coup d'œil en direction de la vitre arrière et vit le garçon qui le regardait.

Enfoiré.

Il fit feu et la balle transperça la portière arrière, juste en dessous de la vitre.

Il sut qu'il avait atteint sa cible lorsqu'il vit le garçon retomber en arrière, son visage se tordant de douleur.

Il crut entendre la mère et la fille hurler par-dessus le rugissement des deux moteurs.

« Maintenant ! cria de nouveau Digger. Arrête-toi maintenant ! »

Maurice enfonça encore plus l'accélérateur. Mais le moteur produisit un bruit strident et le break refusa d'aller plus vite.

Digger tira dans l'aile de la voiture. Il espérait toucher Maurice, mais rata son coup.

De la vapeur ou de la fumée ou Dieu sait quoi commença à jaillir de sous le passage de roue.

Maurice semblait perdre le contrôle du véhicule. Le break zigzaguait à travers la route.

Digger pointa son arme pour tirer de nouveau, mais le break fit une embardée soudaine. Il quitta la route et, lorsque les roues atteignirent les graviers sur le bas-côté, il partit dans une série de tonneaux.

Digger ralentit. La Galaxy s'immobilisa. Le break continuait de rouler sur lui-même.

Soudain, il y eut une explosion sourde. Digger vit quelque chose s'embraser, et avant qu'il ait eu le temps d'associer le bruit qu'il avait entendu et ce qu'il voyait, le break se transforma en une boule de feu orange et noir. Une déflagration assourdissante retentit.

Le break s'immobilisa en tanguant tandis que les flammes jaillissaient par toutes les vitres. Le pare-brise explosa, et – même s'il savait que ça ne pouvait être que le fruit de son imagination – Digger crut entendre ces enfoirés hurler pendant qu'ils grillaient.

Il descendit de voiture.

Il se tint immobile, mains sur les hanches.

« Enfoiré… » marmonna-t-il.

Puis il se retourna.

Putain de merde !

Une autre voiture approchait. Un autre foutu break.

Il retourna à la hâte récupérer son arme dans la Galaxy. Il l'enfonça à l'arrière de son jean et regagna le bord de la route.

Le break était proche, il ralentissait désormais, puis il s'immobilisa brusquement à environ trente mètres de Digger.

Une femme d'âge moyen en descendit et se précipita dans sa direction.

« Oh, Jésus ! s'exclama-t-elle. Oh, doux Jésus… qu'est-ce qui s'est passé ? »

Son nom était Rita McGovern. Elle avait trente-neuf ans, était célibataire. Sa sœur, Mary, travaillait dans un bureau à Washington et avait un jour parlé à Jacqueline Kennedy au sujet d'un arrangement floral. Mary avait dit à Rita que Jacqueline Kennedy était très gentille, pas du tout maniérée et guindée comme elle l'imaginait. Non, elle avait été très plaisante, et lui avait parlé comme si son opinion comptait. Mary avait cependant été embarrassée, car elle avait voté pour l'autre candidat.

Digger ignorait tout ça, et de toute manière il s'en serait foutu. Rita ne l'attirait pas, il trouvait sa voix irritante.

Elle s'approcha de lui. Elle n'était plus qu'à trois ou quatre mètres.

« Avez-vous vu ce qui s'est passé ? lui demanda-t-elle. Avez-vous vu ce qui est arrivé à cette voiture ?

— Pour sûr, répondit Digger. Non seulement je l'ai vu, mais c'est moi qui l'ai fait. »

La femme le regarda. Elle écarquillait de grands yeux, qui s'élargirent encore plus quand Digger sortit son arme et lui tira une balle dans la gorge.

Le bruit qu'elle produisit en heurtant le sol, le bruit de ses mains agrippant l'énorme blessure à sa gorge, le sang qui semblait jaillir à gros bouillons de ce trou comme s'il ne s'arrêterait jamais…

Tels étaient les sons qui résonnaient dans les oreilles de Digger lorsqu'il monta dans le break de la femme et s'éloigna. Il supposait que les gens qui le recherchaient avaient dû retrouver le vieux bonhomme dans la cave, et qu'il valait mieux abandonner la Galaxy. Il abandonna également le calibre 9 mm qu'il avait récupéré à Wellton vu qu'il était désormais vide.

« La famille, murmura-t-il tandis qu'il accélérait, laissant le carnage derrière lui. Des problèmes quand on en a une, des problèmes quand on n'en a pas. »

## 41

« Tu t'es déjà dit que tu étais destiné à de grandes choses ? »

Clay fronça les sourcils.

« De grandes choses ?

— Eh bien, disons au moins à quelque chose. Quelque chose qui ne soit pas rien. J'ai l'impression que la vie de la plupart des gens est remplie de *presque* et de *peut-être*. D'occasions manquées, tu sais ? »

Il fut un moment silencieux, s'apprêta à répondre, puis se ravisa.

Ils étaient à la périphérie de Las Cruces, assis depuis un moment au bord de la route, là où on les avait déposés, et ils parlaient de choses et d'autres. Ils fumaient des cigarettes, mangeaient de la couenne de porc, se demandaient ce qu'ils allaient faire maintenant. Derrière eux se trouvait une décharge. Des pneus usés à flancs noirs ou blancs, un vélo rouillé, un réfrigérateur sans porte, des enjoliveurs qui gisaient ici et là comme des capsules de bouteille à l'arrière d'un bar. Le paysage n'avait pas de couleur, comme si elle avait été aspirée et utilisée à meilleur escient ailleurs. Quelque part où elle serait appréciée.

« Non, déclara-t-il finalement. Je n'ai jamais pensé que j'étais destiné à grand-chose.

— Moi, si, répliqua Bailey. Et je le pense encore. »

Elle lança d'une chiquenaude son mégot de cigarette à travers la route. Il ricocha dans un petit nuage d'étincelles puis s'immobilisa.

Il était environ treize heures trente et, près de cent kilomètres derrière eux, Hoyt Candell examinait la scène qui lui avait été signalée par Clark Regan de la station-service. Il y avait bel et bien une voiture accidentée. Il y avait bel et bien deux types morts à l'intérieur. Et quand il se mit à quatre pattes et vit le pistolet et la boîte de munitions sous le véhicule, un déclic se produisit dans sa tête et il devina qu'il avait affaire à bien plus qu'un simple accident. Candell, comme bien d'autres, avait reçu l'avis des fédéraux. Il était désormais de son ressort de rapporter sa découverte au bureau fédéral le plus proche, qui – s'il ne se trompait pas – se trouvait à une centaine de kilomètres, à Las Cruces. Son rapport fut envoyé dès que des agents arrivèrent en renfort pour boucler la scène. Ils tracèrent des marques, tendirent des cordons et dressèrent des barrières, et ils ne piétinèrent pas la scène avec leurs lourdes bottes car ils savaient qu'ils le paieraient cher s'ils l'esquintaient. Hoyt Candell était peut-être shérif dans un bled paumé, mais il n'était pas idiot. Il avait assez d'années de service derrière lui pour savoir qu'il y avait des règles, des méthodes et des protocoles, et que quiconque pensait pouvoir contourner le système et s'en tirer à bon compte était sacrément plus idiot qu'il n'y paraissait. Nixon et Koenig se trouvaient à Las Cruces quand le rapport de Hoyt arriva, et ils étaient sur la route à quinze heures. Quand ils passèrent devant la décharge à la périphérie de Las Cruces, Clay Luckman et Bailey Redman avaient déjà gagné la ville, et ils les ratèrent de peu. S'ils les avaient croisés, il y aurait eu des coups de feu. S'ils les avaient croisés, Clay Luckman serait mort.

Comme ils avaient de nouveau faim, Clay et Bailey s'arrêtèrent dans un petit restaurant.

« Alors, tu trouves toujours que c'était une si mauvaise idée de prendre cet argent ? » demanda-t-il tandis qu'il réglait la note pour deux hamburgers, une portion de frites, du coleslaw et des sodas.

Elle ne répondit pas. Elle avait simplement certains principes qu'elle essayait de suivre.

Assis dans un box dans un coin de la salle, l'estomac plein, ils se regardèrent avec gêne.

« Tu crois vraiment que c'est une bonne idée ? demanda-t-elle.

— Quoi ?

— D'aller à Eldorado. »

Il haussa les épaules.

« Bon sang, j'en sais rien, Bailey. Je ne sais pas ce qu'on fabrique. Mes parents sont morts, tes parents sont morts, et on se retrouve tous les deux seuls. » Il marqua une pause, puis la regarda curieusement. « La question que je me pose, c'est pourquoi tu restes avec moi ? »

Elle sourit.

« Une fille polie danse toujours avec le garçon qui l'a emmenée. »

Il lui rendit son sourire, puis se tourna et regarda par la fenêtre – la terre couleur cannelle, le ciel tel un océan à l'envers.

« On ferait mieux d'y aller, dit-il. Ce serait bien de se faire prendre en stop jusqu'à El Paso pour y passer la nuit. Je veux conserver notre avance sur les personnes qui nous recherchent. »

Elle ne bougea pas.

« Qu'est-ce qui se passe ? »

Elle ferma les yeux une seconde et prit une inspiration suffisamment profonde pour se noyer dedans.

« Je suis fatiguée, répondit-elle.

— C'est pour ça que je veux atteindre El Paso. Peut-être qu'on y trouvera un endroit à peu près confortable pour dormir.

— Pas fatiguée comme ça. Je ne parle pas d'envie de dormir. Je veux dire fatiguée dans mon cœur, dans ma tête. Comme si mon esprit était fatigué.

— Bon sang, Bailey, t'as encore rien vu. T'as eu un mauvais départ, c'est tout. On a tous les deux eu un mauvais départ, mais ça va s'arranger. Il y a plein de gens qui en ont bavé plus que nous, et pourtant ils ont réussi. Ils finissent par gagner plein d'argent et par régler leurs problèmes. Il s'agit juste de se préparer un avenir meilleur que ce qu'on a en ce moment.

— Tu crois vraiment ? C'est pour ça qu'on est ici ? »

Clay fit la moue.

« C'est le milieu de la journée, Bailey. Ce genre de conversation, c'est pour quand il fait nuit, que tout est silencieux et qu'on n'a rien de mieux à faire.

— Mon père me racontait des histoires, tu sais ?

— Des histoires ?

— J'avais treize ans quand j'ai fait sa connaissance. J'ai pris le bus pour Scottsdale toute seule et je l'ai trouvé.

— Merde, je parie qu'il a été assez surpris pour avoir une attaque cardiaque.

— Non, répondit-elle d'un ton neutre. Il n'était pas du tout surpris. Je crois qu'il s'attendait à ma venue. »

Clay ne dit rien.

« Et il était vraiment bien. C'était un homme bien à tellement d'égards. » Elle sourit, presque intérieurement. Clay avait l'impression qu'il aurait pu être n'importe qui, qu'elle avait simplement besoin de dire ce qu'elle avait sur le cœur, peu importait qui l'écoutait. « Il a essayé de se rattraper, je crois. Il m'achetait des trucs, et il s'arrangeait pour toujours avoir ce que j'aimais manger dans son réfrigérateur quand je venais. Et quand j'allais me coucher, il venait s'asseoir à côté de moi et il me racontait des histoires. Des histoires inventées et d'autres réelles, tu sais ? Il me racontait ce qui lui passait par la tête sur le moment… » Elle hésita. « Ça va te sembler idiot, dit-elle.

— Ça, je peux pas en juger tant que je l'aurai pas entendu, répliqua Clay.

— Un jour, il y a quelque temps, il m'a raconté une histoire sur l'Eldorado. Le vrai, tu sais ? Pas la ville du Texas. »

Clay fut tout d'abord incrédule, puis perplexe, puis carrément stupéfait.

« C'est un signe, dit-il finalement. C'est *forcément* un signe.

— Je ne sais pas ce que c'est, Clay, mais je suppose que je ferais aussi bien de te raconter. Depuis que tu as mentionné cette ville au Texas, j'y ai beaucoup pensé. Peut-être que ce n'était rien de plus qu'une coïncidence ou je ne sais quoi, mais il fallait que je t'en parle.

— Et qu'est-ce qu'il t'a raconté sur le vrai Eldorado ?

— Il m'a dit que tous ceux qui y allaient devenaient riches et heureux. »

Elle hésita.

« Et ? insista Clay.

— Il m'a aussi dit que beaucoup de gens mouraient en essayant de l'atteindre. »

Clay ne répondit rien. Elle avait raison. Son père avait eu raison. Il comprenait désormais quelque chose sur elle. Qu'il s'agisse d'une coïncidence, d'un signe, ou d'autre chose, elle restait avec lui *à cause* de son père, pas à cause de Clay ou de qui que ce soit d'autre. Son père avait parlé de l'Eldorado, donc c'était important. S'il avait parlé du Danemark ou de la France ou d'un bled paumé en Alabama, c'est là qu'ils iraient en ce moment. Et les coïncidences, Clay n'y croyait pas. Qu'avait-il entendu dire un jour ? Une coïncidence, c'est quand Dieu souhaite rester anonyme. *Ben voyons*, qu'il avait répondu d'un ton sarcastique à cette homélie. C'étaient des foutaises. Comme les panneaux à la con qu'ils voyaient devant les églises tous les deux kilomètres.

« Tu crois que tu vas devenir riche et heureuse ? demanda-t-il.

— Je crois que si on croit assez à quelque chose, alors on peut l'obtenir.

— C'est un point de vue très optimiste que tu as.

— Et toi, tu es très sarcastique.

— Tu crois vraiment que de grandes choses t'attendent ? »

Elle hésita. Pas parce qu'elle n'était pas sûre, mais simplement parce qu'elle se demandait comment formuler ce qu'elle voulait dire. C'était assurément l'impression qu'eut Clay lorsqu'il vit un petit sourire poindre sur ses lèvres.

« De grandes choses ? fit-elle. Bon sang, Clay, tu ne trouves pas que je suis déjà la plus grande ? »

Il ne répondit rien. Qu'y avait-il à dire ? Elle était contagieuse, comme une maladie, mais une bonne maladie. Un *remède* contagieux, pour autant qu'une telle chose existât.

« Laisse un pourboire à la serveuse, dit-elle en se levant. Un dollar, peut-être.

— Je ne vais pas laisser un dollar. Bon sang, on est déjà assez fauchés comme ça.

— Laisse un dollar, répéta-t-elle. L'argent de ces morts ne t'appartenait pas plus qu'à un autre. Partages-en une partie. Ça nous portera peut-être chance.

— Tu es sérieuse ?…

— Tente le sort si tu veux, Clay Luckman.

— Tu es en train de me dire que si je ne laisse pas un dollar, quelque chose de moche va nous arriver ?

— Je ne dis rien de tel. »

Il tira la liasse de billets de sa poche et déposa un dollar sur la table.

« Bon sang », marmonna-t-il.

Elle ouvrit la voie. Il suivit. La serveuse les regarda sortir. Son nom était Betty Calthorpe, et par la suite, il lui sembla étrange que deux gamins laissent un dollar de pourboire.

Environ trois minutes plus tard, Clay et Bailey se firent prendre en stop. Le conducteur était un ingénieur en pompes hydrauliques nommé Martin

Dove. Il leur demanda leur nom et Bailey répondit qu'elle s'appelait Frances et que lui, c'était son frère Paul.

« Comme saint Francis et saint Paul », observa Martin.

Bailey dit que c'était quelque chose comme ça, sauf que Frances s'écrivait avec un *e*.

« C'est *i* pour lui, et *e* pour elle. C'est comme ça qu'on s'en souvient.

— Malin », fit Martin Dove, puis il leur expliqua qu'il venait de réparer une pompe hydraulique au Nouveau-Mexique et qu'il retournait au bureau à El Paso pour rédiger ses rapports.

Il était environ seize heures trente lorsqu'ils arrivèrent à destination. Le chauffeur les salua de la main et leur souhaita bonne chance. Il songea que c'étaient de braves gamins, puis ne pensa plus à eux. Jusqu'à bien plus tard.

# 42

Garth Nixon et Ron Koenig apprécièrent le soin et l'attention au détail du shérif Candell.

Le pistolet et la boîte de munitions avaient été laissés là où ils avaient été découverts, et Nixon les sortit précautionneusement, les plaça dans un sachet, et demanda à Candell si un de ses adjoints pourrait les emporter directement au bureau fédéral d'El Paso. Ils seraient suffisamment équipés là-bas pour prélever les empreintes sur le pistolet. Ils pourraient aussi relever le numéro de série de l'arme et vérifier si elle avait été légalement enregistrée. Candell fut ravi de se rendre utile. L'adjoint quitta les lieux à seize heures trente-cinq. Les pièces à conviction seraient consignées au bureau du FBI d'El Paso peu après dix-huit heures, accompagnées d'une demande écrite de Koenig pour que l'affaire soit traitée de toute urgence. Le responsable du service technique serait rappelé de chez lui. Il se mettrait au travail immédiatement. En moins d'une heure, il déterminerait grâce au numéro de série que l'arme appartenait à Harvey Warren, propriétaire de l'épicerie-station-service de Marana, Arizona. Il faudrait attendre le lendemain matin pour que les empreintes digitales soient formellement identifiées, uniquement parce qu'il s'avérerait que Ronald Koenig possédait un registre d'empreintes auquel elles pourraient être comparées.

Sur la scène elle-même – celle de la voiture accidentée à cinq ou six kilomètres de Deming, dans le comté de Luna –, Koenig et Nixon s'interrogeaient sur les causes de l'accident. Pour le moment, ils n'avaient aucun moyen de savoir si le décès des deux hommes avait le moindre rapport avec Clarence Luckman. Tout semblait indiquer qu'ils s'adonnaient à un acte de nature sexuelle pendant que le véhicule était en mouvement. Le pistolet et la boîte de munitions pouvaient déjà être là, et la voiture se serait arrêtée juste au-dessus. Peu probable, naturellement, mais rien ne pouvait être exclu tant qu'ils n'étaient pas sûrs. Ou alors le pistolet avait pu être placé là plus tard. Rien n'indiquait que l'un ou l'autre des deux hommes avait été tué par balle, et le pistolet ne semblait pas avoir été utilisé récemment. Soit c'était une pièce du puzzle qu'ils ne pouvaient pour le moment placer, soit ça n'avait aucun rapport. Nixon optait pour la seconde possibilité, Koenig pour la première. Si on lui avait demandé pourquoi, il n'aurait pas voulu évoquer l'intuition, mais c'était pourtant bien d'intuition qu'il s'agissait. Plus ils voyageaient, plus les pièces étaient nombreuses, et plus il semblait en mesure de déterminer lesquelles étaient importantes et lesquelles ne l'étaient pas. C'était du moins ce qu'il croyait, et cette certitude se basait sur ce qu'il ressentait. La scène de crime (la présence de l'arme et de munitions abandonnées suffisait aux yeux de Koenig à qualifier les lieux de scène de crime) lui *semblait* liée à l'affaire sur laquelle ils enquêtaient. C'était tout ce qu'il pouvait dire, mais il le garda pour lui. Ça *semblait* lié.

Ils roulèrent six kilomètres jusqu'à la station-service et montrèrent à Clark Regan la photo de Clarence Luckman. L'homme étudia longuement le cliché avant de secouer la tête.

« Je ne suis pas sûr, dit-il. J'ai surtout parlé à la fille. Le garçon se tenait en retrait près des présentoirs, et puis il est venu pour payer, mais j'étais encore en train de parler à la fille et je n'ai pas vraiment fait attention à lui.

— Mais ça aurait pu être lui ? demanda Koenig.

— Bon Dieu, monsieur, disons que ça aurait pu être n'importe qui. »

Ils retournèrent sur la scène de l'accident sans plus de certitudes que quand ils l'avaient quittée. Ils n'avaient aucune idée de qui était cette fille, mais si elle était en compagnie de Clarence Luckman, vu les événements récents, elle serait plus que probablement morte avant la tombée de la nuit.

Le coroner du comté de Luna fut appelé. En outre, Hoyt Candell envoya chercher une dépanneuse. Lorsque le coroner eut emmené les cadavres, Candell demanda au dépanneur de tracter la voiture jusqu'à la route.

« Qu'est-ce que c'est que tous ces meurtres liés à des voitures cette semaine ? » demanda-t-il à Koenig.

L'agent du FBI secoua la tête. Il ne fit aucun commentaire car il n'en avait aucun à faire. Trois morts, à vingt-cinq kilomètres les uns des autres, sur la route qu'était censé emprunter le fugitif Clarence Luckman. Koenig, en dépit des intuitions qu'il avait de temps à autre, ne croyait pas aux coïncidences.

Il songea à la décision qui avait été prise. Luckman allait mourir. C'était la simple vérité. Il n'y aurait aucune hésitation, aucun atermoiement. À l'instant où ils le repéreraient, sa vie s'achèverait. Parfois, pour le bien de tous, il devait en être ainsi.

Estimant avoir fait tout ce qu'ils pouvaient, Garth Nixon et Ronald Koenig quittèrent les lieux à dix-huit heures quarante-cinq et retournèrent à Las Cruces, où les attendait le rapport du bureau d'El Paso. Le pistolet avait appartenu à l'une des victimes de la station-service de Marana. Koenig avait une fois de plus vu juste. Luckman avait suivi la I-10, abandonné l'arme et les munitions sur la scène où ils avaient trouvé les deux cadavres, et il avait plus que probablement continué sa route jusqu'à El Paso. Pourquoi il avait abandonné l'arme, il n'en savait rien. Et il ne savait pas non plus si Luckman était responsable de la mort des deux hommes dans la voiture. Mais une chose était certaine : El Paso serait leur prochaine destination. Nixon et Koenig réglèrent leur note d'hôtel et se mirent immédiatement en route. Ils seraient à El Paso avant vingt et une heures. La photo de Luckman avait déjà commencé à être distribuée aux stations-service et aux épiceries le long de la route. Chaque agent en uniforme avait vu cette photo suffisamment de fois pour le reconnaître à cinquante mètres. Des renforts du FBI avaient été dépêchés dans les villes et les comtés avoisinants.

Ronald Koenig était certain qu'ils étaient tout près de mettre la main sur Luckman. Il y avait eu les agressions de Gil Webster, Deidre Parselle, et maintenant ce Walter Milford ; plus les meurtres de Laurette Tannahill et de Marlon Juneau. Si on ajoutait à ça les deux types dans la voiture à la sortie de Deming – pour autant que Luckman fût bien responsable de leur mort –, ça faisait quatre. Et quatre, c'était plus que suffisant pour un seul homme. Quatre, c'était déjà bien au-delà de la limite. Il fallait que ça cesse, et il fallait que ça cesse sur-le-champ.

L'étau se resserrait, et il finirait par se refermer sur Luckman. C'était inévitable.

# 43

Clay Luckman ne se sentait franchement pas à sa place à El Paso. La ville paraissait encore plus grande que Tucson. Il voulait continuer, traverser la banlieue et passer la nuit dans un motel sur la route. Il leur restait près de cinquante dollars – de quoi s'offrir au moins un bon repas et une bonne nuit de sommeil. Ils le méritaient, estimait-il, après tout ce qu'ils avaient marché et tout ce qu'ils avaient vu. Bailey ne discuta pas. Elle semblait bien trop épuisée pour prendre cette peine.

Digger, en revanche, était plus que jamais gonflé à bloc.

Ce qui s'était passé avec cette famille, ç'avait été bon. Plus que bon. Il roulait depuis moins d'une demi-heure et parvenait à peine à contenir son excitation. C'était dommage, dans un sens, parce que la fille était sacrément canon, et la mère n'était pas mal non plus. Elles auraient résisté, évidemment. Mais une fois qu'il les aurait pénétrées et leur aurait montré qui était le patron, elles se seraient sacrément calmées. Il supposait même qu'après la deuxième ou la troisième fois elles auraient commencé à aimer ça, qu'elles seraient rentrées dans le jeu et tout. C'était du moins ce qu'il pensait.

Il songea au garçon qui l'avait frappé avec le thermos. Il avait fait preuve d'un certain courage, et le courage était une qualité que Digger pouvait aisément admirer. Ç'avait été courageux d'essayer de protéger sa petite sœur comme ça. Earl Sheridan était courageux. La seule personne à laquelle il pouvait penser sur le moment qui n'était pas courageuse, c'était son abruti de frère, et il se demanda pourquoi Clay lui était venu à l'esprit. Penser à Clay le mit brièvement en colère, mais il l'oublia rapidement.

Il se concentra sur la route, roulant le plus vite possible – pour s'éloigner du carnage, des cadavres, du 9 mm vide qu'il avait pris au shérif de Wellton, Jim Wheland. Il laissait derrière lui Rita McGovern au bord de la route, la trace de ses chaussures dans la poussière, les douilles, ses empreintes digitales sur la Ford Galaxy que Garth Nixon et Ronald Koenig recherchaient si désespérément. Et il laissait aussi Margot Eckhart avec un sévère traumatisme crânien et un dos brisé. Elle avait été éjectée de la voiture pendant que celle-ci faisait des tonneaux et, bien qu'inconsciente et grièvement blessée, elle était on ne peut plus vivante. Elle reprendrait conscience une heure après le départ d'Elliott Danziger, ramperait jusqu'à la route, et serait repérée par un jeune couple, Rick Waverley et Samantha Pierce. Ils se rendaient de Pine Springs à El Paso dans une Chevrolet bleu clair que le père de Samantha leur avait offerte pour leurs fiançailles. Ils devaient se marier en juin 1965.

Les agents de la police d'El Paso arrivèrent sur place à dix-neuf heures quinze, et pendant que Rick réconfortait sa fiancée éperdue au bord de la route, les secouristes transportèrent en urgence Margot

Eckhart à l'hôpital Saint-Sauveur. Le shérif, un veuf maigre comme un clou âgé de soixante et un ans nommé Joseph Lakin, interdit totalement l'accès à la scène. Il ordonna que la route soit bloquée des deux côtés, et que la circulation soit déviée. Ils avaient découvert le corps de Rita McGovern à moins de cinquante mètres, et une Ford Galaxy abandonnée qui – Lakin le savait – n'appartenait pas à cette dernière. Elle conduisait un break Ford bleu, qui brillait par son absence. Lakin connaissait Rita McGovern parce qu'ils fréquentaient la même église, et maintenant elle était morte au bord de la route avec une blessure par balle à la gorge. Dans le break calciné, il y avait trois personnes supplémentaires – un homme à la place du conducteur et deux adolescents à l'arrière, mais il n'aurait su dire pour le moment s'il s'agissait de garçons ou de filles.

Il s'éloigna de la fumée et de la puanteur, et appela le bureau du comté.

« Prévenez les fédés, déclara-t-il d'un ton neutre. Je ne sais pas ce qu'on a sur les bras, mais je pense qu'ils feraient bien de venir jeter un coup d'œil. »

## 44

Alice Cassidy se tenait près de son mari ; elle sentait la chaleur de ses mains sur son ventre. Les assiettes du dîner étaient toujours sur la table. Il avait mangé comme un ogre, sans dire un mot, puis était resté un moment silencieux pendant qu'elle l'observait. Il était sorti de sa torpeur lorsqu'elle avait évoqué la visite du médecin plus tôt dans la journée.

« Il a dit que tout allait bien. Que tout est normal. Que tout se passe comme prévu. »

John ne répondit rien, mais elle sut à son expression qu'il était content et soulagé.

Elle attendait qu'il lui parle des événements de l'après-midi. Il y avait eu un autre incident, en rapport avec l'agression de Deidre Parselle. Ça, elle le savait. Il ne le lui avait pas dit, pas avec des mots, mais elle le connaissait suffisamment pour interpréter ses gestes, ses expressions, son silence.

« Le même type, déclara-t-il finalement. Le même que celui qui a tué la fille. J'en suis sûr.

— Et il est toujours à Tucson ? » demanda-t-elle.

Il secoua la tête.

« Non, je ne crois pas. Il a enfermé quelqu'un dans sa cave et a volé sa voiture. Je pense qu'il doit être loin à l'heure qu'il est.

— Tu as donné toutes ces informations aux agents fédéraux qui sont passés ici ?

— Oui…

— Oui, mais ? » demanda-t-elle.

Il regarda Alice, puis détourna les yeux. Une pensée lui traversa l'esprit et lui arracha un sourire, puis il se tourna de nouveau vers elle et dit une chose dont elle se doutait déjà.

« J'ai l'impression que c'est moi qui devrais mener cette enquête. »

Il y eut un petit moment de silence.

« Mais c'est une affaire fédérale maintenant, non ?

— Oui, bien sûr, mais les incidents continuent de se produire dans notre juridiction. Je me dis juste qu'avec tous ces meurtres et toutes ces agressions… eh bien, un type comme ça ne va pas s'arrêter, tu ne crois pas ?

— Non, en effet, répondit Alice. Pas s'il s'est engagé sur cette voie.

— Je vais leur téléphoner, déclara John.

— Maintenant ?

— Dans un petit moment.

— Mais il est déjà huit heures passées. Comment vas-tu les trouver ?

— Je vais appeler le bureau fédéral de Tucson, et ils sauront où ils sont. Si ça se trouve, ils sont encore ici. Ou alors ils ont pu retourner à Phoenix, ou aller à El Paso ou ailleurs. »

Alice acquiesça. Elle commença à débarrasser les assiettes.

John lui prit la main lorsqu'elle revint de l'évier. Il leva les yeux vers elle.

Elle sourit, lui toucha le visage.

« Je t'ai épousé pour ce que tu es, pas pour ce que tu pourrais devenir. Fais ce que tu as à faire. Ne t'inquiète pas pour moi, d'accord ? Tant que tu te portes bien, je suis satisfaite. »

John Cassidy appela le bureau fédéral de Tucson juste avant vingt et une heures. On l'informa que les agents Koenig et Nixon étaient à El Paso. S'il appelait le bureau d'El Paso, on lui donnerait sans doute le nom de l'hôtel où ils logeaient. Il téléphona à El Paso, nota le nom et le numéro de l'hôtel, et quand il appela l'hôtel il fut informé que les agents fédéraux étaient bien arrivés, mais qu'ils étaient repartis sitôt après avoir reçu un coup de fil. Les poils sur la nuque de Cassidy se dressèrent. Il remercia le réceptionniste de l'hôtel, appela le commissariat d'El Paso et apprit que le shérif se trouvait sur une scène de crime avec les agents fédéraux.

« Quelque part sur la Route 180, lui expliqua son interlocuteur. À quelques kilomètres après la sortie de la ville. »

Cassidy le remercia, raccrocha, et sortit une carte de la région. La Route 180 quittait El Paso, puis devenait la Route 62 et remontait vers Pine Springs et Carlsbad. El Paso était à au moins cinq cents kilomètres de Tucson. Il sentait que c'était urgent. Il éprouvait un besoin impérieux d'y aller maintenant. Sans attendre. Mais il ne le fit pas. Il savait qu'Alice était compréhensive, qu'elle acceptait son travail, son implication totale, mais lui aussi devait se montrer compréhensif. Elle ne serait pas ravie qu'il parte maintenant pour un trajet de quatre ou cinq heures jusqu'à El Paso. Ça attendrait le lendemain matin, et alors il serait obligé d'obtenir la permission de Mike Rousseau.

Sa distraction évidente déclencha un déluge de questions de la part d'Alice. Il lui expliqua le peu qu'il savait, même si rien n'était certain, tout juste une série d'hypothèses.

« Alors vas-y », répondit-elle.

Il la regarda avec une surprise évidente.

« Vas-y maintenant. Trouve la réponse à ta question. Comme ça, au moins, tu sauras. Imaginons que tu attendes jusqu'à demain matin, que tu demandes à Mike et qu'il refuse… Qu'est-ce que tu feras dans ce cas ? »

Cassidy n'avait pas de réponse.

« Vas-y, répéta-t-elle. Je vais me coucher de toute manière. Va découvrir ce qui s'est passé, et tu pourras soit rentrer cette nuit, soit rester là-bas et m'appeler dans la matinée pour me dire ce que tu fais. Je sais comment tu seras jusqu'à ce que ce cauchemar s'achève, et j'aime autant que tu fasses quelque chose plutôt que de tourner en rond toute la nuit en me rendant dingue. »

John Cassidy ne dit rien. Il se contenta de l'étreindre un moment, puis il l'embrassa sur le front, la lâcha, et se rendit à l'étage pour se changer avant sa longue route à travers la nuit.

## 45

Vingt et une heures trente, mercredi 25 novembre. Tandis que John Cassidy se mettait en route, Elliott Danziger prenait une chambre dans un motel à proximité de la I-10, à la périphérie d'El Paso. Après avoir regagné la ville, après avoir laissé derrière lui la scène du meurtre des Eckhart, il était paisiblement allé dîner dans un grill de la banlieue. Il avait bien mangé. Son appétit l'avait surpris, mais bon, il n'avait rien avalé depuis le restaurant où il avait rencontré cette famille. Et puis il n'avait pas chômé, évidemment. Un tel travail était sûr de vous donner une faim de loup.

Le motel Sweet Dreams était relativement isolé puisqu'il se trouvait à au moins quatre cents mètres de la route. Il consistait en un simple demi-cercle de bungalows, bungalows qui ressemblaient beaucoup à celui qu'occupaient au même moment Bailey Redman et Clay Luckman à moins d'un kilomètre de là. Ils étaient passés devant le Sweet Dreams plus tôt, et bien que Clay eût voulu s'y arrêter, Bailey l'avait trouvé moche.

« Et ce nom, avait-elle dit. Sweet Dreams. C'est vraiment ringard, on dirait le genre d'endroit où les gens louent une chambre à l'heure pour baiser. »

Pris au dépourvu, un peu embarrassé, Clay n'avait pas bronché. Ils avaient continué de marcher et s'étaient arrêtés au suivant, le Travelers' Rest, bien que l'enseigne à l'avant indiquât *Travel rs R st*. L'endroit avait l'air suffisamment bon marché pour qu'on ne leur pose pas de questions, et c'est précisément ce qui se passa. L'homme derrière le guichet se contenta de prendre leur argent et de leur donner leur clé. S'il leur avait demandé leur nom, Clay aurait dit n'importe quoi à part Clarence Luckman et Bailey Redman. Mais l'homme ne demanda rien, et Clay ne proposa rien. Ils prirent la clé, sortirent du bâtiment principal et tournèrent à l'angle en direction d'un bungalow à moitié délabré. La chambre était étroite, avec une salle de bains basse de plafond à l'arrière, une télé alimentée par des pièces de vingt-cinq cents, et un lit double qui semblait foutrement petit pour un lit double.

Ils se demandèrent comment ils allaient dormir. Clay, gentleman qu'il était, proposa de dormir par terre, mais Bailey s'y opposa ; ils pouvaient dormir tête-bêche dans le même lit. Clay sortit chercher deux bouteilles de Coca au distributeur dans la cour. Ils dépensèrent deux dollars pour regarder le *Patty Duke Show, Shindig !*, le *Dick Van Dyke Show* et *The Beverley Hillbillies*. Ni l'un ni l'autre ne voulurent regarder les informations pour voir si leur disparition avait été signalée. Peut-être par peur, peut-être parce qu'ils faisaient tout leur possible pour croire que le monde s'en foutait et les laisserait tranquilles. S'ils l'avaient fait, ils auraient vu la photo monochrome et un peu floue du visage de Clay, et une annonce incitant quiconque verrait cet individu à le signaler aux autorités, et à ne surtout pas l'approcher ni communiquer avec lui car il était considéré comme « armé et dangereux ». La vérité était que Clay n'avait pas souvent regardé la télé. Il avait même demandé à Bailey d'où provenaient les images et comment elles faisaient pour arriver là. Bailey avait répondu qu'elle n'en savait rien, que c'était juste comme ça. Pendant la série *Le Virginien*, elle prit un bain. Clay baissa le volume et il l'entendit chanter. Il ne connaissait pas la chanson, mais elle avait une jolie voix. Elle n'avait pas parlé de son père depuis un moment, ni de sa mère, d'ailleurs, et même si lui avait pensé à eux, il n'en avait rien dit. Peut-être qu'elle avait repoussé tout ça au fond de son esprit. Peut-être qu'elle était comme ces personnes qui gardaient tout à l'intérieur et qui, après avoir été bien secouées par la vie, finissaient par exploser. Peut-être qu'elle tiendrait jusqu'à vingt-cinq ans, et qu'alors elle aurait une maladie mentale ou quelque chose. Il avait vu des gens comme ça – des gamins, même – à Barstow et à Hesperia. Ils étaient incapables de manger tout seuls, incapables de parler correctement, ils étaient gavés de médicaments qui ne semblaient avoir d'autre effet que de les plonger dans un mutisme complet ou de les faire hurler. L'un d'eux avait sauté d'un toit et s'était cassé les jambes. Un autre avait poignardé un gamin plus jeune avec une fourchette. Des cinglés.

« Tu veux prendre un bain ? » demanda-t-elle. Elle se tenait dans l'entrebâillement de la porte, enveloppée dans une serviette. Ses cheveux étaient mouillés et plaqués en arrière. « J'ai laissé l'eau dans la baignoire, au cas où.

— D'accord », répondit Clay.

Il attendit qu'elle soit dans la chambre pour entrer dans la salle de bains exiguë. Une fois à l'intérieur, après avoir refermé la porte derrière lui, il sentit son odeur. Le savon, l'eau chaude, et quelque chose en dessous. L'odeur de Bailey Redman. Il commença à penser à tout un tas de choses intimes et se sentit excité. Puis l'embarras le gagna, parce qu'il avait dix-sept ans et elle quinze, et qu'elle n'était vraiment qu'une gamine. Mais elle était intelligente, drôle, jolie, et même s'il n'avait jamais couché avec une fille, ça le travaillait. S'il avait dû le faire une première fois, il aurait voulu que ce soit avec une fille comme Bailey Redman. Puis il songea qu'il ne voudrait pas le faire avec une fille *comme* Bailey Redman, mais *avec* Bailey elle-même.

Clay se pencha et regarda par le trou de la serrure. Il ne vit pas grand-chose à part le coin du lit. Il se maudit d'être un pervers et entra dans le bain.

Plus tard, alors qu'il se sentait aussi propre que Bailey, il se rendit compte que ses vêtements empestaient. Et ceux de Bailey aussi, d'ailleurs. Ils devaient soit les laver, soit s'en procurer d'autres. De nouveaux vêtements, s'ils s'y prenaient bien, leur coûteraient dix dollars au plus. Ce qui leur en laisserait une trentaine.

« Je crois qu'on ferait bien de s'acheter des pantalons et des tee-shirts, déclara-t-elle soudain.

— C'est exactement ce que je me disais. »

Elle se tourna vers la télé.

« Tu as déjà vu ça ?

— Quoi ?

— Ça s'appelle *Alfred Hitchcock présente*.

— Non, jamais vu.

— C'est bien. Des histoires qui fichent la trouille. Viens le regarder avec moi. »

Clay grimpa sur le lit et s'assit à côté d'elle. Ils regardèrent l'émission ensemble, deux corps propres dans des vêtements crasseux, puis ils éteignirent la télé et s'étendirent côte à côte. Ni l'un ni l'autre ne mentionnèrent le fait qu'ils étaient censés se coucher tête-bêche, et ils s'endormirent bien au chaud.

Clay se réveilla au petit matin. Il avait mal à la tête, l'impression que sa bouche était pleine de limaille de cuivre, et il entendait un léger cognement. Il mit un moment à s'apercevoir qu'il s'agissait simplement de papillons de nuit qui butaient doucement contre les fenêtres et les moustiquaires. Ils n'arrêtaient pas d'essayer d'entrer, comme si l'intérieur du bungalow était infiniment préférable à l'extérieur. Comme si quelque chose de différent valait beaucoup mieux que toujours la même chose.

Bailey était recroquevillée contre lui, leurs corps étaient imbriqués comme des cuillers dans un tiroir. Il avait une terrible envie de pisser, mais il ne bougea pas. Il ne voulait pas la réveiller, parce que c'était agréable d'être aussi près de quelqu'un, parce que ça lui semblait normal, comme s'ils étaient faits pour être ainsi.

Il sourit légèrement, ferma les yeux, et quelques minutes plus tard, il dormait de nouveau.

À moins d'un kilomètre de là, Elliott Danziger dormait lui aussi, d'un sommeil sans rêves. Il ne se réveillerait pas avant huit heures trente, et il aurait alors une faim de loup et une soif terrible. Il ressentirait aussi d'autres choses au fond de lui : le sentiment du travail bien fait, mais aussi le sentiment qu'il restait tant à faire, et le besoin désormais impérieux de faire souffrir quelqu'un. Peu importait qui, et le pourquoi était encore moins important. Le besoin était simplement là, si puissant qu'il était impossible d'y résister. De toute façon, il n'aurait pas essayé. Ç'aurait été comme dire non à une glace ; quelle personne douée de raison aurait fait ça ?

Malgré l'heure matinale, des hommes sérieux s'entretenaient déjà gravement dans des bureaux et sur des lignes téléphoniques. Des agents étaient dépêchés dans tout un tas de villes à travers l'Arizona et la Californie. Des tours de service étaient organisés, l'argent des heures supplémentaires était réparti, le sens du devoir était invoqué, des armes étaient distribuées. Les coordinateurs étaient informés que les bulletins radio devaient être diffusés plus fréquemment. D'autres photos étaient nécessaires. Des journaux locaux étaient contactés pour qu'ils publient le cliché monochrome de Clarence Stanley Luckman – fugitif, assassin, sociopathe, adolescent. De nouveaux agents recevaient l'ordre de localiser le cadavre d'Elliott Danziger. Les pressions et l'insistance des pontes du FBI étaient devenues incessantes. Il n'y aurait pas de quartier. Aucun échec ne serait accepté. Luckman avait l'honneur d'être l'ennemi public numéro un.

Et pourtant, ni Clay Luckman, ni Bailey Redman, ni même Elliott Danziger ne se doutaient de rien.

## 46

## Septième jour

Garth Nixon et Ron Koenig eurent un choc en découvrant un inspecteur Cassidy au comble de l'excitation à leur hôtel le jeudi 26 novembre, peu après huit heures du matin. Il n'était pas rasé, semblait quelque peu débraillé, et ils apprirent bientôt qu'il avait quitté Tucson tard la veille, mais que, ne voulant pas les réveiller à deux heures du matin, il avait dormi tant bien que mal dans sa voiture. Quand il s'était présenté à leur hôtel un peu avant sept heures, Cassidy avait appris que les agents étaient déjà sortis. Apparemment, ils s'étaient rendus dans un hôpital. Il avait alors attendu avec impatience leur retour, et quand ils étaient apparus plus d'une heure plus tard, ils avaient une bonne nouvelle – Margot Eckhart était toujours en vie – et une moins bonne – elle n'était pas en état de répondre aux questions et ne le serait pas avant longtemps. L'infirmière en chef avait leurs coordonnées, et elle les informerait de son évolution. Elle avait néanmoins déclaré que les chances que Margot récupère et soit en mesure de leur donner la moindre information sur son agresseur étaient *on ne peut plus minces*.

L'identification des Eckhart et de Rita McGovern avait été relativement aisée. Utilisant toutes les ressources disponibles à Deming, Lodburg et Las Cruces, sous la supervision de Hoyt Candell et du shérif du comté de Doña Ana Michael Montgomery, Nixon et Koenig avaient envoyé des agents dans toutes les directions. En retraçant les divers itinéraires qu'avaient pu emprunter les Eckhart, ils avaient trouvé le restaurant sur la Route 180. Les agents y avaient passé deux heures la veille au soir, et ils étaient désormais prêts à croiser et à vérifier les nombreuses dépositions prises auprès des employés. Koenig avait la certitude absolue que Clarence Luckman s'était trouvé dans ce restaurant à la sortie d'El Paso. Le propriétaire, Ralph Jackson, avait vu la Ford Galaxy gris foncé dehors, et il avait remarqué que le jeune homme qui la conduisait était de toute évidence un ancien prisonnier. « Soit ça, soit un ancien militaire », avait-il déclaré. Quand ils lui avaient demandé comment il le savait, il avait répondu : « C'est évident. » Seuls les anciens prisonniers et les anciens GI mangeaient comme ça. Recroquevillés sur eux-mêmes, un bras autour de leur assiette comme pour la protéger. Jackson se souvenait aussi des Eckhart. « Un break, je crois, avait-il dit, mais je n'y mettrais pas ma main à couper. De braves gens. Les enfants étaient très polis. Le genre à dire s'il vous plaît et merci sans que leurs parents aient à le leur rappeler. C'est rare de nos jours. » Jackson n'aurait su dire qui des Eckhart ou du garçon avait quitté les lieux en premier. Il n'avait vu ni le break ni la Galaxy partir. Il avait passé quelque temps en cuisine à essayer de faire fonctionner une friteuse récalcitrante, et à son retour le jeune homme et la famille avaient disparu. Il ne se rappelait pas ce que le jeune homme portait, et lorsque Ron Koenig lui avait montré une photo de Clarence Luckman, il avait simplement dit : « Je ne sais pas, monsieur, vraiment pas. Les adolescents, les jeunes… bon sang, ils se ressemblent tous à mes yeux. »

La déposition de Ralph Jackson indiquait que les Eckhart s'étaient trouvés dans son restaurant en fin de matinée la veille, le mercredi 25. C'était là que Clarence Luckman les avait repérés. Il avait dû les suivre sur la Route 180 en direction d'El Paso. À première vue, il avait tiré sur le break alors qu'il était en mouvement, et le conducteur avait été blessé ou suffisamment perturbé pour perdre le contrôle de son véhicule. La femme avait été éjectée, mais la voiture s'était embrasée, tuant les trois autres occupants, dont il était désormais confirmé qu'il s'agissait du père et de ses deux enfants.

Rita McGovern, qui était probablement arrivée sur la scène de l'accident avec l'intention de porter secours, avait reçu une balle dans la gorge, après quoi Luckman s'était enfui dans son break, abandonnant la Ford Galaxy.

La scène avait été passée au crible. Malheureusement, les empreintes sur la Galaxy et sur le revolver abandonné étaient trop brouillées pour être prélevées. En revanche, les empreintes prélevées sur l'arme retrouvée sous la voiture dans laquelle deux hommes avaient trouvé la mort leur permettaient de situer Luckman à proximité de cette dernière atrocité. Ce pistolet, couvert des empreintes de Clarence Luckman, avait appartenu à Harvey Warren, de Marana. Clarence Luckman était donc dans les parages, et vu la sauvagerie des meurtres des Eckhart et de Rita McGovern, il devait porter une multitude de preuves de ses méfaits sur sa personne. Ne restait plus qu'à le retrouver. Et quand ils le retrouveraient, ils se contenteraient de le descendre sur place.

L'apparition de John Cassidy dans l'hôtel d'El Paso était des plus inattendues. Il n'avait aucune raison d'être là. Il était censé enquêter sur les agressions de Deidre Parselle et de Walter Milford à Tucson. Cependant, John Cassidy ne partageait pas ce point de vue.

« Luckman s'est déplacé, n'est-ce pas ? » demanda-t-il de but en blanc. Koenig et Nixon l'avaient fait monter dans leur chambre. Des piles de papiers jonchaient la moquette. L'endroit ressemblait plus à un bureau qu'à une chambre d'hôtel. « Et s'il s'est déplacé, alors l'affaire s'est déplacée avec lui. Je ne peux techniquement rien faire de plus que ce que vos agents fédéraux ont déjà fait à Tucson. Je ne peux rien tirer de plus des scènes de crime. J'y suis retourné, deux fois à vrai dire, et je ne vois rien de plus qui puisse vous être utile. Vous savez qui vous cherchez, vous avez une bonne idée de l'endroit où il se trouve, ou du moins de la direction dans laquelle il se dirige, et je veux vous aider. »

Les deux agents fédéraux échangèrent un regard, puis se tournèrent de nouveau vers Cassidy.

« Votre shérif sait que vous êtes ici ? » demanda Koenig.

Cassidy fit non de la tête.

« Eh bien, je ne sais pas quoi vous dire, inspecteur. Il s'agit d'une affaire fédérale. Votre juridiction et votre autorité s'arrêtent à la limite de la ville de Tucson. Nous avons reçu vos rapports sur l'agression de Walter Milford, et le fait que vous ayez identifié son véhicule comme étant une Ford Galaxy gris foncé s'est avéré très utile, mais… »

Cassidy leva la main.

« Je sais tout ça, monsieur, mais j'ai un pressentiment, et il est de plus en plus fort…

— Et quel est ce pressentiment ?

— Je crois que cette affaire est un peu plus complexe que nous ne le pensons. Il y a quelque chose qui me turlupine, et je n'arrive pas à m'en défaire…

— Quoi donc ?

— Eh bien, le fait que tout cela n'est pas logique. Tout ce que nous avons, ce sont les rapports de Barstow et d'Hesperia sur ce Clarence Luckman, mais l'idée qu'un garçon qui n'a jamais vraiment posé de problèmes soit soudain capable de faire ça…

— Oh, croyez-moi, coupa Nixon. Bien des gens sont capables de faire ça, et ce sont souvent les personnes que vous soupçonneriez le moins.

— Je sais que ce n'est rien qu'une intuition à ce stade, mais elle est bonne. Je peux me tromper, et je serai plus qu'heureux de le reconnaître si c'est le cas, mais je n'arrive pas à m'ôter de la tête que nous ne savons pas tout sur Clarence Luckman.

— Inspecteur, nous avons une foule d'indices qui prouvent que Clarence Luckman s'est trouvé sur les lieux de ces meurtres.

— Alors qu'est-ce qui s'est passé après qu'il a volé la voiture de Walt Milford et quitté Tucson ?

— Comment ça, qu'est-ce qui s'est passé ?
— Où est-il allé ? Qui l'a vu après ? »
Koenig sourit.
« Écoutez, inspecteur, j'apprécie vraiment votre persévérance, mais il s'agit d'une affaire très sérieuse de multiples meurtres, et vous avez des choses à faire à Tucson, vous ne devriez pas être ici…
— J'aimerais juste savoir ce qui s'est passé après son départ de Tucson, c'est tout, répliqua Cassidy. Si vous pouvez me le dire, ça suffira à mon bonheur. Dites-le-moi et je rentrerai à Tucson. »
Koenig hésita, puis il déclara :
« Eh bien, il n'y a aucune raison de ne pas vous le dire, inspecteur. Vous êtes impliqué dans cette affaire, même si votre implication se limite à la ville de Tucson, mais je ne vois pas à quoi ça vous servira. Vous devez comprendre que nous avons désormais de nouvelles victimes, dont deux hommes dont la cause du décès est incertaine, plus une femme à l'hôpital, ici même à El Paso, souffrant d'un traumatisme crânien et d'un dos brisé, et qui ne s'en sortira peut-être pas.
— Incertaine ? Comment ça, incertaine ?
— Eh bien, nous devons désormais supposer que les deux hommes qui ont été retrouvés morts n'ont pas été assassinés par Clarence Luckman.
— Quels deux hommes ?
— OK, fit Koenig. Je vais vous dire ce qui s'est passé depuis que Luckman a quitté Tucson, et après vous retournerez à votre enquête sur les agressions de Deidre Parselle et Walter Milford, d'accord ? »
Cassidy hésita.
« Vous n'avez aucune autorité ici, inspecteur, poursuivit Koenig. Le fait que vous ayez parcouru

cinq cents kilomètres en pleine nuit me dit que vous êtes un inspecteur travailleur et consciencieux, mais vous n'êtes pas agent fédéral, et il s'agit d'une enquête fédérale…

— Dites-moi ce qui s'est passé depuis Tucson et je rentrerai chez moi, coupa Cassidy.

— Bon. OK. »

Koenig s'enfonça sur sa chaise. Il prit un moment pour allumer une cigarette, puis il lui parla du meurtre de Marlon Juneau à l'est de Deming, des deux cadavres dans la voiture, de la découverte du pistolet d'Harvey Warren sous cette même voiture, des empreintes de Clarence Luckman sur l'arme, du fait qu'un propriétaire de station-service à Deming nommé Clark Regan avait signalé les deux cadavres, du fait que Clarence Luckman avait été vu dans un restaurant où les Eckhart s'étaient arrêtés. Puis il détailla la découverte des quatre corps – Rita McGovern sur la route, Maurice, Linda et Dennis Eckhart dans une voiture calcinée – et expliqua que Margot Eckhart était en ce moment même à l'hôpital Saint-Sauveur mais qu'il était peu probable qu'elle se remette suffisamment pour identifier qui que ce soit.

Cassidy demanda une chronologie des événements, et tandis que Koenig la lui donnait, il l'interrompit.

« Il y a quelque chose qui ne colle pas, déclara Cassidy.

— Vous parlez du fait que Clarence Luckman est censé avoir signalé la découverte des deux cadavres dans la voiture à la station-service à peu près au même moment où il était vu dans un restaurant à proximité d'El Paso… et que ces deux endroits se trouvent à environ cent cinquante kilomètres l'un de l'autre ?

— Oui, répondit Cassidy. C'est impossible.

— Et la réponse à cette question est que ce n'était peut-être pas Clarence Luckman qui était à la station-service. Le propriétaire, un certain Clark Regan, se souvient de deux personnes, une adolescente et un jeune homme. Il n'a parlé qu'à la fille, et n'a pas pu identifier Clarence Luckman sur la photo que nous lui avons montrée.

— Mais le type dans le restaurant l'a identifié à partir de la photo ?

— Non, il ne l'a pas identifié non plus. Mais il se souvenait de la Ford Galaxy, et il se souvenait des Eckhart. Nous avons aussi récupéré un revolver sur la scène du meurtre de Rita McGovern, qui appartenait au shérif Jim Wheland de Wellton. C'est là que Clarence Luckman et Earl Sheridan ont braqué une banque.

— Alors si le jeune homme qui a signalé la voiture accidentée n'était pas Clarence Luckman, qui était-il ? Et qui était la fille qui l'accompagnait ? »

Koenig secoua la tête.

« Nous l'ignorons.

— Et si ce n'était pas Luckman à la station-service, et que pourtant Luckman était en possession du pistolet d'Harvey Warren, comment cette arme s'est-elle retrouvée sous la voiture, si près de la station-service ?

— Encore une fois, nous l'ignorons.

— Il me semble que Luckman se moque qu'on l'identifie grâce aux armes qu'il utilise. Sinon, il n'aurait pas laissé le revolver du shérif Wheland sur la scène du meurtre de Rita McGovern. »

Koenig se pencha en avant. Il sourit avec sincérité, et secoua la tête.

« Inspecteur Cassidy, vous avez un grand sens de la logique et beaucoup de perspicacité. Si seulement il y avait plus d'agents fédéraux comme vous. Vous posez précisément les questions que nous nous posons, et nous n'avons pas toutes les réponses. Tout ce que nous avons pour le moment, ce sont sept victimes connues, plus deux agressions à Tucson. Nous avons par ailleurs Margot Eckhart à l'hôpital, et – inexplicablement – deux hommes morts dans une voiture à l'est de Deming avec une arme de poing sous le véhicule, arme qui provient de l'épicerie à Marana. Voilà ce que nous avons. Ce que nous *pensons*, c'est que soit Clarence Luckman est ici à El Paso, soit qu'il a quitté la ville dans le break de Rita McGovern pour continuer sur la Route I-10 en direction de Fort Hancock et Van Horn. Après Van Horn, la I-10 rejoint la I-20, qui remonte vers Odessa, Fort Worth, puis Dallas, alors que la I-10 continue vers San Antonio et Houston. Plus il s'éloignera, plus il atteindra de grandes villes, moins nous aurons de chances de l'attraper. Et s'il décide de prendre vers le sud et pénètre au Mexique, il est fort probable que nous ne l'attraperons *jamais*. Tels sont les faits et les hypothèses. Tels sont les scénarios dont nous disposons, et aussi les scénarios que nous essayons d'éviter. Les shérifs d'à peu près tous les comtés dans un rayon de cinq cents kilomètres travaillent avec nous, nous diffusons en continu des bulletins à la télévision et à la radio, nous faisons distribuer la photo de Luckman dans chaque station-service et chaque épicerie sur la I-10 et les routes alentour. Nous avons des centaines d'hommes à notre disposition, et nous utilisons chacun d'entre eux aussi efficacement que possible afin de localiser cet individu avant qu'il ne tue quelqu'un d'autre, donc…

— Donc je ferais bien de rentrer chez moi ?

— Avec tout le respect que je vous dois, inspecteur, oui, vous devriez rentrer chez vous.

— Je comprends, et je vous remercie de m'avoir accordé du temps. Il semblerait que vous ayez pensé à tout.

— Nous l'espérons, inspecteur. Vous savez parfaitement à quoi nous avons affaire, et vous savez aussi que ce genre d'enquête peut être résolue ou non grâce à un infime détail. »

Cassidy se leva.

« Encore merci, messieurs, dit-il, et je vous souhaite de réussir. »

Il serra la main des deux agents et Nixon le raccompagna à la porte.

« Ce n'est pas la dernière fois que nous entendrons parler de lui, déclara Koenig tandis que Nixon refermait la porte. Un bon agent. Ce serait bien qu'il vienne travailler avec nous.

— Propose-lui, suggéra Nixon.

— La prochaine fois, peut-être. »

## 47

Clay et Bailey se levèrent de bonne heure. Comme ils n'avaient pas grand-chose à manger, ils quittèrent le motel le ventre quasiment vide et prirent la direction de la route. Bailey marchait en silence. Clay était préoccupé par une multitude de questions sans réponses, et pourtant, s'il avait par la suite essayé de se rappeler ces questions, il en aurait été incapable.

En moins d'une heure, ils se firent prendre en stop sur la I-10 et quittèrent El Paso.

Le chauffeur s'appelait Emanuel Smith. Il portait une chemise qui était déjà noire de crasse quand Coolidge était président, et, par-dessus, un gilet dont le contour des poches luisait de graisse. « Smithy, dit-il. Appelez-moi Smithy. Personne sauf ma mère m'appelle Emanuel, mais ça fait quinze ans qu'elle est morte, et elle était cinglée de toute manière. » Un rire jaillit du fond de ses tripes et sembla agiter tout son corps. « C'est quoi ce nom, Emanuel ? Autant appeler un gosse Abednego ou Ham ou je sais quoi. Une sacrée connerie, à mon avis. Une sacrée foutue connerie. »

Le pick-up était large, et ils étaient tous les trois assis à l'avant.

« Je peux vous emmener jusqu'à Sierra Blanca, poursuivit Smithy. Dans les cent vingt kilomètres. Ça devrait pas nous prendre plus de deux heures si on n'a pas de problème. » Il tendit le bras et caressa le tableau de bord. « C'est une bonne fille, mais un brin capricieuse, vous savez ? Comme toutes les femmes. »

Clay jeta un coup d'œil à Bailey. Bailey sourit.

« Vous savez conduire ? demanda Smithy.

— Non, monsieur, répondit Clay.

— Alors on se partagera pas le boulot, hein ?

— Non, monsieur.

— Vous avez pris un petit déjeuner ?

— Non, pas encore, répondit Clay. Nous comptions marcher jusqu'à trouver un endroit où manger.

— Et je suis arrivé et j'ai foutu votre plan en l'air, observa Smithy avec un sourire. Je sais pas vous, mais je vais très bientôt avoir une faim de loup. Je crois que ce serait une bonne chose de s'arrêter et de manger un bout. Après on ira d'une traite à Sierra Blanca. »

Il tira une montre de son gilet.

« Il est tout juste huit heures passées. Disons qu'on s'arrête une demi-heure quelque part, on sera de nouveau sur la route à neuf heures et quart… Bon sang, on pourrait y être à onze heures, onze heures et demie. Ça vous va ?

— C'est parfait », répondit Clay, et il s'enfonça dans son siège.

Moins de cinq minutes s'écoulèrent avant que le badinage amical de Smithy ne laisse place à des questions plus inquisitrices.

« Ça prend pas avec moi, déclara-t-il lorsque Bailey hésita sur leur nom. Vous êtes pas frère et sœur. Des comme vous, j'en ai vu assez pour savoir ce que vous êtes. Des fugueurs, hein ? Vous avez des parents difficiles ou ivrognes ou je sais pas quoi, et vous vous êtes dit que vous seriez toujours mieux ailleurs que chez vous. »

Ni Clay ni Bailey ne répondirent.

Smithy opina du chef d'un air grave, puis il sourit.

« Bon sang, faut pas vous en faire pour moi. Moi aussi j'ai passé toute ma vie à fuir une chose ou une autre. » Il lâcha un gros éclat de rire. « Si c'était pas mon père ou ma mère, alors c'était une épouse ou une maîtresse ou un mari furax armé d'un fusil. » Il marqua une pause et secoua la tête. « J'ai un fils là-bas, à Blanca. Vingt-cinq ans, et il parle comme s'il était pas allé à la maternelle, complètement azimuté. Je sais pas quoi faire de lui, mais je me bats. Merde. La vie continue, pas vrai ? Parfois on s'acharne juste pour se prouver qu'on peut y arriver. Les autres ont pas besoin de le savoir. Mais c'est dur, je peux vous le dire… »

Smithy laissa le silence s'installer. Clay regarda Bailey. Il était clair qu'Emanuel Smith ne les avait pas pris en stop par pitié ou par compassion ou par simple générosité. Il les avait pris en stop parce que c'était l'homme le plus seul de la terre.

« Parfois je me demande si j'en ai pas ma claque des gens normaux. » Smithy se tourna vers Clay. Il ferma à demi les yeux comme pour mieux percer ses pensées. « Tu vois ce que je veux dire, fiston ? Le genre de personnes qui croient que la vie, c'est aller à l'église et se sentir coupable, qu'on peut pas prendre de plaisir tant qu'on n'est pas au paradis. Toujours à rappeler aux autres qu'ils sont des pécheurs. À faire tout leur possible pour rendre tout le monde aussi malheureux et angoissé qu'eux. Je supporte pas cette attitude. Foutus prétentieux. »

Smithy attrapa un paquet de cigarettes sous le tableau de bord. Il en alluma une tant bien que mal, lâchant brièvement le volant.

Il continua de parler, ses paroles jaillissant dans un nuage de fumée.

« Personne a jamais rien fait de valable dans ce monde en marchant dans les clous. C'est un fait. C'est toujours plus difficile d'être bon. L'honnêteté est la voie la plus dure. Elle vous épuise parfois. Parfois les gens suivent une voie dure simplement parce qu'ils sont trop têtus pour laisser tomber. D'autres le font parce qu'ils savent que c'est bien et qu'ils ont bon cœur. Tout ce qu'ils ont, tout ce qu'ils auront jamais, c'est leur bon cœur. Peut-être que les gens comme nous, notre destin, c'est de toujours vouloir sans jamais rien obtenir. Y a des vies comme ça, je suppose. Vides, vous savez ? Comme un ballon de baudruche.

— Je comprends ce que vous voulez dire, dit Bailey. Je comprends exactement ce que vous voulez dire, monsieur Smith. »

Smithy lui lança un regard de biais, comme s'il s'apprêtait à rétorquer qu'elle ne comprenait rien. Bon Dieu, comment aurait-elle pu ? Elle était innocente. Ce n'était rien qu'une gamine et elle n'avait pas pu vivre un dixième de ce que lui avait vécu. Mais il ne le dit pas. Il la regarda, puis acquiesça et dit :

« Oui, ma chère, je crois que tu comprends.

— Ça n'a pas été facile, poursuivit-elle. On veut aller à Eldorado, au Texas, et alors on décidera ce qu'on fera.

— Ça doit pas être plus mal qu'ailleurs, déclara Smithy. Dommage que j'y aille pas, sinon on aurait voyagé ensemble jusqu'au bout.

— Sierra Blanca sera parfait, dit-elle.

— Et quels que soient les problèmes que vous avez eus chez vous, reprit-il, vous avez qu'à regarder les choses que vous aimez en plissant les yeux, comme ça le reste devient flou. Vous voyez ce que vous voulez voir. Et rien d'autre. Parfois c'est comme si la vie cherchait qu'à vous apprendre la souffrance sous toutes ses formes. C'est peut-être vrai. Mais vous pouvez avoir toutes les emmerdes du monde, ça signifie pas que vous devez passer tout votre temps à les ressasser. Les mauvais souvenirs ont de longues ombres. Si vous passez votre vie dedans, vous ne verrez jamais le soleil. »

Il fuma sa cigarette jusqu'au mégot, puis le jeta d'une chiquenaude par la vitre baissée. Il sourit d'un air à moitié entendu.

« Il paraît que ça dit dans la Bible que Jésus vous suivra jusqu'au bout du chemin, jusqu'au bout de la terre. Je vais vous dire une chose. J'ai vu des trucs, je suis allé dans des endroits où personne – par même l'Agneau de Dieu – m'aurait suivi. Pour ce qui me concerne, la vie, c'est un paquet d'emmerdes pour à peu près rien en retour. Je crois qu'elle a été conçue comme ça pour qu'on tienne pas ce qu'on a pour acquis. La vérité, c'est que la seule chose qui nous fasse peur au bout du compte, c'est le temps. »

Et il continua ainsi. Tout ce qu'il disait semblait un jugement, un ultimatum, un sermon sur la force d'âme, la résilience, la persévérance, le refus d'abandonner. Sa vision du monde était sombre, pessimiste, mais elle avait un côté mesuré que Bailey trouvait réconfortant et pragmatique. Emanuel Smith n'était pas un rêveur. Il avait vu ses rêves mourir, mais ça ne l'empêchait pas de croire aux rêves. C'était comme le père de Bailey. Il était mort, mais ça ne signifiait pas qu'il n'avait jamais vécu.

« Je vais vous dire une chose, c'est soit cent pour cent dur quatre-vingt-dix pour cent du temps, soit quatre-vingt-quinze pour cent dur cent pour cent du temps. Ça a l'air d'être la même chose, mais ça l'est pas. C'est très différent. Un homme porte son fardeau en silence. S'il se plaint, eh bien, c'est pas un homme.

— Monsieur Smith ? demanda Bailey.

— Qu'est-ce qu'y a, ma puce ?

— Qu'est-il arrivé à votre femme ?

— Ma femme ? De quelle femme tu parles ?

— Celle qui a porté votre fils ?

— Celle-là ? Eh bien, elle est morte, ma puce. Morte et enterrée.

— Elle vous manque ?

— Est-ce qu'elle me manque ? » demanda-t-il en écho.

Il resta un moment silencieux.

« Je m'arrange pour qu'elle me manque pas trop, je suppose, mais oui, elle me manque.

— Moi, j'ai perdu mon père.

— C'est pour ça que tu t'enfuies ?

— Pour ça. Et pour d'autres raisons. »

Clay écoutait la voix de Bailey. Il percevait quelque chose qu'il n'avait pas entendu depuis qu'elle avait pleuré au bord de la route.

« T'es sacrément jeune pour perdre ton père, déclara Smithy. Et ta mère ? Où qu'elle est ?

— Je l'ai également perdue. »

Smithy fronça les sourcils.

« Tu t'en sors pas trop bien, ma fille. Il me semble que tu devrais faire plus attention aux personnes qui t'entourent, sinon tu vas toutes les perdre.

— Vous vous souvenez à quoi ressemblait votre femme, monsieur Smithy ?

— Bien sûr. Difficile d'oublier ça. »

Bailey fut un moment silencieuse, et quand elle parla de nouveau il y avait une émotion contenue dans sa voix.

« J'essaie de me rappeler à quoi il ressemblait, dit-elle. Mon père. J'essaie de me souvenir, mais quand je vois son visage… eh bien, ça lui ressemble, mais pas vraiment. Comme s'il y avait à chaque fois quelque chose qui clochait légèrement. La forme des yeux, vous savez ? L'ombre autour de sa mâchoire. »

Smithy sourit.

« Ah, bon sang, évidemment qu'il a l'air différent maintenant, ma puce. Il est mort… enfin, je veux dire qu'il est mort sur cette terre, mais quoi que tu penses, il est toujours quelque part. Il est là où les gens vont quand ils meurent, et l'air est pas le même là-bas, ou alors c'est la lumière qu'est pas la même, et ça les fait paraître différents.

— Vous êtes sûr ?

— Bien sûr que je suis sûr.

— Pourquoi vous êtes si sûr, monsieur Smith ?

— Eh bien, ma petite, c'est facile. Chaque fois que je pense à ma femme maintenant elle a l'air contente de me voir, alors que ça n'arrivait jamais de son vivant. »

Il garda un visage de marbre pendant un moment, puis un sourire barra son visage, et il s'esclaffa.

Bailey regarda Clay, qui lui retourna son regard, puis ils furent pris d'un fou rire qui recouvrit le bruit du moteur.

« Dans la vie, reprit Smithy un peu plus tard, du temps, on en a soit trop, soit pas assez. C'est la pure vérité. Le problème, c'est que la plupart des gens cherchent toujours à savoir ce qui les attend, ils cherchent à savoir ce qu'il y a devant eux. Mais faut aussi faire attention à ce qui se passe autour de nous. Il y a du vrai dans le vieux proverbe, vous savez. La destination procure jamais autant de bonheur que le voyage. Ou quelque chose de ce tonneau.

— Mais parfois vous ne pouvez pas faire autrement, n'est-ce pas, monsieur Smith ? dit Bailey. Parfois vous ne pouvez pas vous empêcher de penser que vous êtes né sous une mauvaise étoile et que la malchance vous poursuivra toute votre vie. »

Clay n'entendit plus rien après *mauvaise étoile*. Il regardait devant lui, mais tout ce qu'il voyait, c'était le ciel nocturne de l'autre côté de la fenêtre pendant qu'il était allongé par terre avec sa mère. Tout ce dont il se souvenait, c'était des prières qu'il avait dites et qui n'avaient pas été entendues.

« Eh bien, c'est précisément le genre de pensées que tu dois jamais avoir. Tu mets une pancarte dans ta tête et tu les empêches d'entrer, OK ? »

Smithy avait dit ça d'un ton catégorique, avec une certaine conviction, mais tous trois savaient que les choses ne se passaient pas toujours comme on le voulait. Parfois, ces pensées entraient tout de même, et une fois qu'elles étaient là, on était foutu.

« Clay ? Clay ? »

Clay se retourna et s'aperçut que Bailey lui parlait. Il s'aperçut aussi qu'elle l'avait appelé par son prénom.

Smithy dit quelque chose, mais il n'entendit pas quoi.

Clay regarda Bailey pendant un moment et secoua la tête.

« Ça va ? » demanda-t-elle.

Il acquiesça, marmonna quelque chose, puis ajouta : « J'ai juste faim… je crois que j'ai juste faim… »

À quoi Smithy répondit : « Ça me va. Prochain endroit qu'on voit, on s'arrête. »

Il resta un moment sans parler, puis lança : « Tiens, tiens, qu'est-ce que c'est que ça ? »

Bailey leva les yeux.

Elle vit une file de trois ou quatre véhicules deux cents mètres plus loin. Au bord de la route, il y avait une voiture de police – impossible de se tromper – et Smithy lui demanda aussitôt si c'étaient eux que les flics cherchaient.

« Non, répondit-elle. Pourquoi ils nous chercheraient ? Nous n'avons rien fait de mal.

— Donne-moi ta parole, ma petite… dis-moi que vous avez rien fait que je devrais savoir. »

Elle le regarda droit dans les yeux. Elle était aussi honnête et franche que le jour était long. Elle donna sa parole.

« Ça me va, dit Smithy. Bon, il est clair qu'ils cherchent quelqu'un, et s'ils vous trouvent ici…

— Alors ils vont nous séparer et nous envoyer en maison de correction, ils nous battront, et peut-être même qu'ils nous tueront », coupa Bailey.

Smithy fit un sourire contrit.

« Bon, ma puce, je sais pas s'ils iront jusque-là, mais j'ai vu ces endroits, et je vous souhaite pas de finir dans l'un d'eux. Mettez-vous par terre. Enfoncez-vous autant que possible sous la banquette. »

Smithy passa le bras à l'arrière et en tira une couverture sale qui sentait l'humidité. Il parvint à l'étaler au-dessus d'eux, puis il ralentit, s'arrêta, et attendit derrière la file de voitures qu'arrive son tour d'être interrogé.

Bailey n'osait plus respirer. Clay entendait son cœur cogner comme un tambour dans sa poitrine.

Smithy baissa la vitre, sourit au jeune agent au bord de la route, et demanda ce qui se passait.

« Nous cherchons un prisonnier échappé », répondit l'homme.

Smithy lâcha un éclat de rire.

« Eh bien, c'est pas moi, monsieur l'agent, je peux vous le garantir.

— Oui, très bien, monsieur. Je veux que vous regardiez cette photo et que vous me disiez si vous avez vu ce jeune homme. »

Alors que l'agent levait la photo, Smithy vit les hommes au bord de la route. Ils étaient armés jusqu'aux dents. Le type qu'ils recherchaient devait être sacrément dangereux. Tout ce déploiement de force n'était pas dû à deux fugueurs.

Clay sentit la main de Bailey autour de la sienne. Elle le serrait si fort qu'elle lui faisait mal, et même s'il ne voyait quasiment rien sous la couverture, il avait conscience que son souffle s'était accéléré. Il sentait la transpiration sur son front. Il avait la nausée. Il savait qu'ils le cherchaient. Il savait que c'était fini, qu'ils étaient tous les deux foutus et seraient renvoyés à Hesperia avant la fin de la journée.

Smithy – myope comme une taupe – regarda en plissant les yeux la forme floue qu'on lui colla sous le nez et déclara : « Non, monsieur l'agent, jamais vu… » Ç'aurait tout aussi bien pu être James Cagney ou Mickey Mouse sur la photo, ça n'aurait rien changé, car il était hors de question qu'Emanuel Smith avoue à l'agent qu'il avait laissé ses lunettes chez lui et qu'il n'y voyait pas à deux mètres.

« Très bien, monsieur, répondit l'agent. Ouvrez l'œil, et si vous voyez ce jeune homme, appelez le commissariat ou le bureau fédéral le plus proche. Pour votre propre sécurité, nous devons vous prévenir que cet homme est armé et dangereux, et que vous ne devez sous aucun prétexte vous approcher de lui ni communiquer avec lui.

— Très bien, message reçu, dit Smithy. Bonne journée.

— Merci pour votre coopération, monsieur, et soyez prudent sur la route. »

Smithy remit le contact, passa la première et commença à rouler.

L'agent était toujours là. Il avait marché à côté du camion et son visage apparut de nouveau à la vitre.

« Monsieur, nous allons devoir vous retenir un petit instant. »

Smithy regarda sur la gauche. Il se passait quelque chose. Deux agents discutaient, un troisième se joignit à eux. Peut-être un message reçu à la radio ?

Sous la couverture moite et crasseuse, Clay commençait à se sentir mal. L'épaule de Bailey était enfoncée dans son flanc. Tremblait-elle ? Qu'est-ce qui se passait ? Pourquoi s'étaient-ils de nouveau arrêtés ? Il y avait dans le sol de la camionnette un petit trou à travers lequel Clay pouvait voir la lumière du jour, la surface de la route. Un bruit de moteur retentit alors.

« Monsieur ? cria Smithy tandis que l'agent retournait vers ses collègues.

— Attendez un moment, répondit l'agent en levant la main.

— Qu'est-ce que c'est que ce bazar ? » marmonna Smithy.

Clay chercha à tâtons le bord de la couverture.

« Bouge pas, nom de Dieu ! siffla Smithy. Bon sang, gamin, bouge pas ! »

Le bruit de moteur se tut.

Bailey serrait toujours la main de Clay. Si fort qu'il sentait son sang battre dans ses doigts.

Bruits de pas approchant du pick-up.

« Alors, je peux y aller, demanda Smithy, ou y a un problème ?

— J'ai besoin de voir votre permis de conduire et les papiers du véhicule, répondit l'agent.

— De quoi ?

— Comme j'ai dit, votre permis de conduire et les papiers du véhicule.

— Bon sang, qu'est-ce que c'est que cette histoire ? »

L'agent ne répondit pas.

Smithy tendit la main vers la boîte à gants. Il actionna le fermoir et le battant s'ouvrit. Il tira une poignée de paperasses – enveloppes, factures impayées, reçus du garage, et ainsi de suite. Il les passa en revue, mais il n'y voyait rien. Il trouva son permis. Et de un. Ça, c'était facile. Maintenant, les papiers du véhicule. Bon sang, ça pouvait être n'importe lesquels. Il commença à se sentir nerveux. Il feuilleta les papiers de plus en plus vite. Où était ce foutu document ? Il en fit tomber quelques-uns, baissa la main pour les ramasser.

Bailey vit ce qu'il cherchait. Elle attrapa le document et le tendit du bout des doigts.

L'officier s'approcha de la vitre.

« Vous vous en sortez, monsieur ? » demanda-t-il.

Smithy prit le papier des doigts de Bailey et le tendit à l'agent par la vitre.

« Voici », dit-il.

Le cœur de Clay était sur le point d'exploser. Qui que soit la personne qu'ils recherchaient, si les flics les trouvaient Bailey et lui par terre dans le pick-up…

Une idée lui vint soudain.

Digger ? Earl ? Étaient-ce eux qu'ils cherchaient ? Était-ce la raison de ce barrage ? Couvraient-ils toutes les routes de la région ?

Non. C'était impossible.

L'agent tira son carnet. Il nota quelque chose. Une ligne, deux lignes, puis il le referma.

Il fit quelques pas le long du pick-up, consulta de nouveau les documents de Smithy.

« Tout me semble en ordre, monsieur, dit-il finalement. Passez une bonne journée.

— Merci », répondit Smithy.

Il fourra les papiers dans la boîte à gants, tourna la clé et redémarra. Il parcourut quelques mètres à faible allure, puis enfonça l'accélérateur et décampa.

Clay sortit la tête de sous la couverture, éprouvant un intense soulagement.

« Bon Dieu de bois, fit Smithy. Quelle histoire, hein ? Ils m'ont quasiment foutu la trouille de ma vie. »

Bailey apparut à son tour, le visage rougi, la sueur collant sa mèche sur son front.

« Une bonne chose que tu m'aies passé ce papier, ma petite, dit Smithy. J'y voyais que dalle. Ils m'auraient pincé pour ça, tu sais ? Ils auraient vu que je suis miro, et alors ils auraient pigé que j'avais pas pu voir cette photo qu'ils m'avaient montrée.

— Vous ne savez pas qui ils cherchaient ? demanda Clay.

— Aucune idée, répondit Smithy. Mais c'était certainement pas vous, hein ?

— Non », répondit Clay.

Il voulait le croire, il voulait en être certain, mais si ce n'était pas eux qu'ils cherchaient, alors qui ? Earl Sheridan et Elliott, peut-être ? Probablement pas. Ils se doutaient certainement qu'Earl et Digger n'étaient pas idiots au point de continuer dans la même direction.

Clay et Bailey restèrent par terre pendant deux ou trois minutes de plus avant de sortir complètement de sous la couverture.

« C'est bon, dit Smithy. Ils cherchent un cinglé avec une arme, pas deux jeunes fugueurs. »

Il sourit, tira une nouvelle cigarette. Clay ne put s'empêcher de remarquer la nervosité dans la voix de l'homme. Non seulement il avait été secoué, mais on aurait également dit qu'il essayait de se convaincre qu'il n'avait rien fait de mal.

« Bon, fit Smithy, allons manger un bout. »

# 48

Quelque chose taraudait Cassidy tandis qu'il conduisait. Il dut même s'arrêter au bord de la route pour noter tout ce dont il se souvenait sur ce qui lui avait été dit dans la chambre d'hôtel. Marlon Juneau. Clark Regan à Deming. Rita McGovern. La famille Eckhart. Et il y avait ce pistolet sous la voiture. Pistolet qui provenait de l'épicerie de Marana. Comment Clay Luckman avait-il pu se trouver en même temps sur le lieu de l'accident et dans un restaurant à plus de cent cinquante kilomètres de là ? On ne pouvait pas être à deux endroits à la fois. Ça n'avait aucun sens. Retour sur la I-10, direction Tucson, environ cinq cents kilomètres, et même s'il avait dit aux agents Koenig et Nixon qu'il rentrerait se coucher, il n'avait aucune intention de le faire. Il laissait derrière lui le Sweet Dreams et le Travelers' Rest, la scène du meurtre des Eckhart, mais il laissait surtout derrière lui Elliott Danziger, qui se réveillait dans un motel à moins de huit kilomètres de l'endroit où lui-même avait discuté avec Koenig et Nixon. Mais c'était impossible, puisque Elliott Danziger était mort et que la personne qu'ils devaient retrouver était Clarence Stanley Luckman.

La I-10 longeait le Rio Grande sur environ quatre-vingts kilomètres avant de bifurquer en direction de Sierra Blanca. Le Rio Grande séparait le Texas du Chihuahua, puis continuait sur mille cinq cents kilomètres le long de la frontière des États de Coahuila et de Tamaulipas avant de se jeter dans le golfe du Mexique au sud de Port Isabel et de l'île de South Padre. Le mieux pour Elliott Danziger aurait été de grimper dans le break de Rita McGovern et de suivre le fleuve le plus loin possible. Mais non, Elliott n'avait jamais été adepte du mieux. Il se réveilla dans le motel Sweet Dreams, s'étira et bâilla, alla se laver le visage et se demanda quelles réjouissances cette nouvelle journée lui réserverait. Le peu de sens des responsabilités et de conscience qu'il avait pu avoir avait largué les amarres et dérivé sans se faire remarquer vers l'horizon de son esprit. Bientôt – toujours sans se faire remarquer –, il atteindrait le bout du monde et disparaîtrait à jamais. La vie était ainsi.

Elliott prit un petit déjeuner copieux – bacon, pain de viande, œufs, café –, puis il retourna à sa chambre pour récupérer ses quelques affaires. Il lui fallait de nouveaux vêtements, et il lui fallait une autre arme. Tout ce qui lui restait, c'était le calibre 45 de Marlon Juneau et trois balles. Pas moyen de s'amuser avec trois balles. Il était neuf heures trente lorsqu'il quitta le motel – suivant la même route que Clay Luckman et Bailey Redman, passant devant le restaurant au bord de la route où ils partageaient un petit déjeuner avec Emanuel Smith. Elliott allait dans la direction inverse de John Cassidy, qui roulait à toute allure en s'imaginant les questions que Mike Rousseau allait lui poser : où était-il allé ? Pourquoi y était-il allé ? Le sort aurait pu leur sourire, mais il ne l'avait pas fait. Pendant un bref moment, toutes les parties concernées – police, FBI, fugitifs – s'étaient trouvées réunies dans un rayon de quelques kilomètres, et pourtant le destin – ou les mauvaises étoiles, la malchance, le hasard – s'était arrangé pour que leurs routes ne se croisent pas. Encore une fois, la vie était ainsi.

Elliott roulait à bonne allure. Il traversa Fort Hancock peu après dix heures, Sierra Blanca un peu plus de vingt minutes plus tard, et c'est à l'approche de Van Horn qu'il vit les panneaux annonçant un embranchement. S'il continuait sur la I-10, il irait vers San Antonio, puis Houston. S'il prenait la I-20, il traverserait Odessa et Big Spring avant d'atteindre Fort Worth et Dallas. Il s'arrêta un moment au bord de la route – pour réfléchir, calculer ses chances –, et c'est alors qu'il vit au loin une petite maison qui éveilla sa curiosité. Cette maison était paumée au milieu de nulle part. Sa vue alluma un fusible dans son esprit, et il resta assis là un peu plus longtemps à considérer l'isolement absolu du bâtiment. Depuis la route, on ne verrait rien. La maison aurait pu se trouver à des millions de kilomètres, dans un autre pays, un autre continent, et personne ne saurait jamais ce qui s'y passerait. Il hésita encore un peu – pas parce qu'il était indécis ou incertain, mais juste pour savourer son sentiment d'anticipation –, puis il prit le chemin de terre sur la gauche qui menait à la maison isolée. S'il avait su qu'il se trouvait au cœur du plateau Diablo, il aurait souri.

Elliott parcourut les trois ou quatre cents mètres jusqu'à la propriété, puis alla se garer derrière pour que le break soit invisible depuis la route. Le propriétaire de la maison, un grand type d'une quarantaine d'années, était déjà sur son porche à l'arrière lorsque Elliott descendit de voiture et commença à marcher vers lui.

« Je peux t'aider ? » demanda l'homme.

Elliott sortit son arme, la tint à hauteur d'épaule avec assurance et fermeté, la braquant droit sur la tête de l'homme. Celui-ci baissa brièvement les yeux.

« Quel est le problème, petit ? demanda-t-il lorsqu'il les eut relevés.

— Aucun problème, répondit Elliott.

— Tu as des soucis ?

— Aucun souci.

— Tu veux quelque chose ?

— Comme tout le monde », répondit Elliott.

Ils n'étaient plus qu'à trois mètres l'un de l'autre. L'homme tenait un torchon dans ses mains. Peut-être qu'il venait d'essuyer la vaisselle, ou de se laver les mains après avoir réparé quelque chose.

« Vous êtes seul ici, monsieur ?

— Pour sûr… à part le chien, mais il est je sais pas où en train de courir après sa foutue queue ou Dieu sait quoi.

— Vous avez des armes ici ?

— Pour sûr.

— Qu'est-ce que vous avez ?

— Un fusil de chasse, deux armes de poing, une Remington.

— Vous avez des cartouches ?

— Plus que tu ne saurais qu'en faire. »

Elliott fit un sourire ironique.

« Oh, ça, je sais pas, monsieur, vraiment pas.

— Si tu le dis, petit.

— Vous êtes fermier ?

— Non, répondit l'homme. Je fais quelques travaux ici et là. Je construis des clôtures, je m'occupe du bétail à la saison, je conduis le tracteur pour ceux qu'en ont pas.

— Comment vous vous appelez ?

— Randall. Morton Randall.

— Vous croyez en Dieu, Morton ?

— Pour sûr.

— Pas moi. »

Morton acquiesça.

« Je m'en serais douté.

— Vous croyez que si je vous tue j'irai en enfer ?

— À te voir… eh bien, je suppose que tu y es déjà…

— Personne n'est bon, déclara Elliott. La plupart des gens sont mauvais. Alors je suppose que l'enfer est déjà surpeuplé.

— Crois-moi, petit, même s'il est surpeuplé, je crois qu'ils t'y réserveront une place bien au chaud.

— Dès que j'arriverai en enfer je leur dirai que c'est vous qui m'avez forcé à le faire. »

Morton sourit.

« Tu dois être honnête avec le Seigneur. C'est le seul moyen de te sortir de ce pétrin.

— M'en sortir ? fit Elliott. Bon sang, mon vieux, j'ai passé trop longtemps à me mettre dedans pour vouloir en sortir. »

Morton Randall – peut-être parce qu'il avait conscience que sa mort était proche – resta un moment silencieux. Il baissa les yeux vers ses chaussures, puis esquissa un demi-sourire. Il enfonça le torchon dans la poche arrière de son pantalon et regarda Elliott Danziger avec un visage dénué d'expression.

Elliott jeta un coup d'œil en direction de l'horizon, puis se tourna de nouveau vers l'homme.

« Je crois que le moment est venu d'en finir, Morton… je le crois vraiment. »

# 49

La baraque était quasiment en ruine, ce n'était pas tant une maison qu'un assortiment de murs branlants surmontés d'un toit qui penchait dangereusement. Derrière se trouvait une sorte de grange, dont un des côtés semblait se dresser dans les airs en défiant la loi de la gravité, tandis que les autres murs encaissaient la pression avec une certaine nonchalance.

« Un sacré bordel, déclara Smithy en se garant devant. Si j'avais pas perdu ma femme… bon sang, si j'avais pas été obligé de m'occuper du garçon, j'aurais plus pris soin de la maison. Mais qu'est-ce que vous voulez, hein ? Je resterai ici jusqu'à ce qu'elle me tombe sur la gueule, et vu que ça me tuera sans doute j'aurai pas besoin de la réparer. »

Clay et Bailey avaient accepté de venir – juste pour un petit moment, juste pour une petite heure –, et après ils poursuivraient leur chemin. Clay avait l'intention d'atteindre Fort Stockton avant la fin de la journée. Au moins Fort Stockton. S'ils se faisaient prendre en stop par la bonne personne ils pourraient être à Eldorado à la tombée de la nuit. Bon sang, ce n'était pas à plus de cinq cents kilomètres de Sierra Blanca. Pour une raison ou pour une autre, Eldorado semblait désormais synonyme de quelque chose – d'un avenir meilleur, d'un changement positif, d'un peu d'espoir. Peut-être que rien ne serait différent. Peut-être qu'Eldorado serait juste une déception de plus, mais c'était un but, une destination. C'était ce qui les faisait avancer.

Le garçon dont Emanuel Smith avait parlé les attendait devant la maison. Il devait mesurer son bon mètre quatre-vingt-dix. Smithy avait dit qu'il avait vingt-cinq ans, mais il avait le teint d'un gamin de dix ans. Il avait la mâchoire pendante, le regard vide, l'expression de chien battu d'un idiot. Ses bras pendaient de ses épaules comme des fils à plomb, aussi droits que des piquets, et ses poings – gros comme des jambons – étaient serrés.

Il sourit en voyant le pick-up s'immobiliser devant la maison. Mais son sourire disparut lorsqu'il s'aperçut que son père n'était pas seul.

« Jonas ! » lança Smithy en descendant du véhicule.

Le garçon recula vers l'angle de la maison, s'apprêtant à prendre la fuite.

« Jonas… surveille tes manières. Nous avons des invités et tu ferais bien d'être poli sinon je vais m'énerver. »

Jonas hésita. Il baissa les yeux. Il se mit à frotter ses paumes l'une contre l'autre comme s'il cherchait à allumer un feu, et un grondement sourd sembla émaner de l'endroit où il se tenait. Bailey ne put tout d'abord croire que le son provenait de Jonas, mais c'était pourtant le cas. Ce n'était pas un son humain. C'était un son animal, sombre et tourmenté, effrayant.

Elle se tourna nerveusement vers Clay, mais Smithy vit son expression et sourit.

« T'en fais pas. Il a beaucoup plus peur de toi que toi de lui. Il est inoffensif, ma puce. Pas plus dangereux qu'un chiot. Quand il aura surmonté sa nervosité, il vous lâchera plus. Et une fois qu'il aura décidé que vous êtes ses amis… eh bien, vous trouverez personne de plus loyal que Jonas. » Smithy leva les yeux vers son fils. « Pas vrai, Jonas ? Tu es le meilleur ami qu'on puisse avoir, n'est-ce pas ? »

Jonas devint silencieux. Il cessa de se frotter les mains, mais ses paumes restèrent collées l'une à l'autre comme s'il allait se mettre à prier.

« Entrez dans la maison, dit Smithy à Clay et à Bailey. Je vais faire du café, vous préparer des sandwichs ou quelque chose pour la route, et après vous pourrez repartir. Je vous aurais volontiers emmenés à Eldorado, mais j'ai une montagne de choses à faire et je veux pas laisser mon fils seul plus longtemps que nécessaire…

— C'est bon, monsieur Smith, déclara Bailey. Nous vous sommes très reconnaissants de nous avoir emmenés jusqu'ici. »

Smithy monta les marches et s'arrêta. Il se retourna vers Clay et Bailey.

« Toi, je connais ton nom, dit-il à Clay. Je le connais parce qu'elle l'a dit. » Il regarda Bailey. « Mais toi ? Je connais que le nom que tu m'as donné, et c'est pas ton vrai nom. Ça, j'en suis sûr. Bon, je sais pas dans quel pétrin vous vous êtes mis, et je vous le demanderai pas, mais quels que soient vos ennuis, je vais vous donner un conseil gratuit : c'est pas en fuyant ses problèmes qu'on les résout… »

Bailey ouvrit la bouche pour parler.

« Laisse-moi finir, ma fille. Sois gentille. Je passe l'essentiel de mon temps ici avec mon fils, et j'ai guère l'occasion de parler d'autres choses que de sujets simples pour qu'il comprenne. Vous êtes futés, tous les deux, ça crève les yeux, mais je vois aussi que vous avez des problèmes. Je crois que rien de bon sortira de tout ça à moins que vous essayiez de les résoudre.

— Il n'y a rien à résoudre, répondit Bailey. Nous ne fuyons personne. Nous n'avons personne à fuir. Nous allons simplement à Eldorado parce que c'est un endroit différent. Nous n'avons rien fait de mal, et je vous garantis que nous ne fuyons personne… »

Smithy leva la main.

« Si c'est la vérité, alors j'en ai assez entendu. Et si ça l'est pas, je veux pas en entendre plus. Cette conversation est finie. Entrez et je vais vous préparer quelque chose pour la route, et après on se fera nos adieux. »

Clay et Bailey suivirent Smithy à l'intérieur de la maison. Jonas avait disparu.

Dans la cuisine, Smithy se jeta directement sur le whisky. La pièce n'était pas tant sale et mal entretenue que négligée. Des toiles d'araignées décoraient les coins, s'étiraient entre divers meubles. À côté de l'évier, il y avait un espace propre pour préparer à manger. C'est du placard en dessous que Smithy tira la bouteille.

Il se retourna vers Clay en levant la bouteille au tiers pleine de liquide ambré qui tournoyait lentement.

« Tu veux un verre ? »

Clay secoua la tête.

« Non merci. Je n'aime pas ça.

— Moi non plus, répondit Smithy. Mais je m'attends toujours à aimer ça. Trente ans que ça dure, et j'y arrive toujours pas.

— Pourquoi vous n'abandonnez pas ?

— Je suis pas du genre à abandonner. Et puis, quand tu dois t'occuper de quelque chose comme ça… »

Il agita la tête en direction de l'avant de la maison. Il faisait de toute évidence référence à Jonas.

« Quand tu dois t'occuper de quelque chose comme ça chaque jour, tu découvres en toi un chagrin d'une profondeur que tu n'imaginais pas. Alors t'attends la nuit et tu bois suffisamment pour oublier. Suffisamment pour trouver le sommeil. Et bientôt t'en arrives à un stade où t'attends même plus la nuit. »

Il déboucha la bouteille, versa deux doigts de whisky dans un verre, le vida d'un trait et se resservit. Il vida la moitié du verre, le posa sur le comptoir, puis attrapa du pain et de quoi préparer des sandwichs pour les fugueurs.

Environ une demi-heure plus tard, alors que les sandwichs étaient prêts et enveloppés dans du papier, ils se tinrent tous trois sur le porche et regardèrent la route qui emmènerait Clay et Bailey loin d'ici.

« Ç'a été un sacré plaisir d'avoir votre compagnie pendant un moment, déclara Smithy.

— Ç'a été un plaisir de vous rencontrer, Smithy, répondit Bailey, et nous vous sommes vraiment reconnaissants de nous avoir amenés jusqu'ici.

— Bon, prenez soin de vous. Occupez-vous bien l'un de l'autre, parce que j'ai le sentiment que personne d'autre le fera à votre place. »

Clay serra la main de Smithy. Bailey tendit le cou et embrassa le vieil homme sur la joue.

Ils se mirent en route, et ce n'est que lorsqu'ils atteignirent le bout du long chemin que Bailey se retourna.

Jonas se tenait à l'angle du bâtiment. Lorsqu'il la vit il agita la main. Une seule fois. Un petit mouvement de gauche à droite. Elle leva la main pour lui retourner son salut, mais il disparut sans lui en laisser le temps.

## 50

La maison était bien rangée et propre. M. Morton Randall était indéniablement un homme ordonné. Il se trouvait en ce moment même derrière la cuisine, dans ce qui était moins une pièce à part entière qu'un réduit séparé par une embrasure de porte sans porte. Une machine à laver, une sorte de sèche-linge, une corde pour accrocher des trucs. Enfin bref, M. Randall était là avec un impact de balle sur le visage. Digger avait compté lui tirer deux fois dessus, peut-être même utiliser les trois balles, mais Randall s'était écroulé à la première et ne s'était pas relevé. Digger avait atteint la zone juste entre la bouche et le nez, alors soit la balle avait ricoché et s'était logée dans le cerveau, soit elle avait sectionné la moelle épinière. Il n'y avait pas de point de sortie, donc, dans un cas comme dans l'autre, la balle était toujours à l'intérieur et elle y resterait un bon bout de temps.

Digger songea qu'il couperait peut-être la tête de Randall plus tard pour voir s'il pourrait la retrouver. La balle elle-même n'avait pas la moindre importance, mais ce serait toujours un moyen de s'occuper faute de mieux.

Après un petit décrassage, Digger ressortit par l'arrière et s'assit sur le porche. Il ôta ses bottes et arracha ses chaussettes de ses pieds douloureux. Il se massa la voûte plantaire et l'espace entre les orteils. C'était agréable. Il avait faim, et envie de baiser. Il songea à sodomiser Randall, mais ça ne l'intéressait pas vraiment. Il voulait une fille. Une fille assez jeune. Ou peut-être deux. Restait à voir ce qu'il pourrait trouver dans le coin.

Il comprenait désormais mieux les choses. La fille de la banque, celle dans l'appartement, et même le vieux à qui appartenait la Galaxy. Dans un sens, ç'avaient été des tests. Il avait échoué, mais ça faisait partie de l'apprentissage. Maintenant ça se passait mieux. Il se contrôlait bien. Ses émotions étaient maîtrisées, ses besoins, assouvis, et il avait conscience du fait que ceux qui accomplissaient quelque chose dans la vie étaient simplement ceux qui prenaient ce qu'ils voulaient quand ça se présentait. Ce n'était pas compliqué. Et il savait qu'Earl aurait partagé cette philosophie.

De retour dans la cuisine, il trouva du porc aux haricots dans le réfrigérateur. Il alluma la gazinière, balança la moitié du mélange dans une poêle et le réchauffa. Il le mangea tiède à la cuiller à même la poêle. Il chercha de l'alcool, trouva une demi-bouteille de whisky sur une étagère au-dessus de la tête exsangue de Randall, but quelques gorgées. Il râpait un peu, mais ferait l'affaire.

Les armes de Randall se trouvaient dans une remise à l'arrière de la propriété. Comme il l'avait dit, il possédait un fusil de chasse calibre 12, un bon fusil Remington, et deux revolvers Colt qui avaient connu des jours meilleurs. Il y avait aussi une montagne de munitions, parmi lesquelles Elliott trouva deux boîtes pleines plus une autre à demi pleine de balles de calibre 45. Il laissa donc les deux Colt à leur place et prit le fusil de chasse et la Remington. Grâce aux balles de 45, il pourrait conserver le revolver de Juneau comme arme de poing.

Il rapporta son arsenal dans la maison et étala les armes par terre dans le salon. Il les recouvrit d'une couverture, après avoir préalablement fourré une bonne poignée de balles dans ses poches. Il allait à la chasse, et le 45 serait le plus pratique.

Il laissa le break de Rita McGovern derrière la maison et chercha les clés du pick-up de Randall. C'était un bon pick-up, un Ford âgé de trois ou quatre ans. Il comportait un plateau à l'arrière, et une cabine large – assez de place pour quatre personnes. Quand il ramènerait une fille à la maison, il la voudrait à l'avant près de lui. Il ne voudrait personne sur la banquette arrière. Personne derrière lui, même si c'était une gamine tout en os et maigrichonne.

Il fit le tour de la maison, verrouilla la porte de derrière, ferma les fenêtres, la porte à l'arrière de la cuisine et celle qui donnait sur l'escalier. Il ne savait pas où se trouvait la clé de la porte de devant, mais il ne pensait pas que quelqu'un viendrait ici dans l'heure qui suivrait. Il supposait que tout ce que Morton Randall avait eu comme compagnie, c'était le bruit des voitures qui fonçaient sur la route sans le remarquer.

Elliott Danziger grimpa dans le pick-up et mit le contact. Il jeta un dernier coup d'œil à la maison – *sa* maison – puis reprit la direction de la I-10 avec l'intention de se rendre à la ville la plus proche pour voir ce qu'elle aurait à proposer en guise de distraction. S'il ne trouvait rien, eh bien, il continuerait de rouler jusqu'à trouver quelque chose.

La ville la plus proche était Van Horn, à quinze ou vingt kilomètres. Un quart d'heure plus tard, Elliott était arrêté à un carrefour, attendant que le feu passe au vert. Il y avait un restaurant, un bureau de poste, une banque, une épicerie générale, une boutique de vêtements, un saloon nommé le *Buffalo Bar*, plus deux ou trois autres commerces. Il continua de rouler tout droit puis prit sur la droite. Il était désormais dans Merchant Street, et plus loin sur la gauche il vit un garage devant lequel une fille était assise. À première vue, elle avait l'air plutôt mignonne, dans les vingt ans, et Digger se gara dans la cour, vérifia le 45 à l'arrière de son pantalon, sortit.

« Salut », lança-t-elle.

Elle sourit. Ses dents étaient parfaitement blanches. Elle avait les cheveux mi-longs, blond cendré, attachés en queue-de-cheval. Elle portait un jean, une chemise à carreaux, des bottes de cow-boy. On aurait dit qu'elle se rendait à un rodéo pour voir son abruti de petit ami se faire piétiner par un bœuf.

« Qu'est-ce qu'on peut faire pour vous ? » demanda-t-elle d'une voix traînante, avec un accent texan qui irrita aussitôt Digger.

Il sourit.

« Me dites pas que c'est vous qui effectuez les réparations ici, ma petite. »

Elle sourit de nouveau. Quelles dents blanches !

« Non, pour ça, c'est mon père que vous devez voir, mais il est parti s'occuper d'un véhicule qui refuse de bouger, vous voyez ?

— Je vois, dit Digger. Alors il vous a laissée ici toute seule ?

— Au cas où des gens passeraient et auraient besoin de quelque chose, pour sûr. Je peux prendre un message, dites-moi quel est le problème et je le préviendrai à son retour… »

Elliott sourit. Il aurait voulu que ses dents soient aussi blanches que celles de la fille.

« Comment vous vous appelez ?

— Candace », répondit-elle.

Elliott ne put se retenir de rire.

« Qu'est-ce qu'y a de si drôle ?

— Candace ?

— Ben oui, vous avez jamais entendu ce nom ?

— Oh, bien sûr que si, mais je viens de m'apercevoir d'une chose. Ajoutez un *y* au milieu et ça donne *candy-ass* [1]. »

Candace fronça les sourcils, recula d'un pas.

« C'est franchement malpoli, monsieur. Ça se fait pas de dire des choses comme ça. »

Elliott acquiesça.

« Bon, je suis désolé, mademoiselle. » Il s'entendait imitant son accent nasal.

« Je voulais pas vous vexer.

— Alors, vous avez un problème avec votre pick-up ou quoi ? Vous avez quelque chose que mon père doit réparer ? »

Elliott regarda ses pieds. Il donna un petit coup de botte dans un monticule de terre. Il passa la main derrière sa veste, tira le 45. Il le tint contre son flanc, et elle mit un moment à comprendre de quoi il s'agissait.

---

1. Couille molle. (*N.d.T.*)

« Oh non, ma chérie, dit-il, j'ai rien que ton père ait besoin de réparer. »

Elle ne résista pas beaucoup, mais bon, la plupart des gens ne résistent pas quand ils se retrouvent face à un calibre 45 et à un sourire tel que celui qu'arborait Digger.

Il lui fit signe d'entrer dans le garage. Il y avait un haut plafond en saillie, et une fois dans son ombre il put distinguer clairement l'atelier. Crics hydrauliques, deux fosses de réparation, des étagères sur les trois murs intérieurs couvertes d'un fabuleux assortiment de machines et d'outils noirs. Il flottait une odeur d'huile, de diesel, d'essence, de transpiration. Sur le sol en béton gisaient les vestiges de mille fuites d'huile et de liquide de frein.

« Bon, écoutez, monsieur, j'ai rien fait pour vous contrarier… »

Elliott posa un doigt sur ses lèvres.

« Chut », murmura-t-il, et il esquissa un nouveau sourire, si incroyablement glaçant que Candace devint silencieuse.

Il y avait un banc dans un coin, et il lui demanda d'aller s'asseoir. Elle obéit. Il lui demanda d'ôter l'élastique de ses cheveux. Elle s'exécuta.

Il se tint un moment devant elle, puis passa son arme dans sa main gauche et tendit la droite.

« Donne-moi ta main, dit-il.

— Monsieur… s'il vous plaît… s'il vous plaît, non… »

Elle semblait alors effrayée. Vraiment effrayée. Trop effrayée pour pleurer.

Il soupesa le revolver dans sa main, le leva, plaça la gueule du canon contre la tempe de Candace.

« Donne-moi ta main », répéta-t-il.

Candace tendit la main et ferma les yeux.

Elliott lui saisit la main et l'appuya contre son entrejambe. Il était déjà excité, et quand il sentit ses doigts à travers le tissu de son pantalon, il eut presque immédiatement une érection. Il détacha sa ceinture, sortit son sexe, et le tint devant le visage de la jeune fille.

« Ouvre », ordonna-t-il en lui donnant de petits coups sur la tempe avec son arme.

Candace leva les yeux vers lui. Ils étaient désormais pleins de larmes.

« Monsieur…, gémit-elle.

— On ne parle pas », coupa Elliott.

Elle ouvrit la bouche pour implorer de nouveau, et Elliott lui saisit le visage d'une main, enfonçant son pouce dans sa bouche. Il la força à tourner la tête sur le côté et se pencha en avant. Son nez n'était plus qu'à une dizaine de centimètres de celui de Candace.

« Tu vas faire exactement ce que je vais te dire. Sinon, je tire. Je te tuerai pas. Je te tirerai une balle dans le bide ou quelque chose comme ça. Ça fera très mal et tu mettras deux bonnes heures à mourir. Et pendant que tu seras en train de crever, je t'enculerai. Et quand j'aurai fini de t'enculer, on attendra sagement que ton papa revienne, et alors tu me verras lui coller une balle dans la tête. Voilà ce qui va se passer, tu saisis ? »

Elle ferma les yeux de toutes ses forces et Elliott la sentit acquiescer malgré la pression qu'il exerçait sur son cou.

« Bon, très bien », dit-il.

Il relâcha son étreinte. Elle garda les yeux fermés.

« Ouvre les yeux et la bouche », ordonna-t-il en lui donnant un nouveau petit coup avec le 45.

Candace ouvrit les yeux, puis la bouche, timidement d'abord, puis en grand.

« OK. C'est bien. Maintenant on se comprend. »

Elliott attrapa la main de la fille et la referma autour de son sexe. Il la força à le masser un petit moment jusqu'à ce qu'il soit de nouveau dur, puis il lui pencha la tête en arrière et le lui inséra dans la bouche. Elle avait un visage inexpressif. Ses yeux étaient ouverts, mais elle ne le voyait plus.

« Maintenant faut sucer, ma chérie », dit-il en souriant comme s'il expliquait quelque chose à un enfant.

Et c'est alors qu'il le vit. L'éclair de haine dans les yeux de Candace. Il comprit ce qu'elle allait faire. Ça se voyait sur son visage, dans la tension des muscles de sa mâchoire, dans la façon dont ses joues avaient soudain repris des couleurs.

Elle allait lui arracher la queue avec les dents !

Elliott l'attrapa par la gorge. Elle rouvrit la bouche malgré elle. Il recula vivement et sortit son sexe en érection de la bouche de Candace.

Son soulagement était si énorme qu'il faillit jouir.

« Putain de salope », marmonna-t-il d'une voix à peine audible.

Elle le regarda avec le même air de chien battu que quand il l'avait forcée à s'asseoir. Pathétique. *Me faites pas de mal. Je vous en prie, me faites pas de mal.*

« Putain de salope », répéta-t-il, et il leva la main.

Elle eut un mouvement de recul. Un halètement infime franchit ses lèvres. Elle leva les mains pour se protéger, et Elliott baissa très lentement sa main tout en regardant son expression changer. Le fait qu'elle n'avait pas hurlé le troublait, de même que le fait qu'il ne l'avait pas frappée.

Il fit un pas en arrière, rangea son sexe dans son pantalon.

« OK, reprit-il calmement, tu veux jouer à des putains de petits jeux, ma chérie, alors on va jouer à des putains de petits jeux. »

Un unique coup de crosse suffit à assommer Candace. Il la souleva comme si elle ne pesait pas plus lourd qu'un sac de linge, puis la porta jusqu'au pick-up.

Personne ne vit Elliott Danziger. Personne ne vit Candace Munro. Une personne vit le pick-up de Morton Randall s'éloigner du garage de Sam Munro vers douze heures dix le jeudi 26 novembre, mais ne trouva rien de surprenant à ça.

Candace avait compté rester au garage deux heures tout au plus. Elle avait prévenu son père qu'elle irait peut-être voir une amie à Monahans, près d'Odessa. Il avait proposé de la conduire, mais elle avait répondu qu'elle aimait prendre le bus. Elle avait vingt et un ans, c'était une brave fille, digne de confiance et fidèle à sa parole. Elle n'avait jamais été un problème, n'avait jamais posé de réelles difficultés depuis la mort de sa mère quatorze ans plus tôt. La visite chez son amie avait été arrangée de façon informelle. Elles s'étaient parlé au téléphone, mais n'avaient pas établi de plan définitif. Aussi, quand Sam Munro regagna le garage à quatorze heures quarante-cinq, il supposa qu'elle avait pris le bus. Il n'y avait pas de mot, mais elle n'en aurait laissé un que si quelqu'un avait laissé un message pour Sam ou s'il y avait eu une réparation à effectuer. De toute évidence, il n'y en avait pas, ce qui n'avait rien d'étrange. Et l'amie à Monahans ? Eh bien, elle ne s'attendait pas vraiment à voir Candace débarquer. Elle avait déjà dit qu'elle viendrait à deux reprises par le passé, mais son père avait eu besoin d'elle et elle avait dû rester à Van Horn. Elle viendrait quand elle viendrait. C'était ce genre d'arrangement car c'était ce genre d'amitié.

Elliott emmena donc Candace chez Morton Randall à l'heure du déjeuner. Personne n'était au courant, et personne ne tira la sonnette d'alarme. Sans le savoir, Elliott avait presque commis l'enlèvement parfait. Non que ça l'aurait ravi ou impressionné de quelque manière que ce soit. Car, pour le moment, il avait des choses beaucoup plus pressantes en tête.

## 51

Une heure plus tard, tandis que Clay et Bailey étaient toujours sur la route entre Sierra Blanca et Van Horn, John Cassidy se garait au bord du trottoir devant chez lui et coupait le moteur. Il fallait qu'il aille au bureau, mais il voulait d'abord parler à Alice.

Il n'aurait pas dû s'en faire. La première chose qu'elle dit lorsqu'il ouvrit la porte fut : « J'ai appelé Mike. Je lui ai dit que tu ne te sentais pas bien. Que tu avais de la fièvre et qu'il valait mieux que tu restes à la maison un jour ou deux au cas où ce serait contagieux. »

Il l'étreignit, commença à parler avant même de la lâcher.

« Non, coupa-t-elle. Tu vas d'abord manger quelque chose et boire un café. À te voir – et à te sentir, si j'ose dire –, tu as passé la nuit dans ta voiture et tu es rentré sans prendre de petit déjeuner. »

Cassidy s'assit. Il la regarda en silence pendant qu'elle préparait une omelette, y ajoutant tout ce qu'elle pouvait en termes de protéines et de nutriments. Elle fit du café, remplit une tasse pour son mari et se servit un fond.

Cassidy mangea. C'était difficile. Il voulait lui parler. Il voulait exprimer avec des mots tout ce qui lui était venu à l'esprit pendant son retour d'El Paso. Elle le força à finir son assiette, puis s'assit face à lui et lui demanda de parler lentement.

Lorsqu'il eut fini, elle le regarda et déclara : « Parce qu'ils sont deux. »

Vague froncement de sourcils de Cassidy.

Elle sourit.

« La réponse à la seule question importante. Comment quelqu'un a-t-il pu abandonner un pistolet sous une voiture à un endroit, et se trouver au même moment dans un restaurant à cent cinquante kilomètres de là ? Parce qu'ils sont deux... exactement comme tu t'en es déjà convaincu...

— Oui, je m'en suis convaincu, répondit Cassidy. Vraiment. C'est logique, Alice. C'est la *seule* solution logique. Le seul indice qu'ils aient de la mort de ce Danziger, l'autre garçon qui a été pris en otage par Earl Sheridan, provient de Sheridan lui-même qui a dit à la police à Wellton que Clarence Luckman et lui l'avaient tué. Mais aucun corps n'a été retrouvé, du moins pas encore. Où l'ont-ils tué ? Et pourquoi ? Ces deux garçons ont grandi ensemble, ils ont été ballottés d'un orphelinat à l'autre, mais ils sont toujours restés ensemble. Deux frères comme ça ne vont pas s'entretuer. Ça n'a aucun sens. En plus, il y a ce témoignage du propriétaire de la station-service... comme quoi la personne qui a signalé l'accident de voiture était une fille, et qu'elle était accompagnée d'un garçon. Deux adolescents, pas un seul. C'est sous cette voiture qu'a été retrouvé le pistolet qui provenait de l'épicerie de Marana. C'est ce qui me turlupine maintenant. Ce pistolet veut dire quelque chose. Sa provenance veut dire quelque chose.

— Marana est à une trentaine de kilomètres, observa Alice. C'est rien du tout. »

Cassidy acquiesça.

« Je sais.

— Et tu penses pouvoir apprendre là-bas quelque chose d'utile ?

— Qui sait ? Mais je ne peux pas en rester là. Les agents fédéraux ne poseront pas de questions. S'ils voient ce Clarence Luckman, ils le tueront. »

Alice tendit le bras et lui saisit la main.

« Alors vas-y. Pars, mets-toi en route. Vois ce qui s'est passé. Parle aux policiers. Ils te diront ce qu'ils savent.

— Oui, répondit-il. C'est ce que je voulais faire, mais j'avais prévu d'y aller demain ou après-demain.

— Écoute, je t'ai fait porter pâle au travail, alors tu ferais aussi bien d'y aller maintenant. »

Il lui serra la main.

« Merci, Alice.

— Pas la peine de me remercier. Vas-y. Va là-bas. Appelle-moi si tu ne rentres pas pour dîner, d'accord ?

— Promis, répondit Cassidy, et il se pencha pour l'embrasser.

— Beurk, fit-elle lorsqu'il s'écarta.

— Quoi ? »

Elle plissa le nez.

« Tu as une odeur de clochard. Va prendre une douche avant de partir. Je ne voudrais pas qu'on croie que je te laisse quitter la maison en empestant comme ça. »

Cassidy se leva. Il lui toucha doucement le visage.
« Tu es trop bonne pour moi, dit-il.
— Comme si je ne le savais pas », répliqua-t-elle.

Une heure plus tard, il était de nouveau sur la route, cette fois direction Marana. Il trouva l'épicerie sans difficulté. Marana était une petite ville, et c'était la seule boutique rattachée à une station-service. Comme un double meurtre sauvage s'y était déroulé seulement trois jours plus tôt, elle était fermée. Cassidy observa les lieux. Mais il n'y avait pas grand-chose à voir. Il demanda le bureau du shérif, et quelqu'un lui indiqua comment se rendre à la petite permanence dirigée par l'agent Nolan Sharpe, représentant du département du shérif du comté de Pima.

Sharpe était jeune, pas plus de vingt-trois ou vingt-quatre ans, mais il présentait bien, et ses manières méthodiques démontraient un désir d'être là et de bien faire son boulot. Il sembla ravi que Cassidy vienne le consulter, comme si l'attention d'un inspecteur de Tucson élevait sa position et lui conférait plus d'envergure et de crédibilité.

« Nous connaissions tous Harvey Warren, expliqua-t-il à Cassidy. Harvey était une institution à Marana. Sa famille tient la boutique depuis des décennies, mais c'est Harvey qui a construit la station-service. Un type bien. Une terrible tragédie. Incroyable.

— Et l'autre victime ? demanda Cassidy.

— Frank Jacobs. Franklin de son prénom complet. Vendeur de chaussures résidant à Scottsdale. De passage, apparemment.

— Et il n'y avait personne d'autre dans la boutique au moment de la fusillade ? Juste Earl Sheridan, Clarence Luckman, Harvey Warren et Frank Jacobs ?

— Pour autant que nous sachions. Il n'y a pas eu d'autres morts, et personne ne traînait dans les parages. Nous sommes entrés, nous avons trouvé les deux cadavres, et la Oldsmobile de Jacobs avait disparu. On avait aussi vidé son portefeuille et pris ce qu'il y avait dans la caisse.

— Et ce Frank Jacobs venait de Scottsdale, dites-vous ?

— Oui, de Scottsdale. Il était représentant en chaussures. Richelieus, bottes de travail, et ainsi de suite.

— Vous avez son adresse ?

— Oui. »

Sharpe trouva le dossier, nota l'adresse, tendit le bout de papier à Cassidy.

« Vous comptez aller jeter un coup d'œil chez lui ? »

Cassidy haussa les épaules.

« Aucune idée », répondit-il. Il voulait paraître indifférent. Il ne voulait pas que Sharpe aille raconter à Koenig et à Nixon qu'il était venu fouiner. « On verra de quel côté le vent me poussera.

— Bon, si je peux vous être utile, vous savez où me trouver.

— Merci.

— Et s'ils cherchent de nouvelles recrues à Tucson… »

Cassidy sourit.

« Dans ce cas, je leur donnerai votre nom.

— Merci beaucoup, inspecteur Cassidy. »

Les deux hommes se séparèrent. Cassidy consulta sa montre. Il était un peu plus de seize heures. Scottsdale était à au moins cent cinquante kilomètres et il voulait y être avant la tombée de la nuit. Il décida d'appeler Alice depuis la cabine téléphonique la plus proche. Non, il ne serait pas à la maison pour dîner, mais il ne rentrerait pas tard au point qu'elle ne puisse lui garder son repas au chaud.

Avec l'adresse de ce Franklin Jacobs en poche, il prit la I-10 en direction de Phoenix. Il y avait une chose qu'il ne pouvait s'ôter de la tête – l'idée qu'il y avait quelqu'un d'autre. Comme l'avait dit Alice : comment quelqu'un pouvait-il se trouver à deux endroits à la fois ? Eh bien, c'était facile, évidemment. Parce qu'il y avait deux personnes.

## 52

Ils marchaient, marchaient, et quand Bailey se disait qu'ils allaient s'arrêter, Clay voulait continuer. À seize heures, ils avaient parcouru près de vingt-cinq kilomètres. Ils ne se disaient pas grand-chose. Dès le début, Bailey n'avait pas semblé vouloir parler. Clay avait essayé à quelques reprises, mais chacune de ses tentatives tombait à plat et le silence s'installait de nouveau. Au bout d'un moment, il s'était mis à rêvasser. Il s'était imaginé en cow-boy, en ouvrier agricole, en gardien de troupeau qu'une terrible tempête aurait séparé de son équipe et de ses bêtes et qui se retrouvait désormais responsable de la fille de quelque propriétaire terrien qui avait été assassiné. Assassiné par les Peaux-Rouges. Le danger tout autour d'eux. Ça l'avait amusé pendant une demi-heure, puis il avait trouvé ça idiot. Ils n'avaient pas vu une seule voiture. Mais ils finirent par voir un homme. Il devait avoir quatre-vingts ou cent ans. Clay lui demanda le nom de la prochaine ville.

« Van Horn », répondit l'homme, crachant ces mots comme s'ils avaient un goût amer – comme s'il avait hâte de s'en débarrasser. Clay remarqua une cicatrice d'une douzaine de centimètres de long à la base de son cou. Peut-être avait-il trop parlé autrefois. Peut-être quelqu'un avait-il décidé de lui trancher la gorge pour qu'il la boucle, mais s'était ravisé après avoir fait la moitié du boulot. Maintenant, le vieux faisait gaffe. Une demi-douzaine de syllabes à la fois, ni plus ni moins. « Environ cinquante bornes », ajouta l'homme.

Clay le remercia, et ils poursuivirent leur chemin, laissant derrière eux l'homme avec sa cicatrice et sa conversation limitée.

Ils s'arrêtèrent dans une boutique et achetèrent quelques provisions. Pain, fromage, cacahuètes, soda. C'était une boutique sinistre, où tout coûtait deux fois plus cher qu'ailleurs. Le principal article en stock semblait être de la poussière.

Eldorado était le bout du monde.

De nouveau le silence, hormis le bruit de leurs pas. Le paysage autour d'eux était infiniment vaste. Dans un sens, Clay était à la fois perdu et époustouflé. Il mangea du pain, du fromage, tendit des morceaux à Bailey. Elle les prit sans rien dire, et quelques minutes plus tard tendit de nouveau la main pour qu'il lui en donne plus.

Finalement, ils s'arrêtèrent. Il commençait à faire frais.

« Nous devons prendre une décision, annonça Clay. Soit on continue de marcher vers Van Horn en espérant que quelqu'un nous prenne en stop, soit on essaie de trouver un endroit où dormir cette nuit. »

Bailey se retourna et le regarda.

« Tu me trouves jolie, Clay Luckman ? »

Clay fronça les sourcils. La question le surprit comme un uppercut surgi de nulle part.

« Jolie ? Comment ça ?

— Allez, dis-moi, Clay, si je dois t'expliquer le sens de ma question, alors je crois que j'ai ma réponse.

— Bon sang, Bailey, je comprends ce que tu veux dire. Mais, écoute, tu as quinze ans…

— Et ça compte ? Je connaissais une fille, elle est tombée enceinte à treize ans.

— C'est pas parce que quelqu'un d'autre le fait que c'est bien. Aucune fille ne devrait être enceinte à un tel âge…

— Bon, laissons ça de côté, tu ne m'as toujours pas répondu. »

Clay se sentit rougir. Il se revit dans le motel, regardant par le trou de la serrure dans l'espoir de la voir nue.

« Eh bien, oui, Bailey, bien sûr que je te trouve jolie. Jolie à croquer, je dirais.

— Et est-ce que tu m'aimes, Clay Luckman ?

— Qu'est-ce que c'est que cette question ? »

Clay s'arrêta net. Il commençait à être agacé. Elle disait vraiment n'importe quoi.

« Si on était plus vieux, est-ce que tu serais amoureux de moi ? »

Clay regarda le sol. Il secoua la tête.

« Bailey, je vais te dire une chose ici et maintenant. Tu es jolie. Bien sûr que oui. Pour penser le contraire… eh bien, faudrait être à côté de ses pompes…

— Alors comment ça se fait que tu n'aies jamais essayé de… tu sais, essayé de me déshabiller ? »

Clay ouvrit de grands yeux. Il comprenait ce qui se passait. Elle se raccrochait à tout – à *n'importe quoi* – pour se sentir moins seule.

« Bon, tu commences à… Bon Dieu, Bailey, je ne sais même pas quoi te répondre. Si tu me demandes ça à cause de ce qui s'est passé, parce que tu te sens seule et tout… »

Bailey s'avança soudain. Elle saisit à deux mains le visage de Clay Luckman, ses paumes compressant ses joues à tel point qu'il avait l'impression que ses yeux allaient se toucher, et elle l'embrassa à pleine bouche. Lorsqu'elle le relâcha et fit un pas en arrière, il était trop abasourdi pour bouger, trop abasourdi pour dire quoi que ce soit.

Elle le regardait sans ciller, souriant comme une idiote.

« Répète après moi, *je t'aime, Bailey Redman.* » Elle attendit un moment. « C'est pas difficile, Clay Luckman. Dis-le pour que je puisse l'entendre. Je. T'aime. Bailey. Redman. »

Clay recommença à respirer. Il ne s'était pas rendu compte qu'il avait cessé de le faire.

« Je… heu, je t-t'ai-t'aime, B-Bailey Redman.

— Bien. Maintenant, recommence, mais comme si tu le pensais. »

Clay cligna sèchement des yeux.

« Heu, OK… Je t'aime, Bailey Redman.

— Bon, très bien, dit-elle. Maintenant que c'est fait, tout est réglé. Je t'aime, tu m'aimes, nous sommes en route pour Eldorado, et tout va être merveilleux. »

Clay se remit à marcher. Elle le rattrapa, lui saisit le bras et le serra comme pour le réconforter.

« Et quand je serai un peu plus grande… tu sais, quand tu estimeras que j'aurai l'âge, alors on pourra aussi coucher ensemble, OK ? »

Clay ne prononça pas un mot. Il n'en revenait toujours pas qu'elle lui ait fait dire ça.

Ils marchèrent une demi-heure de plus, se tenant la main l'essentiel du temps. Clay essayait de se persuader que cette ouverture incongrue de la part de Bailey n'était rien de plus qu'une façon d'affronter le décès de son père. Il était mort depuis trois jours, et elle avait pleuré deux fois, seulement deux fois, à gros sanglots déchirants, et puis plus rien. Elle avait bien des moments d'absence – son esprit semblait ailleurs, ses yeux fixaient le vide –, mais la fois où elle s'était laissé dominer par ses émotions au bord de la route avait été la seule réelle expression de son chagrin et de sa douleur. Maintenant, elle adoptait Clay en tant que mentor, que grand frère peut-être, et elle voulait être sûre qu'il l'aimait. Qu'est-ce que ça voulait dire ? Ça voulait dire qu'il promettait de s'occuper d'elle, de la protéger et de la défendre, de prendre soin d'elle comme son père l'aurait fait s'il avait vécu.

Clay savait ce qu'elle ressentait. Il avait eu un grand frère autrefois. Il savait comment c'était.

Et il supposait qu'il pourrait remplir son nouveau rôle, se montrer à la hauteur. En toute honnêteté, c'était vraiment le moins qu'il pût faire.

« Il n'y a pas de voitures, déclara-t-elle finalement. Je crois que personne ne nous prendra en stop aujourd'hui, et je suis fatiguée.

— Il faut trouver un endroit où passer la nuit, répondit-il.

— On aurait dû demander une couverture à Smithy.

— Oui, en effet. »

Après quelques minutes, ils aperçurent une grange sur la droite de la route. Trois ou quatre cents mètres plus loin, avec un toit solide, des balles de foin à l'intérieur. Clay se dirigea droit vers elle comme si c'était une oasis au milieu du désert.

Jouxtant des pâturages et des sols en jachère, la grange servait à entreposer le fourrage destiné aux troupeaux qui paissaient là pendant l'été.

Une fois à l'intérieur, ils s'assirent en tailleur. Ils mangèrent le reste du pain, un peu de fromage, des cacahuètes, et burent le soda. Des particules de paille séchée flottaient dans la lueur faible des derniers rayons de soleil. Bailey agita la main pour les repousser. Au bout d'un moment, Clay alluma une cigarette juste pour voir les volutes de fumée dans le soleil couchant. Il se sentait bien, inexplicablement bien, et il se demanda s'ils avaient enfin réussi à semer une petite partie de l'ombre qui les suivait.

## 53

Candace Munro n'était pas vierge. Deux ans plus tôt, elle avait couché avec un certain Dan Forrest, dont le père tenait une quincaillerie à Grandfalls. Elle avait rencontré Danny quand le camion de son père était tombé en panne à la sortie de Van Horn. Sam Munro avait été appelé. Candace l'avait accompagné, et c'est là qu'elle avait rencontré Danny. Danny était gentil. Ils s'étaient parlé au téléphone. Il était venu deux ou trois fois et ils avaient bu des sodas à la glace en discutant de tout et de rien. Ils se tenaient la main. Un jour, ils s'étaient embrassés. La fois suivante, il lui avait dit qu'il rejoignait l'armée, qu'il allait être posté à Fort Benning en Géorgie, et qu'ils risquaient de ne pas se revoir pendant quelque temps. Elle avait *su* que c'était la dernière fois qu'elle le voyait. Elle en avait eu le pressentiment. Alors, ils avaient fait l'amour. Il avait apporté un préservatif. Il ne l'avait jamais fait, et elle non plus, mais ils s'étaient débrouillés. C'était la fin de l'été 1962. En août, il était parti pour Fort Benning. En décembre, il avait fait une chute de six mètres en tombant d'un arbre et s'était brisé le cou. C'était pendant des manœuvres, l'équipe rouge contre l'équipe bleue. Ils ne tiraient pas à balles réelles ni rien. C'était juste un entraînement. Le chef de son équipe l'avait envoyé dans l'arbre pour qu'il voie où les rouges se cachaient. Alors il était monté, et à l'instant où il s'apprêtait à donner la position de l'ennemi, il avait glissé, était tombé, et il était mort. Le pressentiment de Candace avait été exact. Depuis, ça s'était reproduit deux ou trois fois. Le fils de Katie Garrett avait un chiot qui s'était enfui. Ils l'avaient cherché partout en vain. Candace avait senti qu'il était dans une canalisation ou quelque chose du genre, et elle l'avait dit à Katie. Katie avait semblé surprise, puis elle s'était précipitée au fond du jardin et avait soulevé la trappe en métal qui abritait autrefois l'évacuation d'eau qui protégeait le générateur auxiliaire de la ville. Le chiot était là – trempé, transi, affamé, mais vivant. Personne ne savait comment il avait fait pour passer par les canalisations et se retrouver là, mais qu'importait. Le garçon et le chiot étaient réunis, et tout le monde était soulagé. Une autre fois, Candace avait deviné qu'un homme comptait faire réparer son camion à l'œil. C'était un type de passage avec un pneu crevé. Sam avait presque fini de changer le pneu quand Candace l'avait prévenu. « Fais-le payer maintenant », avait-elle dit, à quoi son père avait répondu que ça ne se passait pas comme ça. On faisait d'abord le boulot, et *après* on se faisait payer. Elle avait insisté, avait même menacé de lui demander elle-même. Alors Sam avait fait comme sa fille lui disait, et l'homme avait eu l'air gêné et penaud, faisant mine de fouiller ses poches avant de déclarer d'un air surpris et inquiet qu'il n'avait ni portefeuille ni espèces sur lui. Du coup, le type avait appelé quelqu'un depuis le téléphone du garage pour lui demander d'apporter de l'argent. « Comment tu l'as su ? » avait demandé Sam à sa fille après que le type l'eut réglé et fut reparti. « Aucune idée, avait-elle répondu. Parfois je sens très fortement quelque chose, et je sais que j'ai raison. » Sam l'avait embrassée sur le haut du crâne. Il l'avait serrée dans ses bras et lui avait dit qu'il l'aimait, même si c'était une sorcière et qu'elle aurait dû être brûlée vive.

Candace faisait donc confiance à ses intuitions, et alors qu'elle était étendue sur le ventre sur la table de cuisine de Morton Randall, les pieds et les poings ligotés aux pieds de la table, nue comme un ver… alors qu'elle entendait Digger marmonner pour lui-même et tourner en rond derrière elle, qu'elle le sentait approcher et recommencer à lui masser l'intérieur des cuisses, s'apprêtant à la pénétrer une fois de plus… alors qu'elle tentait d'oublier la douleur, la sensation de saignement, elle savait aussi que tout ça n'avait plus vraiment d'importance. Car elle avait l'intuition, la certitude absolue, que c'était le dernier jour de sa vie. Ça faisait trois heures qu'elle était là, même si après la première heure elle avait plus ou moins perdu la notion du temps. Elle tenta de penser à quelque chose d'agréable, essaya de se représenter le visage de Dan Forrest, son sourire, l'éclat qui illuminait ses yeux quand elle lui souriait en retour. Mais elle ne voyait que des ténèbres. Et peut-être était-ce mieux ainsi.

Après l'avoir violée, elle savait qu'il la tuerait. Peut-être parce qu'il ne la regardait jamais dans les yeux, peut-être parce qu'il ne prononçait jamais son nom, peut-être parce qu'il ne la touchait jamais autrement qu'avec force et brutalité, ou peut-être simplement à cause de son intuition. Elle savait qu'elle allait mourir. Restait juste à savoir quand. Et comment.

Elle sut que le moment était proche lorsqu'il apparut avec deux couteaux. C'étaient des couteaux à viande, avec des lames d'une bonne quinzaine de centimètres de long. Il en avait un dans chaque main et les tenait comme si c'étaient des prolongements de ses bras.

Elle ferma les yeux et serra les dents. Lorsqu'il s'apprêta à la violer une fois de plus, elle entendit les couteaux se soulever de la table, et elle sut que c'était fini. Alors même qu'il la pénétrait violemment il lui enfonça les couteaux dans les flancs. C'était comme si quelqu'un avait allumé une lumière dans la tête de Candace. Une lumière d'une blancheur aveuglante. Il n'y avait même pas de douleur. C'était une sensation telle qu'elle n'en avait jamais connu. Elle crut pousser un gémissement, mais n'aurait pu le jurer. Tout devint flou ; la blancheur vira au jaune, puis au vert, puis devint un turquoise éblouissant, si éblouissant qu'elle ne savait plus si ses yeux étaient ouverts ou fermés. Il retira l'un des couteaux et se mit à lui poignarder le creux des reins, les épaules, le cou, les joues, et la dernière chose qu'elle entendit avant de mourir fut sa voix furieuse, enragée, la voix d'un individu possédé qui hurlait : « Salope ! Salope ! Putain de salope ! » Mais elle n'était pas sûre de ce qu'il disait car sa conscience la quittait, et la dernière chose qui lui vint à l'esprit avant de mourir fut que Danny Forrest l'appelait Candy.

Lorsqu'il eut fini, Digger resta un moment immobile. Il retira les couteaux et les balança dans l'évier.

Il y avait un paquet de sang. Plus qu'il ne s'y attendait.

Il baissa les yeux, vit du sang sur ses cuisses, et fut pris d'une envie de vomir. Il saisit un torchon sur le rebord de l'évier, le mouilla sous le robinet, et nettoya le sang malgré ses haut-le-cœur.

Il jeta un coup d'œil en direction de la fille. Elle avait les yeux ouverts. Le regardait-elle ? Souriait-elle ?

Il tendit timidement la main. Du bout de son index droit il lui ferma un œil, puis l'autre.

Il remonta son pantalon, marcha autour de la fille et l'observa depuis le côté de la pièce.

Il ferma les yeux.

La nausée passa aussi vite qu'elle était survenue.

Il avait commis un acte terrible. Un acte d'une puissance terrible. Il le savait. Elle était morte, et il l'avait baisée tout en la tuant.

C'était lui qui avait fait ça.

*Lui. C*ette chose puissante, terrible, merveilleuse.

Lui et personne d'autre.

Même pas Earl.

Digger sentit l'excitation dans sa poitrine. C'était comme trouver Dieu. Il avait trouvé Dieu. Dieu était en lui. C'était comme un baptême. Une expérience *religieuse*.

Earl était là. Il avait toujours été là. Earl l'avait guidé, encouragé, il lui avait montré la voie, parlé, mais maintenant il était seul.

Digger était seul.

Earl était là, *en* lui, mais ce n'était *pas* Earl, juste son souvenir.

Digger sentit sa respiration s'emballer. Son corps était couvert de sueur froide.

Oh, comme il se sentait vivant ! Si totalement, si véritablement *vivant* !

Il n'avait jamais rien éprouvé de tel, et ce n'était que le début. Doux Jésus, est-ce que ça pouvait être encore meilleur que ça ?

C'était exactement ce qu'avait voulu dire Earl. La chose la plus *réelle* qu'on puisse ressentir. Un être humain ôte la vie à un autre, et cette vie devient la sienne. Elle lui appartient. Il repart avec cette vie qu'il a volée, et il a désormais deux vies en lui. Et plus il prend de vies, plus il devient fort.

Digger recula et appuya ses épaules contre le mur.

Il regarda Candace.

Elle le mettait en colère, mais il ne savait pas pourquoi. C'était juste comme ça.

Salope.

C'était une salope, une putain de salope, une putain de salope de merde !

Putain, ce qu'elle le foutait hors de lui.

« Va te faire foutre ! lui hurla-t-il. Va te faire foutre, Candy-Ass ! »

Il éclata alors de rire.

Il recula jusqu'à l'évier, tendit la main sur la droite et attrapa un poêlon sur la gazinière.

« C'est pour toi, Earl, murmura-t-il. Pour tout ce que tu as fait pour moi. Je t'adorais, vieux, mais maintenant je suis seul. Complètement seul. »

Digger fit un pas en avant. Il brandit le poêlon, hésita un bref instant, et l'abattit encore et encore et encore sur la tête de Candace Munro jusqu'à ce qu'elle soit méconnaissable.

Puis il resta planté là avec le poêlon dans la main. Un sentiment de tristesse l'envahit momentanément, parce que maintenant elle était *vraiment* morte, maintenant elle était dans un trop sale état pour qu'il puisse encore faire joujou avec elle. Il repoussa les couteaux dans l'évier, se lava les mains, s'aspergea le visage d'eau. Il avala deux cuillerées de porc aux haricots froid, puis détacha la fille et la traîna dans le réduit derrière la cuisine. Il l'adossa au mur de droite à côté de Morton Randall. Morton gisait sur le flanc, il y avait beaucoup de sang séché par terre, et Elliott dérapa. Mais il retrouva l'équilibre, et redressa le vieux contre le mur comme s'il attendait son déjeuner. Ils auraient pu être père et fille. Elliott monta à l'étage et récupéra un drap dans la première chambre qu'il trouva. Il en enveloppa les deux cadavres en prenant soin de faire en sorte que le drap n'entre pas en contact avec le sang de la fille. Depuis la cuisine on distinguait juste l'embrasure de la porte, les ombres dans le réduit, et rien d'autre. Il y avait encore assez de place là-dedans pour une bonne demi-douzaine de personnes.

L'effort lui avait fait du bien. Il se sentait vivant. Ç'avait été le pied, un sacré pied, et il comptait bien remettre ça. Peut-être demain.

# 54

Entrer chez Frank Jacobs fut aisé, comme c'était souvent le cas avec les victimes de meurtre, surtout celles qui n'avaient pas de famille immédiate. La porte grillagée à l'arrière de la maison était ouverte, la seconde était déverrouillée, et Cassidy pénétra à l'intérieur comme s'il rentrait chez lui après une journée de boulot. Il était un peu plus de dix-sept heures trente. Il commençait déjà à faire sombre, et Cassidy avait espéré pouvoir fouiller la maison sans allumer la lumière. Il avait apporté une lampe torche, mais les foutues piles étaient quasiment à plat, et le faible faisceau qu'elle produisait le distrayait plus qu'il n'éclairait les lieux.

La première chose qui le frappa fut l'absence de confort. Le salon n'abritait rien de plus que deux chaises, une table basse au centre de la pièce, un halogène, une télé, et contre le mur du fond, s'élevant littéralement du sol au plafond, des piles de boîtes de chaussures – trois en profondeur pour quinze en hauteur. Chaussures pour hommes, pour femmes, pour enfants, en cuir comme en synthétique. Escarpins, sandales, richelieus, mocassins, chaussures de marche, chaussures de ville, Oxford, une variété infinie. Il se demanda depuis combien de temps Jacobs faisait ce boulot, pendant combien de temps il avait compté continuer. Il se demanda si vendre des chaussures avait été une étape avant une autre chose qui n'était jamais arrivée, ou si Frank Jacobs avait toujours voulu exercer ce métier. Peut-être qu'il avait été vendeur de chaussures dans l'âme, qu'il n'avait jamais rien voulu d'autre, jamais aspiré à autre chose que recommander et fournir des chaussures aux travailleurs américains. Quoi qu'il en soit, Frank Jacobs appartenait désormais au passé. Après quelques minutes dans le salon, Cassidy devina qu'il n'y avait rien à découvrir ici. Il y avait une petite bibliothèque sous la fenêtre – une demi-douzaine de romans de gare, quelques périodiques, une pile de brochures d'un fabricant de chaussures de Flagstaff. Il y avait une radio, un poste de télé, une paire de chaussons défoncés repoussés sous la table, un lourd cendrier de verre couleur ambre, un tapis au sol. C'était ici que Frank Jacobs venait se détendre après ses longues journées de travail.

À part la cuisine, la seule autre pièce du rez-de-chaussée était la salle à manger, qui aurait peut-être été une salle à manger si Frank Jacobs avait eu la moindre raison de la décorer comme telle. Là aussi, des chaussures. Cette fois au moins cent ou cent cinquante boîtes. Inutile de les compter. Leur présence ne signifiait rien. Dans la salle de bains à l'étage, il ouvrit l'armoire à pharmacie. Dentifrice, savon, blaireau, rasoir, un bâton de savon à raser, un crayon hémostatique, aspirine, bain de bouche, cure-dents, une espèce de lotion tonique pour *Quand votre envie de vous lever s'est fait la belle !* Rien qui sortît de l'ordinaire, rien d'inhabituel.

C'est dans la chambre que Cassidy pensa découvrir quelque chose d'intéressant. Des photos d'une fille. Cinq. Une dans un petit cadre sur la table de chevet, une autre encadrée sur le rebord de fenêtre, trois dans une enveloppe sur l'étagère de la penderie. La dernière représentait la fille et Frank ensemble, et la ressemblance était flagrante. S'agissait-il de sa fille ? Sur l'enveloppe un nom avait été soigneusement noté au crayon : Bailey. Son prénom ou son nom de famille ? Plus que probablement son prénom. Bailey Jacobs ? Était-ce son nom ?

Cassidy sentit quelque chose monter dans sa poitrine. Était-elle avec lui à Marana ? Avait-elle survécu à l'attaque dans la boutique ? Et dans ce cas, où était-elle maintenant ? Ce Clarence Luckman – s'il s'agissait bien de lui – l'avait-il enlevée, prise en otage, et voyageait-il désormais avec elle ? Ou bien l'avait-il tuée avant de balancer son corps dans un endroit où il n'avait pas encore été découvert ? Cassidy se rappela ce que Nixon et Koenig lui avaient dit dans la chambre d'hôtel à El Paso : la découverte de la voiture accidentée avait été signalée par deux personnes, dont une fille. C'était là que le pistolet d'Harvey Warren avait été retrouvé, et ce pistolet provenait de Marana. Il tira son carnet, parcourut les notes qu'il avait griffonnées après sa discussion avec Nixon et Koenig. *Clark Regan à Deming*. C'était lui qu'il devait aller voir. C'était à lui qu'il devait montrer l'une de ces photos. *Est-ce la fille qui est venue vous voir ce jour-là, monsieur Regan ? Est-ce la fille qui vous a prévenu qu'il y avait une voiture accidentée avec deux cadavres à l'intérieur ?*

Cassidy examina les photos, choisit l'une de celles qui se trouvaient dans l'enveloppe. Ce n'était peut-être pas la plus flatteuse – même s'il était clair que la fille était jolie –, mais elle regardait l'appareil de face avec un petit sourire, et ses cheveux étaient tirés derrière ses oreilles. Son visage apparaissait donc clairement. Voilà à quoi ressemblait Bailey. Et il espérait que quelqu'un parviendrait à l'identifier.

Il jeta un coup d'œil à sa montre. Il était dix-huit heures. Deming se trouvait à, quoi, au moins quatre cents kilomètres ? Ce n'était pas jouable – pas ce soir. Il ne pouvait pas se pointer là-bas à vingt et une ou vingt-deux heures, chercher la station-service, cogner à des portes au hasard en espérant tomber sur Clark Regan. Non, il rentrerait à la maison, demanderait à Alice d'appeler Mike Rousseau pour lui dire qu'il était malade, et la première chose qu'il ferait dans la matinée, ce serait d'aller à Deming et trouver ce Clark Regan. Il tenait la photo dans sa main, et dans la pénombre de la chambre du mort il regarda le visage de cette gamine qui était peut-être vivante, peut-être morte, ou qui n'avait peut-être absolument rien à voir avec tout ça. Mais il sentait quelque chose. Il le sentait *vraiment*. Il n'arrivait pas à résoudre le mystère qui entourait ce Clarence Luckman. Comment un garçon qui n'avait jamais causé de problèmes, un simple orphelin malchanceux rejeté par la société, pouvait-il soudain être pris d'une telle folie meurtrière ? Et une fois encore, les paroles d'Alice résonnèrent dans sa tête, plus distinctes que jamais : *parce qu'ils sont deux*.

# 55

Pourquoi il y avait un feu d'artifice, ils n'en savaient rien, mais le fait était qu'il y en avait un.

Clay était allongé en silence, il n'entendait que la respiration de Bailey à côté de lui, lorsque soudain des bruits retentirent au loin. Il se redressa d'un coup et se demanda pendant un moment s'il avait rêvé.

« Qu'est-ce que c'est ? bafouilla Bailey, qui avait été arrachée à son sommeil.

— Chut. Écoute… »

Les bruits recommencèrent.

« Un feu d'artifice ? demanda-t-elle.

— Je crois, oui.

— Allons voir. »

Ils récupérèrent leurs chaussures et les enfilèrent. Ils se glissèrent tels des enfants effrayés jusqu'à la porte de la grange et jetèrent un coup d'œil dans l'obscurité au-dehors.

« Il y a un lac », observa Bailey.

Clay distingua des lueurs environ huit cents mètres plus loin. Et au-dessus, les arcs et le flamboiement des fusées qui se reflétaient sur la surface de l'eau.

« Viens ! insista-t-elle. Allons voir ! »

Clay – songeant qu'il n'était désormais plus qu'à un cheveu du grand amour, le genre d'amour qui menait au suicide s'il n'était pas réciproque – la suivit, porté par l'enthousiasme de Bailey, lui tenant la main, sentant ses doigts autour des siens. Il regardait le sol filer sous ses pieds, bondissait par-dessus les cailloux et les rochers, contournait les broussailles âpres, la promesse d'émerveillement se faisant de plus en plus proche à chaque nouvelle fusée qui explosait et illuminait le ciel.

Ils atteignirent le bord du lac. Il était impossible de distinguer la surface de l'eau du ciel, et pendant un moment ils ne firent plus qu'un ; c'était comme si le sol sous leurs pieds flottait dans un espace infini et que plus rien n'avait ni début ni fin.

Une nouvelle déflagration – l'excitation soudaine tandis qu'une traînée de couleur embrasait la nuit, comme si les cieux eux-mêmes avaient explosé. Des tourbillons de feu, des pirouettes, des zigzags. Soudain, une fleur de lumière, une odeur de soufre, de glycérine, de cordite, de métal chaud. Un millier d'étincelles dans le ciel, comme du poivre saupoudré au-dessus d'une flamme, comme une lame frottée sur une meule.

Et chaque fois Bailey poussait un petit halètement, son souffle se bloquait dans sa poitrine, et elle lui tirait avec enthousiasme sur le bras. Clay devait fournir un effort énorme pour ne pas la serrer dans ses bras et l'embrasser. Il se tenait derrière elle, le menton posé sur son épaule, et il sentait le cœur de Bailey battre frénétiquement à quelques centimètres du sien. La peau, les muscles, les os qui les séparaient n'étaient rien.

Il avait des larmes dans les yeux, mais ce n'était pas des larmes de tristesse. C'étaient des larmes d'autre chose, mais il n'aurait su dire de quoi.

Bientôt, le feu d'artifice s'acheva. Bailey était rouge d'excitation. Elle s'assit par terre et fut pendant un moment incapable de parler.

« Ouah ! » fit-elle finalement, et elle éclata de rire.

Clay l'aida à se relever. Ils regagnèrent la grange main dans la main.

Des lumières s'étaient allumées dans les maisons des environs. Des maisons qu'ils n'avaient pas vues auparavant. Des fenêtres lointaines qui les regardaient de leurs yeux carrés et brillants.

Lorsqu'ils furent de nouveau allongés, les murmures de la nuit derrière la porte de la grange semblaient plus forts que d'ordinaire. Clay savait qu'il ne trouverait pas le sommeil, alors que Bailey, étendue tout contre lui, s'endormit instantanément.

La nuit devint glaciale. L'air était sec, le ciel, dégagé, et quelque part au-dessus de l'horizon plat des éclairs scintillaient, indiquant la présence d'un orage qu'il n'entendait pas. Et c'est alors qu'il eut vraiment peur. Peur du présent, de l'avenir incertain, et surtout du passé. Car il ne pouvait rien changer au passé, et tout ce qui se passerait désormais avait pu être prédéterminé par des circonstances qu'il ne contrôlait pas, qu'il s'agisse de fatalité, de destin, ou d'astrologie. Peut-être était-il dit que Bailey Redman ne verrait pas son prochain anniversaire, et que lui aussi était, simplement parce qu'il était avec elle, condamné. Il était né sous une mauvaise étoile, certes, mais celle de Bailey était plus mauvaise encore. Peut-être la malchance de chacun se nourrissait-elle de celle de l'autre.

Aussi inévitable que la météo, le temps, la rouille, la mort.

Il avait peur de ses sentiments. Peur d'être amoureux d'elle. Qu'avait-elle dit ? *Si l'amour est si merveilleux, pourquoi est-ce qu'il brise tant de cœurs ?*

Et Elliott dans tout ça ? Et l'affection qu'ils avaient eue l'un pour l'autre, les années qu'ils avaient passées ensemble, seuls contre un monde cruel et désespéré ? Où était cet amour ?

Clay ferma les yeux. Il tenta de trouver le sommeil mais n'y parvint pas.

Il ne le trouverait pas cette nuit.

Peut-être ne le trouverait-il plus jamais.

# 56

## Huitième jour

La presse avait soif de sang, et elle n'aurait de répit que lorsqu'elle serait rassasiée. Des informations non vérifiées fuitaient. Les journaux et les torchons locaux les publiaient, et elles étaient reprises dans la presse nationale un ou deux jours plus tard. Le FBI et la police savaient que ça se produirait tôt ou tard. À partir du moment où ils avaient fait circuler des photos, diffuser des alertes à la radio, eh bien, le monde avait commencé à regarder dans leur direction. Il y avait eu un bain de sang quelque part au Texas. À El Paso, à en croire les premières rumeurs. Une famille avait été tuée. C'était comme cette affaire à Holcomb, Kansas, quelques années plus tôt. Cassidy en entendit parler à la radio lorsqu'il se réveilla le vendredi matin. Mais, comme si le destin s'acharnait à les maintenir dans l'ignorance, ni Clay Luckman, ni Bailey Redman, ni – surtout – Elliott Danziger n'avaient été exposés à la télé ou à la radio, que ce soit en voiture, dans des restaurants, dans des boutiques ou dans des motels ; ils n'avaient donc aucune idée de ce que le reste du monde savait désormais. La presse connaissait quelques noms – Clarence Luckman, Garth Nixon, Ronald Koenig –, et des reporters avaient été dépêchés à El Paso pour rencontrer ces deux derniers. Mais lorsque la meute de journalistes arriva à leur hôtel, Nixon et Koenig étaient déjà partis. Ils avaient commencé par se rendre sur les lieux des meurtres de la famille Eckhart et de Rita McGovern pour installer des barrières et des agents en uniforme tout autour afin de l'isoler du reste du monde, puis étaient allés à Las Cruces, où ils trouveraient un service téléphonique en état de fonctionnement, un hôtel acceptable, et une poignée d'agents locaux à qui ils pourraient confier les diverses basses tâches inhérentes à ce genre d'enquête. Le temps jouait désormais contre eux. À partir du moment où elle faisait les gros titres à travers le pays, une affaire devenait une course contre la montre. Les autorités fédérales et les représentants respectifs de chaque service de police concerné feraient leur possible pour que la presse et la télévision ne disent rien. Mais l'apparition des journalistes et le fait que la population locale avait conscience de l'intérêt des médias nationaux rendaient une enquête discrète extrêmement difficile. Certaines personnes, naturellement, rechigneraient à parler aux agents fédéraux ou à la police du comté. Elles ne voudraient pas voir leur nom dans la presse, ni qu'on puisse considérer qu'elles avaient joué un rôle clé dans l'arrestation d'un assassin… Sans compter qu'un assassin n'apprécierait pas trop qu'on se mêle ainsi de ses affaires.

Cassidy se rendit néanmoins à Deming. Il espérait que la nouvelle de ce qui se passait autour d'El Paso n'avait pas parcouru les quelque cent quarante kilomètres jusqu'à la station-service de Clark Regan.

Digger Danziger, pour sa part, se réveilla avec une soif infernale, le même genre de soif que celle qui lui avait fait convoiter la *root beer* du Cireur des années auparavant. Mais Clay Luckman n'était pas là pour faire le boulot à sa place, et en repensant à cet incident – un incident qui semblait appartenir au passé d'un autre –, il s'aperçut qu'il avait à peine pensé à son frère au cours des récents événements. Ils n'étaient pas pareils, ne l'avaient jamais été, et à cet instant Digger fut fier d'être différent. Il pensa à l'amour qu'il avait autrefois eu pour son frère, mais cet amour semblait avoir disparu. Le respect qu'il avait eu pour lui avait laissé place à un vide. Mais ça ne le troublait pas. Pour le moment, si on lui avait demandé qui de Clay ou d'Earl il aurait aimé retrouver, sa réponse aurait été Earl. Sans hésitation. Earl et personne d'autre.

Digger descendit au rez-de-chaussée pour jeter un coup d'œil dans le réfrigérateur. Il n'y avait rien de consommable. Une demi-bouteille de lait qui avait tourné. Un carton de jus d'orange. Il le goûta, le trouva amer. Il balança le carton dans l'évier, y vida ensuite le lait, puis il alla chercher des vêtements et de l'argent.

Du coin de l'œil, il aperçut les cadavres recouverts d'un drap dans le réduit derrière la cuisine. Il s'y rendit, en souleva un coin, et regarda Candace. Ses yeux étaient quelque part dans cette bouillie, mais il ne les voyait pas. Elle avait la tête penchée sur le côté comme si elle était au comble de l'ennui. *Un ennui mortel*, songea-t-il, et il sourit intérieurement.

Il se rendit à Van Horn dans le pick-up de Morton Randall. Il était tôt, un peu avant neuf heures, et la ville était déserte. Il roula un peu, trouva une épicerie générale, acheta du lait, de la crème, du fromage, du jambon, du pain et des œufs. Il y avait peut-être des provisions chez Randall, mais qu'importait. Il y avait une femme derrière le comptoir, et il eut envie de la faire parler. Elle portait un badge qui disait : *Sue-Anne.*

« Salut, Sue-Anne », lança Digger.

La femme lui retourna son regard. Elle devait avoir dans les trente-cinq, quarante ans. Elle était mince, malgré un torse épais, n'était pas exactement jolie, mais avait un visage agréable.

« Salut », répondit-elle.

Elle sourit. Ce n'était pas un sourire sincère. Elle souriait comme s'il était huit heures du matin et qu'elle n'avait aucune envie d'être là.

« J'ai comme l'impression que vous avez pas envie d'être là, observa-t-il.

— Je peux pas dire le contraire, petit », répondit-elle.

Digger inspira sèchement. *Petit ?* Qu'est-ce que c'était censé vouloir dire ?

Il revit le visage de l'homme dans le restaurant. Celui avec le chapeau. Celui qui occupait un tabouret avec son putain de chapeau !

Digger ferma les yeux une seconde.

« Ça va, petit ? » demanda la femme.

Elle remettait ça. *Petit ? C'*était quoi, ce bordel ?

Digger serra les dents. Il pouvait se contrôler. Elle le prenait de haut ? Elle le traitait comme un gamin ? Comme cet enfoiré dans le restaurant.

Mais il *pouvait* se contrôler. C'est ce qu'Earl aurait fait. Earl aurait souri et pris les choses à la légère. Earl pouvait gérer les ennuis, mais il n'était pas du genre à s'en créer.

Digger songea au 45, au fait qu'il se trouvait dans le pick-up de Randall.

Il prit une profonde inspiration. Il sentait la rage quelque part dans sa poitrine. Et il entendait la voix d'Earl dans sa tête.

Personne n'appelait Earl *petit*, et il n'allait pas accepter qu'on l'appelle ainsi. Cette femme – cette *salope* – devait comprendre à qui elle avait affaire.

Sue-Anne fit l'addition.

« Ça fera deux dollars et dix cents, dit-elle.

— Je crois que vous devriez me donner tout ça gratuitement », déclara Digger.

Elle le regarda. Elle avait la même expression d'ennui mortel que Candace.

« Moi, je crois que tu devrais aller chercher ton portefeuille et me payer, répliqua-t-elle.

— Et moi, je crois que vous feriez mieux de fermer votre gueule.

— Comment ? s'écria-t-elle. Qu'est-ce que c'est que cette façon de parler ? Qu'est-ce qui te donne le droit de venir ici et… »

Digger se pencha par-dessus le comptoir et la gifla de toutes ses forces.

Sue-Anne recula d'un pas en titubant, et avant que Digger comprenne ce qui se passait, elle tenait une arme dans sa main. Elle provenait de sous le comptoir. Un instant elle avait les mains vides, l'instant d'après elle tenait un flingue.

« Oh, oh, fit-il, sincèrement surpris.

— Fous le camp de ma boutique », ordonna-t-elle.

Ses yeux lançaient des éclairs, elle serrait les dents. Digger voyait les muscles palpiter le long de sa mâchoire.

Elle tenait l'arme sans trembler, mais c'était un 7,65, voire un 6,35. Même si elle tirait, et même si elle le touchait, un joujou de ce genre ne provoquerait à peine plus qu'une égratignure, pas vrai ?

« Et si je reste ? » demanda-t-il.

Il se sentait d'humeur joueuse, espiègle. Sue-Anne n'appuierait pas plus sur cette détente que Digger ne la laisserait vivre.

« Alors… eh bien, petit, je vais te descendre sur place.

— Petit ? demanda-t-il. C'est quoi ces histoires de petit ?

— Comme je dis », répliqua Sue-Anne.

Elle avançait lentement le long du comptoir, avec l'intention de le contourner pour reconduire Elliott jusqu'à la porte sous la menace de son arme. Comme s'il allait la laisser faire !

« Exactement comme je dis, reprit Sue-Anne. T'es rien qu'un gamin. Tu viens ici me provoquer et en plus tu me files une gifle… Nom de Dieu, pour qui tu te prends ?

— Je suis votre pire putain de cauchemar », répliqua Digger.

Maintenant il était en colère. Maintenant il était remonté. Elle lui avait manqué de respect. Elle avait dit qu'il n'était rien qu'un gamin. Eh bien, c'était peut-être un gamin, mais il pouvait toujours lui arracher ce 7,65 des mains et le lui enfoncer dans le cul avant d'appuyer sur la foutue détente.

« Alors tire-toi de ma boutique, petit, dit-elle. Tire-toi d'ici et ne reviens jamais… »

Elle n'acheva pas sa phrase. Digger lui avait attrapé le bras et le tordait de toutes ses forces. Mais Sue-Anne n'était pas Laurette Tannahill, ni Dee Parselle. Sue-Anne avait l'habitude de porter des sacs de graines et de fourrage de vingt-cinq kilos, des litres de mélasse et de Dieu sait quoi depuis sa camionnette jusqu'à la boutique. Et quand Digger lui saisit le bras, elle le tourna dans l'autre sens et se dégagea de son emprise.

Digger, tout d'abord surpris, puis fou de rage, se rua de nouveau sur elle.

Elle fit feu.

La déflagration fut assourdissante dans la pièce fermée.

Digger crut sentir le souffle de la balle tandis qu'elle passait tout près de sa tête et heurtait le mur derrière lui.

« Bon Dieu… »

Elle leva une fois de plus son arme, prête à l'abattre. Exactement comme Earl. Exactement comme ils avaient fait à Earl, ces salauds !

Digger décocha un swing plein de rage qui l'atteignit à l'épaule.

Sue-Anne recula en titubant et perdit l'équilibre.

Digger décampa.

Il était dans le pick-up avant que Sue-Anne ait eu le temps de se remettre sur ses pieds.

« Putain de salope ! » hurla-t-il tandis qu'il démarrait sur les chapeaux de roue. Il la vit dans le rétro, debout devant la boutique avec le flingue dans sa main. « Putain de salope, putain de salope… Bon

Dieu de merde ! » ragea-t-il en cognant à deux mains sur le volant.

Sue-Anne le regarda s'enfuir à toute allure. Elle était terrifiée, à bout de souffle, avait eu la peur de sa vie.

Elliott Danziger avait été là, puis il était reparti, traversant la boutique comme un vent de mauvais augure.

Tandis qu'il s'éloignait, il sentait la tension et la haine jusqu'au plus profond de son corps. Il avait été défié et, une fois de plus, il avait échoué.

Qu'aurait dit Earl ?

Rien. Earl aurait simplement fait demi-tour, il serait retourné dans cette boutique, et il aurait démoli cette pute, sans la moindre hésitation.

Digger jeta un dernier coup d'œil dans le rétro. Il la voyait toujours, plantée devant sa boutique avec son flingue dans la main.

Maintenant, il avait plus que jamais besoin de faire mal à quelqu'un.

Et de lui faire méchamment mal.

# 57

Clark Regan avait l'air malade. Il devait avoir soixante ou soixante-cinq ans. Il n'était pas vieux, mais il avait vraiment l'air malade. Il avait la tête typique des gens du coin. Des gens qui passaient leur vie à ne voir rien d'autre que du désert et des tempêtes de poussière. Des gens qui pouvaient prédire le temps qu'il ferait à partir de la forme des ombres sur la lune. Et ils ne se trompaient jamais.

Il était dix heures tout juste passées. Le trajet depuis Tucson avait pris près de trois heures, et pourtant Cassidy n'avait pas traîné. Il voulait arriver à Deming le plus tôt possible. Car il voulait avoir le temps d'aller ensuite là où son enquête l'appellerait. Et il souhaitait aussi minimiser les risques que les nouvelles d'El Paso n'arrivent aux oreilles de Clark Regan. Mais Cassidy n'aurait pas dû s'en faire. Qu'un adolescent meurtrier ait pu vouloir le retrouver et le buter était le dernier des soucis de Clark Regan.

Il n'y eut aucune hésitation dans la voix de l'homme, aucune modification de son attitude quand Cassidy lui montra la photo de la fille.

« Ouais, fit-il. C'est elle.

— Et elle vous a parlé des deux cadavres dans la voiture ?

— Deux types morts, qu'elle a dit, pas très loin. Elle m'a demandé d'appeler le bureau du shérif. » Regan opina du chef. « Donc, vous êtes avec les autres gars qui sont passés ici ? Les fédéraux ?

— Oui. Nous sommes sur la même affaire. Ils sont du FBI, moi, je suis de la police de Tucson.

— Alors vous êtes à une trotte de chez vous, hein ?

— Exact.

— Bon, vous en savez autant que moi, ni plus ni moins.

— Le garçon qui l'accompagnait…

— Ouais, il était aussi là.

— Mais vous ne l'avez pas bien vu ?

— Non. Il se tenait un peu en retrait. »

Regan désigna un présentoir chargé de paquets de chips.

« Je croyais qu'il allait piquer quelque chose pendant qu'elle détournait mon attention. Je croyais qu'ils cherchaient à m'embrouiller. Ils arrivent, ils donnent l'alarme, je m'inquiète, j'appelle le shérif sans la moindre raison, et pendant ce temps le complice vide mon magasin. Mais ça s'est pas passé comme ça. Il a rien volé, et ce qu'elle a dit était vrai. Il y avait bien deux gars morts dans une voiture un peu plus loin sur la route. D'après ce que j'ai entendu dire, c'étaient des homosexuels qui faisaient des trucs qu'ils auraient pas dû faire sur la route… ni même ailleurs, à mon avis.

— OK, merci beaucoup, monsieur Regan. Et vous n'avez aucun doute, absolument aucun doute, que cette fille est celle qui est venue vous voir et vous a demandé de passer le coup de fil ?

— Sur ma vie, répondit-il. Non pas qu'il me reste longtemps à vivre, mais oui, je suis sûr, sur ma vie. C'est elle qui est venue ici et qui m'a dit ce qu'elle m'a dit.

— OK, OK... »

Cassidy marqua une pause. Il sentait son cœur battre dans sa poitrine. Cette bonne vieille excitation. Non pas parce qu'il avait une information que personne d'autre n'avait, mais simplement parce qu'il avait enfin du neuf. Il songea qu'il ferait bien d'acheter quelque chose.

« Donnez-moi une cartouche de Lucky, dit-il à Regan.

— Vous fumez pas », répliqua l'homme.

Cassidy lui lança un regard interrogateur.

« Vous avez pas des dents de fumeur, ni la peau, ni les doigts jaunes. Je sais de quoi je parle. J'ai fumé ces saloperies toute ma vie, et maintenant elles ont eu ma peau. » Il toucha son ventre. « Paraît que j'ai un cancer dans les tripes, dans les reins, partout, vous savez ? J'en ai encore pour quelques mois, et après ça, fini.

— Je suis vraiment désolé de l'apprendre, dit Cassidy.

— Merci, fiston, mais ça n'a aucune importance. On n'est pas parents et on le sera jamais, alors allez pas vous faire de la bile pour ça. Vous voulez acheter quelque chose, eh bien, je vais pas vous en empêcher, mais achetez quelque chose dont vous avez besoin. Les clopes nous rapportent pas plus de dix cents de toute manière. »

Cassidy recouvrit le comptoir de biscuits et de chips. Il ajouta des bonbons, des conserves de soupe, et une paire de gants.

Regan fit le total et prit son argent. Il emballa le tout dans un sac en papier brun et poussa la monnaie en travers du comptoir.

« Faites-vous plaisir avec ces confiseries, hein ? » dit-il.

Cassidy sourit.

« Merci, monsieur Regan, j'apprécie vraiment votre aide.

— Pas de quoi, fiston, et j'espère que tout ira bien et que vous arriverez à attraper ce type que vous avez tous l'air de chercher.

— Merci. »

Cassidy parvint à ouvrir la porte d'une main, et il regagna sa voiture avant de véritablement comprendre l'importance de ce qu'il venait d'apprendre.

Cette fille – cette *Bailey* – était vivante mercredi, tout juste deux jours plus tôt. Elle était entrée dans la station-service de Clark Regan et avait signalé la voiture sous laquelle se trouvait le pistolet d'Harvey Warren. Était-ce elle qui l'avait pris dans la station-service de Marana après la mort de Frank Jacobs – son père ? – puis qui l'avait placé sous la voiture retournée ? Si oui, pourquoi ? Était-elle *vraiment* la fille de Jacobs ? Et si elle ne l'était pas, qui était-elle ? Et qui était le garçon qui l'accompagnait ?

Il s'éloigna avec plus de questions qu'il n'en avait en arrivant. Mais la plus importante avait trouvé sa réponse, une réponse presque certaine. Le garçon qui s'était présenté avec elle à la station-service n'était pas celui qui avait suivi les Eckhart quand ils avaient quitté le restaurant. Ce qui signifiait qu'il recherchait désormais trois personnes, et pas une seule. De cela, Cassidy était certain.

## 58

À trois cents kilomètres de là, pas très loin de l'épicerie de Sue-Anne McCarthy dont Digger Danziger venait de s'enfuir dans le pick-up de Morton Randall, Clay Luckman et Bailey Redman étaient assis sur le sol de la grange où ils avaient dormi. Le feu d'artifice de la nuit précédente aurait pu être un rêve. C'était une journée lumineuse et fraîche, et même s'ils savaient qu'il y avait un lac quelque part au bas de la colline, ils ne le voyaient pas.

« Eldorado… Ça doit être à environ quatre cents kilomètres maintenant, dit-elle. Si quelqu'un nous prenait en stop et nous emmenait jusqu'à la bifurcation, alors nous n'en serions plus qu'à un jet de pierre.

— Et une fois là-bas ? » demanda Clay.

Il se tourna sur le côté et observa son profil. Plus il la regardait, plus elle était jolie. Était-ce ainsi avec toutes les filles, ou seulement avec Bailey Redman ?

« J'en sais rien, Clay, inutile de me demander. Tu sais qu'on n'a pas plus de raison d'aller là-bas qu'ailleurs. On y va, point final.

— À cause de ton père. »

Elle hésita, puis acquiesça gravement.

« À cause de mon père, peut-être, mais surtout à cause de ta stupide publicité.

— Comment il était ? demanda Clay. Je demande simplement parce que je n'ai jamais vraiment eu de père.

— Ce n'est pas à moi qu'il faut demander ça, répliqua Bailey.

— Écoute… si tu ne veux pas en parler…

— Si, je veux en parler, coupa Bailey. C'est juste que… eh bien, c'est pas le sujet de conversation le plus facile, alors tu dois attendre que je sois prête. »

Clay se mordit la lèvre. Il resta silencieux. Il voulait qu'elle sache qu'elle pouvait prendre tout le temps qu'elle voulait.

« Il vendait des chaussures, n'est-ce pas ? demanda-t-il.

— Oui, des chaussures. Faut bien gagner sa vie, alors il vendait des chaussures.

— Il n'y a rien de mal à ça. »

Bailey se tourna vers l'endroit où s'était trouvé le lac la nuit précédente, l'endroit où elle se souvenait d'avoir vu le reflet du feu d'artifice.

« Il en vendait beaucoup, je crois. Sa maison était pleine de chaussures. Ça sentait le cuir partout à l'intérieur. »

Elle marqua une pause.

« C'était une odeur agréable. Quand j'allais le voir, j'attendais qu'il ouvre la porte, et quand il l'ouvrait, je restais là une seconde juste pour la respirer. C'est une odeur qui me fera toujours penser à lui.

— Je comprends.

— Et c'était un homme bien, poursuivit Bailey. Il ne fumait pas beaucoup, et il ne buvait presque jamais, du moins d'après ce que j'ai vu. Il n'était pas croyant. Il n'allait pas à l'église ni rien, et je ne l'ai jamais vu lire la Bible ni quoi que ce soit, mais c'était un homme bien. Un homme de parole. Il traitait bien les gens, peu importe qui ils étaient. Par exemple, il allait vendre des chaussures aux Noirs, et il les faisait payer moins cher que les Blancs parce qu'il savait qu'ils avaient moins d'argent. Mais il ne leur disait pas qu'il leur faisait une réduction parce qu'il ne voulait pas les blesser dans leur fierté. Il traitait tout le monde de la même manière – homme, femme, Blanc, Noir, Chinois, et ainsi de suite ; à ses yeux, tout le monde était pareil.

— Mon père a été abattu dans une boutique. Comme ton père. »

Bailey se tourna vers Clay, le regarda d'un air interrogateur.

« Sauf que mon père essayait de la dévaliser, poursuivit-il. Mais il y avait un flic à l'intérieur, et il a descendu mon père. Plus tôt dans la journée, mon père avait tué ma mère. Il lui avait brisé le cou d'un coup de batte de base-ball.

— Doux Jésus, Clay… »

Clay leva la main.

« Je ne voulais pas t'interrompre, s'excusa-t-il. Je trouvais simplement étrange que nos pères aient tous les deux été tués dans une boutique, c'est tout. Bien sûr, mon père était cinglé, alors que le tien, non. C'est juste que je n'avais jamais mentionné cette coïncidence jusqu'alors.

— Tu veux parler de lui ? demanda Bailey.

— Y a rien à dire. Je pense que c'est le genre de type qui serait en prison s'il n'était pas mort, ou alors qui serait sur le point de s'y retrouver. »

Bailey regarda vers l'horizon.

« La vie est bizarre, observa-t-elle.

— Tout à fait d'accord.

— Tu as quelque chose, et soudain tu ne l'as plus. En un instant. Comme si tu claquais des doigts. Tout est d'une certaine manière, et soudain, paf, tout est complètement chamboulé.

— La nature des choses, je suppose. »

Clay demeura un moment silencieux, puis il se tourna de nouveau vers elle et demanda :

« Et ta mère ?

— Quoi, ma mère ?

— Comment elle était ?

— Tu veux dire, le fait qu'elle se prostituait et tout ? »

Clay hésita.

« Non, je ne parle pas de ça. Ça, c'était ce qu'elle faisait, pas ce qu'elle était, d'accord ?

— La plupart des gens ne voient pas les choses comme ça. »

Clay sourit.

« Mon frère était un type bien, et il a brusquement pété les plombs. C'est pas les imbéciles qui manquent, Bailey, tu le sais.

— C'était une femme bien. Je savais qu'elle m'aimait, je l'ai toujours su. Elle n'avait pas honte de ce qu'elle faisait, et quand elle est tombée malade, elle ne s'est pas dit que c'était un châtiment divin. Elle n'était pas comme ça. C'était une mère super, et je l'adorais.

— Dommage que les gens meurent trop tôt. Mais, comme j'ai dit, c'est la nature des choses.

— Eh bien, je m'en fous de la nature des choses, Clay Luckman. On va devoir la changer, la nature des choses, pas vrai ? On va à Eldorado, et on va découvrir ce qu'elle nous réserve là-bas, et si ça nous plaît pas, soit on la changera, soit on ira voir ailleurs. »

Bailey se leva. Elle épousseta son pantalon et battit des pieds pour faire descendre ses revers.

« On trouvera quelque chose à manger en route, dit Clay. Enfin, si on a faim. »

Elle sourit.

« Avec assez de ketchup, je mangerais un raton laveur. »

## 59

Un jour, Digger Danziger avait entendu une histoire. Il ne se souvenait plus où il l'avait entendue, ni où elle s'était déroulée, mais c'étaient des détails sans importance. La seule chose qui comptait, c'était que l'histoire était vraie :

Il y avait quelque part une vallée, sur le flanc de laquelle se trouvait une ville. Ce n'était pas une grande ville – peut-être deux ou trois cents maisons, environ mille habitants –, et des hommes étaient venus voir ces habitants pour leur acheter leur terre afin de transformer la vallée en réservoir. « Nous allons construire un barrage, qu'ils disaient. À chaque extrémité de la vallée nous allons construire un barrage, et après nous remplirons la vallée d'eau pour avoir un réservoir qui servira tout le comté. Les cultures seront irriguées, des puits pourront être creusés, il y aura plein d'eau pour tout le monde et la région sera prospère. » Les habitants de la ville s'étaient réunis. Ils avaient longuement discuté du projet, et un représentant de la ville était finalement allé voir les types qui voulaient construire les barrages pour leur dire d'aller se faire foutre. « Allez vous faire foutre, qu'il avait dit. On ne veut pas de vos barrages et on ne veut pas de votre réservoir. Nous avons assez d'eau pour nos besoins et la vallée va rester telle qu'elle est. Nous avons construit ces maisons de nos propres mains, et nous ne partirons pour personne. »

Bon, les types avaient un document du gouvernement, vous voyez. Et ce document affirmait que les habitants de la ville n'avaient pas d'autre choix que de laisser les types construire leur réservoir. À quoi le représentant de la ville avait rétorqué : « Allez-y, construisez vos barrages. Vous verrez ce qui se passera. »

Les hommes étaient donc revenus et ils avaient attaqué les travaux. Les ouvriers avaient travaillé toute la journée, et le lendemain matin à leur retour ils avaient découvert que ce qu'ils avaient construit avait été démoli. Briques, pierres, béton, talus de terre – tout avait disparu. Les pneus des pelleteuses étaient crevés, des outils s'étaient volatilisés, et s'il n'y avait pas eu les machines, on aurait cru que personne n'était jamais venu. Alors les ouvriers avaient recommencé. Ils avaient travaillé toute la journée, et avaient laissé quelqu'un sur place pour surveiller le chantier pendant la nuit. Mais quand ils étaient revenus le lendemain matin, ils avaient retrouvé le gardien ligoté et bâillonné, et leur travail détruit. Et le gardien n'avait pas la moindre idée de ce qui s'était passé. Ça avait continué ainsi pendant deux jours supplémentaires. Tout ce qu'ils construisaient était démoli. Des machines disparaissaient. Des outils se volatilisaient. Un responsable du service des eaux du comté était alors venu. Il avait rencontré le représentant de la ville, qui l'avait écouté patiemment et sans dire un mot. Lorsqu'il avait eu fini, le responsable du service des eaux avait demandé : « Alors, qu'est-ce que vous dites de ça ? » et le représentant de la ville s'était penché en avant et avait répondu, d'une voix très douce : « Je crois que vous devriez aller vous faire foutre. »

Maintenant ils étaient furax. Le service des eaux avait obtenu un ordre d'expulsion. Comme le gouverneur de l'État allait s'en mettre plein les fouilles grâce au contrat, il avait signé l'ordre d'expulsion sans la moindre hésitation.

Les gens du service des eaux avaient de nouveau débarqué dans la ville tout excités. Si les habitants ne partaient pas sur-le-champ… eh bien, ils pouvaient appeler la police. Et ils n'hésiteraient pas à le faire au besoin.

Cette fois, le représentant de la ville n'avait même pas jeté un œil au document. Le responsable le lui avait tendu, et le représentant l'avait pris et déchiré en deux, puis encore en deux, puis une troisième fois jusqu'à ce que ce ne soit plus qu'un tas de confettis qu'il avait jetés en l'air et qui étaient retombés comme de la pluie. Après quoi, il s'était tourné vers le responsable du service des eaux et avait déclaré : « Je vous l'ai dit la dernière fois, mais on dirait que vous ne m'avez pas entendu. Allez vous faire foutre. »

Le type avait alors appelé la police. Mais le shérif était le beau-frère du représentant de la ville. Lorsqu'il avait répondu à l'appel, le shérif avait demandé à son interlocuteur s'il était le responsable du service des eaux. « Oui, avait répondu l'homme, c'est moi. » Alors le shérif avait dit : « Je crois que vous avez discuté avec mon beau-frère », à quoi l'autre avait répondu : « J'ignorais que c'était votre beau-frère, mais oui, je lui ai parlé, et il continue de refuser de se conformer à l'ordre d'expulsion. » « Bon, OK, avait fait le shérif. Je vois que nous sommes dans une impasse... et il me semble, monsieur, que si vous aviez dès le début obéi à l'ordre que vous a donné mon beau-frère, nous ne serions pas dans cette situation à l'heure qu'il est. » « Quel ordre ? avait demandé l'homme, perplexe. Quel ordre votre beaufrère m'a-t-il donné ? » « Si je me souviens bien, avait répondu le shérif, il vous a dit d'aller vous faire foutre. »

Le bras de fer était désormais total.

La ville contre le service des eaux du comté. Des ouvriers du comté étaient arrivés. Ils avaient érigé des barricades et des clôtures, derrière lesquelles ils avaient continué de construire leurs barrages, comme si de rien n'était. Puisqu'il était impossible de contourner les clôtures et les barricades, les habitants de la ville ne pouvaient empêcher les travaux, alors ils avaient fait le plein de provisions et attendu, bien déterminés à ne pas partir, à ne jamais céder un centimètre aux gens du comté. Ce qui aurait été parfait. Ce qui aurait pu fonctionner s'il s'était agi d'une simple querelle de territoire, d'un simple bras de fer. Peut-être qu'ils auraient résisté éternellement. Peut-être que les gens du comté auraient opté pour une autre vallée. Peut-être que les habitants de la ville se seraient retrouvés à court de nourriture et auraient concédé la défaite. Mais ça ne s'était pas passé comme ça. Maintenant, il y avait une vallée avec un barrage à chaque extrémité et une ville sur le flanc ouest. La vallée n'était pas profonde, et quand de violentes tempêtes s'étaient soudain déclenchées, la terre s'était transformée en marécage, et les fondations des maisons s'étaient imprégnées d'eau et avaient commencé à glisser. Les habitants étaient sortis pour soutenir les fondations, et ils avaient été emportés par les eaux. Les autorités du comté n'avaient pas levé le petit doigt. Elles avaient prétendu par la suite que la tempête avait dû détruire les lignes téléphoniques, car elles n'avaient reçu aucun appel au secours de la part des habitants. C'était peut-être vrai, mais il semblait plus probable que les gens du comté avaient menti effrontément. Une ville dont les mille habitants étaient morts, c'était une ville qui pouvait être transformée en réservoir. Et c'était ce qu'ils avaient obtenu. Tout le monde s'était noyé. Absolument tout le monde.

Le lendemain matin, les corps flottaient comme des feuilles mortes sur un lac. On distinguait à peine l'eau au milieu des cadavres. On avait parlé de drame national. On avait décrété un jour de deuil officiel. Le gouverneur avait porté un brassard noir pendant une semaine et il avait prononcé un discours dans une église. Il avait assisté aux funérailles, puis s'était rendu à une réunion avec les gens du service des eaux, qui lui avaient filé un paquet de fric sous prétexte que c'était un type bien, et le gouverneur avait signé un document autorisant la poursuite des travaux.

Alors le réservoir avait été achevé. Maintenant on peut le traverser en bateau. En été, l'eau est claire. Limpide. En regardant vers le bas on peut voir les maisons. Ils n'en ont pas déplacé une seule. Rien. Les maisons, la petite église, les clôtures, les arbres – tout est encore là, comme avant la tempête. Pour combien de temps encore ? Qui sait ? Qui s'en soucie ?

Tout est là, et on peut distinguer les petites portes et les petites fenêtres, et cette foutue flotte est tellement claire qu'on dirait qu'il n'y a pas d'eau du tout. On ne serait pas étonné de voir l'une de ces petites portes s'ouvrir quinze mètres plus bas et quelqu'un sortir, lever les yeux, et faire un signe de la main.

C'était l'histoire de la petite ville noyée.

Elliott l'avait entendue quelques années auparavant. Il avait écouté attentivement, absorbant chaque mot, et il ne l'avait jamais oubliée. Cette histoire lui disait que les gens étaient ce qu'il y avait de plus stupide sur terre. Elle lui disait que les gens qui livraient une bataille perdue d'avance étaient encore plus stupides que les autres. Elle lui disait qu'il fallait être du côté du pouvoir et de l'autorité, et qu'il fallait y rester. Personne n'avait rien à foutre des habitants de cette ville. Personne n'avait rien à foutre du fait qu'il s'agissait de leurs maisons, de l'endroit où ils avaient vécu, l'endroit où ils avaient espéré vivre indéfiniment. Non, personne n'en avait rien à foutre. Tout ce qui comptait, c'était l'argent, le pouvoir et le contrôle. Voilà ce qui comptait, voilà ce qu'il fallait avoir. L'argent, le pouvoir, le contrôle. Et il fallait en avoir le plus possible.

Il avait l'argent. Ce qu'il faisait lui procurait un sentiment de pouvoir. Mais il n'avait pas le contrôle. Cette sale pute dans la boutique le lui avait prouvé. C'était ça, l'élément manquant, songeait-il. Il avait une maison, puisque la propriété de Morton Randall lui appartenait désormais. Il avait aussi son pick-up, plus tout un tas d'armes et de munitions, et il pouvait rester là à peu près aussi longtemps qu'il le voudrait. Pourtant, malgré tout ça, il n'avait pas le contrôle. Certes, il contrôlait peut-être sa situation immédiate. Mais son avenir ? Son destin ? Non, ça, il ne le contrôlait pas, et c'était le problème. Il pouvait rester là, aller chasser et ramener quelqu'un de temps en temps histoire de se distraire, mais ça ne durerait qu'un temps. Quelqu'un finirait par comprendre, et on viendrait frapper à sa porte, et il ne pensait pas avoir assez de balles pour descendre tout le département du shérif de ce foutu comté.

La femme de la boutique appellerait les flics, il le savait, et alors même qu'il faisait demi-tour avec l'intention de quitter Van Horn et de regagner la maison, il vit une voiture de police approcher derrière lui. Elle le dépassa. Le chauffeur ne lui prêta pas la moindre attention. Il ne tarda pas à comprendre pourquoi. Il passa devant l'épicerie et vit la voiture garée à l'extérieur, portières ouvertes. De toute évidence, les flics étaient à l'intérieur, et il savait que la femme leur avait tout raconté. Combien de temps s'était écoulé ? Quinze, vingt minutes ? Il fut tenté de s'arrêter, d'entrer dans l'épicerie et de buter chacun de ces enfoirés, la femme, les flics, tout le monde. On les retrouverait plus tard et personne ne saurait qui avait fait ça.

Mais il ne s'arrêta pas. Il n'était pas à ce point stupide. Il enfonça l'accélérateur et continua de rouler, atteignit la maison de Randall en moins d'un quart d'heure, et lorsqu'il s'assit dans la cuisine il s'aperçut que son cœur cognait dans sa poitrine. Pourquoi, il n'en savait rien. Était-ce parce que les flics étaient déjà dans l'épicerie ? Parce qu'il n'avait fallu que vingt minutes à la femme pour les faire venir ? Avait-il peur qu'ils découvrent où il se cachait ?

Craignait-il que quelqu'un dise avoir vu le pick-up de Morton Randall devant la boutique et que la police se pointe pour vérifier ?

Elliott se leva et marcha jusqu'à la fenêtre de la cuisine. Elle était orientée vers la route. Il n'y avait rien. Personne n'approchait de la maison. De toute manière, si les flics devaient venir, ils le feraient plus tard. Il était encore trop tôt pour qu'ils fassent le lien avec Randall.

Et si les flics venaient, que ferait-il ? Est-ce qu'il se cacherait ? Et si personne n'ouvrait la porte, est-ce qu'ils entreraient ? C'était sans doute l'un de ces petits bleds où tout le monde s'appelait par son prénom. Le shérif ferait comme chez lui, il entrerait dans la maison pour voir ce qui était arrivé à Morton Randall. Et alors il pénétrerait dans la cuisine, il irait jeter un coup d'œil dans le réduit, et il découvrirait Randall et la fille. Et alors ce serait un sacré bordel.

Non, ça ne pouvait pas se passer comme ça. Elliott avait besoin de temps. Il avait d'autres choses à faire. Il ne pouvait pas laisser la police entrer ici et découvrir deux cadavres.

Les corps devaient disparaître. À dix mètres sur la gauche se trouvait la remise. Il y avait bien assez de place à l'intérieur pour Randall et la fille. Assez de place pour dix ou douze personnes.

Il commença par la fille. Il la souleva sur son épaule, enveloppée dans son drap. Elle ne pesait pas lourd, et il la déposa bientôt dans un coin de la remise derrière deux sacs de fourrage. Randall c'était une autre histoire. Il était grand, plus grand qu'Elliott, et il dut faire appel à toute sa force et toute sa détermination pour le traîner jusqu'à la porte de derrière. Il retourna à l'avant de la maison et prit un tapis dans le salon. Il l'étala sur les marches à l'arrière de la maison et parvint à étendre Randall dessus. Il saisit le tapis et traîna Randall sur dix mètres jusqu'à la remise, s'arrangea pour le rouler à l'intérieur et l'installa à côté de la fille. Il jeta le tapis sur les deux corps, et resta là une minute. Il vit alors une fourche suspendue au mur. Il la décrocha, sourit, et la planta comme une lance dans le tapis. Ça le fit rigoler. La sensation de la fourche s'enfonçant dans Randall. Il dut appuyer sur le tapis avec son pied pour la retirer. Il passa le doigt sur l'une des dents, mais il n'y avait pas de sang. Il raccrocha la fourche, sortit, et referma la porte de la remise derrière lui.

Lorsqu'il regagna la cuisine, il se sentait mieux. L'effort, le fait que les cadavres n'étaient plus dans la maison, la simple sensation d'avoir fait quelque chose au lieu de rester inactif. Il y avait un peu de sang, probablement celui de la fille, sur le sol du réduit. Il l'essuya avec un torchon, puis plaça le torchon dans la poubelle sous l'évier. Fini. Personne ne saurait jamais que deux cadavres s'étaient trouvés là, et à moins que la police n'entre dans la remise, on ne les découvrirait jamais. Ça n'avait pas été si dur. Il s'était inquiété pour rien. Peut-être qu'il avait simplement faim. Peut-être qu'il était un peu fatigué. Il mangerait quelque chose, ferait peut-être une sieste, et après il déciderait où aller pour trouver un peu de distraction.

# 60

Le shérif du comté de Culberson était un Everhardt. Les Everhardt avaient toujours été dans les forces de l'ordre, depuis l'époque de la frontière, quand Lyle Everhardt avait descendu un certain Gilbert Hardy en juin 1877. Il lui avait tiré une balle en pleine face tandis qu'Hardy essayait de violer une jeune méthodiste de seize ans nommée Greta Jansen. Le père de Greta était maire de la ville. Il avait mené une campagne de soixante-douze heures et donné le poste de shérif à Lyle. Lyle avait accepté le boulot parce qu'il se disait que ça le forcerait à arrêter de boire. Mais ça n'avait pas fonctionné. Quoi qu'il en soit, à compter de ce jour, un fils de la famille avait toujours fini dans la police, et Kelt Everhardt avait été le choix de sa génération. Ses petits frères – Clint et Radley – étaient fermiers. Clint arborait en permanence une mine anxieuse, comme s'il avait tout le temps peur de l'avenir. L'agriculture était un métier imprévisible, un métier d'imbécile, d'après Kelt. « Pour rien au monde je ne voudrais être fermier, avait-il dit un jour à ses frères. Voir ses succès et ses échecs dépendre de choses auxquelles on ne peut même pas parler. Ça et la météo. Passer sa vie à puer la merde. Sans parler de la solitude. » Mais les frères n'étaient pas d'accord.

La loi, en revanche, était prévisible.

C'est ainsi que le matin du vendredi 27 novembre 1964, Kelt Everhardt – représentant de la loi – se rendit à l'épicerie de Sue-Anne McCarthy et écouta ce qu'elle avait à lui dire.

L'agent qui avait répondu à l'appel de Sue-Anne, un jeunot nommé Freeman Summers, était toujours sur les lieux. Il se tenait près de l'impact de balle dans le mur comme s'il craignait qu'il disparaisse s'il ne le surveillait pas.

« Il est entré ici, a demandé ses courses. J'ai tout posé là et je lui ai demandé de l'argent. Il a commencé par dire que je devrais lui donner ses courses gratuitement, et quand je lui ai dit de payer il m'a narguée et il m'a giflée.

— Ferme la boutique, ordonna Everhardt à Summers. Appelle le commissariat, demande-leur d'envoyer deux personnes. Tu es responsable de la scène de crime, jeune homme. Pas une trace de pas, pas une empreinte digitale, pas un cheveu, pas un souffle ne doit souiller cette scène. J'appelle les fédéraux. J'ai l'idée que ce jeune homme est celui qu'ils recherchent, et ils sont les seuls à avoir les ressources nécessaires pour examiner cet endroit et trouver des empreintes ou je ne sais quoi pour le confirmer. »

Summers accepta l'ordre sans broncher. Il se contenta d'acquiescer, porta les doigts à sa casquette.

Everhardt retourna au commissariat. En chemin, il appela sa standardiste et lui demanda de trouver le bureau fédéral le plus proche.

« Le quoi ? » demanda-t-elle.

Son nom était Doreen. Elle travaillait pour le shérif depuis neuf ans, était connue pour son sérieux, sa pointe d'agressivité et d'irritation permanente, et elle faisait preuve d'autant d'insubordination avec le shérif qu'avec son malheureux mari.

« La réserve fédérale, dit Everhardt sèchement. Je veux savoir s'ils accepteront de m'imprimer suffisamment de billets pour payer votre enterrement, Doreen.

— Vous êtes très drôle, shérif, répliqua-t-elle d'un ton sarcastique.

— Oui, Doreen, je sais. Je viens d'une famille de clowns, vous voyez ?

— Et qu'est-ce que vous voulez dire à ces agents fédéraux ?

— Je leur dirai exactement ce que je voudrai leur dire quand vous m'aurez trouvé un numéro et quelqu'un à qui m'adresser. Je serai au bureau dans dix minutes, peut-être moins. »

Il raccrocha sans lui laisser le temps de répondre.

Lorsqu'il arriva au bureau, Doreen avait trouvé un certain agent Grierson à l'antenne fédérale de Las Cruces.

« Et en quoi cette affaire nous regarde-t-elle, demanda Grierson lorsque Everhardt lui eut raconté ce qui s'était passé.

— Nous avons reçu une note de votre part, répondit Everhardt. Il y a quelques jours de cela, si ma mémoire est bonne. Ce qui est généralement le cas. Elle était très spécifique. Tout meurtre, tentative de meurtre ou délit sortant de l'ordinaire devait être signalé au bureau fédéral le plus proche. Je considère personnellement qu'un jeune homme provoquant une femme dans une épicerie et manquant de se faire descendre en retour sort quelque peu de l'ordinaire pour une ville qui n'a pas connu le moindre drame depuis qu'Harriett Yarnham a poignardé son mari avec un couteau à pain il y aura sept ans de cela à Noël.

— Oui, naturellement, shérif, répondit Grierson, conscient que son manque d'attention l'avait trahi. Je vais devoir contacter les agents chargés de cette affaire.

— Très bien, faites-le, fiston, et nous attendrons ici que vous nous rappeliez. La femme en question n'ira nulle part, et si elle bouge pas, nous non plus. »

Koenig et Nixon étaient toujours à Las Cruces, et s'ils avaient quitté le bureau ne serait-ce qu'une demi-heure plus tard, ils auraient été là quand Everhardt avait appelé. À la place, ils étaient en train de déjeuner dans un restaurant de la banlieue, et Grierson mit un quart d'heure à les localiser. Une fois avertis, ils appelèrent eux-mêmes Everhardt, notèrent les quelques informations qu'il leur donna, et décidèrent immédiatement que Van Horn serait leur prochaine destination. Vu la description qu'avait faite la femme de l'épicerie à Everhardt, eh bien, ça ressemblait sacrément à Clay Luckman. Ils parcoururent les deux cent quarante kilomètres jusqu'à Las Cruces bien au-dessus de la limite autorisée, et arrivèrent peu avant quatorze heures, soit à peine vingt minutes après que John Cassidy fut rentré chez lui à Tucson. Il avait hâte d'expliquer à Alice que la fille sur la photo qu'il tenait dans sa main était probablement la fille de la victime du meurtre de Marana, mais qu'en plus elle s'était trouvée à Deming avec Clarence Luckman seulement quelques jours plus tôt. Et s'il ne s'agissait pas de Clarence Luckman, alors c'était peut-être Elliott Danziger, le garçon qui avait été soi-disant assassiné par Earl Sheridan.

Nixon et Koenig, cependant, étaient un peu plus pondérés et réservés lorsqu'ils entrèrent dans l'épicerie de Van Horn.

La femme prenait l'incident avec un sang-froid remarquable.

« Sue-Anne McCarthy, leur dit-elle.

— M, c minuscule, C-A-R-T-H-Y ? » demanda Nixon.

Sue-Anne acquiesça.

Ils se tenaient tous les quatre en carré – Everhardt, Nixon, Koenig et Sue-Anne. Elle leur expliqua précisément ce qui s'était passé. Elle leur montra ce que le jeune homme avait touché, l'endroit où il s'était tenu, et quand Nixon produisit la photo noir et blanc un peu floue de Clarence Luckman, elle déclara : « Oui, deux ou trois ans de plus, mais les yeux sont les mêmes. Je crois vraiment que c'est lui. »

Koenig regarda Everhardt.

« Pas d'autres signalements ? Pas de dépositions de témoins ? Rien qui sorte de l'ordinaire ? »

Everhardt secoua la tête.

« Rien. Mon agent est arrivé à dix heures, et l'épicerie est fermée depuis.

— Je vous félicite d'avoir préservé l'intégrité de la scène, déclara Koenig. La plupart des gens les piétinent comme si… eh bien, je ne sais pas ce qu'ils pensent, pour être honnête.

— Sue-Anne a échappé d'un cheveu à la mort, exact ? demanda Everhardt. Sinon cette note ne serait pas parvenue jusqu'à nous, et je ne vous aurais pas appelé.

— Exact, répondit Nixon.

— Combien ?

— Pour autant que nous sachions… autour de sept, peut-être plus.

— Sept ? demanda Sue-Anne. Ce jeune homme a tué sept personnes ?

— Oui, madame, répondit Nixon.

— Il n'a pas chômé, votre garçon, observa Everhardt.

— En effet.

— Il me semble que ce serait une bonne idée de me fournir autant de photos de lui que possible pour que je puisse les afficher un peu partout, suggéra Everhardt. Dans une telle situation, il est bon de s'adjoindre les services de la population.

— Peut-être, répondit Koenig. Il est proche, de toute évidence. Je regrette que nous ne soyons pas arrivés plus tôt, mais ce n'est la faute de personne. Il a environ quatre ou cinq heures d'avance sur nous maintenant, donc il pourrait être n'importe où dans un rayon de, quoi, quatre ou cinq cents kilomètres.

— Ou alors il pourrait être à deux rues d'ici en train de boire un soda dans un drugstore, observa Everhardt.

— Possible. Le seul inconvénient qu'il y a à afficher sa photo partout est qu'il risque de la voir avant d'être repéré. Et alors il s'évanouira dans la nature.

— Je vois », dit Everhardt.

Il repoussa son chapeau en arrière et posa les mains sur ses hanches.

« Alors qu'est-ce qu'on fait maintenant ?

— Nous allons demander à quelqu'un de venir prendre des photos, prélever les empreintes, récupérer tous les indices physiques disponibles.

— Vous allez me dire son nom ?

— Luckman. Clarence Luckman.

— Luckman ? Vous parlez d'un nom ironique. Je crois qu'il est temps que sa chance touche à sa fin.

— Vous avez tout à fait raison sur ce point, shérif Everhardt, et dès que nous le repérerons, il regardera le monde à travers un trou dans sa tête. »

# 61

John Cassidy avait passé tout le trajet du retour à réfléchir à l'importance de ce qu'il venait d'apprendre. Il pensait constamment à la photo de la fille dans sa poche ; son visage l'obsédait.

« Comme j'ai dit, commenta Alice d'une voix neutre, ils sont deux. Il me semble que ton braqueur de banque à Wellton a dit à la police ce qu'elle voulait entendre. Il a affirmé que l'autre garçon était mort, mais je pense qu'il ne l'est peut-être pas.

— Ce qui répondrait à la question que je me posais : comment un gamin qui n'a jamais causé de problèmes a pu devenir du jour au lendemain un tueur sanguinaire. Je comprends maintenant que ça ne s'est pas passé comme ça. Je crois que l'autre – cet Elliott Danziger, celui que Sheridan a prétendu avoir tué –, je crois que c'est notre homme. Il avait des antécédents de violence à Hesperia. Je crois que c'est lui qui commet ces meurtres. Ça explique pourquoi son corps n'a jamais été retrouvé.

— Et son demi-frère, ce Clarence Luckman, il est en fuite ?

— Je crois. Il devait être présent à Marana, et il a pris le revolver. Il l'a ensuite placé sous cette voiture. Pour quelle raison, je l'ignore…

— Et la fille est avec lui.

— C'est ce que je dirais. »

Alice acquiesça. Elle s'assit et saisit la photo de Bailey.

« Et tu supposes qu'il s'agit de la fille de l'homme qui a été tué dans l'épicerie en même temps que le propriétaire ?

— Oui. Elle lui ressemble beaucoup, et ça paraîtrait logique.

— Son nom ? »

Cassidy hésita. Il n'était pas censé donner de noms.

« Frank Jacobs, dit-il.

— Donc elle s'appelle Bailey Jacobs.

— Je suppose.

— Je me demande quel effet tout ça pourra avoir sur une gamine de cet âge.

— Ça laissera des traces, c'est certain.

— Donc, il s'agit désormais de savoir pourquoi ils s'enfuient et où ils vont. Et pourquoi ils ont placé cette arme sous la voiture accidentée à Deming. »

Cassidy haussa les épaules.

« C'est ce que je me suis demandé pendant tout le trajet. »

Alice resta un moment silencieuse. Elle n'arrivait pas à détacher les yeux du visage de Bailey Jacobs.

« Et les agents fédéraux pensent que Clarence Luckman est leur assassin, ils font circuler son nom et sa photo, et s'ils le voient ils l'abattront comme un chien dans la rue.

— Oui, c'est exactement ce qu'ils feront. Ils ne lui laisseront pas le temps de discuter. Ils veulent en finir avec cette affaire, et ils veulent éviter le coût d'une enquête à grande échelle et d'un long procès.

— Alors tu dois les en empêcher, John. Tu dois retrouver ces deux types qui sont venus et leur dire ce que tu sais. Tu dois leur parler de la fille, et leur expliquer que l'autre – ce Danziger – est plus que probablement en vie et que c'est lui qu'ils devraient rechercher…

— Je sais, Alice, je sais.

— Alors qu'est-ce que tu attends ?

— J'espérais avoir droit à un déjeuner ou quelque chose. »

Elle secoua la tête.

« Tu n'as pas le temps de déjeuner. Où que tu ailles, tu pourras t'acheter un sandwich en route.

— Tu pourrais m'en préparer un pendant que j'appelle le bureau fédéral à El Paso pour voir s'ils sont toujours là-bas. »

Alice se leva.

« Ça, je peux le faire », dit-elle. Elle hésita à la porte et se tourna vers son mari. « Tu dois régler ça, John. »

Il ouvrit la bouche pour répondre, mais elle le réduisit au silence d'un geste de la main.

« C'est le genre de situation où il n'y a même pas besoin de réfléchir. Il n'y a pas de questions à se poser. Manifestement, il y a un garçon et une fille complètement seuls, et le garçon est considéré à tort comme un assassin. Quant à la fille, elle a vu son père se faire tuer de sang-froid, et elle pourra peut-être identifier son assassin. Les agents fédéraux ne voudront pas que ça paraisse dans la presse ou qu'on en parle à la radio. Je ne dis pas qu'ils se précipiteront à l'aveugle, mais pour le moment ils doivent savoir ce que tu sais, et ils doivent le savoir vite. » Elle regarda la photo sur la table. « Trouve cette fille et ramène-la ici si elle n'a nulle part où aller. Personne ne mérite un tel début dans la vie… personne. »

Alice quitta la pièce. Cassidy la regarda s'éloigner puis se rendit dans le couloir. Il décrocha le combiné et composa le numéro de l'opératrice.

« Passez-moi le FBI à El Paso, demanda-t-il doucement. Oui, je reste en ligne. »

# 62

Après avoir mangé, Clay et Bailey continuèrent de marcher. À quatorze heures, ils avaient parcouru une dizaine de kilomètres et devaient être à une quinzaine de Van Horn. Personne ne s'était arrêté pour les prendre en stop. Trois voitures étaient passées, dont un break rempli d'enfants qui les avaient lorgnés à travers les vitres avec de grands yeux inexpressifs, comme s'ils n'en revenaient pas de voir quelqu'un à un tel endroit. La I-10 était plate et monotone et s'étirait indéfiniment au loin. C'était comme si elle ne s'achèverait jamais. Marcher dessus, c'était comme être assis dans un rocking-chair. On bougeait beaucoup, mais on n'allait nulle part. Peut-être la route la plus solitaire du monde.

Bailey le lui fit remarquer. Ils ne s'étaient pas parlé depuis quelque temps, et elle déclara simplement :

« Je crois que ça doit être l'un des endroits les plus solitaires du monde.

— La solitude, c'est un état d'esprit, pas un endroit, répliqua Clay.

— Très profond.

— Comment ça ? Très profond ? Très profond pour moi ? »

Elle sourit.

« Ça veut juste dire ce que ça veut dire.

— Eh bien, je suis sûr qu'il y a des gens à New York ou dans d'autres villes avec des millions de gens partout qui pensent être dans l'endroit le plus solitaire du monde. Ça doit être pire, je suppose. Avoir des centaines de voisins et ne pas en connaître un seul.

— Ce serait triste.

— Je suppose qu'il faut vraiment y mettre du sien pour se sentir aussi seul. Il me semble qu'absolument tout le monde peut trouver quelqu'un pour l'aimer. Bon sang, même cet Hitler pendant la guerre avait une petite amie. »

Elle s'esclaffa.

« Tu es fou.

— Et toi, tu es super-intelligente, répliqua Clay d'un ton sarcastique.

— Tu prétends que je suis idiote ?

— Je dis que tu ne reconnaîtrais pas une chose intelligente si tu en croisais une dans la rue. »

Elle lui tapa sur le bras.

Il la poussa.

Bailey prit une mine sérieuse et se rua sur lui avec ses poings.

Clay se mit à courir tout en faisant des grimaces.

Elle lui lança tout un tas de noms d'oiseaux, dont aucun n'était le sien.

Elle finit par le rattraper. Ils riaient tous deux aux éclats.

« Je suppose que tu dois désormais être la personne que je connais le mieux au monde, dit-il.

— Tu ne me connais absolument pas, répliqua-t-elle.

— Je sais que toi stupide, dit-il avec une voix d'idiot.

— Assez, fit-elle, reprenant son sérieux. Il y a quelque chose dont nous devons parler, Clay. »

Elle marqua une pause, s'arrêta de marcher. Il n'était pas à plus de deux mètres, et elle avait une expression grave.

« Il y a une chose que je veux dire depuis quelque temps. C'est juste que… eh bien, ce n'était jamais le bon moment, et je n'en peux plus de la garder pour moi. »

Clay fronça les sourcils.

« C'est… poursuivit-elle, heu, bon, tu sais qu'on… enfin, qu'on est devenus proches et tout ? »

Clay acquiesça. Il sentit le rouge lui monter aux joues.

« Eh bien, voilà. Je me dis que peut-être… c'est-à-dire, je ne sais pas ni rien, mais peut-être, peut-être… si on… si on reste amis et tout, et je parle de vraiment amis. Bon, tu comprends ce que je veux dire, n'est-ce pas ? »

Clay aurait voulu lui dire ce qu'elle pensait, mais il n'osa pas.

« Tu sais ce que je vais dire, n'est-ce pas, Clay ? » demanda-t-elle.

Il acquiesça.

« Eh bien, si on était, genre, *ensemble*, tu sais ? Si on formait un couple et tout… si on était amoureux et qu'on décidait de se marier ou je ne sais quoi… »

Le cœur de Clay cognait à tout rompre. Il avait le souffle court. Il aurait voulu la prendre dans ses bras et l'embrasser, mais il ne pouvait pas bouger d'un centimètre.

« Bon, je dois te le dire, Clay, et je veux que tu saches que je suis sincère… vraiment. Il m'a fallu beaucoup de temps pour le comprendre et prendre cette décision, mais si on était amoureux et qu'on se mariait et tout… »

Bailey fit un minuscule pas en arrière. Elle inspira profondément, comme si elle cherchait le courage de dire ce qu'elle avait à dire.

« Tu vois, Clay… le problème, c'est que je ne pourrai jamais avoir d'enfants avec un type aussi moche que toi… »

Elle conserva une expression de marbre pendant une fraction de seconde, puis un sourire aussi large que le Mississippi fendit son visage et elle éclata de rire tandis que Clay commençait à comprendre qu'elle l'avait fait marcher.

« Peau de vache… nom de Dieu… doux Jésus, j'en reviens pas que tu aies dit ça… » répondit-il, mais ça ne servait à rien car elle s'était enfuie et était hors de portée de voix avant même qu'il comprenne qu'il était tombé dans le panneau.

Il s'était bien fait avoir. Il resta une minute ou deux assis par terre en inspirant profondément. Il n'avait jamais rien ressenti de tel, et c'est à cet instant – à cet instant plus qu'à n'importe quel autre par le passé, que n'importe quel autre à venir – qu'il sut, qu'il *sut* sans le moindre doute, qu'il aimait Bailey plus que tout au monde.

Elle ralentit, finit par s'arrêter, et attendit qu'il la rattrape.

« Espèce de fils de… de fille de pute, voilà ce que t'es, Bailey Redman, une foutue fille de pute ! J'en reviens pas que tu m'aies dit ça.

— Trop tard, je l'ai dit, répliqua-t-elle. Tu aurais dû voir ta tête.

— Tu veux voir à quoi ressemblera la tienne quand je sauterai dessus à pieds joints ? Bon sang… c'était vraiment vache de me faire ça… »

Elle s'approcha, leva la main et toucha le côté de son visage. Elle le regarda droit dans les yeux, lui fit un sourire aussi resplendissant qu'un coucher de soleil californien, puis elle se pencha en avant et effleura ses lèvres.

Les bras de Clay pendaient mollement contre ses flancs. Il aurait voulu la serrer contre lui rien qu'une seconde, histoire de lui faire savoir à quel point elle comptait pour lui. Mais il était incapable de la moindre réaction.

« Tu seras toujours celui que j'aimerai », dit-elle, et elle soutint son regard une seconde avant de se retourner et de se remettre à marcher.

Clay hésita avant de la suivre, et quand elle parla de nouveau – pour dire qu'elle recommençait à avoir faim –, elle le fit d'une manière telle que c'était comme si rien ne s'était passé. Mais quelque chose s'était passé, il le savait, il savait qu'elle le savait, et c'était peut-être la chose la plus importante qui lui soit arrivée de sa vie. Non, pensa-t-il alors, c'était *la* chose la plus importante qui lui soit jamais arrivée. Aucun doute là-dessus.

Ils avaient besoin de se faire prendre en stop. Ils avaient besoin qu'un bon Samaritain déboule et les emmène jusqu'à la prochaine ville. Van Horn, c'était son nom. Ils avaient besoin que quelqu'un les emmène à Van Horn pour qu'ils puissent manger et boire quelque chose, puis réfléchir au meilleur moyen de gagner Eldorado. Quatre cents kilomètres. Voilà ce à quoi Clay pensait. Quatre cents kilomètres. Ça semblait une sacrée trotte, mais ce n'était pas si terrible que ça. Ils pouvaient y arriver en, quoi, deux ou trois semaines ? Quinze, vingt, trente kilomètres par jour. À quelle vitesse marchaient-ils ? Bon sang, oui, ils pouvaient le faire, et avec Bailey Redman à ses côtés, il se disait que ce serait un jeu d'enfant. Vu ce qu'il éprouvait en ce moment, tout lui semblait d'une facilité enfantine. Peut-être qu'il s'était trompé. Peut-être qu'une mauvaise étoile avait le pouvoir d'en annuler une autre. Peut-être que tout se passerait bien à partir de maintenant. Peut-être avaient-ils atteint le moment à partir duquel tout irait de mieux en mieux.

# 63

Les agents fédéraux firent ce qu'ils avaient à faire dans la boutique de Sue-Anne McCarthy. Ils restèrent sur place deux bonnes heures, et Everhardt demanda à Summers de monter la garde à l'extérieur pour éloigner les amateurs de sensations fortes et la presse. La nouvelle de l'agression s'était déjà répandue. Les reporters étaient comme des mouches attirées par de la merde. Vous pouviez les repousser autant que vous vouliez, ils étaient toujours plus nombreux à sentir l'odeur. C'étaient des journalistes de seconde zone, et quelques mots sévères de la part de l'agent Freeman Summers suffisaient à les faire repartir la queue entre les jambes. Mais les journaux étant ce qu'ils sont, les rotatives tourneraient, même en l'absence de faits concrets. Il y avait un tueur en liberté au Texas. C'était un fou sanguinaire. Il avait tué une famille à proximité d'El Paso, et maintenant il était question d'une autre tentative de meurtre dans un bled nommé Van Horn. Le garçon avait été identifié par des témoins oculaires, et il n'était pas loin. Quand ils apprendraient que Margot Eckhart respirait toujours à travers un tube à l'hôpital Saint-

Sauveur, le déchaînement d'agitation ne tarderait pas à se transformer en ouragan.

Everhardt le savait, et il savait qu'il devrait assumer une partie des répercussions. Une ville comme Van Horn n'était pas équipée pour une telle affaire, et il fut plus qu'heureux quand les agents fédéraux repartirent. On lui avait donné une pile de photos de ce Clarence Luckman. Il en distribuerait une partie à ses agents, et il livrerait les autres en personne aux propriétaires de boutiques, au directeur de la banque, aux employés de la gare, aux vendeurs de billets de bus. Les gens devaient ouvrir l'œil. Si Everhardt avait eu conscience de la tempête qui approchait… eh bien, s'il en avait eu conscience, il n'aurait pas pu y faire grand-chose. Un homme averti n'en valait pas nécessairement deux, surtout quand on avait affaire à quelqu'un comme Elliott Danziger.

Tandis que Clay Luckman et Bailey Redman priaient pour que quelqu'un les emmène jusqu'à Van Horn, tandis que John Cassidy fonçait vers Las Cruces dans l'espoir d'y trouver Ronald Koenig et Garth Nixon, Elliott se réveillait de sa sieste. Il s'étira, bâilla, sentit la tension dans sa nuque et dans son dos, et se demanda quelle heure il était. De fait, il était dix-sept heures passées de quelques minutes. Le soir approchait. L'air s'était rafraîchi. Il avait faim, soif, et il avait un goût dans la bouche comme si une buse avait chié dedans pendant son sommeil. Il avait aussi une furieuse érection.

Il traîna un moment dans la cuisine. Il était irrité par l'absence de nourriture correcte dans la maison. Il traita Morton Randall de « sale enfoiré de radin ». Il voulait du jambon, des œufs et des croquettes de porc avec du ketchup et quelques tranches de pain frais. Il voulait un café avec cinq morceaux de sucre, et peut-être aussi du soda. Il songea à faire un peu de ménage, puis à aller en ville. Il y trouverait un endroit où manger. Il pourrait aussi voir si des flics traînaient toujours aux alentours de l'épicerie ou s'ils étaient trop troublés et dépassés et avaient abandonné. De toute évidence, personne n'avait vu le pick-up de Morton Randall, et la femme de l'épicerie ne connaissait pas plus son nom que lui ne connaissait le sien, donc la voie semblait libre. Il devrait pourtant trouver un moyen de retourner là-bas et de buter cette salope. Enfin quoi, ce n'était pas une grande ville. Ce n'était même pas une ville moyenne. Un trou perdu au milieu de nulle part où les gens restaient parce qu'ils n'avaient pas le bon sens de partir. Il n'aurait pas fait long feu dans un bled pareil, songea Digger tandis qu'il se rendait à la salle de bains à l'étage. Il avait envie d'un bain. Il y avait une mauvaise odeur dans la maison. C'était peut-être le relent de Morton et de Candace en train de pourrir dans la cuisine, mais juste au cas où la puanteur proviendrait de lui, il préférait faire un brin de toilette. Il ne voulait pas attirer l'attention, après tout. N'était-ce pas précisément ce qu'avait dit Earl pendant le trajet de Marana à Wellton ? *Les gens comme nous, on nous donne que dalle, alors on est bien obligés de se servir. Mais faut garder son amour-propre. C'est le plus important. Faut pas se laisser aller. Faut rester alerte, sur le qui-vive, d'accord ? Le moment où on commence à avoir des problèmes, c'est quand on sent plus sa propre puanteur.* Pour sûr qu'il l'avait dit, et alors même qu'il se rappelait ces paroles, il entendait la voix d'Earl, sa fierté et son amour-propre, sa conscience de sa propre valeur. C'était vraiment un type génial. Mais il était mort. Une putain de tragédie. Une putain de honte. Un type comme ça, un type de ce calibre, descendu en pleine rue comme un chien. Et pendant ce temps, ce pédé de Clarence Luckman se baladait tranquillement avec un grand sourire d'abruti. *Oh, nom de Dieu*, songea Digger, *ce que je donnerais pas pour croiser le chemin de cet enfoiré juste une fois de plus*.

Une demi-heure plus tard, dans son bain, Digger repensa à la fille de la banque, puis à l'autre, celle qui avait essayé d'appeler les flics. Puis il pensa à Candace, et à la soirée qui l'attendait. Aujourd'hui, c'était vendredi. Et vendredi, c'était jour de fête. Ce soir, il voulait quelque chose de vraiment unique pour oublier qu'Earl Sheridan lui manquait et qu'il commençait vraiment à détester son bon à rien de frère de merde, Clarence Luckman.

Il se rappela un événement qui devait remonter à Hesperia, ou peut-être même avant. Ils travaillaient dehors et étaient tombés sur un nid de frelons. Les autres gamins avaient voulu rester à distance, s'éloigner. Mais pas Digger. Il avait attrapé un bidon d'essence à moitié plein et avait copieusement arrosé le nid. Puis il avait foutu le feu à cette saloperie. Ces enfoirés de frelons étaient sortis comme des dingues, certains perdant leurs ailes tandis qu'ils essayaient de fuir. Et il les avait regardés en rigolant comme une hyène ivre. Il se rappelait cette sensation. La sensation que les frelons ne pouvaient rien faire à part crever. Il savait que Clay ne comprendrait jamais ça. Il était trop crétin. Digger sourit. Il sortit du bain et s'essuya. Peut-être que Morton Randall avait de l'eau de Cologne ou quelque chose. Une chemise et un pantalon propres à sa taille. Il voulait être à son avantage. Faire un effort. Si on ne faisait pas d'efforts, où était passé son amour-propre ?

Il devait sortir et trouver quelqu'un. Une fille qu'il baiserait jusqu'à lui faire exploser le cœur.

Voilà ce qu'il devait faire. Et après il la découperait en petits morceaux qu'il balancerait à travers la maison, et puis il foutrait le feu à la baraque et laisserait derrière lui une pile fumante de cendres imprégnées de sang.

Voilà ce qui le ferait se sentir mieux.

Voilà ce qui l'aiderait à oublier qu'il avait besoin d'amis.

# 64

Quelques minutes après dix-neuf heures, un pick-up gris foncé ralentit au bord de la I-10 et attendit que les deux gamins qui couraient derrière lui le rattrapent.

Alors qu'il se penchait vers la poignée de la portière du côté passager, le conducteur – un certain Dennis Hagen – sourit en voyant Bailey Redman. Une jolie fille, et il se demanda ce qu'elle et son ami pouvaient bien fabriquer ici à une telle heure.

« Où vous allez ? demanda-t-il.

— Van Horn, ou plus loin… là où vous allez, répondit Bailey.

— Je vais à Van Horn. Ce n'est qu'à quelques kilomètres d'ici, mais je peux vous emmener si vous voulez.

— Ce serait génial », dit-elle.

Elle ouvrit la portière, vint s'asseoir à côté de lui. Clay grimpa dans le véhicule à sa suite.

« Merci, monsieur, dit-il. Vraiment reconnaissants que vous vous soyez arrêté.

— Pas de problème », répondit Hagen. Mais avant de démarrer il hésita, les regarda une seconde et ajouta : « Enfin, je suppose qu'il y a pas de problème…

à moins que vous en ayez pour vous retrouver seuls ici. »

Bailey lui fit son plus beau sourire.

« Pas de problème, répondit-elle. Ma mère nous attend à Odessa. »

Hagen acquiesça.

« Elle vous attend, hein ?

— Oui, monsieur, elle nous attend.

— Et pourquoi une mère digne de ce nom laisserait-elle ses enfants sur la route le soir à plus de deux cent cinquante kilomètres de chez elle ?

— C'est une longue histoire, répondit Bailey.

— Une histoire à coucher dehors, je parie. Mais bon, quelles que soient vos raisons, je ne peux pas vous laisser au bord de la route à cette heure. Je vais vous emmener à Van Horn et vous pourrez vous expliquer auprès du shérif Everhardt. »

Comme pour bien se faire comprendre, Dennis Hagen se pencha devant eux et verrouilla la portière du côté passager, puis il mit le contact et démarra.

Clay regarda Bailey avec de grands yeux. Bailey secoua presque imperceptiblement la tête. *Ne dis rien*, signifiait ce geste. *J'ai la situation en main*. Clay en doutait quelque peu, mais il ne savait pas quoi faire d'autre.

Van Horn n'était pas à plus de quinze kilomètres, et ils y arrivèrent un quart d'heure plus tard. Dennis Hagen se gara devant le commissariat. Les lumières étaient allumées, et il semblait régner plus d'agitation que d'ordinaire. Il descendit du pick-up, et tandis qu'il le contournait pour déverrouiller la portière de l'autre côté et livrer ses passagers à la police, Bailey se glissa rapidement sur la banquette, entraînant Clay derrière elle, et sortit du côté conducteur.

« Cours ! lança-t-elle tandis qu'Hagen prenait conscience de ce qui se passait et faisait de nouveau le tour du véhicule.

— Bordel de merde ! » s'exclama-t-il, et il les regarda filer dans la rue, trop rapides pour qu'il puisse espérer les rattraper.

Il resta un moment planté là, se sentant plus bête qu'un âne, puis il secoua la tête. « Bon Dieu de bois », marmonna-t-il. Après tout, ça ne le regardait pas. Il les avait ramenés en ville, au moins ils seraient plus en sécurité ici que sur la route. Et il n'irait certainement pas voir la police. Il n'avait aucune envie d'avouer à Kelt Everhardt qu'il s'était fait berner par une paire de petits malins.

## 65

« C'est la question, répéta Cassidy. Tout se résume à cette question, agent Koenig. Comment Clarence Luckman a-t-il pu placer le revolver sous la voiture près de Deming et se trouver dans un restaurant avec les Eckhart… au même moment ? C'est ce qui me turlupinait plus que tout, alors je suis allé à Scottsdale, et c'est là que je l'ai trouvée. » Il désigna la photo de Bailey Jacobs que Koenig tenait dans la main. « La ressemblance entre elle et la victime du meurtre de Marana est indéniable, et quand je l'ai montrée à Clark Regan, le propriétaire de la station-service, il a confirmé qu'il s'agissait bien de la fille qui lui a signalé la voiture accidentée. »

Koenig acquiesçait. Il leva les yeux vers Nixon. Ils étaient tous trois assis dans un petit bureau à l'arrière du commissariat de Las Cruces. C'était là que Cassidy les avait trouvés – le premier endroit où il les avait cherchés.

« J'ai dit à l'agent Nixon hier à El Paso que vous étiez un homme intelligent, inspecteur Cassidy, et je dois reconnaître que je suis impressionné par les progrès que vous avez faits en vingt-quatre heures. Votre shérif sait-il que vous êtes de nouveau avec nous ? »

Cassidy secoua la tête.

« Je suis en arrêt maladie.

— Vous ne m'avez pas l'air malade. »

Cassidy ne répondit rien.

« Alors qu'est-ce que vous voulez faire ? demanda Koenig.

— Je pense que nous devrions afficher la photo d'Elliott Danziger partout où nous pouvons. Je crois qu'il est toujours vivant. Je crois que c'est lui qui commet ces meurtres, pas Clarence Luckman. Je crois que Clarence Luckman était avec Sheridan et Danziger à Marana, de même que Frank Jacobs et sa fille, que Luckman et la fille se sont enfuis, et qu'ils sont en fuite depuis. Je crois que Danziger a commis cette vague de meurtres seul, et que nous cherchons la mauvaise personne depuis le début.

— Et si vous vous trompez ? Si Sheridan et Luckman ont bien tué Danziger, comme l'a dit Sheridan ? Si c'est bien Clarence Luckman qui commet ces meurtres et que la personne qui s'est présentée à la station-service n'avait rien à voir avec cette affaire ? Qu'est-ce que vous suggérez ?

— Eh bien, nous continuons de chercher également Luckman. La seule différence, c'est que maintenant nous cherchons trois personnes, et non une seule. Nous cherchons Elliott Danziger…

— Qui est mort, coupa Nixon.

— Qui est *peut-être* mort, nous n'avons aucune certitude, rectifia Cassidy. Le seul indice que nous avons à ce sujet provient d'Earl Sheridan. Il s'est fait tirer dessus, il sait qu'il ne va pas s'en sortir, il se dit que personne ne s'attendra à un mensonge de sa part. Mais c'est pour lui le moyen de continuer de mettre le bazar même une fois mort. Et je crois qu'il était assez cinglé pour faire ça. Je crois qu'orienter la police sur une fausse piste a dû lui sembler une idée merveilleuse. Je crois que ça l'a rendu aussi heureux que possible dans les derniers instants de sa vie. Ça signifiait qu'il pouvait encore se foutre de la gueule du monde alors qu'il n'était plus là. »

Koenig baissa une fois de plus les yeux sur la photo. Il la fixa longuement, comme si ç'avait été la main victorieuse d'une partie de poker à mille dollars. Il regarda Cassidy, puis Nixon, puis de nouveau la fille.

« À mon avis, vous vous trompez, déclara-t-il calmement. Le fait est que la totalité du FBI, l'essentiel des services de police de Californie du Sud et d'Arizona, et même quelques-uns au Texas, ont une description claire de Clarence Luckman et savent parfaitement ce qu'ils devront faire quand ils le repéreront.

— L'abattre, dit Cassidy.

— Parfaitement.

— Vous ne pouvez pas laisser faire ça… »

Koenig leva la main.

« Si ça se trouve, c'est déjà fait, inspecteur Cassidy, mais nous ne sommes pas encore au courant. Des centaines d'hommes recherchent ce garçon, et nous ne sommes pas en position de changer subitement de tactique et de les prévenir tous sur-le-champ d'une possible erreur d'identification. »

Il y eut un moment de silence.

« Quoi qu'il en soit, reprit Koenig, j'estime également que l'un des pires traits de caractère est l'absence d'humilité. Votre théorie… eh bien, vous avez peut-être raison, et je dois vous féliciter pour votre franchise et votre détermination. Je suis réellement *très* impressionné. J'ignore cependant ce que nous pouvons faire à cette heure de la soirée. Ce que je sais, en revanche, c'est qu'une collaboration officielle entre la police de Tucson et le FBI n'est pas à l'ordre du jour et ne le sera probablement jamais. Je comprends à quoi nous avons affaire… potentiellement. Nous allons donc nous procurer des photos d'Elliott Danziger et les distribuer à tous les services de cet État et des États avoisinants. Nous allons émettre une alerte, et informer les gens. Voilà ce que nous allons faire. Quant à vous ? Eh bien, ce soir vous pouvez rester ici à Las Cruces, ou – si vous vous sentez d'attaque pour la route – vous pouvez rentrer chez vous. À votre place, je retournerais au travail demain et je m'occuperais de mes autres enquêtes. »

L'attitude de Koenig sembla soudain plus froide, comme si l'ingérence et l'insistance de Cassidy avaient épuisé sa patience.

« Je vous tiendrai informé, ajouta-t-il, et je m'assurerai une fois cette enquête résolue que les honneurs qui vous reviennent vous soient adressés par écrit à votre service, ainsi qu'aux officiels compétents du bureau. » Il marqua une pause, puis opina du chef comme s'il résolvait une question intérieure. « Et si ça s'avère être le cas… si Danziger est bien vivant depuis le début, s'il est l'auteur de ce massacre, alors je suis certain qu'une recommandation de tout premier ordre finira dans votre dossier personnel. Cependant, nous demeurons convaincus que tout ceci est l'œuvre de Clarence Luckman, et s'il est repéré… je dois vous dire que s'il est repéré et tente de s'échapper, eh bien, il sera abattu. »

Cassidy resta un bon moment silencieux. Il ne savait pas quoi dire. L'idée de rentrer à Tucson… il n'avait aucune envie de partir avant que tout soit terminé. Il se rappela les paroles d'Alice, sa voix résonnant dans sa tête comme un enregistrement.

*Tu dois régler ça, John. C'est le genre de situation où il n'y a même pas besoin de réfléchir. Il n'y a pas de questions à se poser.*

« Est-ce qu'il y en a eu d'autres ? » demanda-t-il d'un air dégagé.

Koenig mit un moment à répondre, mais ses yeux le trahirent avant qu'il ait ouvert la bouche.

« Nous le pensons, dit-il. Dans une ville nommée Van Horn, à environ deux cent trente kilomètres au sud-est d'ici.

— Toujours sur la I-10 ?

— Oui, répondit Koenig. Toujours sur la I-10.

— Qu'est-ce qui s'est passé ?

— Une femme dans une épicerie a été agressée par un jeune homme. D'après le peu d'informations que nous avons obtenues, ça pourrait bien être Luckman. C'était une simple agression physique, mais la direction dans laquelle il allait, la description physique… »

Cassidy se pencha en avant. Il posa les coudes sur ses genoux et regarda le sol entre ses pieds.

« OK, dit-il. Je reste ici cette nuit. Je réglerai la situation avec mon shérif. Pas la peine de vous en faire pour ça. » Il leva les yeux vers Koenig. « Je dois rester ici jusqu'au bout. »

Koenig ouvrit la bouche pour parler.

Cassidy l'interrompit en levant la main.

« Vous devez m'accorder ça, dit-il, et si ça doit entraîner ma perte, tant pis. »

Koenig ne répondit rien.

Cassidy se leva.

« Je vais me trouver un hôtel dans les parages.

— Il y en a un à une rue d'ici sur le trottoir d'en face, déclara Nixon. Prenez-y une chambre. C'est là que nous logeons. Comme ça, si nous avons besoin de vous, nous saurons où vous trouver.

— OK… et je passerai vous voir demain matin. » Cassidy s'arrêta à mi-chemin, se retourna et regarda la photo de Bailey Jacobs que Koenig tenait dans sa main. « Ne serait-ce que pour elle… je dois rester jusqu'au bout. »

## 66

Ils se cachèrent dans l'ombre entre les réverbères, puis se mirent à courir, recroquevillés sur eux-mêmes, riant aussi doucement que possible tandis qu'ils contournaient l'arrière du commissariat et émergeaient dans une autre rue. Clay aperçut quelqu'un qui sortait d'un bâtiment, et ils se tapirent derrière un muret en attendant que la personne soit passée. Comme au drive-in, Clay se sentait excité, un peu effrayé, bien vivant.

Ils trouvèrent un petit restaurant dans Crown Street, près du centre de Van Horn. Le type à l'intérieur était en train de fermer, mais il accepta de leur préparer des sandwichs grillés au fromage et de leur servir quelque chose à boire.

Bailey lui lança un regard enjôleur et lui fit son sourire innocent, et le type se mit à parler tout en leur préparant deux sandwichs grillés chacun. Il était on ne peut plus aimable. Clay mangea un sandwich et demi, Bailey dévora les siens, finit celui de Clay, puis elle but deux verres de *root beer* et engloutit la glace que le type leur avait apportée.

« C'est ma sœur qui la fait, expliqua-t-il. Elle a une machine manuelle. Les gens du coin adorent sa glace. »

Bailey l'adorait également, et lorsqu'elle eut fini, même le type fut surpris de voir tout ce qu'une fille de sa taille était capable d'avaler.

« Alors, qu'est-ce que vous faites de beau ce soir ? » demanda-t-il.

Bailey sourit.

« Une petite sortie en amoureux, dit-elle.

— Une sortie en amoureux ? fit le type. Ben, ça alors… vous venez dans mon restaurant pour une sortie en amoureux ?

— C'est notre premier rendez-vous, ajouta-t-elle.

— Ça, dit-il, ça se fête, et puisque c'est votre premier rendez-vous, c'est la maison qui vous invite. »

Bailey sourit, mais elle secoua la tête.

« Non, nous ne pouvons pas accepter. Nous avons de l'argent pour payer…

— Hors de question. Allez-y maintenant, amusez-vous, et revenez un de ces jours, d'accord ?

— Merci, monsieur, répondit-elle. C'est vraiment gentil de votre part. »

Il les fit sortir et ferma le restaurant. Il les regarda s'éloigner dans Crown Street en se demandant ce que ça ferait d'être jeune et amoureux, et d'avoir la vie devant soi.

Bailey ne pensait pas du tout à la même chose. Elle songeait à l'argent qu'il leur restait et se demandait s'ils avaient ou non les moyens de dormir dans un motel.

« Bien sûr que oui, dit Clay. Enfin quoi, on est presque à Eldorado. On peut le faire. »

Ils marchèrent jusqu'au bout de Crown Street, tournèrent à gauche, laissant le restaurant et le commissariat derrière eux. Au bout de trois ou quatre pâtés de maisons, Clay aperçut de l'autre côté de la rue un motel qui avait l'air d'être le genre d'endroit qu'ils cherchaient. Une réception, des petits bungalows disposés en demi-cercle derrière, une enseigne au néon qui annonçait *Lits confortables Eau chaude Prix raisonnables*.

« Je vais y aller seul, dit Clay. J'ai l'air majeur. Tu attends ici, et quand j'aurai la chambre je reviendrai te chercher.

— Dépêche-toi, répondit Bailey. Il commence à faire froid. »

Clay traversa la rue au petit trot et pénétra dans la réception. Elle le vit pendant un moment debout devant le guichet, puis il se décala sur la gauche et disparut.

Bailey se frottait les mains et battait des pieds. Elle voyait son souffle dans l'air.

Il faisait nuit, et le vent glacial qui balayait la rue la faisait frissonner.

Elle vit Clay quitter la réception et longer les bungalows avec l'employé.

Bientôt, elle serait à l'intérieur – au chaud, bien à l'aise, et elle dormirait dans un vrai lit avec de vraies couvertures. Il y aurait une télé. Ils pourraient la regarder ensemble comme la dernière fois, assis sur le lit parmi les oreillers et les couvertures.

Elle entendit une porte se fermer quelque part et recula légèrement tandis qu'un pick-up approchait dans la rue. Les phares l'illuminèrent, debout contre le mur.

Elle enfonça les mains dans ses poches et baissa la tête.

Le pick-up ralentit très progressivement, et s'immobilisa à moins de deux mètres de l'endroit où elle se tenait. Elle leva les yeux et vit par la vitre baissée le conducteur qui la regardait. Il était jeune et souriait.

« Tout va bien ? » demanda-t-il.

Elle acquiesça.

« Oui, monsieur… j'attends juste quelqu'un. »

C'est alors que le revolver apparut.

« C'est moi que tu attends, déclara-t-il lentement. Maintenant monte dans la bagnole avant que j'arrache ta tête de tes putains d'épaules. »

## 67

« Las Cruces, dit Cassidy. Je reste pour la nuit. Je t'appellerai de bonne heure demain pour te dire ce que j'aurai décidé.

— Comment étaient-ils… les agents fédéraux ?

— Je crois qu'ils me prennent pour un fou. Mais ils ont écouté ce que j'avais à dire, et ils vont faire imprimer des photos, enfin. Je veux dire… bon, la vérité, c'est qu'on ne sait pas. On ne sait pas vraiment si c'est Clarence Luckman qui commet ces agressions, ni si ce gamin, Danziger, est toujours en vie…

— C'est terrible, John, coupa Alice. C'est juste un gamin, n'est-ce pas ? Il n'est même pas sorti de l'adolescence et il est capable de commettre ces actes abominables.

— S'il s'agit bien de lui.

— C'est lui, j'en suis sûre. Plus j'y pense, plus c'est logique. »

Cassidy sourit.

« Parfois je me demande si ce n'est pas toi qui aurais dû être inspectrice.

— Comme si vous étiez prêts à avoir des femmes dans la police, répliqua Alice.

— Ils devraient s'y mettre… l'intuition féminine, tu sais ? Ça pourrait nous éviter de dépenser des fortunes dans des enquêtes interminables.

— Tu as dîné ?

— Oui.

— Qu'est-ce que tu as mangé ?

— Un sandwich…

— Va prendre un vrai repas, John. Tu ne peux pas te nourrir de bonbons et de Coca-Cola. Va manger un steak quelque part.

— Alice, vraiment…

— John.

— OK, OK, OK. Je vais manger un steak.

— Et essaie de dormir. Je sais que tu dors mal quand tu n'es pas à la maison, mais essaie. Bois un whisky ou quelque chose. Ça marche toujours pour moi.

— C'est toi qui dois te reposer, Alice.

— Je vais bien, John. Je ne suis pas en train d'arpenter le Texas comme un cinglé.

— OK, chérie. Tu me manques. Je t'appelle demain.

— Et moi, j'appellerai Mike pour lui dire que tu vas mieux mais que je ne veux toujours pas que tu quittes la maison.

— Merci. Je t'aime.

— Moi aussi. »

Elle raccrocha et Cassidy écouta la tonalité pendant un moment avant de replacer le combiné sur son support.

Il jeta un coup d'œil à sa montre. Vingt heures quarante. Il devait trouver un endroit où dîner. Il avait promis de le faire, alors c'est ce qu'il ferait.

## 68

Clay hésita au bord de la route.

Bailey parlait à quelqu'un. Quelqu'un dans un pick-up. Bon sang, songea-t-il, c'est la dernière chose dont nous avons besoin. Qu'une bonne âme vienne se mêler de nos affaires.

Il traversa la route, contourna le pick-up par l'arrière. Le type dans le véhicule disait quelque chose.

« Bailey ? » fit doucement Clay.

Bailey ne se retourna pas.

« Bailey ? » répéta-t-il, un peu plus fort.

C'est alors qu'il vit sa main. Elle la tenait contre son flanc et l'agitait légèrement, comme pour dire *Éloigne-toi, va-t'en*.

Le conducteur devint silencieux. Clay n'entendait plus que le bruissement du vent qui soulevait les feuilles par terre, le ronronnement du moteur.

Il frissonna, resta un moment immobile, puis fit un nouveau pas en avant.

Du coin de l'œil, il perçut un mouvement.

Le conducteur l'avait vu.

Une sensation s'empara alors de lui, quelque chose de sombre et de terrible, et il attendit, parvenant à peine à respirer, tandis que le conducteur se glissait sur la banquette et ouvrait la portière côté passager.

Lorsqu'il descendit du véhicule, Clay ressentit une telle terreur qu'il n'arriva plus à réfléchir. Le conducteur se posta devant lui, braqua un pistolet sur son torse, et sourit en le reconnaissant. Le soulagement que Clay aurait pu éprouver en découvrant que son frère était en vie laissa place à un sentiment d'horreur et d'incrédulité.

« Hé, surprise, surprise ! fit Digger. Si c'est pas mon enfoiré de fils de pute de frangin. Quelle coïncidence.

— Digger… » commença Clay.

Bailey lança à Clay un regard interrogateur. *Digger ? Ton frère ?* Puis elle se tourna de nouveau vers le conducteur.

« Ferme ta gueule, Clay, coupa Digger. Espèce de petit merdeux de lâche à la con… Bon sang, je devrais te tirer une balle dans la tête et te laisser mort dans cette putain de rue, espèce de connard ! Tu m'as abandonné là-bas. Tu nous as abandonnés Earl et moi dans la boutique. Espèce de salaud. Connard. Espèce de petit merdeux…

— Digger, sérieusement… je ne voulais pas… »

Digger fit un pas en avant. Il saisit Bailey par les cheveux et lui enfonça son revolver dans la gorge.

« Alors c'est avec elle que tu t'amuses, hein ? » dit-il. Il lui tordit les cheveux et Bailey hurla. « C'est elle qui te tient compagnie, hein ? On n'était pas assez bien pour toi, pas vrai ? Earl et moi, on n'était pas assez bien pour ce putain de Clarence Luckman, c'est ça ?

— Digger, laisse-la. Elle n'a rien fait. Tu veux quelqu'un, emmène-moi. J'irai avec toi. J'irai avec toi, Digger… mais laisse-la…

— Ferme ta gueule ! » cria Digger.

Il tira de nouveau les cheveux de Bailey, et elle hurla, plus fort cette fois. Il la frappa à la tempe avec son arme. Ses genoux fléchirent sous son corps et elle perdit l'équilibre, mais Digger la releva de force.

Il s'avança, pointant son arme devant lui.

« J'emmène la fille, annonça-t-il d'une voix qui était à peine plus qu'un murmure. Je vais te tirer une balle dans la tête ici même, et je vais l'emmener, la ligoter et la baiser jusqu'à ce qu'elle sache même plus comment elle s'appelle, et quand j'en aurai marre, je lui couperai la tête et je lui pisserai dessus et je lui foutrai le feu. Voilà ce que je vais lui faire, espèce de sale baratineur, espèce de putain de lâche. »

Clay fit un pas en arrière et, dans un mouvement soudain, il se rua sur Digger. Il mit tout ce qu'il avait dans son geste – toute sa force et son courage, tout son amour, toute sa volonté et sa détermination. Il se jeta en avant et il se foutait de mourir. Il devait simplement empêcher Digger de faire du mal à Bailey.

Un coup de feu retentit. Clay fut projeté sur le bord de la route. Sa tête heurta un tronc d'arbre, et il resta un moment groggy.

Il entendit des bruits de lutte. Bailey se remit à hurler. Nouveau coup de feu. Le bruit de la balle heurtant le bois à quelques centimètres de sa tête. Il se roula sur le côté, s'aplatit par terre, puis il se redressa sur ses genoux tandis que le pick-up s'éloignait.

C'est alors qu'il ressentit une douleur dans la partie supérieure de son bras droit. Il grimaça, porta la main à sa manche déchirée, sentit la blessure superficielle en dessous, le sang chaud et humide.

Désorienté, troublé, il songea à retourner au motel pour appeler la police, mais il se ravisa. Il se mit à courir en titubant. L'air frais lui brûlait la poitrine et la gorge, ses yeux étaient pleins de larmes. Il pensait à Bailey, à Digger, à ce qu'il allait lui faire, et une terreur abjecte s'empara de lui.

Clay frissonnait tout en courant. Il se sentait nauséeux, étourdi, éperdu. Il atteignit un croisement, tourna à droite, puis encore à droite, et reprit la direction du commissariat. Il ne connaissait pas Van Horn, mais il savait où se trouvait le commissariat par rapport au motel.

Il ne se demanda pas comment Digger l'avait retrouvé. Il ne se demanda pas s'il l'avait suivi depuis Marana. Il ne s'étonna même pas que son frère fût devenu si méconnaissable. Il ne pensait qu'à une chose : ce que Digger avait promis de faire à Bailey.

À l'approche du commissariat il se demanda ce qu'il allait dire, comment il allait expliquer ce qui s'était passé. Il était foutu. C'en était fini de lui et de Bailey, même si elle survivait. L'accuserait-on d'enlèvement ? L'accuserait-on d'avoir kidnappé une jeune fille contre sa volonté pour la traîner d'un État à un autre ? Passerait-il le restant de sa vie en prison ?

Agrippant son bras ensanglanté, Clay continua de courir.

Dans sa panique, il ne vit pas Freeman Summers descendre de la voiture de patrouille qui était garée devant le bâtiment sur sa droite.

Clay passa devant lui, à quatre ou cinq mètres à peine.

« Hé, là ! » lança Summers.

Clay s'arrêta net. Il aurait dû se retourner immédiatement. Il n'aurait pas dû hésiter. Son hésitation le rendait aussitôt suspect.

« Hé, fit Summers. Tu ne serais pas le fils de Rachel Montague ? »

Clay hésita une fois de plus, mais il ne se retourna pas.

« Si », marmonna-t-il. Puis, plus fort : « Si, c'est moi…

— Retourne-toi, fiston… regarde-moi quand je te parle. »

Clay se retourna – lentement, prudemment. Il sentait l'angoisse qui lui tordait les tripes, la tension, l'appréhension.

« Non, dit Summers. Tu n'es pas plus le fils de Rachel Montague que moi. Nom de Dieu… »

Clay songea à prendre la fuite, à détaler dans n'importe quelle direction. Et si l'agent lui tirait dessus ? Peu probable, il n'en aurait même pas l'idée. Mais les doutes que Clay Luckman pouvait avoir quant à l'incapacité de Freeman Summers à gérer une situation potentiellement dangereuse s'évaporèrent lorsque l'agent dégaina son arme et la braqua droit sur sa poitrine. Clay sentit ses genoux se liquéfier. Il eut une soudaine envie d'uriner. Il était étourdi, nauséeux, et l'espace d'un instant il fut si désemparé qu'il ne savait même plus comment il s'appelait.

« Écarte les mains que je les voie, fiston », ordonna Summers d'une voix sèche et autoritaire.

Clay sentait le sang couler à l'intérieur de sa manche. Il ne voulait pas ôter sa main, et pourtant il devait le faire.

« Écarte les mains ! ordonna de nouveau Summers. Je ne le répéterai pas ! »

Clay laissa retomber ses mains contre ses flancs. Le sang qui tachait sa veste, sa manche, sa main, était clairement visible dans la lumière qui s'échappait par les fenêtres du commissariat.

« Nom de Dieu », fit l'agent.

Clay ouvrit la bouche pour parler.

« Je ne veux rien entendre à part ton nom, fiston, coupa Summers. Et ne me donne pas un nom bidon. Je finirai bien par apprendre la vérité, et si tu me racontes des conneries, tu seras dans la merde jusqu'au cou. »

Clay regarda le jeune agent et il sut que tout était fini. Il sut que son voyage avec Bailey était arrivé à son terme. Il songea à la mort de son père dans l'épicerie de Marana, à l'argent qu'ils avaient volé dans le drive-in, à la nuit qu'ils avaient passée à El Paso et à leur projet d'aller à Eldorado, au pistolet caché sous la voiture accidentée près de Deming, au motel – le premier – où il avait regardé par le trou de la serrure dans l'espoir de la voir nue, à Emanuel Smith et à son cinglé de fils, à la I-10 qui avait été toute leur vie au cours des cinq derniers jours… Ça lui avait semblé long, et pourtant ç'avait été si court. Cinq jours. Lundi, mardi, mercredi, jeudi, et maintenant vendredi… et il se retrouvait là, à Van Horn, à regarder la gueule du canon de l'arme d'un policier, un policier aux cheveux très courts qui ne devait pas être beaucoup plus vieux que lui et qui lui demandait son nom, et il n'avait d'autre choix que de dire la vérité…

Il pensa à Bailey et à son frère, à ce qu'il devait lui faire à cet instant précis…

Alors il répondit. D'une voix forte et distincte pour que l'agent Freeman Summers n'ait aucun doute.

« Mon nom est Clarence. Clarence Luckman. »

Il vit les yeux de l'agent Freeman Summers s'élargir perceptiblement, son front se plisser. Son arme trembla légèrement dans sa main et il se mit à crier à pleins poumons…

« Shérif ! Shérif ! Bon Dieu, que quelqu'un aille chercher le foutu shérif ! »

Clay ne comprenait pas ce qui se passait. Tout ce qu'il savait, c'était que son voyage avec Bailey Redman était terminé. Et aussi qu'il l'aimait.

Il fit un pas en avant, leva les mains sans réfléchir. L'agent serra fermement son arme, son doigt se resserra sur la détente, et en jaillissant du canon la balle produisit une déflagration comparable aux fusées du feu d'artifice qui s'était reflété sur la surface d'un lac il y avait un million d'années de cela…

Une fois encore, curieusement, il ne ressentit aucune douleur. Il tournoya sur lui-même. Les lumières du commissariat défilèrent devant ses yeux à mille kilomètres à l'heure, puis il vit les chaussures de l'agent Freeman Summers qui se précipitait vers lui.

De nouveaux cris retentirent, puis l'obscurité et le silence l'enveloppèrent, et il se demanda pendant combien de temps encore il entendrait son cœur battre.

## 69

C'était la plus mignonne de toutes. Ça ne faisait aucun doute dans l'esprit de Digger. Jeune, bien sûr, dans les quinze, seize ans, mais ça signifiait que personne ne l'avait salie avant lui… Il songea alors à Clay et se demanda s'il l'avait baisée.

Il se sentit de nouveau plein d'amertume et de ressentiment envers son frère. Comment un type comme Clay pouvait-il avoir une fille comme ça ? Le monde était décidément complètement tordu. Mais bon, il allait ici et maintenant rétablir l'équilibre.

Dans la voiture, la fille n'avait pas décroché un mot. Pas un seul. Il avait calé le pistolet entre ses jambes et avait roulé à vive allure sans quitter la route des yeux pendant qu'elle était assise tout contre la portière du côté passager, comme si elle essayait de rester aussi loin que possible de lui. Il y avait dans ses yeux une expression de peur, mais aussi autre chose… on aurait dit un animal acculé, prêt à se battre à la première opportunité.

Mais elle ne faisait pas le poids, et si elle avait tenté quoi que ce soit il l'aurait frappée à la tête et ça aurait été réglé. Pas pour la tuer. Elle aurait été moins intéressante morte. Il l'aurait juste frappée assez fort pour l'assommer et la ramener à la maison sans problème.

Donc, pendant tout le trajet – dans les quinze ou vingt kilomètres – elle n'avait pas décroché un foutu mot, et plus il la regardait – juste un petit coup d'œil sur la droite de temps en temps –, plus il la trouvait attirante. C'était une sacrée prise. Exactement ce dont il avait besoin. Une fille comme ça. Il pourrait la baiser jusqu'à lui faire exploser le cœur, et après il la baiserait encore.

Mais plus il y pensait – et il y pensait beaucoup –, plus il comprenait que ce qui l'excitait par-dessus tout, c'était le fait que c'était la copine de Clay. Ç'allait être un pied total.

Tu parles d'une coïncidence, tu parles d'un putain de coup du sort, hein ? Clay débarque au même moment que lui, et Digger lui pique sa nana. Incroyable ! Absolument incroyable ! Peut-être que l'équilibre avait déjà été rétabli. Oui, ça devait être ça. Après en avoir tant bavé, il allait enfin avoir ce qu'il méritait.

Ça n'avait aucune importance que Luckman soit mort ou non. À vrai dire, c'était probablement mieux s'il ne l'était pas. Où est-ce qu'il pouvait être en ce moment ? En train de courir en rond comme un crétin de poulet décapité ? Il n'aurait aucune idée de l'endroit où se trouvait la fille. Tout ce qu'il saurait, c'est qu'elle allait connaître la mort la plus atroce qui soit, et que c'est lui – Digger – qui la lui donnerait. Ha ! Qui a dit qu'il n'y avait ni dieu ni justice ?

Il ne croisa pas une voiture en chemin, et personne ne le doubla. Il était invisible, et c'était si bon de savoir qu'il contrôlait tout, qu'il aurait le temps de s'amuser avec la fille sans avoir à se soucier que quelqu'un vienne frapper à la porte de Morton Randall. Dans ce genre de bled, les gens restaient chez eux une fois la nuit tombée.

Il parvenait à peine à contenir son excitation.

Il avait une érection d'enfer.

Digger gara le pick-up derrière la maison pour que personne ne l'aperçoive depuis la route.

Il descendit, contourna le véhicule par l'avant en tenant le pistolet dans sa main droite, et ouvrit la portière du côté passager.

« Sors », dit-il.

Elle hésita.

Il approcha le pistolet à quelques centimètres du visage de la fille, et ordonna : « Descends de cette putain de bagnole, espèce de salope. » Il parlait d'une voix lente et précise, comme s'il avait tout le temps devant lui, ce qui, de fait, était le cas.

Bailey Redman – plus terrifiée qu'elle ne l'aurait cru possible – se glissa sur la banquette et descendit lentement. Un pied par terre, puis l'autre. Elle n'avait jamais vu Elliott Danziger. Seulement Earl Sheridan. Elle n'avait pas oublié le visage de l'homme qui avait tué son père, mais son complice… le visage de ce jeune homme était nouveau, inconnu, et elle se disait que ce serait le dernier qu'elle verrait.

Elle savait avec certitude qu'elle allait mourir ce soir. Elle avait la bouche sèche, était muette de terreur, incapable de réfléchir à autre chose qu'au supplice qui l'attendait, mais elle se disait aussi que tout ça ne serait pas en vain.

Quoi qu'il se passe ce soir, quoi qu'il lui fasse avant de la tuer, quelle que soit l'intensité de sa souffrance, à la fin elle retrouverait son père. Elle en était certaine.

Digger lui fit monter les marches à l'arrière de la maison, ouvrit la porte grillagée, puis la porte de la cuisine, et ils pénétrèrent à l'intérieur.

Il la fit asseoir à la table de la cuisine.

« Comment tu t'appelles ? demanda-t-il.

— J-je ne v-vous le dirai pas », répondit Bailey.

Digger sourit. Elle lui lança un regard noir. Elle le défiait.

Il fit passer le pistolet dans sa main gauche et lui saisit de nouveau les cheveux. Tandis qu'il la hissait sur ses pieds, elle serra les dents pour ne pas hurler de douleur. Digger la traîna à travers la cuisine jusqu'à la porte de derrière. Il lui fit descendre les marches puis traverser la cour jusqu'à la remise. Il enfonça le 45 sous son jean et ouvrit la porte. Il tira sur un cordon suspendu au plafond, une lumière crue emplit la pièce.

Tout en l'agrippant par les cheveux, Digger poussa le visage de Bailey vers celui de la fille morte.

« Ça, c'est Candace, dit-il. Ou, comme j'aimais l'appeler avant de la poignarder, Candy-Ass. Maintenant, dis bonjour à la jolie Candace, petite fille… »

Sur ce, il lui tordit les cheveux.

Bailey poussa un hurlement. Elle avait l'impression que ses cheveux allaient s'arracher et que ses yeux allaient jaillir de leurs orbites.

« Dis bonjour à la jolie Candace, petite fille », répéta Digger.

Tandis que son visage était à quelques centimètres des traits gris et froids de la morte, Bailey ouvrit la bouche et bredouilla :

« Bonjour, C-Candace…
— Bien. Maintenant, dis au revoir, Candace.
— A-au revoir, Candace. »
Il la fit se relever en lui tirant les cheveux. Il éteignit la lumière et la remise fut de nouveau plongée dans le noir. Il ramena Bailey à la cuisine, la fit asseoir, tira le pistolet de sous son jean et lui colla le canon sur le nez.

« Dis-moi comment tu t'appelles.
— B-Bailey.
— Bailey quoi ?
— Bailey R-Redman.
— Moi, c'est Elliott, mais on m'appelle Digger. Tu peux m'appeler ton pire putain de cauchemar. »

Bailey leva les yeux vers lui et, à travers ses larmes, le vit ôter sa veste.

Il tenait son pistolet dans sa main gauche et elle savait qu'il était droitier. Elle s'en souvenait. Il serait moins habile de la main gauche.

« Je vais pas te dire ce qui va se passer ce soir parce que je voudrais pas te gâcher la surprise, dit-il. Mais ça va être la fête. Une fête très spéciale. Rien que toi et moi, mais c'est toi l'invitée d'honneur, Bailey Redman. Une fête juste pour toi, un Noël avancé, un anniversaire, une fête sans raison particulière. On aurait pu manger un gâteau et boire de l'alcool et toutes ces conneries, mais tu sais quoi… j'en ai rien à foutre. On a de quoi s'amuser, tu vois, et en ce qui me concerne, c'est la qualité de l'amusement qui fait qu'une fête est réussie. T'es pas d'accord avec ça, Bailey Redman ? »

Bailey tentait de ne pas pleurer. Depuis qu'il l'avait mise en joue avec son arme à travers la vitre du pick-up, elle était en état de choc et n'avait rien ressenti à part une douleur intense quand il l'avait tirée par les cheveux, et une horreur absolue quand elle s'était retrouvée face à la morte dans la remise... Mais maintenant, il y avait autre chose. Le souvenir de Clay. Elle se demandait où il était, ce qu'il faisait, et, surtout, s'il était mort. C'était ce qui la faisait s'accrocher à l'instant présent, ce qui lui faisait tenir le coup.

« Je t'ai demandé si t'étais d'accord, Bailey Redman. »

Bailey ravala sa peur.

« Allez vous faire foutre, espèce de malade. »

Digger lâcha un gros éclat de rire.

« Que j'aille me faire foutre ? *Moi ? C'*est marrant, mais je crois pas. »

Il se pencha jusqu'à ce que son visage soit à quelques centimètres de celui de Bailey. Quand il parla, elle sentit son haleine. On aurait dit qu'il avait une bête crevée coincée dans la gorge.

« Maintenant tu vas m'écouter, Bailey Redman. Il y a deux possibilités. La méthode dure, et la méthode très dure. Tu préfères la méthode dure, crois-moi. Tu veux pas – surtout pas – la méthode très dure. C'est à toi de décider si tu vas mourir ce soir... si tu vas mourir ce soir ici dans cette cuisine. Plus je m'amuserai, plus tes chances seront grandes. Tu me comprends ? »

Bailey resta immobile, elle ne bougea pas un seul muscle.

Il la gifla soudainement, d'un violent revers de la main, et elle se retrouva par terre avant de ressentir la moindre douleur.

Il la fit se relever une fois de plus, le pistolet dans sa main gauche, la droite autour de sa gorge, et la fit se rasseoir.

« Tu me comprends ? » répéta-t-il d'une voix sifflante.

Il la tenait par le cou et la fit hocher la tête de force.

« Bien, dit-il. Je suis vraiment ravi qu'on se comprenne. »

Il la lâcha. Elle haleta, se retenant au bord de la chaise pour ne pas retomber par terre.

« Bon, commençons par le commencement, chérie… désape-toi. »

# 70

L'appel arriva à l'hôtel de Las Cruces quelques minutes après vingt-deux heures. À vingt-deux heures quinze, Ronald Koenig et Garth Nixon étaient en voiture. Koenig avait demandé à la réception le numéro de la chambre de Cassidy. Ils l'avaient appelé depuis le hall, mais personne n'avait décroché. Nixon était monté cogner à la porte au cas où Cassidy serait déjà en train de dormir. Encore une fois, pas de réponse. Ils avaient donc laissé un mot à la réception pour l'informer qu'ils étaient partis à Van Horn, une ville située à environ deux cent trente kilomètres.

Clarence Luckman avait été abattu. C'était tout ce qu'ils savaient. Ils l'avaient précisé dans leur mot pour que Cassidy comprenne qu'il devait se mettre en route sans tarder. Il avait voulu être là jusqu'au bout, et il semblait que le bout était à Van Horn.

Après avoir mangé un steak à la périphérie de Las Cruces, Cassidy regagna l'hôtel à vingt-deux heures cinquante et une. Le réceptionniste de nuit lui donna le mot à vingt-deux heures cinquante-quatre. À vingt-trois heures dix, il était dans sa voiture et avait atteint le bout de la rue. Lorsqu'il atteignit la

I-10, il faisait du cent quarante à l'heure mais avait toujours une bonne demi-heure de retard sur Koenig et Nixon. Il voulait atteindre Van Horn d'ici une heure et demie. Tout ce qui comptait désormais, c'était Clarence Luckman, et à en croire le shérif de Van Horn, il se trouvait là-bas, et il s'était fait tirer dessus.

Au même moment, Sam Munro, inquiet de ne pas avoir de nouvelles de sa fille ni de son amie à Monahans, retournait au garage et allumait toutes les lumières. Il avait fouillé la maison à la recherche du moindre signe indiquant que Candace était partie. Chemise de nuit manquante, maquillage, d'autres choses qu'elle emportait toujours avec elle. Mais tout était là, du moins pour autant qu'il pût en juger. Il n'avait pas le numéro de téléphone de son amie à Monahans. Il connaissait seulement son prénom. Charlene. Charlene quoi ? Pas la moindre idée. Il retournait donc au garage pour voir si quelque chose lui avait échappé. Quelques mots griffonnés sur un bout de papier. Une note sur l'une des pages de son carnet de reçus. Il chercha, mais ne trouva rien. Il ne trouva rien parce qu'il n'y avait rien. Il en était désormais certain, et commença à s'inquiéter. Il songea à aller frapper à quelques portes des alentours. Certes, il était tard, trop tard pour embêter les voisins, mais il s'agissait de Candace. Tout le monde la connaissait dans le coin. Ils la voyaient quasiment chaque jour. Si quelqu'un avait remarqué quoi que ce soit d'anormal, il aurait été prévenu immédiatement. Il savait donc qu'il ne lui était rien arrivé. C'était impossible. Elle allait bien. Il devait y avoir une explication. Elle était à Monahans avec Charlene et avait été trop occupée pour appeler son père. Une histoire de garçon, à coup sûr. Toujours la même chose. La cause de tout ça serait un garçon, et plus que probablement un bon à rien. Voilà pourquoi elle n'avait pas donné signe de vie.

Conscient qu'il cherchait simplement à se persuader que tout allait bien, Sam Munro décida d'aller frapper à quelques portes, et ce n'est qu'à la quatrième ou cinquième, alors qu'il était déjà près de vingt-deux heures quarante-cinq, qu'il parla à quelqu'un qui l'avait vue pendant la journée. Il s'agissait de Dan Caldwell, un instituteur à la retraite qui possédait un break Chevrolet trop gros pour l'utilité qu'il en avait, et toujours en panne.

« Je l'ai vue avant que Morton vienne, expliqua Caldwell à Sam Munro. Morton Randall, oui. Il est passé dans la journée. J'ai vu Candace avant, mais je ne l'ai pas revue après. J'ai remarqué que les portes du garage étaient fermées, c'est tout. Elles n'ont pas été ouvertes de l'après-midi pour autant que je sache, alors je ne sais pas ce qu'elle faisait.

— Mais vous êtes sûr que Morton est venu ici ?

— Eh bien, j'ai vu son pick-up, ou un pick-up similaire. Je me suis dit que ça devait être Morton. Il n'est pas resté longtemps. Candace était assise devant le garage, en train de lire un magazine ou quelque chose, mais après le départ de Morton, je ne l'ai pas revue. »

Munro songea que cette histoire de portes fermées était logique. Candace avait du mal à les ouvrir seule, et si elle pouvait les laisser fermées, elle le faisait. Elles n'avaient besoin d'être ouvertes que quand une voiture allait à la fosse d'inspection. Sinon, toutes les réparations étaient effectuées dans la cour.

Munro remercia Caldwell et repartit. Il resta un moment assis dans sa voiture à essayer de trouver une explication à la disparition de sa fille, puis il démarra et prit la direction de la I-10. La maison de Randall était à quoi, une petite vingtaine de kilomètres ? Même s'il n'était pas sûr que Randall puisse lui être de la moindre utilité, il devait en avoir le cœur net.

Sam Munro se retrouva donc sur la même route que Koenig, Nixon et Cassidy, persuadé que sa visite chez Morton Randall ne donnerait rien. Contrairement aux policiers, il respecta la limitation de vitesse, et arriva à destination au bout d'un quart d'heure. Il y avait de la lumière au rez-de-chaussée. Il attendit une dizaine de minutes au bord de la route, jusqu'au moment où il fut certain qu'il ne trouverait pas le repos tant qu'il n'aurait pas parlé à Randall. Il était tard – près de vingt-trois heures trente –, mais il y avait de la lumière dans la maison, et si Randall lui ressemblait un tant soit peu, alors pour lui aussi la nuit serait longue.

Munro redémarra, prit sur la gauche, et longea la longue allée qui menait à la maison avec une sensation étrange dans le bas du ventre.

# 71

« Je dois te prévenir que des agents fédéraux sont en route, déclara Everhardt, et si tu crois être dans le pétrin… eh bien, gamin, autant te dire que c'est le bout du chemin pour toi. »

Clay Luckman regarda Everhardt avec une expression vague. Il ressentait tout et rien à la fois. Il pensait être arrivé en enfer. Il gisait sur le sol de la cellule, le haut de son bras saignait, il avait un trou au niveau de la taille, la douleur allait et venait par vagues noires et écarlates, et il avait du mal à penser à autre chose qu'à la dernière fois qu'il avait vu Bailey Redman. La terreur dans ses yeux. Une terreur absolue.

« Les choses que tu as faites… eh bien, ça me dépasse. J'imagine même pas le genre de personne qu'il faut être pour faire ça… »

Clay ouvrit la bouche pour parler pour la quatrième ou cinquième fois, mais Everhardt leva de nouveau la main pour le réduire au silence.

« Je te l'ai déjà dit, et je te le répète. Pas la peine de me dire quoi que ce soit. Pour commencer, t'es pas censé dire un mot tant que le bureau du procureur d'El Paso t'aura pas envoyé un avocat commis d'office, et en plus j'ai aucune envie de t'entendre. Tu es ce que tu es, et je ne te comprendrai jamais… j'espère sincèrement que je ne te comprendrai jamais, et pour ce qui me concerne, tu as bien fait de venir ici, parce que maintenant je te tiens et tu iras nulle part, et quand les agents fédéraux arriveront, ce qui ne devrait pas tarder (Everhardt marqua une pause et jeta un coup d'œil à sa montre), disons d'ici une heure, ils t'emmèneront là où ils emmènent les gens comme toi et ils te colleront dans un cachot et tu ne verras plus la lumière du jour jusqu'à ton exécution. »

Everhardt se pencha en avant avec une mine grave.

« Tu comprends que c'est ce qui va se passer, gamin. Je suppose que oui, à moins que tu sois complètement fou ou plus con qu'une bourrique. Tu vas finir sur la chaise, ou au bout d'une corde, ou Dieu sait ce qu'ils font de nos jours…

— Mais… »

Everhardt fit taire Clay – une main derrière la nuque, l'autre sur la bouche –, et il se pencha en avant jusqu'à ce que leurs visages soient à une quinzaine de centimètres l'un de l'autre.

« Pas un mot. Pas un seul putain de mot de ta part. Tu es un sale détraqué, et si ça dépendait de moi, on résoudrait ça à l'ancienne, tu sais ? On te traînerait derrière le bâtiment et on te fouetterait, et après on te pendrait à l'arbre le plus proche, et ce serait réglé. Mais on prendrait notre temps, tu t'en doutes. On apporterait quelques bières et on organiserait une petite fête, et on te tuerait à petit feu. Mais la justice est la justice, et la justice fait loi ici. Les agents fédéraux vont t'emmener, et une fois que tu seras parti d'ici, tu ne seras plus de mon ressort. »

Everhardt le lâcha. Il se releva et recula, marqua une pause avant d'ouvrir la porte de la cellule.

« La fille… Bai… » bredouilla Clay en tentant de se lever.

Everhardt le gifla d'un revers de la main droite. Les jointures de ses doigts atteignirent la pommette de Clay, qui retomba comme une pierre.

« Gamin, tu fermes ta gueule, tu m'entends ! La seule fille que tu es susceptible de voir, ce sera ta mère quand elle viendra identifier ton corps. »

Clay était trop mal en point pour comprendre ce qu'Everhardt disait. Il était étendu en chien de fusil, se protégeant la tête avec les mains. Il savait que ce qui venait de se passer, ce qui se passait en ce moment même, était une preuve supplémentaire que sa mauvaise étoile l'avait suivi depuis Hesperia, depuis Barstow, peut-être même depuis l'appartement miteux dans lequel sa mère était morte sans qu'il s'en rende compte.

La porte s'ouvrit. Elle se referma en claquant.

« Maintenant, on va attendre que les fédés arrivent histoire de régler cette histoire une bonne fois pour toutes. Remarque que je suis pas pressé, comme tu peux l'imaginer. Ça me dérange pas de te voir par terre en train de souffrir. Mais ce que je veux pas, c'est que tu nous crèves entre les pattes avant que justice ne soit rendue. C'est tout, gamin, alors va pas te faire des idées en croyant que j'ai quoi que ce soit à foutre de toi. »

Clay comprenait à peine ce qu'il disait. Il posa la tête sur les dalles froides, et n'entendit bientôt plus que le bruit des bottes du shérif qui s'éloignait.

## 72

### Neuvième jour

Quelques minutes avant minuit, juste avant que le vendredi 27 ne devienne le samedi 28, John Cassidy arriva dans la petite ville texane de Van Horn. Il avait une bonne demi-heure de retard sur Koenig et Nixon, et comme il s'arrêtait devant le commissariat, un jeune agent en uniforme lui indiqua de se garer de l'autre côté du bâtiment.

Lorsqu'il descendit de voiture, l'homme lui demanda de s'identifier. Quand il donna son nom et précisa qu'il était avec Koenig et Nixon, le jeune agent secoua la tête et regarda la rue.

« Ils l'ont déjà emmené, dit-il.

— Ils ont emmené Luckman ?

— Pour sûr. Ils l'ont embarqué, balancé dans leur voiture et sont repartis par là. »

Il désigna la direction d'un geste de la tête.

« J'ai entendu dire qu'il s'était fait tirer dessus, dit Cassidy.

— Deux fois, pour autant que je sache.

— Par vous ?

— Non. Moi, je n'ai tiré qu'une fois.

— Alors qui d'autre lui a tiré dessus ?

— Allez savoir. Quand il a débarqué ici il saignait déjà.

— Et ils l'ont emmené… les deux agents du FBI ? Ils l'ont emmené dans leur voiture ?

— Pour sûr. Avec le shérif Everhardt, ils sont partis par là. »

Cassidy remonta dans sa voiture et mit le contact. Il savait ce qui allait se passer. Il savait qu'il arrivait trop tard. Son cœur cognait dans sa poitrine, ses mains étaient moites. Il voyait déjà le visage d'Alice quand il lui expliquerait qu'il les avait manqués. Qu'il était allé dîner et était rentré une demi-heure trop tard, qu'il s'était rendu à Van Horn aussi vite que possible, mais que ça n'avait servi à rien. Il espérait s'être trompé. Il espérait qu'Alice et lui s'étaient trompés. Que Clarence Luckman était bien le coupable – un jeune homme qui avait été enlevé à Hesperia et qui était devenu un monstre encore pire que son ravisseur ; un jeune homme responsable des meurtres de Laurette Tannahill, de Marlon Juneau, de la famille Eckhart, de Rita McGovern et de Dieu sait qui d'autre. Il pourrait accepter une erreur de jugement de sa part beaucoup plus facilement que la mort d'un innocent.

Cassidy enfonça l'accélérateur et démarra en dérapant sur le gravier.

Il laissa l'agent Freeman Summers planté devant le commissariat avec un sourire sur le visage et un sentiment de fierté dans son cœur. Après tout, n'était-il pas – lui, Freeman Summers – l'homme qui avait abattu Clarence Luckman, le pire assassin qu'on ait jamais connu ? Bien sûr que si.

Il les trouva à peine trois kilomètres plus loin. Le faisceau de ses phares éclaira la scène d'une lumière crue, et il comprit aussitôt ce qui se passait.

Ils étaient quatre – le shérif Everhardt, Koenig, Nixon, et devant eux, penché sur le côté, Clarence Luckman. Son bras, la jambe de son pantalon et la partie inférieure de sa veste étaient trempés de sang. Il se déportait en titubant sur le côté, et lorsque la voiture de Cassidy approcha il tenta de lever la main pour se protéger de la lumière éblouissante des phares.

Koenig se précipita vers la voiture tandis que Cassidy s'arrêtait dans un dérapage.

Koenig ouvrit brusquement la portière. Son visage était couvert de sueur. Ses joues étaient rouges, ses yeux étincelaient d'un éclat féroce et accusateur.

« Foutez le camp ! hurla-t-il. Ça ne vous regarde plus. Foutez le camp d'ici, Cassidy !

— Non, répondit Cassidy. Vous ne ferez pas ça. Vous n'avez pas le *droit* de faire ça. C'est ce qu'on vous a ordonné de faire ? De tuer ce garçon de sang-froid sur une putain de route ? »

Cassidy passa devant Koenig en le bousculant et marcha vers Nixon, qui se tenait immobile, une cigarette à la main. Le shérif tenait un pistolet, et il était fermement braqué sur Luckman.

« Obéissez ! cria Nixon. Foutez le camp ! Ça ne vous regarde plus. »

Cassidy sentit la rage lui brûler la poitrine.

« Qu'est-ce que vous me chantez ? Ça ne me regarde pas ? Vous allez laisser cet homme l'assassiner ? Vous allez laisser faire ça ? »

Nixon regarda Koenig. Koenig regarda Luckman.

Luckman les regardait tous les quatre, ses yeux écarquillés virant au blanc de temps à autre. Il vacillait sur ses pieds, agrippait son flanc, avait la bouche béante. Il fit un pas hésitant et tomba à genoux.

Cassidy se rua vers lui et se planta devant Luckman.

« Écartez-vous ! ordonna Nixon. Putain de merde, écartez-vous !

— C'est fini, ajouta Koenig. Fini, Cassidy ! Ça s'achève ici ! Il va mourir pour ce qu'il a fait. Il ne va pas en prison. Il ne va pas plaider la folie et s'en tirer avec trois années chez les dingues. Pensez aux personnes qu'il a tuées ! Pensez à ce qu'il leur a fait ! »

Cassidy recula. Il s'agenouilla à côté de Luckman et lui passa les bras autour des épaules pour l'aider à se relever.

Luckman le regarda. Il avait du sang sur la bouche, son regard était vague, ses cheveux collés à son visage.

Un râle s'échappa de ses lèvres, et il grimaça de douleur tandis qu'il était secoué par un haut-le-cœur. Il agrippa son flanc encore plus fort et gémit une fois de plus.

Nixon s'approcha, Koenig également. Ils se tinrent au-dessus de Cassidy et Luckman, avec une expression de rage et de haine.

Luckman ouvrit la bouche, peut-être pour essayer de parler, mais Cassidy l'interrompit.

« Pas un mot, fiston. Pas un mot tant que tu n'auras pas répondu à une question. »

Clay Luckman – le visage maculé de sang, une expression d'incrédulité et d'horreur dans les yeux – attendit la question.

« Dis-moi la vérité, fiston, poursuivit Cassidy. Dis-moi la vérité, et ne songe pas à nous mentir ou à nous induire en erreur. Tu n'as aucune idée du merdier dans lequel tu es. Tu n'as absolument aucune idée de ce qui va t'arriver si tu nous mens. Tu me comprends ? »

Clay acquiesça lentement, gravement.

« Alors dis-moi…

— Mon fr-fr-frère… haleta Clarence.

— Ton frère ? » demanda Cassidy.

Il leva les yeux vers Nixon et Koenig.

« Ton frère quoi ?

— M-mon fr-frère… il a enlevé… enlevé Bail…

— Bailey ? fit Cassidy. Elliott Danziger a enlevé Bailey ? »

Clarence Luckman acquiesça. Une seule fois, puis ses yeux se révulsèrent et il tomba inerte entre les bras de Cassidy.

Cassidy ressentit une montée d'adrénaline telle qu'il n'en avait jamais connu jusqu'alors. Il se releva péniblement avec le poids mort de Clarence Luckman entre les bras.

« C'est la fille ? demanda Nixon. C'est la fille dont vous parliez ?

— Bailey Jacobs, répondit-il. Il dit que son frère a enlevé Bailey Jacobs. »

Il y eut un moment de silence, puis Nixon fit un pas en avant pour l'aider.

« Mettez-le à l'arrière de la voiture du shérif », ordonna l'agent du FBI avant de se tourner vers Cassidy. Dans la lumière crue des phares, Cassidy vit l'angoisse sur son visage blême. « Pas un mot, dit Nixon. Pas un mot, compris ? »

## 73

Digger aperçut la lumière des phares par la fenêtre alors que Sam Munro n'avait pas parcouru la moitié du chemin depuis la route.

« Putain ! Merde ! Fait chier ! » s'écria-t-il.

La fille n'avait même pas ôté tous ses vêtements, et voilà qu'un connard importun débarquait.

« Nom de Dieu », fit-il.

Il attrapa Bailey par le bras et l'entraîna à la hâte de la cuisine à l'escalier.

Une fois dans la chambre de Morton Randall, il poussa Bailey sur le matelas et saisit un oreiller. Elle resta une seconde immobile, ouvrant de grands yeux, puis comprit ce qu'il s'apprêtait à faire.

« Non ! » hurla-t-elle, et elle essaya de se relever.

Digger agrippa son pied et la retint. Il la frappa avec la crosse du revolver, lui portant un coup oblique en travers du visage qui l'étourdit momentanément.

Mais c'était tout ce dont il avait besoin. Il attrapa un oreiller dans sa main gauche, enfonça le canon de son arme dedans, et appuya sur la détente.

Le bruit fut plus doux qu'il ne l'aurait imaginé. Il s'était préparé à une déflagration, mais on aurait simplement dit une bouteille tombant par terre.

Elle était désormais immobile. Parfaitement immobile.

« Tu vois, dit-il. Essaie de t'enfuir maintenant, petite salope. »

Il lâcha l'oreiller, quitta la chambre et se précipita au rez-de-chaussée pour s'occuper de la personne qui venait l'emmerder.

Lorsqu'il ouvrit la porte et découvrit Sam Munro, il eut un moment d'hésitation. Son visage lui semblait familier. S'il avait vu Sam Munro à côté de sa fille il aurait précisément compris pourquoi il éprouvait ce sentiment de déjà-vu, mais sur le coup ça n'avait aucune importance.

« Oh, euh, bonsoir… heu, je… je cherchais M. Randall. Est-ce qu'il est là ? »

Digger fit son plus beau sourire.

« Bien sûr. Il est à l'intérieur. Vous êtes ?

— Oh oui, mon nom est Sam Munro, et je me demandais si M. Randall avait vu ma fille hier. »

Digger fronça les sourcils.

« Votre fille ?

— Oui, ma fille. Candace Munro.

— Oui, oui, oui… Candace », fit-il.

Il comprit alors qu'il allait devoir liquider ce fils de pute le plus vite possible.

« Entrez, monsieur Munro. Je vais chercher M. Randall… Il est à l'arrière. Au fait, moi, c'est Elliott, ajouta-t-il. Je suis le neveu de M. Randall.

— Oh, d'accord. Je ne savais pas qu'il avait un neveu.

— Oh, si, monsieur Munro, il en a plusieurs. C'est juste que nous ne venons pas le voir très souvent.

— Eh bien, ravi de vous rencontrer, Elliott », dit Munro en tendant la main.

Digger la serra, puis s'écarta pour laisser entrer Sam Munro.

Il le mena à la cuisine, et c'est là – sur la chaise même où Bailey avait été assise quelques minutes plus tôt – que Munro attendit pendant qu'Elliott allait chercher Morton Randall.

Comme il tournait le dos à la porte, il perdit Elliott Danziger de vue. Il ne pensait à rien, jusqu'à ce qu'une sensation étrange s'empare de lui. Puis une douleur intense lui traversa l'épaule. Il leva la main et découvrit le manche d'un couteau de cuisine planté en haut de son bras. En voyant l'expression de totale incrédulité sur son visage, Digger se figea. Il avait compté retirer le couteau et le lui planter dans le cou, mais il ne put se retenir d'éclater de rire.

La scène était surréaliste. Sam Munro, assis dans la cuisine de Morton Randall, à la recherche de sa fille, et le neveu de Randall, cet Elliott, qui lui plantait un couteau dans le bras et qui rigolait désormais comme une hyène.

Munro tenta de se lever. Il se sentit mal. Il perdit l'équilibre, retomba lourdement sur sa chaise.

Digger était toujours hilare.

Munro essaya de nouveau de se lever, y parvint cette fois.

Digger fit un pas en avant et le poussa.

Munro bascula sur le côté et heurta la gazinière. Il s'appuya dessus pour ne pas tomber, et ses doigts rencontrèrent le bord d'un plat en verre. Il le saisit.

Quand Digger s'approcha de nouveau, Munro le frappa violemment avec le plat et l'atteignit à la tempe. Du porc aux haricots froid se répandit par terre. Digger s'effondra comme une pierre.

Malgré son bras qui lui faisait un mal de chien, Munro marcha jusqu'à la porte de derrière, l'ouvrit, et descendit les marches en titubant. Il savait qu'arracher le couteau n'était pas une bonne idée. La blessure ne saignait pas abondamment, mais le couteau avait pu sectionner des veines ou une artère, et l'ôter augmenterait sérieusement les risques d'hémorragie. Il commençait déjà à ne plus sentir ses doigts ni sa main. Pourtant, il devait conduire. Il devait atteindre sa voiture et retourner à Van Horn.

Il ne songea pas sur le coup que ce qui venait de lui arriver pouvait être lié à l'apparente disparition de sa fille. Il n'avait aucune raison d'envisager un tel scénario.

Tout ce qu'il savait, c'était qu'il devait trouver Kelt Everhardt. Il devait le trouver pour lui dire qu'il avait un couteau de cuisine planté dans le bras, et l'avertir qu'il y avait un cinglé chez Morton Randall.

## 74

« Il est quelque part dans les parages, je vous le dis, répéta Cassidy pour ce qui lui sembla la centième fois.

— J'apprécie votre opinion, inspecteur Cassidy, répondit Koenig. Je l'apprécie vraiment, mais pour le moment nous avons ce que nous avons. Clarence Luckman est le suspect. Le shérif Everhardt va l'emmener à l'hôpital, et dès qu'ils auront soigné ses principales blessures, dès qu'il sera hors de danger, il sera arrêté. S'il s'en sort, il sera inculpé. Nous l'inculperons, puis nous l'interrogerons. C'est comme ça que ça se passe, et nous n'avons aucune raison de faire les choses différemment…

— Et vous n'avez aucune véritable raison de l'inculper hormis des présomptions… Bon sang, pour autant que je sache, vous n'avez aucune preuve. Mais si vous en avez que j'ignore, alors je vous suggère de me les donner et j'irai moi-même remplir la foutue paperasse.

— Écoutez, fit Koenig. Je… *nous* vous remercions sincèrement pour votre aide, Cassidy, mais vous devez vous aussi comprendre à quoi nous avons affaire. Il s'agit de crimes passibles de la peine capitale. Une vague de meurtres telle que les autorités fédérales n'en ont jamais connu… Bon Dieu, je n'ai même pas le souvenir d'une affaire qui s'en rapprocherait. Un vice de procédure, une connerie, un manquement à la loi, et nous le perdons. Nous devons obtenir une confession, une confession impartiale, et nous devons faire venir un avocat commis d'office, nous n'avons pas de temps à perdre…

— Mais…

— Il n'y a pas de mais, inspecteur. Ça *doit* se passer ainsi, et si nous apprenons au cours de l'interrogatoire qu'Elliott Danziger est toujours en vie, et que c'est lui l'auteur de ces crimes, alors, évidemment, Clarence Luckman sera relâché.

— S'il ne meurt pas de ses blessures…

— Un agent de police a agi avec bravoure, répliqua Koenig. Il a fait son devoir. Il était autorisé à utiliser la force pour appréhender le criminel.

— Mais nous ne savons même pas si c'est un criminel ! Bon sang, ne voyez-vous pas ce que vous avez sous le nez ? Il l'a dit lui-même. Son frère est ici, pour l'amour de Dieu. Il l'a dit ! Il a dit que son frère avait enlevé Bailey Jacobs…

— C'est lui qui le dit. *Lui.* Clarence Luckman. Mais pour le moment, Clarence Luckman est notre suspect, inspecteur Cassidy, et j'apprécierais que vous vous effaciez et nous laissiez faire notre travail. Le fait que son frère ait ou non enlevé cette fille ne change rien au fait que Luckman est un assassin…

— Vous allez tout foutre en l'air, déclara Cassidy. Danziger est dans le coin. J'en ai la certitude. Si nous gaspillons du temps maintenant au lieu de le chercher, nous le perdrons. Il pourrait atteindre le Mexique en deux heures, et alors nous serons baisés.

— Les indices que vous avez prouvant que Danziger est dans les parages, que c'est lui qui a commis ces crimes, sont aussi ténus que ceux qui impliquent Luckman.

— Mais regardez-le ! Regardez ce garçon ! Vous l'avez vu. Vous me dites que c'est lui qui a agressé Deidre Parselle ? Vous le croyez vraiment capable de donner autant de coups de couteau à une fille ? De la massacrer ainsi ?

— Votre Danziger est lui aussi un adolescent, inspecteur Cassidy, rétorqua Koenig. Tout ce que nous avons pour le moment, c'est Clarence Luckman. Il est en fuite depuis une semaine. Nous le tenons désormais, grâce au shérif Everhardt. Maintenant nous allons faire venir quelqu'un du bureau du procureur à El Paso. Ce garçon doit avoir un avocat avant que nous ne lui arrachions le moindre mot, et alors, seulement alors, nous découvrirons ce qui s'est vraiment passé.

— Putain, je le crois pas.

— Inspecteur Cassidy, sérieusement… » commença Koenig.

Mais il fut interrompu par l'apparition de Freeman Summers à la porte du bureau d'Everhardt.

« Monsieur Koenig ? demanda Summers.

— Pas maintenant, Summers. Je suis occupé.

— Mais, monsieur… ? »

Koenig se retourna.

« Écoutez, agent Summers, j'ai des choses importantes à faire, comme vous pouvez le voir…

— Monsieur, je suis désolé, mais Sam Munro est ici. Il a absolument besoin de voir quelqu'un, et le shérif Everhardt n'est pas là.

— Bon sang, Summers, vous pouvez vous en charger !

— Non, monsieur, je crois que vous feriez bien de lui parler. Il a un couteau de cuisine planté dans l'épaule, et il dit qu'il y a un jeune cinglé chez Morton Randall… »

Koenig ouvrit de grands yeux.

« Oh, et autre chose… il dit que sa fille a disparu. »

# 75

Digger était fou de rage. Il y avait tellement de sang sur la fille à l'étage qu'il ne pouvait pas la baiser. Même pour lui, il y en avait trop. Sans compter qu'il ne pigeait pas comment le père de la fille morte dans la remise… enfin merde, *comment* avait-il su qu'elle était ici ? Il retourna cette question dans sa tête pendant une minute, puis il comprit. Ça ne pouvait signifier qu'une chose : quelqu'un avait vu le pick-up de Randall devant le garage où il avait enlevé Candace. Merde. *Merde !*

Qu'est-ce qu'il allait faire maintenant ? Se planquer dans la maison ? Certainement pas. Prendre la route dans le pick-up de Randall ? Pas une bonne option. Les flics sauraient quel véhicule il conduirait, et ils le pinceraient en un rien de temps. Que ferait Earl ? Il prendrait un otage. C'est ce qu'il avait fait à Hesperia, et c'est ce qu'il ferait maintenant. Oh, si seulement Earl était là ! S'il était là, il ne serait pas dans cette situation. Mais ces enfoirés s'étaient sentis obligés de le descendre. Bon Dieu, ça le foutait hors de lui !

Digger prit le 45 et le reste des munitions. Il songea à emporter les autres armes, mais il ne voulait pas être trop chargé, surtout s'il foutait le camp à pied. Car c'était ça, sa seule option. Aller le plus loin possible et trouver une autre voiture. Bon sang, il pouvait se faire prendre en stop un peu plus loin sur la route, descendre le conducteur, et piquer sa bagnole. Et alors il se tirerait d'ici, peut-être direction le Mexique, où ces enfoirés ne pourraient même pas le toucher s'ils venaient frapper à sa porte. Aussi sûr qu'il s'appelait Digger, c'était ce qu'il allait faire.

Il passa quelques minutes à rassembler des affaires. Randall faisait à peu près la même taille que lui, peut-être quelques centimètres de plus en hauteur et en épaisseur, mais ça irait. Un pantalon, une chemise, deux tee-shirts, une paire de chaussures de rechange. Il fourra le tout dans un sac qu'il déposa dans l'entrée. Puis il marcha jusqu'au pick-up pour vérifier qu'il n'y avait rien dedans dont il aurait besoin.

De retour dans la maison, il récupéra son argent, sa veste, deux couteaux dans la cuisine, qu'il balança dans le sac dans l'entrée, et il fut prêt à partir.

C'est alors qu'une nouvelle lumière apparut. Devant la maison. Juste là, dans la cour. C'était comme s'il faisait jour de l'autre côté des fenêtres, et il ne pigeait pas ce qui se passait… On aurait dit qu'une putain de soucoupe volante s'était posée devant la maison de Morton Randall. Il entendit alors une voix, puissante, qui lui transperça la tête, et il comprit que les règles du jeu venaient de changer.

« Vous ! Vous, à l'intérieur ! La maison est cernée. Vous ne pouvez pas vous enfuir ! Sortez… Laissez vos armes et sortez les mains sur la tête !

— Merde ! s'écria Digger. Merde ! Merde ! Merde ! »

La fille. Il allait devoir se servir d'elle comme otage, s'arranger pour la tenir droite et leur faire croire qu'elle était toujours en vie. Il n'y avait plus d'autre solution. Earl avait réussi à le faire, et lui aussi pouvait y arriver. La salope à l'étage lui permettrait de se sortir de ce merdier.

# 76

Ils avaient effectué le trajet jusqu'à la maison de Randall à toute allure. Un convoi de trois voitures, puis bientôt quatre, cinq, six, à mesure que Nixon, Koenig, Cassidy et Summers étaient rejoints par une autre voiture de police et par deux civils volontaires appelés à la rescousse.

Cassidy savait que Bailey Jacobs était morte. Il en était persuadé. Il essayait de se convaincre qu'il se trompait, que l'ironie qui avait placé Bailey Jacobs sur le chemin d'Elliott Danziger n'avait pas pu se produire. Qu'aucun dieu ne pouvait être si cruel. Mais il savait que c'était ce qui était arrivé, comme si Clarence Luckman et Bailey Jacobs avaient attiré Elliott Danziger à eux. Comme si quelque étrange mauvaise étoile les avait suivis depuis Hesperia et les avait finalement rattrapés.

Il aurait voulu parler à Alice. Lui dire qu'il avait fait tout son possible. Il aurait voulu la prendre dans ses bras, laisser couler ses larmes, l'entendre dire qu'elle comprenait… même s'il savait qu'il y aurait toujours ce doute dans sa voix, cette interrogation, cette question silencieuse…

*Vraiment, John ? As-tu vraiment fait* tout *ce que tu pouvais pour la sauver ?*

« Oui ! s'écria-t-il à voix haute. Oui ! J'ai fait tout ce que je pouvais ! » et il écrasa l'accélérateur et fonça vers la maison de Morton Randall.

Nixon et Koenig ouvraient la voie, venait ensuite Cassidy, suivi par Summers, puis par les autres véhicules du convoi.

La voiture de Koenig ralentit soudain. Son clignotant gauche était allumé, et ils tournèrent. Au loin, Cassidy vit les lumières de la maison de Randall, apparemment la seule habitation à des kilomètres à la ronde… et il sut que c'était là, au milieu de nulle part, que ce cauchemar allait prendre fin. Il éprouvait du soulagement, de la peur, de la tristesse, mais une sorte de désenchantement le consumait aussi intérieurement tandis qu'il songeait à tout ce qui s'était passé, à tout ce qui aurait pu être fait mais ne l'avait pas été. Rien qu'une heure, une journée, rien qu'un indice ténu, et Bailey Jacobs aurait été sauvée.

Ils s'arrêtèrent, garant les véhicules en demi-cercle devant la maison. Koenig sortit, ordonna à l'agent dans la voiture de patrouille et aux deux volontaires de couvrir l'arrière du bâtiment. Les phares de tous les véhicules s'allumèrent, éclairant la scène comme en plein jour. C'était une lumière crue et froide, presque monochrome, et Cassidy sut que cette image – la maison isolée de Morton Randall à l'écart de la Route I-10 – resterait à jamais gravée dans sa mémoire. Les nuits où il ne trouverait pas le sommeil – les nuits où les cauchemars surviendraient inévitablement –, cette scène serait celle qui défilerait dans sa tête encore et encore et encore.

Une maison solitaire au milieu de nulle part. Une fille morte. Un sentiment de culpabilité.

Nixon prit un porte-voix et parla d'un ton autoritaire.

Mais Cassidy n'avait qu'une seule envie : se frayer un chemin à travers les hommes et pénétrer dans la maison. Il voulait la voir. Il voulait voir ce qu'Elliott Danziger lui avait fait. Il voulait voir le cadavre de Bailey Jacobs et commencer à accepter la douleur.

## 77

Digger était en haut de l'escalier. Il était furieux. Assez furieux pour exploser.

« Putain, t'es où ? hurla-t-il. Hé, tu vas pas m'échapper, salope ! »

Il retourna dans la chambre. Il y avait le lit, le matelas, une extraordinaire quantité de sang sur les draps… mais il n'y avait *pas* de fille !

Il regarda à deux fois. Il se frotta même les yeux tel un personnage de dessin animé incrédule. Où s'était-elle barrée ? Comment avait-elle pu bouger ? Elle était morte ! Morte ! Il avait vu le sang. Il avait entendu le revolver. Il avait lui-même appuyé sur la détente ! Putain de salope de merde ! Qu'est-ce que c'était que ce bordel ?

C'était bien la bonne chambre. Il ne l'avait pas déplacée. Il y avait du sang. C'était bien le lit sur lequel il l'avait poussée avant de saisir l'oreiller. Et ce foutu oreiller était là, par terre, avec un putain de trou à travers.

*Merde ! Merde ! Merde !*

Digger serra le 45 encore plus fort.

La salle de bains ! Elle se planquait dans la salle de bains !

Il recula d'un pas, se retourna silencieusement, et, sur la pointe des pieds, marcha doucement jusqu'à la porte. Elle était entrouverte d'une quinzaine de centimètres. Il la poussa du bout des doigts, espérant qu'elle ne grincerait pas. La baignoire. Le rideau de douche. Elle était dans la putain de baignoire, planquée derrière le rideau de douche !

Digger sourit. Il serra fermement le revolver. Il pouvait s'approcher lentement de l'extrémité de la baignoire où se trouvait le robinet, repousser le rideau de la main gauche, et elle serait là. Salope ! Cette salope allait crever cette fois, aucun doute là-dessus ! Mais d'abord elle l'aiderait à foutre le camp d'ici. C'était mieux comme ça ; peut-être que la chance était de son côté. Vivante, elle faisait un bien meilleur otage.

Il entendit de nouveau le porte-voix à l'extérieur, n'y prêta aucune attention. Il avait besoin de la fille. Il devait la traîner dehors, morte ou vive – préférablement en sang, se débattant et hurlant à pleins poumons, comme ça ils lui donneraient une voiture, ils le laisseraient se tirer d'ici, et ce serait la dernière fois qu'on le verrait dans ce trou à rat ou au Texas. Bye-bye. Libre comme le vent !

Il était désormais tout près de la baignoire. Il tendit le bras lentement, prudemment, timidement, et attrapa le rideau de douche.

Il n'avait qu'à écarter le rideau d'un coup, et elle serait là – dans toute sa gloire –, et il aurait son aller simple pour la liberté.

*Un-deux-trois*. Il tira violemment, et se retrouva face à la porcelaine jaunâtre de la baignoire de Morton Randall… et pas de fille !

« Merde ! » jura-t-il à voix haute.

Le porte-voix retentit de nouveau.

« Enfoirés ! » s'écria-t-il.

OK. Ça suffisait comme ça ! Il allait sortir par la porte de devant et descendre ces fils de pute dans la cour. Il les buterait comme des chiens, exactement comme ils avaient buté Earl Sheridan. Œil pour œil, dent pour dent.

Il se retourna alors, tenant le pistolet dans sa main, et leva les yeux.

Et il la vit.

Juste devant lui.

Il ouvrit la bouche. Il sourit.

Elle était restée tout ce temps cachée derrière la porte.

Elliott Danziger continua de sourire, se vit fonçant vers le Mexique, franchissant tranquillement la frontière, la *cerveza*, les jolies filles, les…

Il souriait encore lorsque Bailey Redman lui montra la paire de ciseaux qu'elle serrait dans son poing et la lui planta soudain dans l'œil droit.

« Va te faire foutre ! » lança-t-elle d'un air de défi.

Il la regarda de son œil valide, continuant de sourire tandis que son doigt se crispait involontairement sur la détente du 45, vidant le chargeur…

En entendant les coups de feu, Koenig lâcha le porte-voix. Il se mit à courir, incroyablement vite pour un homme de sa taille, puis il gravit les marches et franchit tel un cheval sauvage la porte de la maison isolée de Morton Randall.

La porte s'arracha de ses gonds, et Nixon, Cassidy et les autres le suivirent aussi vite que leurs jambes le permettaient.

## 78

Il fallut une heure aux chirurgiens de l'hôpital général d'El Paso pour extraire la balle de 45 de la cuisse de Bailey Redman. Quand Digger lui avait tiré dessus, quand il s'était penché au-dessus d'elle avec l'oreiller dans sa main gauche et son arme dans la droite… quand il avait visé sa poitrine, elle avait instinctivement levé la jambe gauche pour le repousser. La balle s'était logée dans le fémur.

Pendant ce temps, l'inspecteur John Cassidy était assis près d'un lit, dans une chambre trois portes plus loin. Dans ce lit se trouvait Clarence Luckman, inconscient. Lui aussi avait été opéré pour soigner la blessure superficielle à son bras, et celle plus sérieuse à son ventre, la balle ayant transpercé le côté de son abdomen. Bien qu'il fût endormi, bien qu'on lui eût administré une dose de sédatifs qui aurait assommé un cheval, il était menotté au cadre du lit.

Nixon et Koenig avaient découvert Morton Randall. Ainsi que Candace Munro. Sam Munro était lui aussi à l'hôpital. Le couteau avait été extrait de son bras, on l'avait recousu, puis il avait fallu l'informer que sa fille était morte. Il avait lui aussi reçu une dose de sédatifs, et maintenant il dormait – s'imaginant peut-être, comme l'aurait fait Cassidy, que tout cela n'était qu'un cauchemar. Le soulagement qu'il éprouverait en se réveillant ne durerait que jusqu'au moment où il prendrait conscience de l'endroit où il se trouvait. Alors il retrouverait ses repères, et tout lui reviendrait soudain. Le cauchemar pour Sam Munro était bien réel. Aussi réel qu'il l'avait été pour les Eckhart, pour Laurette Tannahill, pour Marlon Juneau, qui avait eu la tête pulvérisée au bord de la route simplement parce qu'il avait eu la malchance de se trouver au mauvais endroit... Exactement comme les autres.

Et ces coups de feu. Ceux qu'ils avaient entendus dans la maison. Les balles avaient traversé le sol – l'une après l'autre – tandis qu'Elliott Danziger appuyait convulsivement sur la détente en réaction à l'anéantissement de son système nerveux. Les ciseaux que Bailey tenait dans sa main avaient des lames d'une bonne quinzaine de centimètres. Elles avaient traversé l'œil de Digger et atteint le lobe frontal de son cerveau. Elliott Danziger était mort avant de toucher terre, même s'il avait sans doute eu le temps de voir le sourire sinistre de Bailey avant de tomber à genoux. C'était ce que Cassidy voulait croire. Il espérait que ça s'était passé ainsi. Et c'est ce qu'il dirait à Alice.

Plus tard, quand Clarence Luckman reprit connaissance, Cassidy lui expliqua où se trouvait Bailey Jacobs et lui raconta ce qui s'était passé. Il resterait menotté pour le moment, jusqu'à ce que tout ait été éclairci. Il passerait quelque temps à l'hôpital, et non, il ne pourrait pas voir Bailey. Pas encore. Elle s'en sortirait, tout comme lui, mais il y avait une procédure à suivre, et ils la suivraient.

« Bailey Redman, déclara Clay en regardant Cassidy avec de grands yeux terrifiés. Elle ne s'appelle pas Jacobs. Son nom est Bailey Redman. »

## 79

Elle boite désormais. Il est fort possible qu'elle boite pour le restant de ses jours. Ça ne la fatigue pas, et ça ne semble pas non plus la déranger. La blessure a bien cicatrisé, elle est comme le souvenir d'une autre vie.

Elle a seize ans et vit à Tucson. Elle habite chez John et Alice Cassidy et s'occupe de leur bébé. Le bébé s'appelle Evan, c'est un beau garçon qui a les cheveux sombres de son père et les yeux noisette de sa mère. Bailey pense que, quand il sera grand, il brisera un paquet de cœurs. C'est ce qu'elle croit, et sa conviction est grande.

Elle croit aussi qu'elle a une mauvaise étoile, et que Clay Luckman en a également une, mais qu'elles se sont mutuellement neutralisées. Sinon, comment expliquer qu'ils aient tous les deux survécu ? C'est ce qu'elle croit et, une fois encore, sa conviction est grande.

Quand ses cauchemars ont commencé à se faire plus rares, Cassidy lui a parlé d'Earl Sheridan et d'Elliott Danziger, de ce qu'ils avaient fait, du genre de personnes qu'ils étaient, et il lui a expliqué que son père – le vendeur de chaussures de Scottsdale – n'avait pas été le seul à mourir. Bailey a alors compris que la boucle était bouclée, qu'une justice étrange l'avait placée entre les mains d'Elliott Danziger, qu'elle avait été là pour venger son père. Puis elle s'est demandé où les autres personnes qui avaient perdu un être aimé trouveraient la justice. Peut-être l'avait-elle rendue en leur nom. Peut-être l'avait-elle canalisée. Peut-être avait-elle était choisie pour mettre un terme à cette histoire.

Elle en a parlé à Clay, qui l'a écoutée sans essayer d'expliquer quoi que ce soit. Il l'a écoutée, il l'a entendue, et c'était suffisant.

Ils n'en parlent plus désormais, même si parfois quand il la tient entre ses bras, quand il n'y a plus rien entre leurs deux cœurs que quelques centimètres de muscle, de peau, d'os et de sang, elle sent qu'il craint toujours sa mauvaise étoile. Mais elle se garde bien d'aborder la question. En parler à voix haute renforcerait cette mauvaise étoile, ce qu'elle refuse de faire. Dorénavant, ils n'en parleront plus, peut-être plus jamais, et l'étoile s'affaiblira de plus en plus, jusqu'à finalement disparaître et laisser Clay en paix.

Quant à Clay Luckman, il vit trois ou quatre rues plus loin. Il vient la chercher à pied et ils sortent, ils passent du temps ensemble, ils parlent de l'avenir. Eux aussi auront un enfant comme Evan Cassidy, et lui aussi brisera un paquet de cœurs. Et un jour, peut-être, ils iront à Eldorado, Texas, pour voir si quelque chose les y attend. Mais ils ne sont pas encore prêts et ça devra attendre.

Au fil des semaines, des témoins se sont présentés. Clark Regan. Betty Calthorpe, la serveuse de Las

Cruces qui avait trouvé étrange que deux gamins lui laissent un dollar de pourboire. Martin Dove, l'ingénieur en pompes hydrauliques qui les avait pris en stop sur la I-10 et conduits jusqu'à El Paso. Emanuel Smith, de Sierra Blanca. Dennis Hagen, l'homme qui les avait emmenés à Van Horn le dernier soir. Ronald Koenig et Garth Nixon ont même retrouvé George Buchanan, le cuisinier du drive-in. Les deux agents ont enregistré leurs dépositions à tous, dépositions qui placent Clay Luckman en différents endroits à différents moments, et ils ont compris qu'il ne pouvait pas être coupable des meurtres qui avaient eu lieu. Ils ont alors cherché à comprendre pourquoi Clarence Luckman, Bailey Redman et Elliott Danziger avaient suivi la même route, et pourquoi ils s'étaient retrouvés à Van Horn le même soir, mais il n'y avait aucune explication, du moins aucune explication rationnelle.

« Peut-être que l'étoile de mon frère était encore plus mauvaise que les nôtres, a dit un soir Clay à Bailey. Ou peut-être qu'il était dit qu'on se retrouverait. J'en sais rien. Peut-être que je ne veux pas savoir. Il est mort à Van Horn, et nous étions là quand c'est arrivé, c'est tout. »

Et il n'en a plus jamais reparlé.

« Quel que soit l'endroit du monde où tu te trouves, tu regardes toujours le même ciel », lui dit-elle.

Et lui répond :

« Et aussi les mêmes étoiles.

— Et le ciel et les étoiles nous voient.

— Évidemment qu'ils nous voient.

— Je t'aime Clay Luckman.

— Moi aussi, Bailey Redman. »

Il la serre dans ses bras, elle le serre dans ses bras, et le cercle se referme autour d'eux. C'est toujours la nuit quelque part dans le monde, et les étoiles ne dorment jamais.

REMERCIEMENTS

Ceci est le neuvième livre que je publie, et, comme toujours, il y a trop de personnes à mentionner. Celles à qui je rends hommage me disent sans cesse qu'elles n'ont rien fait pour mériter un quelconque remerciement, ce qui, nous le savons tous, est absolument faux. J'exprime donc ma sincère gratitude à mon éditeur, Jon, ainsi qu'à Jane Chandler, Susan Lamb, Juliet Ewers, Sophie Mitchell, Angela McMahon, Anthony Keats, Krystyna Kujawinska, Hannah Whitaker et toute l'équipe de chez Orion ; à mon agent Euan, à Charlie d'AM Heath, à Dominic et ses équipes chez WFHowes, à Amanda Ross et Gareth Jones chez Circus, à Judy Bobalik, à Jon et Ruth Jordan, à Ali Karim, à Mike Stotter, à tous ceux de Bouchercon, Thrillerfest et Harrogate. Vous savez qui vous êtes, et vous savez ce que vous avez fait.

Parmi la quantité d'éditeurs et d'organisateurs de festivals internationaux avec qui j'ai travaillé, je me dois de mentionner spécifiquement quelques personnes : Peter, Jack et Emer, Stephanie, et toute la magnifique équipe d'Overlook ; François, Léonore, Marie M., Arnaud, Xavier et Marie L. chez Sonatine Éditions ; Cécile, Sylvie et Carine du Livre de Poche ; Sophie et Fabienne de SoFab ; Fabrice Pointeau, Clément Baude, Christel Paris, Richard

Contin, Catherine Dô-Duc, Caroline Vallat, Marie-France Remond, Robert Boulerice, Linda Raymond et tous les libraires qui ont rendu si mémorables les tournées françaises et canadiennes. Je dois aussi remercier Kevin et Brendan en Australie, Gemma en Nouvelle-Zélande, Anik Lapointe et Laura Santaflorentina à Barcelone, ainsi que Seba Pezzani à Piacenza pour s'être si incroyablement bien occupée de tout.

À mon épouse et à mon fils, mes remerciements pour tout, et à Guy et Angela, pour leur aide et leurs encouragements.

Surtout, je vous remercie, cher lecteur, pour votre amitié et votre soutien permanents.

# R. J. Ellory
# dans Le Livre de Poche

*Les Anonymes* n° 32542

Washington. Quatre meurtres aux modes opératoires identiques. La marque d'un *serial killer* de toute évidence. Une enquête presque classique donc pour l'inspecteur Miller. Jusqu'au moment où il découvre qu'une des victimes vivait sous une fausse identité.

*Seul le silence* n° 31494

Joseph, 12 ans, découvre dans son village de Géorgie le corps d'une fillette assassinée. La première victime d'une longue série de crimes. Des années plus tard, les meurtres d'enfants recommencent… Joseph part à la recherche de ce tueur qui le hante.

*Vendetta*

n° 31952

La Nouvelle-Orléans, 2006. La fille du gouverneur de Louisiane est enlevée. Le kidnappeur, Ernesto Perez, se livre aux autorités mais demande à s'entretenir avec Ray Hartmann qui travaille dans une unité de lutte contre le crime organisé. Peu à peu, Perez va faire le récit de sa vie de tueur à gages au service de la mafia.

*Les Anges de New York*

n° 33095

Malgré l'avis de sa hiérarchie, Frank Parish, inspecteur au NYPD, s'entête à enquêter sur le meurtre d'une adolescente. Contraint de consulter une psychothérapeute après la mort de son partenaire, il lui livre l'histoire de son père, membre des Anges de New York, ces flics d'élite qui, dans les années 1980, ont nettoyé Manhattan de la pègre et des gangs.

*Du même auteur*
*chez Sonatine éditions :*

*Seul le silence,* 2008.
*Vendetta,* 2009.
*Les Anonymes,* 2010.
*Les Anges de New York,* 2012.

Le Livre de Poche s'engage pour l'environnement en réduisant l'empreinte carbone de ses livres. Celle de cet exemplaire est de :
550 g éq. $CO_2$
Rendez-vous sur www.livredepoche-durable.fr

Composition réalisée par Datamatics

Achevé d'imprimer en août 2014 en France par
CPI BRODARD ET TAUPIN
La Flèche (Sarthe)
N° d'impression : 3006429
Dépôt légal 1re publication : octobre 2014
LIBRAIRIE GÉNÉRALE FRANÇAISE
31, rue de Fleurus – 75278 Paris Cedex 06

31/7607/0